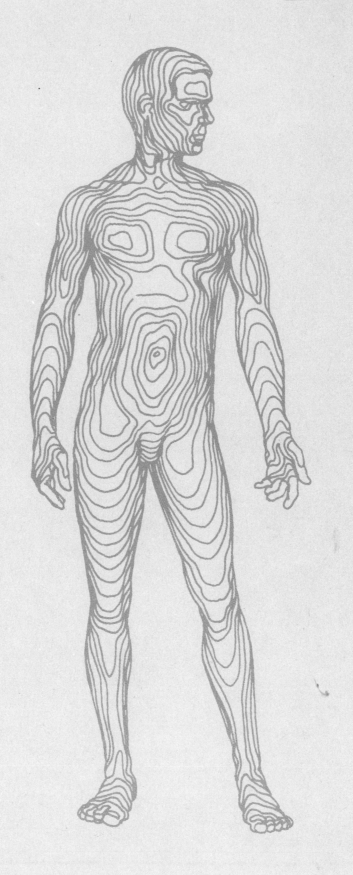

Los porqués del
CUERPO HUMANO

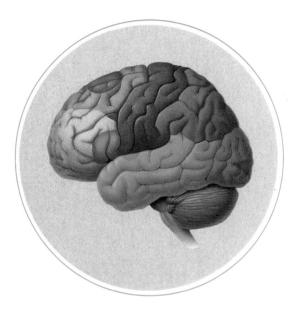

Los porqués del CUERPO

Selecciones del Reader's Digest

(Marca registrada)

México • Nueva York

HUMANO

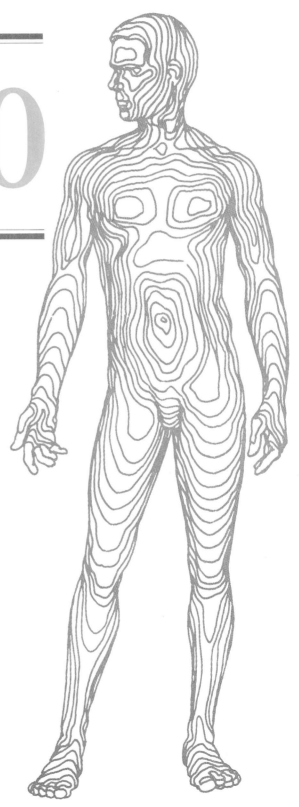

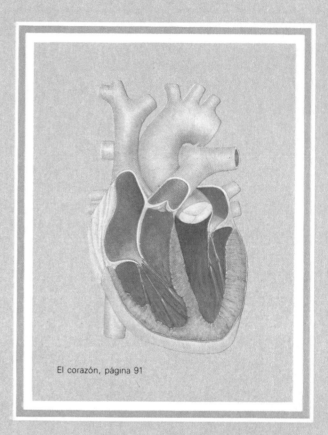

El corazón, página 91

D.R. © 1986 Reader's Digest México, S.A. de C.V.
Av. Lomas de Sotelo 1102
Col. Loma Hermosa, Deleg. Miguel Hidalgo
C.P. 11200, México, D.F.

Editado en México por Reader's Digest México,
S.A. de C.V.

ISBN 968-28-0088-9

Primera edición: julio de 1986 (60 000 ejemplares)
Segunda edición: octubre de 1986 (6 000 ejemplares)
Tercera edición: febrero de 1987 (12 000 ejemplares)

Esta cuarta edición de 19 000 ejemplares se terminó de
imprimir el 10 de junio de 1987, en los talleres de
Impresora y Editora Mexicana, S.A. de C.V., San Mateo
Tecoloapan, Estado de México.

Traducción de la obra *ABC's of the Human Body*, © 1987
The Reader's Digest Association, Inc., Pleasantville, N.Y.,
Estados Unidos.

Impreso en México
Printed in Mexico

Sobre este libro...

LOS PORQUÉS DEL CUERPO HUMANO es un libro para lectores de todas las edades en el que no solamente pretendemos ofrecer información, sino entretenimiento, al explicar los prodigios y misterios del cuerpo humano, así como sus debilidades e imperfecciones. Y es que, a medida que lo conocemos mejor, nuestro cuerpo nos resulta la creación más sorprendente del universo, con sus maravillosos sentidos, una capacidad física asombrosa, ingeniosos sistemas de defensa y facultades mentales tan extraordinarias que por lo menos hasta hoy no hemos logrado aprovecharlas al máximo. Nuestro cuerpo es una obra maestra de organización, tan fabulosa que ni siquiera la ciencia ficción habría podido concebirla.

Este libro, dispuesto en forma de preguntas y respuestas, escrito en un lenguaje accesible y ameno, y cuya información está respaldada por destacados especialistas, lo llevará, a través de sus doce capítulos, en un fantástico viaje de descubrimientos. Le recomendamos que recorra usted el índice sin un propósito fijo; en él encontrará, agrupadas por temas, muchas de esas cuestiones que siempre lo han intrigado. Mientras lee el texto, observe también las ilustrativas y variadas secciones con que lo hemos acompañado (¿Sabía usted que...?, Las palabras y su historia, Una antigua teoría, Remedios populares). Hemos incluido además un extenso índice alfabético que lo remitirá directamente al tema que usted busca.

LOS PORQUÉS DEL CUERPO HUMANO quizá no dé respuesta a todas sus preguntas, pero sí responderá a cientos de ellas de una manera que usted no olvidará en mucho tiempo.

Los editores

ÍNDICE

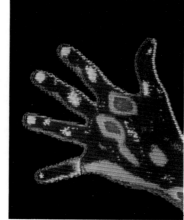

Termografía, pág. 24

Phineas Gage, pág. 69

Locura, pág. 67

Capítulo 3

EL SISTEMA ENDOCRINO

Miedo, pág. 84

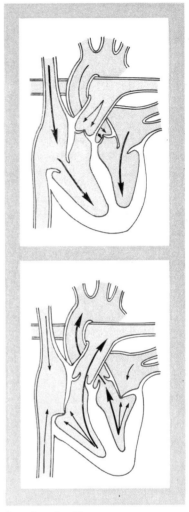

Corazón, pág. 91

Alergenos, pág. 122

Corsés, pág. 117

Capítulo 6
LA PIEL

Cosméticos, pág. 149

Pelo, pág. 155

Capítulo 7

HUESOS Y MÚSCULOS

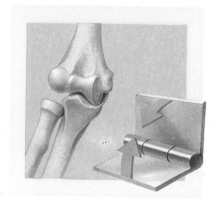

Coyunturas, pág. 165

Tenis, pág. 174

Anteojos, pág. 193

Capítulo 9

OÍDOS, NARIZ Y GARGANTA

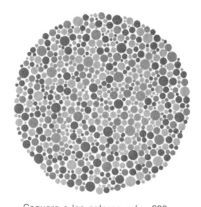

Ceguera a los colores, pág. 202

Hisopo, pág. 223

Capítulo 10

EL APARATO DIGESTIVO

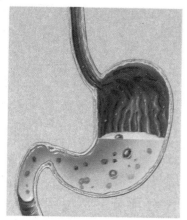

Estómago, pág. 240

Enrique VIII, pág. 254

APARATOS URINARIO Y REPRODUCTOR

Esperma, pág. 268

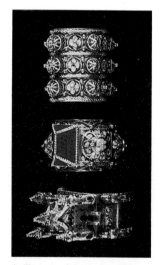

Anillos nupciales, pág. 283

EMBARAZO, PARTO Y DESARROLLO

Capítulo 1

EL CUERPO HUMANO

Nuestra primera y más íntima propiedad es el cuerpo que habitamos; sin embargo, nos sigue admirando descubrir cómo funciona, a qué se deben su calidez y su gracia.

¿Es la risa una panacea?

En cuanto nos echamos a reír, se desencadenan en el cerebro impulsos eléctricos que ponen en marcha una serie de reacciones químicas. El sistema endocrino (glandular) ordena al cerebro la secreción de tranquilizantes y analgésicos naturales que disminuyen la ansiedad y alivian el dolor. Algunas de las sustancias que se liberan bajo el estímulo de la risa ayudan a la digestión, otras hacen que las arterias se contraigan y se relajen, lo que favorece la circulación de la sangre (excepto en las personas que padecen asma) y probablemente alivie la hipertensión arterial. Aunque sería llevar las cosas demasiado lejos decir que la risa es la *mejor* medicina para cualquier enfermedad, pocos médicos negarán que es un *buen* remedio.

¿Qué es lo que nos mantiene sanos?

Pase lo que pase afuera, en el interior de nuestro cuerpo todo permanece más o menos constante. La temperatura corporal se mantiene alrededor de los 37° ya sea en el Ártico o en los trópicos; la concentración de azúcar en la sangre normalmente no varía mucho así estemos a dieta o engullendo helados a más y mejor. Esta inalterabilidad del medio interno ante los cambios externos es lo que se llama homeostasis, término que procede del griego y significa estabilidad. Si nuestro cuerpo no fuera homeostático, nos veríamos continuamente bombardeados por los cambios del medio ambiente y enfrentados a la continua —e imposible— tarea de tratar de lograr un equilibrio interno.

Lo que hace posible la homeostasis es el funcionamiento de un mecanismo de regulación que registra las condiciones internas del organismo. Cuando el equilibrio del medio interno se altera en algún punto, el cuerpo reacciona de inmediato. Sus respuestas, que van desde el sudor hasta los escalofríos, ayudan a restablecer las condiciones normales que garantizan su estabilidad ante el embate del mundo externo.

¿Por qué unas personas tienen más energías que otras?

Hay personas que parecen contar con una fuente inagotable de energías, hacen en un

Además de las risitas que se prodigan en las reuniones sociales, hay la risa auténtica: esa carcajada incontenible, contagiosa, que sale del alma y sacude los músculos, llena los ojos de lágrimas y nos deja sin aliento. No hay nada como esa risa para relajar el cuerpo y hacernos olvidar las preocupaciones.

día más de lo que la mayoría de nosotros logramos hacer en un mes y aparentemente se mantienen más jóvenes que los demás. Es difícil precisar en la mayor parte de los casos la razón de su dinamismo; puede ser hereditario o quizá es simplemente el resultado de una salud excepcional y de su gran amor a la vida.

Probablemente es más fácil determinar por qué una persona está siempre cansada. La fatiga persistente puede tener una causa fisiológica, desde una deficiencia tiroidea leve o una artritis hasta la diabetes o el cáncer. Algunas veces el agotamiento se debe a una depresión oculta que se puede aliviar con una terapia psicológica. También puede ser efecto colateral de algunos medicamentos. Para el cansancio de la vida cotidiana pocas veces son útiles las vitaminas o los tranquilizantes; con frecuencia las causas son fáciles de remediar, por ejemplo, comiendo mejor. Hay actitudes que nos restan energías, como el aburrimiento, el dejarse agobiar por las preocupaciones o, por raro que parezca, la falta de actividad y no el exceso.

¿Qué es más importante, la herencia o el medio ambiente?

Lleva siglos debatiéndose qué cuenta más en el desarrollo del hombre: sus dones naturales o su crianza, la herencia o el medio ambiente. Actualmente la mayoría de los científicos evitan la discusión, aceptan simplemente que la herencia determina las capacidades potenciales de un ser humano y establece sus límites. Si una característica nociva está determinada genéticamente, poco se podrá hacer para contrarrestarla; un niño que nace con síndrome de Down no podrá llegar a ser un premio Nobel.

Lo que los científicos quieren dejar claramente establecido es que *tanto* la herencia como el medio ambiente son fundamentales; lo que una persona llegue a ser dependerá de la compleja interacción de estos dos factores. Quizá esta analogía sirva para aclarar el punto: para que se forme nieve hace falta que haya humedad y haga frío, no se puede decir que el frío contribuya al fenómeno más o menos que la humedad; los dos elementos son indispensables.

¿Estamos programados para morir al llegar a cierta edad?

Hace unos años, los periódicos propalaron la noticia de que en algunos remotos lugares había gente que llegaba a vivir 150 años; al investigar tales informes se comprobó que no era así. Aunque efectivamente se ha confirmado el caso de alguien que llegó a los 115 años, pocos son los que sobreviven más de 85. Todo esto parece indicar que estamos programados para envejecer y morir llegado el momento; probablemente los genes (las estructuras celulares que gobiernan la herencia) lleven instrucciones para dejar de trabajar después de cierto tiempo. Los científicos han encontrado que en el laboratorio las células dejan de reproducirse después de haberse dividido determinado número de veces y van deteriorándose gradualmente.

Pero, ¿no ha logrado ya la ciencia médica prolongar la vida humana demostrando así que es el medio ambiente, y no la herencia, el que determina la longevidad? Realmente no. El límite superior comúnmente marcado alrededor de los 85 años ha sido el mismo a través de los siglos. Los avances de la ciencia han logrado elevar la *esperanza de vida promedio*, pero no prolongar el *lapso máximo de vida*. Es decir, los niños que nacen ahora tienen mayor oportunidad que los de antes de sobrevivir a la infancia y superar accidentes e infecciones, pero no tienen más probabilidades que antaño de vivir más de 85 años.

¿Para qué llevar una vida sana si los genes controlan el envejecimiento?

Aunque una persona tenga tendencia hereditaria a la longevidad, un accidente, una enfermedad o cualquier otro factor ambiental puede impedir que ese potencial llegue a ser un hecho. Se puede acortar la vida si se fuma, no se controla la hipertensión y se comen alimentos que aumentan el nivel de colesterol en la sangre; en cambio, se pueden aumentar las probabilidades de llegar a los límites marcados por la herencia si se mantiene el peso adecuado, se hace suficiente ejercicio y, en general, se lleva una vida sana. Podemos controlar, hasta cierto punto, el plazo de vida que nos ha sido asignado genéticamente o, como dijo un especialista, intentar por lo menos no envejecer tan rápidamente.

Organización del cuerpo humano

¿De qué está hecho el cuerpo humano?

En cierta forma, nuestro cuerpo es de lo más común y corriente; los más de 20 elementos que lo componen pueden encontrarse en cualquier puñado de tierra, y no hay uno que no forme parte de los objetos más triviales. Pero, combinando de muy diversas maneras estos elementos, el organismo logra formar los miles y miles de compuestos químicos que lo estructuran. El que más abunda —representa del 70 al 85% del peso total— es un compuesto muy común, el agua; pero hay muchos otros que no existen fuera del mundo orgánico.

Después del agua, los principales componentes de nuestro cuerpo son las proteínas, que constituyen del 10 al 20% del total. Siguen en importancia cuantitativa las sales inorgánicas (combinaciones de metales con no metales), los lípidos (grasas), los carbohidratos (azúcares y almidones) y los extraordinarios ácidos nucleicos. Entre estos últimos hay dos de suma importancia: el ADN, que lleva codificado el proyecto de organización de nuestro cuerpo, y el ARN, que permite al organismo llevar a cabo ese proyecto.

Lo más notable es que el cuerpo, lejos de ser un conjunto estático de compuestos químicos, es un organismo *vivo*, dinámico, altamente organizado y magníficamente diseñado, capaz de construirse por sí mismo, crecer, actuar y reaccionar ante el medio externo, regular sus propias funciones y mantener todas sus partes en bastante buen estado. Además de todo esto, se reproduce para asegurar la continuidad de la especie humana.

¿Cuáles son las unidades básicas de la organización del cuerpo?

En nuestro cuerpo existen cuatro niveles de organización. El primero está formado por las células, que son las unidades fundamentales de los seres vivos; contamos con unos 75 a 100 billones de ellas diferenciadas en más de 100 tipos. Las células del mismo tipo, junto con el material en que están embebidas, lo que se llama la matriz, se agrupan para formar tejidos, cada uno destinado a una función específica. Los tejidos se agrupan a su vez para constituir órganos encargados de un trabajo más complejo. Por último, los órganos relacionados integran los aparatos o sistemas, que son responsables de una serie de funciones coordinadas. El cuerpo, en su conjunto, puede definirse como una comunidad celular regida por un orden social en el que cada uno de los 75 billones de miembros que la integran tiene asignado un lugar determinado y una función específica.

¿Cuál es la función de los tejidos?

En los organismos complejos las células no trabajan aisladamente, sino en grupos que constituyen los tejidos. El cuerpo humano está formado por cuatro tipos básicos de tejidos: conjuntivo, epitelial, muscular y nervioso. Estos conjuntos de células especializadas realizan tal diversidad de funciones que sólo los libros de texto más avanzados pueden incluirlas todas.

El tejido conjuntivo es el más abundante de los cuatro. Como su nombre lo indica, generalmente vincula y da soporte a otros tejidos, pero también almacena grasa, forma células sanguíneas, devora bacterias y produce anticuerpos que combaten las infecciones. Aunque la sangre y los huesos suelen considerarse como órganos dada su complejidad, son variedades de tejido conjuntivo y como tal se los clasifica.

Son láminas de tejido epitelial las que revisten las cavidades internas del cuerpo y cubren y protegen su superficie externa. En el intestino delgado, por ejemplo, es el tejido epitelial el que absorbe los nutrientes extraídos de los alimentos; en las glándulas, su función es segregar enzimas, hormonas, moco, sudor y saliva.

La especialidad del tejido muscular es la contracción, que es la que hace que se muevan las distintas partes del cuerpo. La musculatura esquelética está controlada por la voluntad; conscientemente tocamos el piano o damos una vuelta a la cuadra. En cambio, los músculos del corazón y los de las vísceras trabajan automáticamente; no podemos ordenarles que bombeen más o menos sangre, por ejemplo, o que aceleren los movimientos peristálticos del intestino.

El tejido nervioso conduce impulsos electroquímicos por medio de los cuales recibe señales del mundo externo e interno y manda mensajes a todo el organismo. A diferencia de las células de otros tejidos, generalmente microscópicas, muchas de las que integran éste llegan a medir 2 m de largo.

¿Qué relación hay entre los órganos de un mismo aparato?

La palabra *órgano* nos hace pensar en estructuras como el corazón, el hígado o el estómago, pero también lo son un ojo, un brazo o una pierna y, para algunos, incluso cada uno de los huesos de nuestro esqueleto. Generalmente un órgano se define como el conjunto de tejidos relacionados que desempeñan una función definida.

Los pulmones están magníficamente diseñados para extraer el oxígeno del aire, pero

Fotografía original   Dos mitades derechas adosadas   Dos mitades izquierdas adosadas

Como demuestran estas fotos, las dos mitades del cuerpo no son perfectamente simétricas. Para que note la asimetría de su rostro, tome una foto en que aparezca de frente y coloque en medio un espejito formando un ángulo recto. Ajuste el espejo para que la nariz y la barbilla queden proporcionadas.

Interrelación de los diez aparatos

En la mayoría de los casos, la relación entre los órganos de cada aparato es tan obvia que resulta fácil adivinar su vinculación, pero no deja de haber sorpresas. No cabe duda, por ejemplo, que los ovarios y los testículos pertenecen al aparato reproductor, pero como también producen hormonas, se les considera a la vez parte del sistema endocrino. Por otro lado, los aparatos no funcionan independientemente, sino que influyen mucho unos en otros. Al hacer ejercicio, pongamos por caso, la musculatura exige más oxígeno, lo que obliga al aparato respiratorio a trabajar más para absorberlo y al aparato circulatorio para distribuirlo.

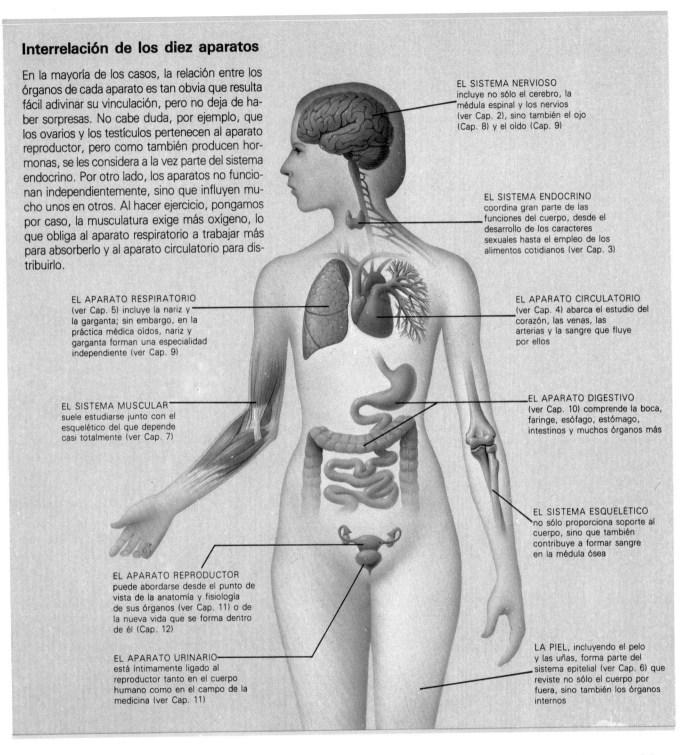

EL SISTEMA NERVIOSO incluye no sólo el cerebro, la médula espinal y los nervios (ver Cap. 2), sino también el ojo (Cap. 8) y el oído (Cap. 9)

EL SISTEMA ENDOCRINO coordina gran parte de las funciones del cuerpo, desde el desarrollo de los caracteres sexuales hasta el empleo de los alimentos cotidianos (ver Cap. 3)

EL APARATO RESPIRATORIO (ver Cap. 5) incluye la nariz y la garganta; sin embargo, en la práctica médica oídos, nariz y garganta forman una especialidad independiente (ver Cap. 9)

EL APARATO CIRCULATORIO (ver Cap. 4) abarca el estudio del corazón, las venas, las arterias y la sangre que fluye por ellos

EL SISTEMA MUSCULAR suele estudiarse junto con el esquelético del que depende casi totalmente (ver Cap. 7)

EL APARATO DIGESTIVO (ver Cap. 10) comprende la boca, faringe, esófago, estómago, intestinos y muchos órganos más

EL SISTEMA ESQUELÉTICO no sólo proporciona soporte al cuerpo, sino que también contribuye a formar sangre en la médula ósea

EL APARATO REPRODUCTOR puede abordarse desde el punto de vista de la anatomía y fisiología de sus órganos (ver Cap. 11) o de la nueva vida que se forma dentro de él (Cap. 12)

EL APARATO URINARIO está íntimamente ligado al reproductor tanto en el cuerpo humano como en el campo de la medicina (ver Cap. 11)

LA PIEL, incluyendo el pelo y las uñas, forma parte del sistema epitelial (ver Cap. 6) que reviste no sólo el cuerpo por fuera, sino también los órganos internos

sólo pueden realizar su función si cuentan con la colaboración de la nariz, la faringe, la laringe, la tráquea y los bronquios, partes todas del aparato respiratorio. Lo mismo sucede con los órganos que integran los nueve aparatos restantes. Cada órgano está capacitado para cumplir parte de una de las muchas tareas necesarias para mantener al cuerpo funcionando como un todo; pero para poder llevar a cabo esa tarea todos los órganos de un aparato tienen que trabajar en equipo.

Así como los órganos de un mismo aparato necesitan unos de otros, también existe una interdependencia entre los diez aparatos que forman el cuerpo. El aparato respiratorio necesita al circulatorio para que distribuya la sangre oxigenada y recoja la que está cargada de bióxido de carbono. Aunque el aparato respiratorio, para seguir con el mismo ejemplo, esté sano, no podrá sobrevivir si el circulatorio, o cualquier otro, no funciona razonablemente bien. Más aún, cuando algo sucede en un aparato, el incidente generalmente repercute en los demás. Si el sistema nervioso nos trae malas noticias mientras estamos comiendo, lo más probable es que el aparato digestivo no funcione tan bien como suele hacerlo.

Salud y enfermedad

¿Qué significa realmente estar sano?

Muchas veces una palabra puede definirse de distintas maneras, como sucede con el término *salud*. Según el diccionario, consiste en el ejercicio normal de todas las funciones, pero para mucha gente significa sencillamente no estar enfermo.

La Organización Mundial de la Salud considera que "la salud es un estado de total bienestar físico, mental y social y no tan sólo el no tener achaques o enfermedades." Otra manera de enfocar esta cuestión es definir la salud en relación con valores que se puedan medir; así, se determina que una persona está sana si su temperatura, su presión arterial, su nivel de glucosa en la sangre y otros valores son normales. El problema en este caso es que entre los individuos hay un amplio margen de variabilidad biológica; lo que en unos es normal, no tiene que serlo necesariamente en otros.

Para muchos teóricos de la medicina, el concepto de salud es algo relativo; significa una cosa tratándose de un bibliotecario que trabaja en un lugar tranquilo sin tener que hacer esfuerzos físicos, y otra distinta en el caso de un albañil que trabaja en una ruidosa construcción. En otras palabras, para considerarnos sanos no tenemos necesidad de medirnos con patrones absolutos, basta con que podamos cumplir las demandas de nuestro estilo de vida.

La termografía: nueva técnica de diagnóstico

Durante la Segunda Guerra Mundial se creó un aparato que aprovechaba el calor que desprende el cuerpo humano para descubrir al oculto enemigo. Después de la guerra se empleó una versión de ese aparato termográfico para convertir las emanaciones de calor del cuerpo en "mapas térmicos" que sirven para diagnosticar ciertas enfermedades. Las partes homólogas del cuerpo, como los hombros, brazos, caderas o piernas, normalmente producen la misma cantidad de calor; si se nota diferencia en los mapas, es que algo anda mal.

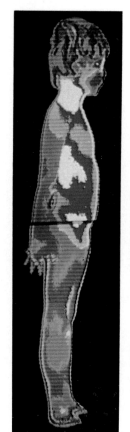

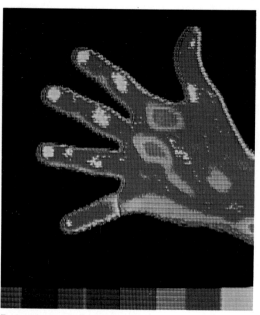

En estos mapas térmicos hechos con una cámara sensible al calor, las zonas más calientes aparecen de color verde claro y las más frías de color verde oscuro.

¿Qué pasa cuando los mecanismos de control interno fallan?

Generalmente los procesos de regulación interna del organismo, u homeostáticos, fallan cuando estamos enfermos. Algunas veces los síntomas de ese desarreglo son tan aparatosos —fiebre alta, vómitos, pérdida del conocimiento— que no cabe duda que el organismo está reaccionando violentamente ante una emergencia. En otras ocasiones la alteración no es tan obvia, y para saber de qué se trata el médico tiene que mandar a hacer una serie de análisis que le indiquen si hay alguna desviación de las cifras normales. Una cantidad muy alta de azúcar en la orina, por ejemplo, puede significar que el cuerpo ha perdido la capacidad de regular la glucosa sanguínea, como ocurre cuando se padece de diabetes.

Algunos mecanismos de control corporal funcionan mal en el recién nacido porque acaba de abandonar un medio ambiente tan constante que casi no requería una regulación interna. El bebé desarrolla pronto esos mecanismos, pero mientras tanto el descenso de la temperatura ambiente, por ejemplo, puede afectar mucho la suya. El frío también es un peligro para los ancianos porque el envejecimiento trae consigo una deficiencia de los mecanismos homeostáticos.

¿Qué es la hipocondria?

Los estudiantes de medicina suelen sufrir al principio de su carrera ataques temporales de hipocondria, es decir, una excesiva preocupación por su salud estando perfectamente sanos. Al estudiar alguna enfermedad terrible, les da miedo la posibilidad de tenerla y comienzan a imaginarse síntomas que no presentan. A mucha gente le pasa lo mismo cuando se entera de los detalles de alguna enfermedad que le impresiona.

Pero los casos auténticos de hipocondria, definida como una preocupación morbosa por las funciones corporales y las enfermedades que llega a producir dolencias físicas, suponen una reacción neurótica, reflejo de algún problema emocional oculto. Cuando la preocupación de una persona por su salud empieza a excluir otros intereses, es conveniente que busque la ayuda profesional de un psicólogo.

Pero hay que distinguir entre la hipocondria y el interés normal por la salud propia;

es natural, y muy recomendable, que uno consulte al médico cuando siente algún síntoma anormal. A los que no son hipocondriacos les tranquiliza que el examen médico no revele ninguna enfermedad; para ellos es un alivio saber que no les pasa nada malo. Los hipocondriacos, en cambio, no suelen aceptarlo; suponen que el médico no ha sabido interpretar los síntomas de alguna grave enfermedad o que los está engañando para evitarles el choque que les produciría saber la verdad. Algunas veces los hipocondriacos aceptan temporalmente lo que el médico les dice, pero más tarde reaparece en ellos la convicción de que están enfermos, porque vuelven a imaginarse que tienen ya sea los síntomas de la primera enfermedad o los de otra nueva.

¿Son las enfermedades psicosomáticas reales o imaginarias?

Las palabras griegas *psyche* y *soma* significan, respectivamente, mente y cuerpo; de ellas deriva el término psicosomático aplicado a la influencia de la mente sobre el cuerpo. Una enfermedad psicosomática es una dolencia física *real* producida, total o parcialmente, por conflictos emocionales subconscientes o cualquier otro factor de tipo psicológico. Los médicos todavía no comprenden bien cómo las emociones pueden alterar las funciones de los órganos hasta ese grado, pero es indudable que lo hacen. A diferencia del hipocondriaco que sólo se imagina que está enfermo, el que tiene una dolencia psicosomática presenta verdaderamente alteraciones físicas. Con frecuencia estos pacientes pueden ser curados tratando el problema psicológico en el que radica su enfermedad.

Dolencias como las úlceras del aparato digestivo, los dolores de cabeza y las palpitaciones son con frecuencia (pero no invariablemente) psicosomáticas, pero hay muchas más de la misma índole; no pocos médicos opinan que la mayoría de las enfermedades fisiológicas, quizá incluso el cáncer, están influidas en cierta medida por factores psicológicos.

La medicina psicosomática que se dedica a este tipo de enfermedades puede ser nueva, pero la idea no lo es; desde hace mucho se acepta que las penas hondas o las tensiones continuas minan seriamente la salud.

El *síndrome de Münchhausen, que consiste en la simulación de una enfermedad, no tiene bien puesto el nombre. Münchhausen (izq.) fue un soldado alemán que mentía para divertir, no para engañar.*

¿En qué consiste el síndrome de Münchhausen?

A la mayoría de las personas nos da miedo tener que ser hospitalizadas y preferimos estar sanas que enfermas; pero hay algunas que lo que más desean en este mundo es que las manden al hospital. Emplean toda clase de recursos para hacer creer a los médicos que están gravemente enfermas: fingen los síntomas más aparatosos para simular un estado de urgencia, alteran los datos que sirven para hacer el diagnóstico e incluso llegan a mutilarse. Estas personas suelen haber estado hospitalizadas muchas veces, han recorrido los consultorios de innumerables doctores y a menudo logran que se les opere sin necesidad. Son capaces de tomar insulina para que en los análisis aparezca bajo su nivel de glucosa en la sangre, escupen sangre que llevan oculta en un recipiente dentro de la boca o se inyectan heces para producirse un absceso. Los motivos que los impulsan a esto todavía no se comprenden, pero los psiquiatras llaman a este patrón de conducta síndrome de Münchhausen.

Las personas que fingen una enfermedad son simuladoras y mentirosas, pero pueden efectivamente llegar a ponerse enfermas por los extremos a que llevan su engaño. No se les debe confundir con los hipocondriacos, que genuinamente creen estar enfermos; tampoco simulan una enfermedad para cobrar un seguro o rehuir alguna obligación; aparentemente carecen de motivo para hacer lo que hacen. Se ha dicho que los que padecen el síndrome de Münchhausen, más que masoquistas a los que les gusta sufrir, son seres humanos que buscan desesperadamente un poco de atención; pero también se ha supuesto que hay en ellos un trasfondo de hostilidad, que se aprovechan de los médicos para vengarse, indirectamente, de alguien que les hizo daño o los defraudó en la infancia. Los münchhausenitas a menudo son personas que siempre han tenido dificultades para establecer relaciones estrechas con los demás, y muchos han sufrido brutalidad y abandono.

El Dr. Don R. Lipsitt, un psiquiatra que se ha dedicado a estudiar esta desviación de la conducta, calcula que en los Estados Unidos aparecen todos los años alrededor de 4 000 personas, la mayoría varones que tienen entre 20 y 30 años, cuyo único interés en la vida es engañar a los médicos, y a eso destinan todas sus energías. Uno de sus pacientes logró ser hospitalizado 400 veces en 25 años.

Elementos básicos de nuestro organismo

¿Cuáles son las unidades vivas más pequeñas de nuestro cuerpo?

Aunque las partículas subatómicas son las unidades más pequeñas de nuestro cuerpo, carecen de los atributos que caracterizan a los seres vivos: reaccionar a los estímulos, transformar los nutrientes en energía, crecer y reproducirse. Las estructuras que sí reúnen estos requisitos son las células, que constituyen las unidades estructurales vivas más pequeñas con que contamos.

Si exceptuamos al óvulo, que llega a verse a simple vista como si fuera un puntito, las demás células del cuerpo humano son microscópicas. Es verdad que las células musculares llegan a medir 2.5 cm de largo y las nerviosas más de 1 m, pero son tan delgadas que aisladamente no pueden verse más que al microscopio. Dado su tamaño, las células se miden en micras, unidad que corresponde a la millonésima parte de un metro.

Hay células columnares, cúbicas, esféricas, ahusadas; los glóbulos rojos tienen la forma de un cuenco poco profundo, las células de las mejillas parecen adoquines, las nerviosas son filiformes. También varía mucho su lapso de vida; las que revisten el intestino mueren al día y medio, los glóbulos blancos a los 13 días, los rojos a los 120; las células nerviosas, en cambio, pueden durar 100 años.

Todas las células tienen la capacidad de producir, almacenar y utilizar energía, pero además cada tipo realiza funciones altamente especializadas; obviamente las células del corazón desempeñan una tarea distinta que las del hígado. En otras palabras, hay entre ellas una división del trabajo, lo que se llama diferenciación celular.

¿Cuáles son las partes principales de una célula?

Independientemente de su función especializada, casi todas las células tienen los mismos componentes básicos: una membrana que las rodea, un núcleo que sirve de centro de control y la masa citoplásmica que es donde se lleva a cabo la mayor parte del trabajo.

La membrana, más delgada que una tela de araña y semipermeable, no es sólo una simple cubierta; en cierta forma actúa como un vigilante ante la puerta de una fábrica. Las propiedades físicas y químicas especiales que posee le permiten reconocer a otras células e interactuar con ellas, así como "decidir" lo que debe entrar y salir del citoplasma. De cierta manera envía señales que marcan el "alto" a las sustancias que no deben traspasar sus límites. Las células normales obedecen esas señales, pero las cancerosas lo hacen en menor grado o de una manera caótica, lo que ha hecho pensar que la dispersión del cáncer pudiera tener relación con algún defecto de la membrana, posibilidad que todavía están investigando los especialistas.

El corazón de la célula, el que dirige todas las reacciones químicas celulares, es el núcleo, que puede compararse con el jefe de ingenieros de una fábrica. Todas las células llevan en el núcleo una dotación completa de los genes del organismo al que pertenecen. Se ha visto en el laboratorio que al quitarle a una célula el núcleo pierde la capacidad de reproducirse y, aunque en otros aspectos puede seguir funcionando normalmente un tiempo, termina por morir.

La materia viva que rodea al núcleo, el citoplasma, es una especie de gelatina más o menos líquida que contiene numerosas estructuras especializadas, llamadas organelos, encargadas de fabricar, transformar, almacenar y transportar proteínas, así como eliminar los desechos celulares.

¿Cuánto viven las células?

La mayoría de las células, incluyendo las que forman parte de la piel y de la sangre, tienen un lapso de vida muy corto. Para sustituir a las que se mueren, las menos especializadas tienen que dividirse cada 10 a 30 horas. Algunas células musculares se reproducen sólo una vez al cabo de varios años; otras, como las hepáticas, únicamente lo ha-

---

Una antigua teoría: influencia de las estrellas y los humores

En busca de respuesta a los misterios del cuerpo humano, de sus funciones y disfunciones, los magos medievales volvieron los ojos a las antiguas creencias. Una fuente de conocimientos fue la astrología, que atribuía a los cuerpos celestes una influencia sobre la vida de los individuos. Aquí se reproduce una página del manuscrito del siglo XIV preparado para un príncipe francés, el Duque de Berry, en el que cada parte del cuerpo se relaciona con uno de los doce signos del zodiaco. En aquellos tiempos también se aceptaba plenamente la teoría de que la salud y el temperamento del hombre estaban gobernados por fluidos llamados "humores", tal como la estableció el médico griego Hipócrates. Si los cuatro humores: sangre, flemas, bilis negra y bilis amarilla estaban en equilibrio, la persona gozaba de cabal salud; de no ser así, surgía alguna enfermedad.

Esta lámina pertenece a *Les Très Riches Heures*, un "libro de horas" famoso en el mundo entero; fue escrito en la Edad Media.

La célula: una ciudad amurallada

Nuestro cuerpo está formado por billones de células, unidad biológica fundamental capaz de responder a los estímulos, transformar los nutrientes en energía, crecer y reproducirse. El interior de una célula puede compararse a una ciudad siempre en vela donde hay estructuras especializadas llamadas organelos dedicadas a las más diversas actividades químicas. Una membrana rodea la célula como si fuera una muralla vigilada por moléculas de proteínas que determinan qué sustancias pueden entrar o salir. En su centro se encuentra el núcleo, cuyos genes gobiernan todas estas actividades.

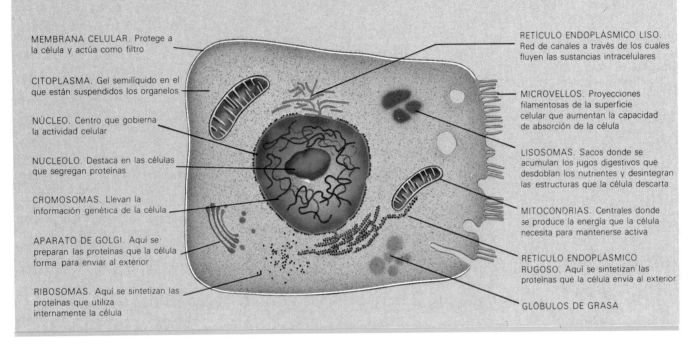

MEMBRANA CELULAR. Protege a la célula y actúa como filtro

CITOPLASMA. Gel semilíquido en el que están suspendidos los organelos

NÚCLEO. Centro que gobierna la actividad celular

NUCLEOLO. Destaca en las células que segregan proteínas

CROMOSOMAS. Llevan la información genética de la célula

APARATO DE GOLGI. Aquí se preparan las proteínas que la célula forma para enviar al exterior

RIBOSOMAS. Aquí se sintetizan las proteínas que utiliza internamente la célula

RETÍCULO ENDOPLÁSMICO LISO. Red de canales a través de los cuales fluyen las sustancias intracelulares

MICROVELLOS. Proyecciones filamentosas de la superficie celular que aumentan la capacidad de absorción de la célula

LISOSOMAS. Sacos donde se acumulan los jugos digestivos que desdoblan los nutrientes y desintegran las estructuras que la célula descarta

MITOCONDRIAS. Centrales donde se produce la energía que la célula necesita para mantenerse activa

RETÍCULO ENDOPLÁSMICO RUGOSO. Aquí se sintetizan las proteínas que la célula envía al exterior

GLÓBULOS DE GRASA

cen en circunstancias especiales: si, por ejemplo, se extirpan quirúrgicamente siete octavas partes del hígado, las células restantes comienzan a dividirse —a la división celular se le llama mitosis— hasta que el órgano recupera su tamaño original. Las células más especializadas, entre ellas algunas del sistema nervioso incluyendo el cerebro, han perdido la capacidad de reproducirse. Si después de cierta edad una lesión o enfermedad daña estas células, no hay forma de sustituirlas.

¿De dónde obtiene la célula su energía?

En nuestro cuerpo se produce un compuesto químico llamado trifosfato de adenosina (ATP) que proporciona energía a la célula tal como lo hace la electricidad en una fábrica. Sin el ATP no podríamos movernos, ni siquiera pensar; todos los procesos que nos mantienen vivos cesarían.

Cada célula produce el ATP que necesita a expensas de los nutrientes que se le proporcionan. La producción corre a cargo, fundamentalmente, de unos organelos del citoplasma llamados mitocondrias, que pueden considerarse como las plantas eléctricas de la célula.

Las células casi no almacenan ATP, lo van formando a medida que lo necesitan; en un momento dado el organismo probablemente no contenga en total más de 88 ml de este compuesto; sin embargo, en las personas muy activas las células llegan a producir al día una cantidad de ATP equivalente al peso de todo el cuerpo. Si se pudiera ir extrayendo y cristalizando el ATP que las células pueden fabricar a expensas de 3 500 calorías de alimentos, se formaría un montón de polvo blanco que ocuparía 80 dm^3. Suponiendo que la energía química contenida en ese polvo se pudiera convertir en energía eléctrica, bastaría para mantener prendidos 1 500 focos de 100 vatios durante un minuto.

¿Qué es nuestro medio interno?

El medio externo, o medio ambiente, es un concepto con el que estamos familiarizados, pero desde mediados del siglo XIX los fisiólogos han estado hablando de algo más difícil de entender: el medio interno. Miles de seres vivos, en su mayoría marinos, no cuentan con un medio interno; en cambio los animales terrestres, incluyendo la especie humana, no podríamos vivir sin él. Nuestro medio interno, cosa curiosa, es muy parecido al agua de mar.

El medio interno lo compone el líquido extracelular, llamado así porque se encuentra fuera de las células. Una tercera parte del líquido que contiene nuestro cuerpo es extracelular; las otras dos terceras partes corresponden a las células y constituyen el líquido intracelular. Hay varios tipos de líquido extracelular, entre ellos el plasma sanguíneo, los fluidos oculares, el líquido cerebroespinal y los jugos digestivos.

El líquido extracelular se va renovando continuamente y está en constante movimiento. Baña las células que, como dicen los fisiólogos, habitan en él lo mismo que las criaturas marinas en el océano. Las células pueden vivir, crecer y multiplicarse en este medio interno mientras contenga las cantidades adecuadas de aminoácidos, grasas, glucosa, electrolitos (sales) y oxígeno.

Descubrimiento de un mundo invisible

Modesto comienzo de la microscopía

Un día del año de 1674, en Delft, una ciudad holandesa, Anton van Leeuwenhoek decidió probar el microscopio que acababa de fabricar y se puso a observar el sarro de sus dientes. Con gran asombro vio unos diminutos animálculos moviéndose activamente; eran bacterias que por primera vez aparecían ante los ojos del hombre. Leeuwenhoek no pudo saber nunca la relación que tienen algunas con las enfermedades. Cuando informó de tan sensacional hallazgo a la Sociedad Real de Inglaterra, una prestigiada organización científica, algunos se negaron a creerle, pero terminaron por aceptarlo e incluirlo en la Sociedad. Sus estudios posteriores le dieron fama mundial y le atrajeron visitantes como la reina de Inglaterra y el zar de Rusia.

Microscopio fabricado por Leeuwenhoek y las bacterias que dibujó.

Leeuwenhoek, que fue comerciante y después funcionario público, tenía afición a pulir lentes que usaba para estudiar la naturaleza.

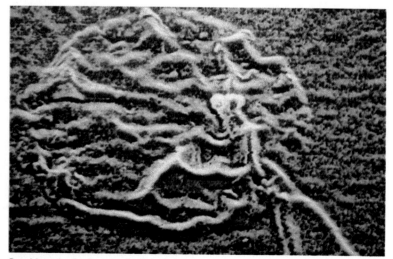

Combinando el microscopio electrónico de barrido con un haz de rayos X de alta intensidad se logran imágenes sorprendentes, como la de esta plaqueta sanguínea intacta.

¿A qué se deben las enfermedades?

En la antigüedad la gente estaba segura de que las enfermedades eran obra del demonio, de los brujos o de otros seres malignos. Hipócrates, el médico griego que vivió del año 460 al 370 a.C., fue el primero en aclarar que el origen de las enfermedades era terrenal y no sobrenatural e introdujo la idea de los "humores".

Durante cientos de años pocos pusieron en duda el concepto de Hipócrates, ni siquiera cuando Anton van Leeuwenhoek descubrió por primera vez los microbios en el siglo XVII. Tuvieron que pasar otros 200 años hasta que los trabajos de Louis Pasteur y otros científicos condujeron a la teoría de los gérmenes como agentes causales de las enfermedades infecciosas. Ahora todo estudiante de primaria sabe que las enfermedades infecciosas se deben a diversos tipos de microorganismos: bacterias, virus y hongos que invaden nuestro cuerpo.

¿Qué son los gérmenes?

Es el nombre que se dio a los microorganismos que causan enfermedades cuando se estableció esa teoría, pero se aplica sobre todo a las bacterias porque fueron las primeras que se descubrieron. Las bacterias son organismos unicelulares de unas cuantas micras (milésimas de milímetro) de diámetro que adoptan diferentes formas: de bastón (bacilos), esférica (cocos) y espiral (espiroquetas). Se encuentran en todas partes: en el agua, en el aire, en la tierra o dentro de otros seres vivos, incluyendo al hombre; pueden vivir aun donde no hay aire. No todas las bacterias son nocivas; hay muchas que nos son útiles, entre ellas las que ayudan al crecimiento de las plantas que nos proveen de alimento.

Las bacterias patógenas producen sustancias venenosas que se llaman toxinas, contra las cuales la ciencia ha elaborado antitoxinas. El descubrimiento de que ciertos hongos y bacterias pueden destruir las bacterias patógenas condujo al desarrollo de los antibióticos. Entre las enfermedades producidas por bacterias se cuentan el cólera, la neumonía, la tuberculosis, muchas enfermedades venéreas y las infecciones de estreptococos y estafilococos.

Se puede adquirir una enfermedad bacteriana a través de una persona infectada, de insectos o de objetos, agua o alimentos contaminados. Las bacterias también pueden penetrar por un rasguño o una cortada si no se desinfectan. Una de las más temibles toxinas bacterianas es la que produce el botulismo; se encuentra en los alimentos mal conservados. En cuanto se abre una lata contaminada, las bacterias mueren porque el aire las mata, pero las toxinas letales que han estado produciendo mientras se desarrollaban, y que impregnan el alimento, conservan toda su potencia, tanta que un gramo basta para matar a millones de personas.

¿Qué son los virus?

Los virus son organismos mucho más primitivos y pequeños que las bacterias; se encuentran en el límite entre la materia viva y la no viva. Si no están dentro de una célula permanecen inertes, sin dar muestras de vida, y no se pueden cultivar en el laboratorio en un medio nutritivo como se hace con las bacterias.

Cuando están dentro de una célula, controlan todos los procesos que se llevan a cabo dentro de ella, y dentro de ella se multiplican. Los virus, al alterar la bioquímica de la célula le hacen producir toxinas, pero también actúan como antígenos, es decir, la estimulan para que forme anticuerpos que combaten la infección.

Los virus son responsables de un gran número de enfermedades, entre ellas el resfriado común, la gripe, todo tipo de herpes, paperas, sarampión, varicela, viruela, rabia y poliomielitis. Aunque las enfermedades virales no se pueden atacar con antibióticos, muchas de ellas se pueden prevenir por medio de vacunas, por ejemplo, la viruela, la rubeola y la poliomielitis.

Se ha comprobado que algunos virus causan cáncer en los animales de laboratorio y hay razones para sospechar que ciertos tipos de cáncer, como la leucemia, pueden ser de origen viral. Esto no significa que el cáncer sea contagioso.

¿Pueden adquirir los adultos las llamadas "enfermedades de la niñez"?

Las infecciones no respetan ninguna edad; los años, no importa cuántos sean, no bastan para protegernos de la varice-

MONSTER SOUP commonly called THAMES WATER. being a correct representation of that precious stuff doled out to us [...]

Aunque en la década de 1820 aún no se sabía que el agua contaminada causa enfermedades, muchos londinenses, como la mujer de esta caricatura satírica, rechazaban intuitivamente los "monstruos" —bacterias— que se veían bajo el microscopio en el agua del Támesis que se vendía para beber.

la, el sarampión, las paperas o la tos ferina. A estas enfermedades solía considerárselas propias de la niñez porque se presentaban generalmente entre los niños, pero ya no es así.

Hace una generación o dos, las enfermedades de la niñez eran muy comunes y la mayor parte de los pequeños las contraían. Al padecerlas, su cuerpo desarrollaba anticuerpos que les conferían una inmunidad de por vida contra esas enfermedades. Ahora, la vacunación durante la infancia ha hecho que esas enfermedades sean raras, y la mayor parte de los niños crecen sin haber desarrollado una inmunidad natural; en cambio, es posible que al llegar a la edad adulta la inmunidad producida por las vacunas haya perdido su efecto.

Como de todas maneras las supuestas enfermedades de la niñez no se han erradicado totalmente, representan en nuestros días una amenaza para los adultos que han perdido la inmunidad, con el agravante de que son más severas cuando atacan a una persona mayor. Pongamos por caso las paperas: si las contrae un niño a la edad en que el organismo es más resistente a la enfermedad, entre los cinco y los quince años, sus síntomas serán bastante leves; en cambio, un adulto con paperas puede tener que estar en cama un mes y, si se trata de un hombre, es probable que quede estéril.

¿Ha logrado la ciencia erradicar alguna enfermedad?

Las epidemias de viruela, comenzando por lo menos desde la Edad Media, han tenido un efecto devastador sobre la población de todos los países del mundo. Millones de enfermos de viruela morían, otros tantos quedaban ciegos y muchos más desfigurados de por vida. En la mayor parte del mundo occidental se pudo limitar la enfermedad en cuanto empezó a practicarse ampliamente la vacunación, es decir, en el siglo XIX. Sin embargo, cuando la Organización Mundial de la Salud, en 1948, tomó a su cargo la tarea de erradicar del mundo la viruela, se informó que había en ese momento 10 millones de casos en África, el sureste de Asia, Indonesia y Brasil.

El último enfermo natural de viruela se encontró el 26 de octubre de 1977 en Somalia. Por fin, el 8 de mayo de 1980 la OMS pudo anunciar que el mundo ya se encontraba libre de esa enfermedad, un logro sin precedentes en materia de salud pública.

Los científicos creen que la viruela pudo ser erradicada porque aparentemente los seres humanos eran los únicos reservorios de la enfermedad. Sin embargo, las autoridades sanitarias de todo el mundo siguen vigilando para asegurarse de que efectivamente se ha derrotado por completo a ese antiguo enemigo de la humanidad.

Los invasores

¿Cuáles son los principales tipos de enfermedades?

Los seres humanos estamos expuestos a miles de enfermedades que se pueden clasificar de distintas maneras. Una forma de hacerlo es de acuerdo con sus causas; siguiendo este criterio, existen 11 tipos fundamentales de enfermedades: (1) bacterianas, grupo que abarca padecimientos tan diversos como la fiebre reumática, la tifoidea, la tuberculosis, el cólera y el botulismo; (2) virales, entre ellas la polio, la rubeola, la gripe y el resfriado; (3) parasitarias, producidas por hongos, gusanos y protozoarios como las amibas responsables de la disentería amibiana. Todas estas enfermedades son causadas por agentes externos.

Derivada principalmente de la pobreza es (4) la desnutrición, que varía desde una deficiencia vitamínica hasta el kwashiorkor, grave carencia de proteínas en la dieta que consume al organismo y mina seriamente la salud de los niños.

Las enfermedades de origen interno incluyen: (5) las alteraciones neoplásicas, fundamentalmente tumores y cáncer; (6) los trastornos autoinmunitarios debidos a que el cuerpo pierde la capacidad de reconocer sus propias células, como es el caso de la artritis reumatoide; (7) los desarreglos endocrinos producidos por la disfunción de alguna glándula de secreción interna que deja de segregar las hormonas adecuadas en la cantidad necesaria, por ejemplo, la diabetes; (8) las anomalías genéticas heredadas en el momento de la concepción, como el síndrome de Down (un tipo de retraso mental) o la anemia drepanocítica (alteración de los glóbulos rojos de la sangre); (9) las enfermedades degenerativas consecuencia generalmente del envejecimiento, como la sordera o la pérdida gradual de la vista.

Entre las dolencias originadas por agentes físicos y químicos se cuentan (10) los envenenamientos, las quemaduras y otros accidentes. Se llaman enfermedades iatrogénicas (11) las que resultan del tratamiento médico; unas veces son accidentales, pero generalmente se trata de riesgos calculados: se prescriben, por ejemplo, medicamentos que causan trastornos momentáneos para poder curar o aliviar males mayores. Otra fuente de enfermedades es el abuso del alcohol o de ciertos medicamentos y el consumo de drogas.

¿Suelen matar los parásitos a sus huéspedes?

Se llama parásito a un organismo que vive encima o dentro de otro privándolo de sus nutrientes, envenenándole o destruyendo sus tejidos. Entre los parásitos se encuentran formas microscópicas como los protozoarios que causan el paludismo, y otras que llegan a medir varios metros de largo como la tenia (solitaria).

Las enfermedades parasitarias generalmente se propagan a través de insectos u otros animales portadores llamados vectores. El paludismo, por ejemplo, se adquiere por la picadura de un mosquito anófeles infectado, y la tenia al comer carne de puerco

Agentes de enfermedades humanas

La medicina moderna no es un contrincante temible para los microbios, ya que una sola bacteria puede producir 250 000 en pocas horas. Aunque podemos combatirlas en distintos frentes —la resistencia misma del organismo, una buena higiene y el uso de antibióticos cuando la invasión ya es un hecho—, todos estamos expuestos, y seguiremos estándolo, a sufrir alguna infección viral o bacteriana de vez en cuando. Pero hay otro tipo de enfermedades que sí podríamos controlar mejor de lo que lo hacemos, entre ellas la desnutrición tan común en los países subdesarrollados y la obesidad que azota a las naciones industrializadas. Paradójicamente, el desarrollo tecnológico ha traído consigo nuevos riesgos para la salud; ha creado insecticidas eficaces para el combate de plagas que también dañan al ser humano y producen contaminación ambiental. Éste es un problema que nos atañe a todos y del que tenemos que defender al medio ambiente y a nosotros mismos.

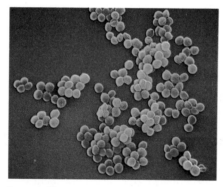

Los estafilococos son causa muy común de forúnculos y de un tipo de septicemia.

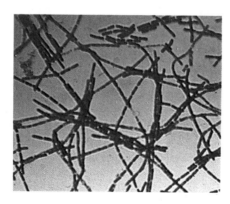

Hay que tener cuidado con los murciélagos, zorras y mapaches, sobre todo con los más temerarios, porque pueden estar infectados de rabia y transmitirla al morder. Si no se trata a tiempo, el virus puede invadir el cerebro causando, primero, accesos de terror y furia y luego la parálisis y la muerte.

El ántrax (izq.) es una infección bacteriana del ganado que puede transmitirse al hombre.

o de res mal cocida que contenga las larvas de este parásito intestinal.

Unas enfermedades parasitarias son leves, como el pie de atleta causado por un hongo, pero otras resultan graves y aun mortales. Sin embargo, la mayoría de los parásitos no matan a sus huéspedes, ya que eso los mataría también a ellos y la enfermedad desaparecería. Por lo general, parásito y huésped conviven en lo que podría describirse como un estado de tregua. Si el huésped está sano y bien nutrido, puede soportar el daño que le causa el parásito; de no ser así, la enfermedad resulta más peligrosa.

¿Es lo mismo una enfermedad infecciosa que una contagiosa?

Mucha gente usa indistintamente los términos *infeccioso* y *contagioso*, pero técnicamente no significan lo mismo. El primero abarca un concepto más amplio y se aplica a las enfermedades que son transmisibles ya sea por animales o personas infectados o por objetos, agua o alimentos contaminados. El término contagioso, en cambio, tiene un significado más restringido y se usa para calificar a las enfermedades que se propagan sólo por contacto de una persona a otra. Tanto las enfermedades infecciosas como las contagiosas son producidas por microorganismos a los que popularmente se llama microbios. Las enfermedades que no son provocadas por organismos vivos, como la esclerosis múltiple, por ejemplo, no son transmisibles.

La peste bubónica, la "muerte negra" que mató a una tercera parte de la población de Europa en el siglo XIV, era una enfermedad predominantemente infecciosa, pero no estrictamente contagiosa: la gente la contraía al ser picada por pulgas infectadas que a su vez habían adquirido las bacterias de las ratas a las que parasitaban, pero también puede darse la transmisión de persona a persona en la variedad de peste neumónica. La rabia es otra enfermedad infecciosa pero no contagiosa: una persona con rabia no representa un peligro para la gente que la rodea; la enfermedad sólo se contrae a través de la mordedura de un perro, un murciélago u otros animales infectados. En cambio la gripe es infecciosa y contagiosa.

¿Cuál es la diferencia entre una enfermedad aguda y una crónica?

Enfermedades agudas son las que aparecen de pronto con síntomas severos que pueden llegar a ser incapacitantes; unas ceden por sí mismas, como es el caso de la indigestión aguda, otras necesitan intervención de urgencia, como una apendicitis aguda. Las enfermedades crónicas, en cambio, se desarrollan lentamente y persisten durante años; un buen ejemplo es la artritis o la arteriosclerosis. Hay otras, como el paludismo, que se llaman recurrentes porque los síntomas reaparecen periódicamente.

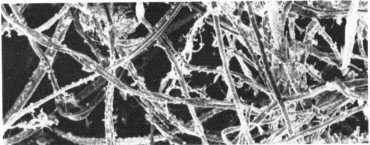

El asbesto (arriba) se estimó mucho como material aislante a prueba de fuego. Ahora se sabe que causa cáncer pulmonar.

La desnutrición, debida sobre todo a la falta de proteínas, afecta a 1 500 millones de personas. Daña más a los niños porque retrasa su desarrollo y reduce su resistencia a las infecciones.

Las partículas de ceniza que se desprenden de las chimeneas y de los escapes contaminan las ciudades y las zonas industriales. Como estas curiosas esferas que contienen otras sólo miden 0.1 mm de diámetro, se inhalan al respirar.

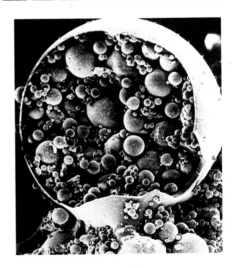

Un enemigo dentro de casa

¿Son cancerosos todos los tumores?

Todos los tumores son neoplasmas, es decir, crecimientos aberrantes de células y tejidos que no tienen función en el organismo, pero no todos son malignos o cancerosos. Hay tumores benignos que crecen lentamente formando masas bien delimitadas que no invaden órganos vitales. Los tumores malignos, en cambio, se desarrollan rápida o lentamente, se extienden invadiendo los órganos vecinos o formando metástasis; esto significa que del tumor se desprenden células cancerosas que entran al torrente sanguíneo o al sistema linfático y se propagan a otras partes distantes del cuerpo.

El cáncer aparece cuando falla el mecanismo que regula el crecimiento celular, haciendo que las células comiencen a multiplicarse de una manera caótica. Lo malo de este crecimiento desordenado no es que sea rápido, sino que no cesa. Las células normales "reconocen" a sus vecinas y dejan de multiplicarse cuando entran en contacto con ellas, las células cancerosas no.

Estas células malignas son anormales en todo, en tamaño, forma y función; frecuentemente se parecen a las células embrionarias. Lo que ocurre durante el desarrollo del cáncer es, en cierta forma, lo opuesto a lo que sucede durante el desarrollo de un embrión cuyas células básicas, indiferenciadas, van modificándose y especializándose para formar los distintos tejidos y órganos. Las células cancerosas, por el contrario, aparentemente sufren un proceso regresivo que se conoce como desdiferenciación: en lugar de conservar la especialización propia de las células de las que proceden, se van simplificando cada vez más y adquiriendo un aspecto embrionario. Esta desdiferenciación también puede contribuir al aumento de su capacidad para multiplicarse.

¿Cuáles son los principales tipos de cáncer?

Los especialistas en cáncer, los oncólogos (palabra que proviene del griego *onkos* = tumor), han descubierto cientos de clases distintas de tumores malignos; por eso se dice que el cáncer no es una enfermedad sino muchas. Sin embargo, se pueden distinguir tres tipos fundamentales de cáncer: los carcinomas, que aparecen en tejidos epiteliales como la piel, las glándulas o la mucosa que reviste internamente ciertos órganos; los sarcomas, que se desarrollan en el tejido conjuntivo, por ejemplo, en los huesos, los cartílagos y los músculos; y las leucemias, que afectan la sangre y el sistema linfático.

¿A qué se debe el cáncer?

La causa fundamental de los tumores malignos no se conoce; sin embargo, se acepta en el medio científico que el cáncer generalmente se desarrolla porque hay una susceptibilidad o predisposición hereditaria a esa enfermedad, pero también puede desencadenarlo algún factor precipitante como un virus o la exposición prolongada al humo del tabaco.

Excepto en el caso de un raro tumor maligno del ojo llamado retinoblastoma, el cáncer en sí mismo no es hereditario; es decir, el que un familiar cercano lo haya padecido no significa que uno esté condenado inexorablemente a esa enfermedad. Tampoco la exposición a un agente cancerígeno conduce necesariamente al cáncer —véase si no cuántos fumadores empedernidos nunca han desarrollado un tumor maligno—, y si lo precipita, no puede decirse que sea la causa directa. Probablemente los carcinógenos favorezcan el proceso maligno sólo si son capaces de originar ciertos cambios químicos en el interior de la célula, y a veces ni aun así.

Hasta ahora los científicos han identificado unas dos docenas de sustancias químicas que pueden causar cáncer en los seres humanos bajo determinadas circunstancias. Esta lista, que aumenta a medida que avanzan las investigaciones, incluye compuestos que forman parte de los desechos industriales, de los gases que emiten los coches, de los plaguicidas, de los materiales de construcción y de los alimentos procesados. También se asocian con el cáncer las radiaciones

Uso y abuso de las drogas

Muchas de las drogas tienen por derecho propio su lugar en la medicina y algunas han sido de importancia vital. La morfina, por ejemplo, es un analgésico extraordinario y la mariguana se emplea para tratar el glaucoma, una enfermedad de los ojos que puede producir ceguera, así como para aliviar las náuseas y los vómitos que acompañan a la quimioterapia contra el cáncer. Pero cuando una droga se convierte en un vicio, las consecuencias —dependencia física y psicológica, daños orgánicos e incluso la muerte— pueden ser devastadoras. El empleo, fuera del campo de la medicina, de las drogas no es cosa nueva; siempre se ha recurrido a ellas esperando aliviar las tensiones o entrar en un estado de euforia. En la antigua Grecia se vendían libremente por las calles dulces que contenían opio (del que se extraen la heroína y la morfina). Lo que sí es propio de las sociedades modernas es el uso de dos o más drogas a la vez; mezclar, por ejemplo, alcohol con tranquilizantes, cocaína, barbitúricos o heroína. En una encuesta entre mariguanos se encontró que la mayoría eran también alcohólicos. Desgraciadamente mucha gente no comprende hasta qué grado una droga aumenta el efecto de otra. Una persona que maneja después de beber alcohol y fumar mariguana, por ejemplo, está mucho más expuesta a sufrir un accidente que si sólo ha bebido alcohol.

La mariguana, *Cannabis sativa,* es una planta que crece silvestre en muchas partes del mundo. Su principio activo causa alteración mental cuando se fuma.

—solares, de los rayos X y de armas y plantas atómicas— y ciertos virus, aunque la mayoría de los investigadores no creen que estos últimos sean un factor importante para los seres humanos. En algunos procesos malignos, sobre todo de los pechos y de la próstata, las hormonas pueden ser uno de los agentes causales. Hay tumores, como los de la boca y los labios, que a veces se desarrollan tras un largo periodo de irritación crónica producida por una dentadura postiza mal ajustada o por la boquilla caliente de una pipa.

¿Cómo se trata el cáncer?

Los tratamientos habituales son la cirugía, la radiación y la quimioterapia. Entre las nuevas técnicas quirúrgicas se encuentran el rayo láser, que se puede enfocar con precisión sin dañar las células sanas, y la criocirugía, que emplea el frío como bisturí sin producir hemorragias, lo que reduce el riesgo de que el cáncer se extienda a través del torrente sanguíneo.

Sería más fácil tratar y curar el cáncer si las células malignas no tendieran a desprenderse del tumor y propagarse a puntos distantes, donde forman metástasis que suelen quedar fuera del alcance del bisturí del cirujano.

Una de las paradojas de esta enfermedad es que las mismas radiaciones que pueden inducirla suelen servir también para curarla. Los técnicos administran las radiaciones con un aparato o implantando en el tumor agujas y cápsulas radiactivas.

La quimioterapia utiliza una combinación de medicamentos para destruir las células cancerosas. Una de las novedades en este campo es el empleo de antimetabolitos, sustancias similares a los nutrientes celulares pero que en realidad obstaculizan el metabolismo. También se han hallado antibióticos que interfieren la síntesis de ADN; no se usan para curar infecciones, sino para impedir la reproducción de las células tumorales. Antes los investigadores tenían que estar probando medicamentos en busca de anticancerígenos, ahora emplean computadoras para predecir la eficacia de muchos fármacos en poco tiempo. El último hallazgo son los anticuerpos monoclonales, defensas químicas humanas creadas para un tumor específico y que se inyectan al paciente. Estos métodos parecen promisorios, pero falta comprobar su eficacia.

Hacia 1500, los hospitales, como el Hôtel-Dieu de París, alojaban a dos enfermos en cada cama con fatales consecuencias. Al frente unas monjas cosen las mortajas.

Los hospitales en la historia

En 1793, el gobierno revolucionario francés ordenó que en los hospitales se diera a cada enfermo una cama para él solo, lo que indica cómo debían andar las cosas antes. Aunque en la India desde el siglo III a.C. se procuraba que los hospitales estuvieran limpios y se diera a los pacientes buen trato y una dieta adecuada, la mayor parte de las antiguas instituciones eran poco más que asilos. Casi todos los que había en Occidente fueron fundados por la Iglesia y eran atendidos por monjas. Durante siglos, los que podían pagarlo preferían curarse en su casa porque los hospitales, además de estar repletos de gente y sucios, tenían tasas de mortalidad altísimas. No fue sino hasta el siglo XX cuando se convirtieron en verdaderos centros de salud.

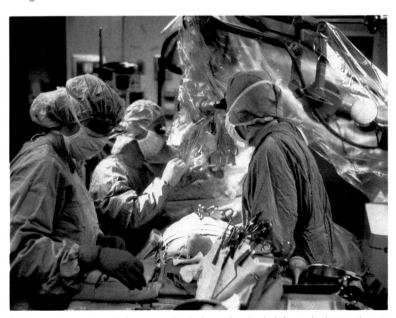

En los modernos hospitales se practica incluso microcirugía (nótese el microscopio que usa el cirujano) para poder volver a colocar miembros accidentalmente amputados.

Geografía de las enfermedades

Millones de personas en 70 países tropicales padecen esquistosomiasis. La enfermedad es causada por unos gusanos como éstos (el filamentoso es la hembra, el más ancho es el macho) que propagan unos caracoles de agua dulce. Alrededor de los huevecillos que depositan los gusanos en el cuerpo humano se forma tejido fibroso que impide el funcionamiento normal de los órganos.

¿Qué han tenido en común los exploradores y los mercaderes?

El cuerpo humano tiende a hacerse resistente a los gérmenes que le son familiares; en cambio, pueden resultarle muy peligrosos los microbios extraños. Los pueblos que vivían geográficamente aislados, sin tener contacto con gente nueva, no estaban expuestos a nuevos gérmenes, lo que constituía una ventaja, pero los primeros exploradores y mercaderes contribuyeron a propagar las enfermedades de una parte del mundo a otra.

En el siglo XIV, los mercaderes genoveses que viajaron al Oriente regresaron a Europa cargados de pieles y sedas, pero también trajeron consigo la peste bubónica. Cuando el explorador británico James Cook llegó a Hawai en el siglo XVIII, introdujo en las islas microbios que los nativos, hasta ese momento gente de lo más saludable, desconocían; el resultado fue que miles de hawaianos murieron de enfermedades como el sarampión, la gripe y la tuberculosis. En 1778, año en que Cook visitó por primera vez el archipiélago, la población de Hawai ascendía, aproximadamente, a 300 000 habitantes; poco más de 80 años después se había reducido a menos de 37 000. Algo comparable, aunque en menor escala, sucedió a principios del siglo XX cuando los exploradores blancos irrumpieron en el mundo de los esquimales, que hasta ese momento habían vivido aislados, transmitiéndoles el sarampión, la tuberculosis y otras enfermedades. En una comunidad formada por 99 personas, 98 murieron de sarampión.

¿Por qué las enfermedades tropicales son tan difíciles de erradicar?

La mayor parte de las naciones en vías de desarrollo, incluyendo África, el sureste de Asia, gran parte de la India, el sur de China y el Medio Oriente, están ubicadas en los trópicos, regiones de clima cálido a uno y otro lados del ecuador donde prosperan los insectos, los gusanos y otras plagas que causan o transmiten enfermedades parasitarias. Las malas condiciones higiénicas y la desnutrición también contribuyen al pre-

dominio de esas enfermedades. De los 1 500 millones de personas que viven en los trópicos, se calcula que 1 000 millones padecen una o varias enfermedades propias de estas zonas, tan difíciles de erradicar como de prevenir en el curso de la vida cotidiana. Los medicamentos para tratar las enfermedades tropicales son caros o tienen efectos colaterales que pueden ser peligrosos; para empeorar la situación, muchos de los que se encuentran expuestos a ellas son gente pobre, mal alimentada y por lo tanto particularmente vulnerable a toda clase de enfermedades.

¿Qué son la esquistosomiasis y el mal del sueño?

Una de las peores enfermedades parasitarias es la esquistosomiasis (también llamada bilharziasis) que aparentemente ha azotado a la humanidad durante 40 siglos y que ahora es la más común en el mundo después del paludismo. Esta enfermedad tiene un ciclo complicado: las larvas de los gusanos que la causan penetran al cuerpo humano cuando la gente bebe, se baña, nada o trabaja en aguas contaminadas; una vez dentro, alcanzan el torrente sanguíneo y allí maduran, se reproducen y depositan de 300 a 3 000 huevos al día. Algunos de estos huevos pueden quedar atrapados en los tejidos causando fuertes dolores y a veces daños, que pueden resultar mortales, a uno o varios órganos. Otros huevos emigran al intestino o a la vejiga y son expulsados junto con las heces o la orina llegando finalmente a los canales de riego, los estanques, los arrozales o los ríos. Las larvas que salen de los huevos parasitan durante algún tiempo a ciertos caracoles de agua dulce dentro de los que continúan su desarrollo. Cuando la larva sale del caracol, está ya en condiciones de infestar a los seres humanos. Lo peor del caso es que el progreso —la creación de nuevos sistemas de riego tan necesarios en estas regiones empobrecidas— no hará más que propagar la enfermedad, y la carga social y económica que esto representa puede anular las ventajas que significan para la agricultura las obras hidráulicas.

Otra enfermedad parasitaria incapacitante es el mal del sueño que transmite la mosca tsetsé. Cuando una mosca infectada pica a una persona, los parásitos entran al aparato circulatorio, donde se multiplican y destruyen las células sanguíneas, causan anemia y algunas veces una inflamación del corazón. Más tarde invaden el sistema nervioso dañando el cerebro y la médula espinal, lo que conduce a un estado de letargo y, en casos graves, a la muerte.

¿Por qué es tan frecuente sufrir diarrea cuando se viaja?

La diarrea del viajero no tiene nada que ver con la fatiga, con la alteración de los horarios ni con los platillos exóticos, siempre que estén higiénicamente preparados. La causa suele ser una bacteria muy común llamada *Escherichia coli* que normalmente se encuentra en el intestino sin causar problemas, a pesar de ser potencialmente patógena, porque el organismo se ha acostumbrado a ella. Pero hay muchas formas de *E. coli*; si nos encontramos con una cepa a la que no estamos habituados, como es probable que suceda en un país extranjero, puede producirnos, o no, una diarrea.

Para prevenir esta infección conviene beber agua embotellada y tener cuidado con lo que se come; en ese sentido un buen consejo es: lo que no se pueda pelar, cocer o asar, ni siquiera lo pruebe.

Generalmente este tipo de diarrea cede por sí misma a los pocos días, pero si uno se siente verdaderamente enfermo o los síntomas persisten, se debe consultar a un médico. Lo que hay que evitar es la deshidratación bebiendo líquidos embotellados.

¿Se necesitan muchas vacunas cuando se viaja al extranjero?

Las medidas preventivas dependen del país adonde piense usted ir; consúltelo con un médico o pregunte en la embajada del país en cuestión. De todas maneras esta información general puede serle útil. *Cólera:* si va a ir a un país donde la vacuna contra esta enfermedad es recomendable pero no obligatoria, vacúnese. *Paludismo:* hay riesgo de contraerlo en África, Asia, Centroamérica y el norte de Sudamérica, pero existe un medicamento preventivo que resulta eficaz: el difosfato de cloroquina. *Poliomielitis:* como el virus sigue pululando, no viene mal vacunarse. *Tifoidea:* si la región por donde va a viajar no es muy salubre, le conviene ir vacunado.

¿Los pueblos más desarrollados son más sanos?

Cuando los exploradores del siglo XVII regresaban a casa, solían escribir vívidos relatos de sus viajes ponderando la salud de los "salvajes" que habían encontrado. Esto puede parecer simplemente una idea romántica, pero probablemente era cierto. Alrededor de 0.1% de la población mundial vive todavía en grupos aislados de la civilización y, por lo que se ha visto, son la gente más sana que hay. Las condiciones más insalubres se dan en las sociedades en transición, que han perdido las ventajas de una vida sencilla sin haber alcanzado todavía los beneficios que los países más desarrollados ofrecen a sus habitantes en cuanto a higiene y salud pública, atención médica y alimentación.

Tribulaciones de las sociedades en transición

Hace unos años, un grupo de antropólogos, médicos y biólogos se dedicó a estudiar varios pueblos aislados del mundo moderno y se encontró con que sus habitantes eran gente sana, longeva, que llevaba una vida aparentemente satisfactoria. Los aborígenes de Australia, por ejemplo, que viven como nómadas en el desierto, son tan sanos como puede serlo un obrero estadounidense o un ejecutivo sueco. Entre los miembros de la tribu mabaan de África y los indios xinguano de Brasil prácticamente no se conocen el cáncer, la hipertensión, la caries dental ni muchas otras afecciones de los pueblos civilizados.

Esta mujer de la tribu mabaan del Sudán, que camina ágilmente fumando pipa, tiene 80 años y goza de perfecta salud, como mucha gente de pueblos aislados.

En algunas naciones en desarrollo es notable el contraste entre las zonas modernas y las ciudades perdidas cuyos habitantes se benefician muy poco de los avances de la medicina.

De médicos y medicinas

¿Cómo determina un médico la dosis correcta de un medicamento?

Hasta la década de 1920, gran parte de las medicinas con que se contaba no servían de mucho, pero por lo menos no hacían daño; ahora la mayoría de los medicamentos son eficaces, pero potencialmente más peligrosos. Por eso se ha convertido en un asunto crucial el prescribir las dosis adecuadas: si la dosis es demasiado baja, el paciente no se cura; si es demasiado alta, puede hacerle daño.

Las publicaciones especializadas en que se basan los médicos para conocer las características de los fármacos que hay en el mercado ya no indican las dosis promedio, sino el margen de variación recomendable. Al prescribir un medicamento dentro de esos márgenes, el doctor toma en cuenta la edad del paciente, su peso y su condición general de salud.

Las dosis óptimas que marcan los laboratorios farmacéuticos para sus productos son el resultado de una larga investigación y de complejos cálculos. Los investigadores determinan la dosis media eficaz, es decir, la cantidad que produce la reacción deseada en la mitad de las personas en que se ha probado el medicamento, y la dosis media tóxica, que corresponde a la cantidad que llega a causar efectos colaterales indeseables en la mitad de los sujetos a prueba.

A pesar de todo esto, muchas veces no es fácil prescribir la dosis adecuada. Pongamos el ejemplo de la digital; la cantidad que se requiere para estimular al corazón es apenas un poco menor que la capaz de producir envenenamiento.

¿Pueden algunas medicinas resultar contraproducentes?

Poco después de comenzar a usarse los antibióticos, los médicos se dieron cuenta de que estos medicamentos milagrosos estaban creando nuevas cepas de bacterias resistentes. Cuando se emplea un antibiótico para combatir un tipo determinado de bacterias patógenas, algunos de los microorganismos tan vigorosos que no sucumben, quedan vivos y se multiplican transmitiendo a sus descendientes la capacidad para resistir el antibiótico.

También ocurre que el antibiótico, al matar a determinados gérmenes, deja el camino abierto para que proliferen otros. Al emplear, por ejemplo, penicilina para curar una infección por estreptococos, este medicamento terminará probablemente con todas esas bacterias, pero no tendrá ningún efecto sobre los estafilococos que también suelen estar presentes en el organismo. Al encontrarse los estafilococos sin la competencia que representaban los estreptococos, pueden multiplicarse y causar una nueva infección.

Además, los antibióticos atacan indiscriminadamente matando no sólo a las bacterias nocivas, sino también a las que nos son útiles porque normalmente mantienen a raya a otros microorganismos. Si estamos tomando penicilina, este antibiótico arrasará tanto con las bacterias que nos están causando la enfermedad como con las que inhiben el desarrollo del hongo llamado *Candida albicans*. Al curarnos de la enfermedad original podemos encontrarnos con una candidiasis en la boca y la garganta.

¿Es la gente crédula la única que responde a los placebos?

Se ha visto que las sustancias inactivas llamadas placebos no sólo alivian muchas veces el dolor, sino que además producen cambios apreciables en la temperatura corporal, la presión arterial e incluso en la composición química de la sangre. Parece mentira que estas píldoras de azúcar puedan ayudar a los enfermos que realmente sufren, pero hay estudios que demuestran que los pacientes a veces responden a ellas como si realmente fueran medicamentos sumamente eficaces.

Los médicos suponían antes que los placebos sólo causaban efecto en las personas muy sugestionables, pero se ha demostrado que no es así. Tampoco es cierto que únicamente funcionan si el doctor hace creer al paciente que se trata de un potente fármaco. En la escuela de medicina Johns Hopkins se llevó a cabo una investigación con un grupo de pacientes que sufrían ansiedad y a los que se les dijo francamente que se les administrarían placebos; aun así los enfermos mejoraron. Mucho tiene que ver la confianza del paciente en un médico que se preocupa por él. Según un especialista, el efecto de los placebos radica en la buena relación entre médico y paciente.

LAS PALABRAS Y SU HISTORIA

Al cáncer le dio ese nombre hace más de 2 000 años el primer médico que practicó la amputación de un pecho canceroso. Cuando vio cómo se infiltraba el tejido maligno en el tejido sano extendiendo sus prolongaciones como si fueran las tenazas y las uñas de un cangrejo, llamó al tumor *karkinoma,* voz griega que significa cangrejo.

De tal palo tal astilla es una expresión muy común que da por sentado el parecido entre padres e hijos, sea en el aspecto físico, la personalidad o ambos. La suposición popular de que el parecido se hereda lo confirma la ciencia. Efectivamente, los genes ejercen una influencia directa en los caracteres de una persona; pero sólo en los rasgos físicos, como el color de los ojos o la estatura. La personalidad no se hereda, aunque hay pruebas de que los genes intervienen en la determinación de unas cuantas características psicológicas, entre ellas la inteligencia, la agresividad y la timidez. Lo que uno llegue a ser depende tanto de la herencia como del medio ambiente.

Doctor es un término que procede del verbo latino *docere,* enseñar. Originalmente no era más que un título de respeto que se daba a una persona instruida, fuera en el campo de la medicina como en cualquier otro.

La palabra quirófano está compuesta por dos vocablos griegos: *kheir,* que significa mano, y *phaino,* mostrar, ya que en un principio los quirófanos eran salas donde se mostraban las operaciones. El mismo origen tiene la palabra cirugía, en griego *kheirourgia,* que literalmente quiere decir trabajo manual, y cirujano, el médico que cura por medios manuales.

La guerra: crisol de la práctica médica

Una de las ironías de la guerra es que a menudo ha servido de laboratorio para el desarrollo de la medicina. Del horror de los campos de batalla han surgido innovaciones científicas que salvaron muchas vidas en tiempos de paz. Antes del siglo XX, en las guerras moría mucha más gente por enfermedad que a consecuencia de las heridas. Durante la Guerra de Secesión de los Estados Unidos se comenzó a descubrir la relación que hay entre la suciedad y las enfermedades. A las terribles lesiones que recibieron en la cara los combatientes de la Primera Guerra Mundial se deben los notables avances de la cirugía plástica, y en la Segunda se inició la producción industrial de la penicilina y los insecticidas.

"**El que quiera aprender cirugía,** que se una al ejército y lo siga" aconsejaba Hipócrates a sus discípulos hace 2 500 años.

En este detalle de una urna etrusca se ve cómo suben a un soldado herido a un carro. En otra parte de la misma urna aparece Aquiles, el legendario guerrero griego del que se decía que era diestro en el arte de curar.

Durante la Segunda Guerra Mundial se hacían transfusiones de plasma (sangre sin glóbulos rojos y blancos) para evitar la incompatibilidad sanguínea y poder atender rápidamente a los heridos en peligro de morir del shock.

El uso de helicópteros para transportar pacientes civiles en casos de urgencia es consecuencia de la Guerra de Corea, donde se comenzó a practicar la evacuación por aire de los heridos.

Las leyes de la herencia

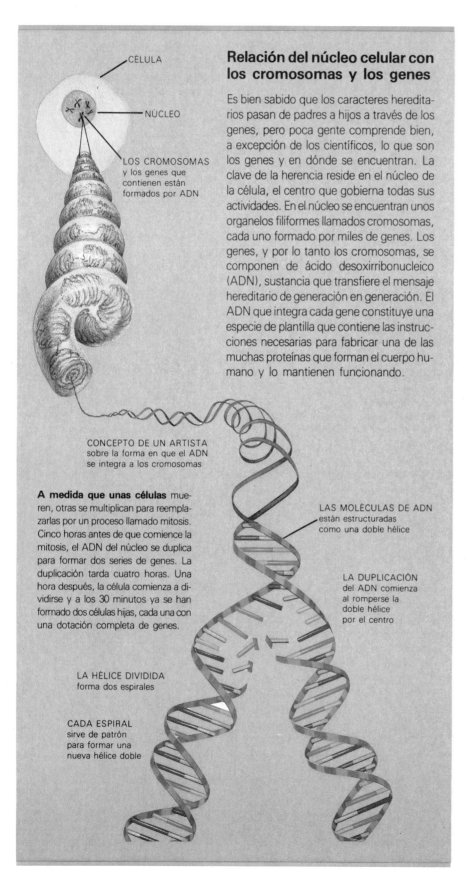

CÉLULA

NÚCLEO

LOS CROMOSOMAS
y los genes que
contienen están
formados por ADN

CONCEPTO DE UN ARTISTA
sobre la forma en que el ADN
se integra a los cromosomas

A medida que unas células mueren, otras se multiplican para reemplazarlas por un proceso llamado mitosis. Cinco horas antes de que comience la mitosis, el ADN del núcleo se duplica para formar dos series de genes. La duplicación tarda cuatro horas. Una hora después, la célula comienza a dividirse y a los 30 minutos ya se han formado dos células hijas, cada una con una dotación completa de genes.

LAS MOLÉCULAS DE ADN
están estructuradas
como una doble hélice

LA DUPLICACIÓN
del ADN comienza
al romperse la
doble hélice
por el centro

LA HÉLICE DIVIDIDA
forma dos espirales

CADA ESPIRAL
sirve de patrón
para formar una
nueva hélice doble

Relación del núcleo celular con los cromosomas y los genes

Es bien sabido que los caracteres hereditarios pasan de padres a hijos a través de los genes, pero poca gente comprende bien, a excepción de los científicos, lo que son los genes y en dónde se encuentran. La clave de la herencia reside en el núcleo de la célula, el centro que gobierna todas sus actividades. En el núcleo se encuentran unos organelos filiformes llamados cromosomas, cada uno formado por miles de genes. Los genes, y por lo tanto los cromosomas, se componen de ácido desoxirribonucleico (ADN), sustancia que transfiere el mensaje hereditario de generación en generación. El ADN que integra cada gene constituye una especie de plantilla que contiene las instrucciones necesarias para fabricar una de las muchas proteínas que forman el cuerpo humano y lo mantienen funcionando.

¿Por qué los hijos suelen parecerse a sus padres?

No fue sino hasta el siglo XX cuando los científicos pudieron explicarse por qué los hijos se parecen con tanta frecuencia a sus padres. La razón es que los padres transmiten a su progenie unas partículas de materia viva llamadas genes que contienen codificadas las instrucciones que especifican muchas de las características del individuo.

Aunque todavía queda mucho por aprender sobre los genes, se sabe que forman parte de los cromosomas, estructuras filiformes que se encuentran en el núcleo de todas la células de nuestro organismo. Los genes, y por lo tanto los cromosomas, están constituidos por una sustancia conocida químicamente como ácido desoxirribonucleico (ADN). Si se pusieran una a continuación de otra las moléculas de ADN de una sola célula del cuerpo humano, la cadena mediría casi 2 metros; considerando todas las células de nuestro organismo, la longitud ascendería a 27 000 millones de kilómetros. Un científico ha descrito el ADN como un filamento tan delgado que una hebra de él que se extendiera de la Tierra al Sol apenas pesaría medio gramo.

¿Cómo obtienen los hijos los genes de sus padres?

El proceso de la herencia, es decir, la transmisión de los genes de una generación a otra, se lleva a cabo a través de las células reproductoras, que corresponden a los óvulos de las mujeres y los espermatozoides de los hombres.

Los óvulos y los espermatozoides se forman a partir de células germinales que, como todas las demás de nuestro organismo, cuentan con una dotación de 46 cromosomas. Pero, durante el proceso de transformación, las células germinales pasan por un tipo especial de división llamada meiosis, que reduce a la mitad el número de cromosomas de las células resultantes quedando por consiguiente los óvulos y los espermatozoides con sólo 23 cromosomas cada uno. Cuando un espermatozoide penetra en el óvulo y lo fecunda, el huevo que se forma —y después el embrión— obtiene 46 cromosomas, 23 de cada padre, con los genes que ellos contienen. La herencia biológica de una persona queda determinada en el momento de la concepción.

¿Tienen todos los genes la misma fuerza?

Tómese en cuenta que se puede heredar un gene de un carácter determinado sin que se muestre externamente ningún signo de ello. Se puede, por ejemplo, llevar en cada célula el gene que determina el pelo rubio y tener el pelo oscuro. Esto se debe a que unos genes ejercen mayor influencia en el individuo que otros; a los primeros se les llama dominantes y a los segundos recesivos.

Para cada característica determinada por la herencia hay un par de genes, uno que procede de la madre y otro del padre. Si uno de ellos es dominante y el otro recesivo, el dominante superará la influencia del recesivo marcando con su sello la manifestación externa de esa característica. Un gene recesivo sólo puede ejercer su influencia si el otro de la pareja también es recesivo.

En otras palabras, si uno hereda dos genes recesivos (uno de cada progenitor) el rasgo que determinan esos genes se manifestará en el hijo. Si se hereda el gene recesivo sólo de *uno* de los padres, es probable que el hijo nunca se entere de que lleva ese gene en sus células.

Pongamos un ejemplo: el pelo castaño está determinado por un gene dominante que llamaremos C; el pelo rubio, en cambio, está controlado por un gene recesivo c (los genetistas usan letras mayúsculas para los genes dominantes y la misma pero en minúscula para los recesivos). Una persona que tiene el pelo castaño puede haber heredado dos genes C para pelo castaño, uno de cada padre, o un gene C para pelo castaño de uno de los padres y un gene c para pelo rubio del otro padre. Pero una persona que tiene el pelo rubio forzosamente habrá heredado dos genes c, uno de la madre y otro del padre.

Por lo mismo es posible que una mujer y un hombre de ojos de color café tengan un hijo de ojos azules. La explicación es que en ambos padres la pareja de genes que gobierna el color de los ojos incluye un gene para ojos cafés que es dominante y un gene para ojos azules que es recesivo; como consecuencia los dos tienen los ojos de color café, pero son portadores del gene para ojos azules, que fue precisamente el que los dos transmitieron al hijo. Al encontrarse dos genes recesivos sin ninguno dominante que les impida manifestarse, pueden ejercer su influencia en la aparición de ojos de color azul.

Tim y Greg Hildebrandt son idénticos hasta en su estilo para pintar, tanto que pueden turnarse en el trabajo o hacerlo juntos, como en este cartel de *La guerra de las galaxias*.

Lo que revelan los gemelos idénticos sobre la herencia

Los gemelos idénticos criados por diferentes familias suelen demostrar un notable parecido, no sólo físico, sino también psicológico. Algunas similitudes pueden ser simple coincidencia o deberse a que los gemelos han crecido en ambientes análogos y se han estado viendo con frecuencia, pero hay otras semejanzas que sólo pueden atribuirse a la herencia. Hay gemelos idénticos que tienen gestos parecidísimos; los dos aprietan con fuerza al dar la mano, o agitan un dedo para enfatizar sus palabras. Llegan a tener los mismos problemas psicológicos, e intereses artísticos o deportivos afines. Un par de gemelos idénticos que habían sido separados al nacer resultaron los dos campeones de box, y otro par, cantantes dedicados al mismo tipo de música.

¿Por qué los hermanos no son más parecidos de lo que suelen ser?

Los hermanos, excepción hecha de los gemelos idénticos, no comparten exactamente la misma herencia. La compartirían si los hijos heredaran *todos* los genes del padre y *todos* los de la madre, pero sólo heredan la *mitad* de cada uno, y la mitad que le toca a cada hijo incluye una combinación distinta de genes paternos y maternos, una selección al azar de los caracteres hereditarios de ambos padres.

El azar interviene en dos momentos del proceso de la reproducción: cuando las células germinales se diferencian y cuando ocurre la fecundación. Durante una de las divisiones por las que pasan las células germinales para formar los óvulos y los espermatozoides, sus cromosomas se entrecruzan por pares y al separarse pueden intercambiar fragmentos y con ellos los genes que contienen. Esos intercambios dan lugar a nuevas combinaciones genéticas en los óvulos y en los espermatozoides.

En teoría, un hombre puede formar 8 millones de espermatozoides genéticamente distintos, pero como en cada eyaculación libera entre 140 y 400 millones de ellos, es obvio que algunos tienen que ser genéticamente idénticos. La mujer también tiene la capacidad de formar óvulos con 8 millones de combinaciones genéticas distintas. Al concebir un hijo queda al azar cuáles serán el espermatozoide y el óvulo que lleguen a fusionarse. Estadísticamente, una pareja podría engendrar 64 millones de hijos genéticamente distintos. En la realidad hay muchas menos combinaciones posibles, ya que una mujer produce únicamente de 200 000 a 400 000 óvulos en toda su vida, de los cuales sólo unos cuantos centenares maduran y muchísimos menos llegan a ser fecundados.

Síntomas y síndromes

¿Son raros los defectos genéticos?

Este planteamiento puede parecer sombrío, pero es cierto: todos tenemos alguna probabilidad estadística de transmitir a la siguiente generación un grave defecto hereditario. Esto se debe a que, según se calcula, cada uno de nosotros lleva entre 5 y 8 genes recesivos capaces de producir anomalías. Si da la casualidad de que se casan dos personas con uno o más de los mismos genes recesivos, no sería raro que tuvieran un hijo con un defecto genético. Se estima que 0.7% de los niños que nacen vivos sufren alguna anormalidad hereditaria.

¿Cuántas anomalías distintas pueden transmitirse genéticamente?

Hasta ahora los científicos han identificado más de 1 800 enfermedades transmitidas por genes anormales. De éstas, alrededor de 1 000 son heredadas a través de genes dominantes, como se llama a los que tienen fuerza suficiente para manifestarse siempre que están presentes. No puede darse en un niño un defecto producido por un gene dominante si por lo menos uno de sus padres no presenta el mismo defecto o lo presentará tarde o temprano, pues hay enfermedades genéticas que se manifiestan tardíamente y el que las hereda puede transmitirlas a su vez a sus descendientes antes de saber que está afectado. Una de estas alteraciones es la corea de Huntington, que causa un deterioro mental y finalmente la muerte.

Si solamente uno de los padres sufre una anomalía de un gene dominante, los hijos tienen 50% de probabilidades de heredarla: de cuatro hijos, estadísticamente, dos presentarán la enfermedad y dos serán sanos. Si ambos padres la padecen, los descendientes tendrán 75% de probabilidades de heredarla: de cuatro hijos, sólo uno podrá salvarse de ella.

Hay otras 800 enfermedades hereditarias transmitidas por genes recesivos, menos potentes que los dominantes. Generalmente los padres del enfermo no padecen la enfermedad, pero ambos son portadores del gene recesivo anormal junto con otro dominante normal que anula la acción del recesivo. No se puede padecer una alteración causada por genes recesivos a menos que se hayan heredado dos de estos genes, uno de cada padre. La fenilcetonuria es una enfermedad que se hereda de esta forma; puede producir un retraso mental severo si no se diagnostica y se trata correctamente.

¿Qué sucede cuando se hereda un número anormal de cromosomas?

La mayor parte de las enfermedades hereditarias son producidas por un gene dominante anormal o por un par de genes recesivos anormales, pero hay unas cuantas que se deben a anomalías de los cromosomas, estructuras del núcleo celular formadas por numerosos genes.

Durante el proceso de división de las células germinales que dan lugar a los óvulos o a los espermatozoides, uno o más de los cromosomas pueden dañarse o alterar su número. Si una de estas células defectuosas interviene en la concepción de un nuevo ser, éste tendrá más o menos cromosomas de los 46 que constituyen la dotación normal de nuestra especie. La mayoría de los bebés que presentan anomalías cromosómicas son abortados espontáneamente; los que sobreviven son retrasados mentales o sufren malformaciones físicas.

Uno de los trastornos cromosómicos más comunes es el síndrome de Down, que se caracteriza tanto por un grave retraso mental como por otras anormalidades físicas. Los niños que presentan este síndrome tienen 47 cromosomas; se supone, aunque no se ha comprobado, que las alteraciones que sufren se deben al exceso de enzimas producidas por los miles de genes extra que hay en el cromosoma que les sobra.

¿Cuál de los dos sexos es más vulnerable a las enfermedades genéticas?

La mayor parte de las enfermedades hereditarias, como la anemia drepanocítica, no tienen relación alguna con el sexo de la persona que las padece; pero hay otras heredadas junto con los cromosomas sexuales, los cromosomas que determinan el que una persona sea hombre o mujer, y que por lo tanto están estrechamente vinculadas a esa característica. A diferencia de otras anomalías genéticas, las enfermedades hereditarias asociadas con el sexo son mucho más frecuentes en los hombres.

La vulnerabilidad de los hombres a estas enfermedades se debe a dos condiciones particulares. Primero, el cromosoma X incluye

---

¿SABÍA USTED QUE...?

- **La fiebre es producida** por sustancias llamadas pirógenos que resultan del desdoblamiento de las proteínas y de otras moléculas. Se cree que los pirógenos elevan el termostato interno, por eso el enfermo siente frío aunque estén funcionando los mecanismos que producen y conservan el calor de su cuerpo y su temperatura esté subiendo. No se sabe con certeza lo que ocurre durante un acceso de fiebre, pero según una teoría los gérmenes no se multiplican tan rápidamente a altas temperaturas. Por eso, aunque la fiebre se puede bajar con aspirina, quizá convendría dejarla seguir su curso normal si no es muy alta.

- **Si la aspirina se hubiera descubierto ahora,** se la consideraría un "remedio milagroso" y probablemente se exigiría receta médica para su venta. Aunque es uno de los medicamentos más usados, resulta más peligrosa, y también más útil, de lo que se supone. En los niños enfermos de varicela se ha asociado el consumo de aspirina con el síndrome de Reye y en los adultos que abusan de ella produce irritación intestinal; pero también alivia el dolor y baja la fiebre.

- **Los suspiros no son exclusivos** del que tiene preocupaciones; se suele inhalar profundamente y después soltar el aire tan rápida y violentamente que resulta audible sin que uno se dé cuenta de la fuerza y frecuencia de los suspiros.

- **Se llama epidemia** al brote de una enfermedad contagiosa que afecta a un gran número de personas al mismo tiempo en una zona determinada. Una epidemia muy extensa, como la gripe española de 1918, se conoce como pandemia. Una enfermedad es endémica cuando persiste en un mismo lugar.

Rasgos hereditarios de la casa de Habsburgo

Una de las más importantes dinastías de Europa, que gobernó desde el siglo XV hasta el XX, fue la de los Habsburgo. La fisonomía de los Habsburgo se caracterizaba por un marcado prognatismo (proyección hacia adelante del mentón y del labio inferior) determinado por los genes, como sabemos ahora, pero en los tiempos en que no se conocían las leyes de la herencia debe de haber llamado la atención la recurrencia de esos rasgos en la familia. Los Habsburgo extendieron su influencia sobre Austria, Alemania, Hungría y España no sólo por medio de las armas, sino a través de matrimonios con miembros de otras poderosas familias europeas. La cruza dentro de un círculo tan reducido exageró la apariencia peculiar de los Habsburgo, pero también agravó debilidades genéticas más serias, que terminaron con la vida del último varón de ese linaje.

Federico III (1415-1493) fue el primer gobernante que presentó los rasgos típicos de los Habsburgo, aparentemente heredados de su madre.

Generaciones de matrimonios consanguíneos acentuaron los efectos de la herencia familiar. En la época de Felipe IV (1605-1665) el auge de la dinastía había pasado.

El hijo de Federico III fue Maximiliano I (1459-1519), que aparece en este retrato, extrema izquierda, con su familia. La fisonomía de los hijos es producto de los genes de los Habsburgo.

más genes que el Y, entre ellos los genes recesivos de las enfermedades hereditarias ligadas al sexo más comunes, que son la hemofilia y el daltonismo. Segundo, la mujer tiene dos cromosomas X, mientras que el hombre tiene uno X y el otro Y.

El hijo varón de una mujer que es portadora del gene del daltonismo (o de la hemofilia) tiene las mismas probabilidades de heredar de su madre el cromosoma X con el gene dominante que determina la visión normal (o la coagulación normal de la sangre, según el caso) como de heredar el cromosoma X que lleva el gene recesivo anómalo. Si hereda el gene recesivo, inevitablemente presentará daltonismo (o hemofilia) porque no cuenta con otro cromosoma X que pudiera incluir el gene dominante normal capaz de anular la influencia del gene recesivo anormal. En cambio, la hija que hereda de su madre este gene recesivo sí tiene oportunidad de evadir la enfermedad porque el segundo cromosoma X, que obtiene de su padre, puede llevar el gene dominante normal.

Esto no quiere decir que no pueda haber mujeres daltónicas o hemofílicas; hay algunas que presentan estas alteraciones, pero son considerablemente menos que los hombres. En estos raros casos, la mujer tiene que haber heredado dos genes recesivos anómalos, uno en el cromosoma X que procede de su madre y el otro en el cromosoma X transmitido por su padre.

Orquestación del desarrollo

¿Cómo "saben" las células lo que tienen que hacer?

En el campo de la biología, quizá más que en otras ciencias, quedan todavía muchas cuestiones por resolver. Una de las cosas que los biólogos quisieran saber es cómo se diferencian las células, es decir, cómo se transforman en células cardiacas, hepáticas, cerebrales y demás. Hasta ahora los científicos no han podido sino especular sobre ello.

Lo que hace esta cuestión tan difícil de entender es que cada una de las células de nuestro organismo lleva en su núcleo todos los genes heredados de nuestros padres, lo que significa que está equipada con todas las instrucciones necesarias para formar cualquier estructura del cuerpo y para desempeñar cualquier función. Así, una célula que va a ser hepática "sabe" también cómo ser una célula sanguínea pero, afortunadamente, no hace uso de ese conocimiento. Si todos los genes de una célula estuvieran activos, se contradirían unos a otros produciendo la más terrible confusión. Pero aparentemente la mayor parte de ellos permanecen inertes y sólo unos cuantos se mantienen activos en cada tipo de célula dirigiendo su diferenciación y el desempeño de la función específica que le corresponde.

Pero ¿cómo se seleccionan los genes que deben actuar? Puede ser que en cada célula haya un compuesto químico que paralice a la mayoría de los genes, dejando sólo unos cuantos en funciones para que le indiquen a la célula lo que debe hacer. O quizá haya algo que activa a unos genes y a otros no. Si éste fuera el caso, se podría comparar a los genes de una célula con el teclado de una máquina de escribir o de un piano, y a ese "algo" que los activa con el mecanógrafo o el pianista que forma palabras o melodías apretando determinadas teclas.

¿Cómo actúan los genes?

Hasta ahora, los científicos han identificado más de 1 500 caracteres controlados por genes individuales: alrededor de 750 de estos caracteres están determinados por genes dominantes y otros 800 por genes recesivos. Entre los rasgos que gobierna un solo gene dominante se encuentran la miopía, el oído normal y la polidactilia (dedos supernumerarios en las manos o en los pies); entre los que controla un solo gene recesivo están la visión normal, la sordera congénita y el número normal de dedos.

Pero no siempre hay una simple relación de causa y efecto entre un gene y un carácter, pues la mayoría de las características del ser humano están controladas por varios genes —poligenes— que trabajan conjuntamente para producir una determinada característica. Una de esas características es la estatura, determinada por genes múlti-

Supuestamente Ponce de León "encontró" la mítica fuente de la juventud.

En busca del elíxir de la vida

El deseo de una eterna juventud es imperecedero. Los antiguos hindúes creían en una fuente cuyas aguas hacían retornar a la primavera de la vida. Hoy muchos buscan la eterna juventud en dietas y ejercicios especiales o sometiéndose a inyecciones de sustancias misteriosas. Lamentablemente, el elíxir de la vida no existe. Poca gente llega a vivir más de 85 años y la herencia parece haber decretado un límite de 115, pues hasta ahora no se ha comprobado que nadie haya vivido más.

Este venerable ciudadano soviético tiene 113 años.

ples que dirigen la producción de hormonas, la formación de los huesos y otros procesos fisiológicos.

Los genes siguen trabajando mientras dura la vida; son ellos los que gobiernan la multiplicación de las células de la mucosa gástrica y de todos los tejidos que se renuevan, y los que indican a todas las partes del cuerpo cuándo dejar de crecer.

¿Qué es la ingeniería genética?

Aunque en cientos de enfermedades hereditarias los científicos han podido determinar a qué gene en particular se debe cada una, en la mayor parte de los casos no han podido averiguar cómo actúa ese gene para producir y perpetuar la anomalía. A eso se debe que sólo unas cuantas afecciones genéticas puedan ser tratadas.

Algún día será posible cambiar los caracteres hereditarios del hombre. Aunque esto parezca cosa de ciencia ficción, muchos biólogos prestigiados afirman que se llegará a poder sustituir los genes defectuosos por otros normales y curar así la anemia drepanocítica, la hemofilia y otras enfermedades hereditarias. Ya se han sintetizado genes en el laboratorio y se ha logrado intervenir, en pequeña escala, en los procesos reproductivos y hereditarios de organismos muy sencillos.

Las bases de la ingeniería genética se establecieron hace unos años cuando se contó con enzimas capaces de dividir la molécula de ADN, el material hereditario fundamental. Separando los genes de unos organismos e introduciéndolos en otros, técnica que se llama recombinación del ADN, han logrado los científicos integrar en la cadena de ADN de ciertas bacterias fragmentos que proceden de conejos o de ranas. Las bacterias "remodeladas" siguen las instrucciones genéticas contenidas en el ADN de esos organismos superiores que se les ha injertado.

Así se ha conseguido alterar bacterias para que produzcan insulina y hormona de crecimiento humanas. Hasta ahora las cantidades obtenidas por este procedimiento son pequeñas, pero se espera que pronto se puedan obtener con la misma técnica y a bajo costo grandes cantidades de muchas sustancias importantes para la medicina. La ingeniería genética no sólo tiene futuro en el campo de la medicina, sino en el de la agricultura, la ganadería y la alimentación.

Nancy Wexler ha contribuido a recopilar este árbol genealógico que muestra la incidencia de la corea de Huntington en 3 000 personas a través de ocho generaciones.

Una historia genética de detectives

Lo más terrible de la corea de Huntington, una enfermedad degenerativa del cerebro que conduce a la muerte, es que los síntomas no aparecen hasta la mitad de la vida, cuando las víctimas generalmente han tenido hijos (con 50 % de probabilidades de heredar la alteración) sin saber que llevaban el mal en sus genes. Hace poco, unos investigadores han estado siguiendo la pista a la corea de Huntington en un grupo de familias venezolanas emparentadas para tratar de encontrar los patrones hereditarios. Los científicos han usado estos resultados para crear una prueba que permita conocer su destino a los miembros de familias predispuestas a la enfermedad. Por doloroso que resulte saberlo, podrán por lo menos evitar tener hijos. Para poder aplicar la prueba se necesita contar con diez parientes de la persona que se estudia. Uno de los científicos, Nancy Wexler, tiene probabilidades de ser víctima de la corea de Huntington, pero no puede aplicarse la prueba porque no cuenta con suficientes parientes vivos.

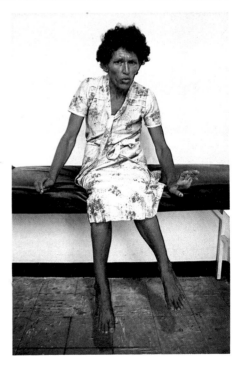

La mano torcida de esta mujer fotografiada en una clínica de Venezuela es una de las manifestaciones de la corea de Huntington. Los síntomas abarcan movimientos convulsivos, trastornos emocionales y deterioro mental progresivo.

Ciencia de alta tecnología

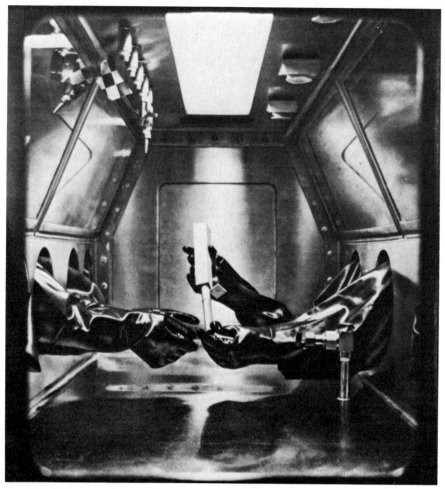

Los científicos que estudian las enfermedades infecciosas mortales para las que no hay cura trabajan en laboratorios de alta seguridad. Los virus letales se aíslan en cámaras selladas a las que los investigadores tienen acceso metiendo las manos en guantes largos integrados a las paredes del cubículo. Además, usan ropa protectora especial y dos veces al día se duchan con desinfectantes.

¿Se puede obtener un ser humano por clonación?

En 1978 causó gran revuelo un libro publicado por un escritor de temas científicos en el que relataba la historia de un magnate que contrató a un grupo de destacados científicos para que crearan un bebé clonal, es decir, un bebé idéntico a ese hombre a partir de una de las células de su cuerpo. En 1981, un juez dictaminó que el libro constituía un fraude. Efectivamente, la clonación de seres humanos es por ahora imposible y quizá lo siga siendo siempre.

La clonación de las plantas, en cambio, no sólo es factible, sino que se ha venido practicando desde tiempos inmemoriales. Cualquier ejemplar obtenido de un esqueje es un clon. Los científicos han clonado za-nahorias, por ejemplo, cultivando en leche de coco una de sus células hasta obtener una zanahoria idéntica a aquella de la que procedía la célula original. Así se han creado también clones de ranas y ratones.

Clonar a un ser humano sería mucho más difícil. Se tendría que quitar el núcleo (la parte de la célula que contiene el material genético) al óvulo de una mujer, tomar una célula del cuerpo del donador y extirparle el núcleo, introducir ese núcleo en el óvulo, implantar el óvulo en el útero de una mujer y esperar nueve meses.

Pero el verdadero problema no es ése, sino el hecho de que las células humanas ya diferenciadas, maduras, pierden aparentemente la capacidad de emplear todo su potencial genético; no tienen la plasticidad de las células embrionarias. Una célula epitelial, por ejemplo, no puede convertirse en una célula sanguínea, u ósea, o cerebral, menos aún dar origen a todas las células que integran un ser humano. También hay que tomar en cuenta que el hombre es producto tanto de la herencia como del medio ambiente. Un clon humano podría tener los mismos genes de la persona que donó la célula original, pero no se convertiría en una copia al carbón del donador porque, como lo explicó un científico, es imposible reproducir el medio ambiente en el que se desarrolló aquella persona, un medio que ya pertenece al pasado.

¿Hay realmente enfermedades nuevas?

La publicidad que se ha hecho en los últimos años a enfermedades como la de los legionarios, el síndrome del shock tóxico o el síndrome de inmunodeficiencia adquirida las presenta como enfermedades nuevas, pero sería más acertado describirlas como infecciones recientemente identificadas. Cabe siempre la posibilidad de que un padecimiento aparentemente nuevo haya existido desde hace largo tiempo como una enfermedad poco común que pasó inadvertida antes de que por alguna razón se extendiera.

¿Cómo será el hombre del futuro?

Los escritores de ciencia ficción presentan al hombre del futuro como un ser mucho más inteligente, con un cerebro voluminoso en un cuerpo raquítico; algunos suponen que en los siglos venideros, perderemos definitivamente las muelas del juicio lo mismo que el apéndice, y que nos quedaremos calvos y lampiños. Los "futurólogos" predicen que llegará un día en que los científicos podrán mejorar el cuerpo humano en muchos aspectos logrando, por ejemplo, que subsista con muy poco alimento y no más de dos horas de sueño al día. Pero hay pocos hombres de ciencia que crean posibles estas especulaciones.

Si miramos hacia el pasado, no encontraremos apoyo para las teorías que predicen grandes cambios en el hombre del futuro. Las momias de antiguas culturas, como las egipcias y las peruanas, demuestran que los hombres de antaño sufrieron básicamente las mismas enfermedades a que se enfrenta hoy la ciencia: caries dentales, arteriosclerosis, paperas, epilepsia, paludismo y cáncer, por citar sólo algunas. Las enfermedades del hombre no han cambiado sustancialmente desde la más remota antigüedad, como dice el historiador médico Arturo Castiglione.

La invariable naturaleza de la anatomía y la fisiología humanas constituye el principal obstáculo para los proyectos de establecer colonias en el espacio. Para lograrlo, los científicos tendrán que inventar tecnologías y equipo que permitan al hombre vivir en estaciones espaciales o pasar meses en asentamientos lunares. Las técnicas quirúrgicas, por dar un ejemplo, tendrán que cambiar, porque en el momento en que el cirujano hiciera una incisión abdominal, los intestinos del paciente saldrían flotando.

¿Qué grandes avances médicos nos esperan?

Los extraordinarios logros de la medicina actual —que van desde los trasplantes de hígado hasta la reintegración de miembros amputados accidentalmente— nos hacen esperar avances aún más espectaculares en el futuro. Los científicos están trabajando en un brazo artificial que emplea los impulsos de los músculos del hombro para mover la mano, un artefacto que será capaz de hacer la mayor parte de los movimientos que realiza la mano natural. En el futuro los paralíticos podrán caminar con la ayuda de computadoras en miniatura que probablemente se les podrán injertar.

Dos de las más promisorias áreas de la ciencia son la inmunología (que estudia las defensas naturales del organismo) y la genética. El avance más impresionante de la inmunología es la creación de anticuerpos monoclonales. Los anticuerpos son sustancias químicas formadas por el sistema inmunitario de nuestro organismo que atacan específicamente una enfermedad determinada y, por lo tanto, se pueden emplear para diagnosticarla y para tratarla. Algún día contaremos también con vacunas que nos protejan de la artritis, los herpes e incluso del cáncer. El descubrimiento de medicamentos como la ciclosporina ha aumentado el éxito de los trasplantes de órganos, ya que no suprimen totalmente las defensas naturales del paciente exponiéndolo a cualquier infección.

La ingeniería genética se está empleando para hacer que las bacterias sinteticen hormonas humanas como la insulina y la hormona de crecimiento. En el futuro los médicos podrán sustituir los genes responsables de enfermedades hereditarias como la anemia drepanocítica y la talasanemia por otros normales.

De vez en cuando la prensa proclama el descubrimiento de "remedios milagrosos" que supuestamente detienen el proceso de envejecimiento o curan alguna temible enfermedad como el cáncer. Esta desmesurada publicidad aumenta la desilusión de la gente al ver que los resultados no corresponden a sus expectativas, pero no hay que perder de vista que muchos descubrimientos fundamentales surgieron de esfuerzos aparentemente inútiles. Aunque se haya sobreestimado el efecto de la timosina, el interferón, el factor de necrosis tumoral y demás, puede ser que formen parte de alguna futura terapia, que sean una pieza del rompecabezas.

Las momias revelan sus secretos

La tomografía axial computarizada ha servido no sólo para diagnosticar las enfermedades de nuestro tiempo, sino también las del más remoto pasado. Los científicos están usando ese moderno aparato de rayos X para examinar momias y cuerpos accidentalmente conservados en chapopoteras o glaciares. El estudio de una momia egipcia reveló signos de seis enfermedades, entre ellas el endurecimiento de las arterias y una silicosis (probablemente por efecto de las arenas del desierto). En varias momias peruanas y en un cuerpo hallado en China había evidencias de aterosclerosis, enfermedades parasitarias y tuberculosis. Como se ve, las enfermedades no han cambiado al paso de los siglos.

El sarcófago dorado de la derecha contiene los restos de un egipcio que vivió antes del año 600 a.C. La técnica de tomografía axial computarizada (arriba) permite hacer una autopsia dejando intactos tanto a la momia como al sarcófago.

Capítulo 2

EL CEREBRO Y EL SISTEMA NERVIOSO

Cuanto más sabemos sobre el cerebro, más asombroso nos parece ese bastión del espíritu humano increíblemente intrincado, siempre alerta, sensible y poderoso.

¿Qué función tiene el cerebro?

Sin el enorme desarrollo que ha alcanzado nuestro cerebro serían imposibles el lenguaje y el pensamiento abstracto, el razonamiento y el aprendizaje de alto nivel. Pero el cerebro es más, mucho más, que el centro de la actividad intelectual; lo necesitamos para respirar, para metabolizar los alimentos e incluso para eliminar los desechos. El cerebro regula y coordina cada uno de los movimientos que hacemos, voluntarios e involuntarios, todas las impresiones sensoriales que recibimos, todas las emociones que sentimos. Sin el cerebro no podríamos apreciar un cuadro, un poema, una sinfonía, un paisaje. A él debemos la conciencia de nosotros mismos y del mundo que nos rodea, nuestra vida inconsciente, nuestra creatividad, nuestra personalidad.

En pocas palabras, el cerebro es lo que nos hace humanos. Ya lo reconocía así Hipócrates en el siglo v a.C. después de observar lo que ocurría con las personas que habían recibido lesiones en la cabeza: "Del cerebro y sólo del cerebro proceden tanto el placer, la alegría, la risa y el entusiasmo como la pena, el dolor, el abatimiento y el miedo."

¿Son lo mismo mente y cerebro?

De acuerdo con el neurólogo Richard Restak, la mente es, en esencia, todo lo que el cerebro hace, concepto que comparten muchos de sus colegas, aunque no todos. Estos neurofisiólogos reconocen, desde luego, que falta mucho por saber sobre lo que se llama "la mente", pero confían en que la ciencia llegará a aclarar el misterio y a llenar las lagunas. Según su criterio, todo lo que ocurre en la mente es el resultado de procesos electroquímicos específicos que se llevan a cabo en el cerebro, aunque los científicos aceptan que todavía no conocen todos esos procesos.

Por otro lado, el neurobiólogo David H. Hubel considera que *mente* es un término tan ambiguo que se sale de los límites del campo de la ciencia. Se trata de una palabra con un significado demasiado vago y sutil para poder analizarlo. Algunos de los temas que a ella se refieren, como el de la relación entre la mente y el cerebro, son más filosóficos que científicos y desde ese punto de vista quizá nunca lleguen a aclararse.

¿Funciona el cerebro como una computadora?

Para empezar, las computadoras necesitan que se les den instrucciones, paso por paso, sobre lo que deben hacer: primero esto, luego eso y después aquello (lo que se llama un programa de secuencia lineal). El cerebro no requiere nada similar; lo más cercano a un programa, y no lo es mucho, sería la capacidad para dirigir la atención primero a un pensamiento, sensación o acción y luego a otro. Mientras que una computadora procesa la información paso por paso, el cerebro, con sus billones de conexiones neuronales interconectadas, lo hace simultáneamente a través de millones de vías multidireccionales. En lo que pueden compararse el cerebro y una computadora es que en ambos los mecanismos para almacenar, recuperar y procesar la información están activados por la electricidad.

Pero el cerebro es mucho más que una simple computadora; ninguna de ellas puede decidir que está aburrida o que está desaprovechando su capacidad en una actividad y cambiar de rumbo; no puede alterar su propio programa: para que inicie una nueva tarea tiene que haber una persona con un cerebro que la reprograme.

Y, lo que es más importante, una computadora no puede desahogarse, reír o soñar despierta, no puede sentirse inspirada ni ser creativa, no tiene conciencia de sí misma ni percibe el significado de las cosas, no puede enamorarse. Volviendo a la pregunta original, la respuesta es no, el cerebro no funciona como una computadora.

¿Qué es un idiot savant?

Idiot savant es un término psicométrico que se aplica a las personas capaces de realizar determinadas proezas mentales pero que en todos los demás aspectos son retrasadas mentales. La mayoría de las veces, sus malabarismos mentales son de tipo aritmético o de memoria; pueden, por ejemplo, sacar la raíz cúbica de un número de seis cifras en sólo seis segundos, ir a ver una comedia musical y decir luego cuántos pasos dieron los bailarines o repetir de un tirón un largo párrafo en un idioma desconocido después de haberlo leído sólo una vez. Un par de gemelos idénticos que tenían un cociente intelectual entre 60 y 70 y no podían resolver las operaciones aritméticas más sencillas, eran en cambio capaces de calcular en unos cuantos segundos qué fecha de cualquier año muchos siglos atrás había caído en domingo o a qué día de la semana correspondería cualquier otra miles de años hacia el futuro. A un *idiot savant* de diez años se le pidió que multiplicara 365 365 365 365 365 365 por 365 365 365 365 365 365, y en un minuto dio la respuesta correcta: 133 491 850 208 566 925 016 658 299 941 583 225.

Mientras hacen estos prodigiosos cálculos mentales, los *idiots savants* se concentran intensamente, pero eso no quiere decir que estén quietos. Según un observador, durante el minuto que la computadora neuronal de diez años a que nos hemos referido antes tardó en hacer el cálculo, corrió por la habitación como si fuera un trompo, se mordió las manos y se subió y bajó el borde de los pantalones mientras giraba los ojos en las órbitas como un poseso, sonreía, hablaba solo y a veces parecía sufrir las penas de la agonía. Cuando se les pregunta a los *idiots savants* cómo se las arreglan para lograr tales hazañas, suelen contestar que lo tienen todo en la cabeza, y hasta ahora no hay nadie que haya podido encontrar una respuesta mejor.

Sin necesidad de maestro, Alonzo Clemens ha creado hermosas esculturas de animales, como la de los caballos de la izquierda. Lo más sorprendente es que Clemens (retratado aquí con su madre) tiene un cociente intelectual de 40. El suyo es un caso raro entre los retrasados brillantes llamados idiots savants, *que no suelen mostrar habilidad artística.*

El órgano más complejo del cuerpo humano

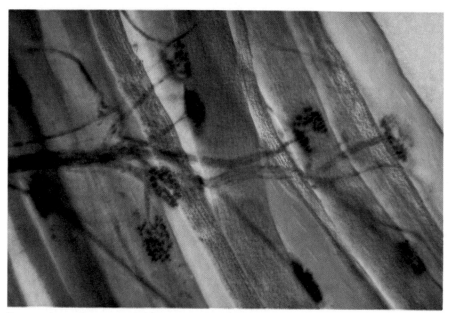

Los nervios motores se introducen entre las fibras musculares como si fueran raíces. Los racimos apicales son las placas motoras terminales, que estimulan la contracción de los músculos mediante la descarga de transmisores químicos.

¿Qué aspecto tiene el cerebro?

Si es usted lector de Agatha Christie, recordará las palabras que tantas veces pone en boca de su famoso detective Hercule Poirot: "Pongamos a trabajar las pequeñas células grises." Efectivamente, gran parte del cerebro humano está formado por materia gris, un gris que parece el de la grasa sucia; pero por debajo de esta capa formada por los cuerpos de miles de millones de neuronas se encuentra la materia blanca, constituida por las finas prolongaciones nerviosas que emergen de esas células como si fueran largos tallos.

¿Cuáles son las principales partes del sistema nervioso?

El sistema nervioso controla todas nuestras actividades: el funcionamiento de los órganos internos, nuestros movimientos, nuestras percepciones e incluso nuestros pensamientos y emociones. Las partes principales de esta compleja red son el *sistema nervioso central*, formado por el cerebro y la médula espinal, y el *sistema nervioso periférico*, dividido a su vez en sistema somático y sistema visceral.

El sistema somático está formado por los nervios craneales y espinales; unos son sensoriales —reciben los estímulos del mundo exterior y mantienen el cuerpo en contacto con él—, y otros son motores —gobiernan las respuestas de nuestro organismo ante esos estímulos—. El sistema visceral o autónomo controla el medio interno: gobierna la respiración, el ritmo cardiaco, los movimientos intestinales y todas las demás actividades fisiológicas, incluso las respuestas físicas de las emociones como, por ejemplo, el sudor de las manos que suele acompañar al miedo.

¿Qué función tienen las diversas partes del cerebro?

Comparados con la complejidad del cerebro, los demás órganos del cuerpo humano parecen sencillos e incluso intrascendentes, en cuanto que ninguno de ellos sirve para diferenciar al hombre de los otros animales. En el cerebro, y sólo en él, reside la conciencia humana —y el subconsciente también—.

El cerebro se compone de tres regiones principales: el cerebro propiamente dicho, el cerebelo y el tallo cerebral. La inteligencia y la capacidad de aprendizaje y de juicio residen en los hemisferios cerebrales, que ocupan casi enteramente la bóveda craneana, lo que da idea de la importancia que tienen. El cerebelo es mucho más pequeño, pues representa una octava parte del tamaño del cerebro; sus funciones consisten en mantener el equilibrio y coordinar la actividad muscular. El tallo cerebral incluye estructuras como el tálamo y el hipotálamo, que regulan el hambre, la sed, el sueño y la conducta sexual; el mesencéfalo y el puente de Varolio, a los que corresponde la tarea de transmitir los impulsos nerviosos de una parte del cerebro a otra, y el bulbo raquídeo, que gobierna el ritmo respiratorio, la presión sanguínea, el latido del corazón y otras funciones vitales.

¿Qué es la barrera sanguínea del cerebro?

El cerebro es, de todos los órganos, el que requiere un medio interno más controlado, más estable. Si estuviera expuesto a cantidades variables de las sustancias que necesita o le llegara cualquier sustancia extraña, podría alterarse su funcionamiento, quizá con severas consecuencias. Como la sangre suele arrastrar consigo diversas sustancias que, si bien no dañan a otros órganos, sí pueden afectar al cerebro, ¿por qué no sufre alteraciones? La explicación es que el cerebro, a diferencia de los demás órganos, cuenta con un sistema de protección especial, con una barrera sanguínea gracias a la cual las moléculas grandes generalmente no pueden pasar de la sangre al cerebro.

En el resto del organismo, los vasos sanguíneos más pequeños, los capilares, tienen espacios abiertos entre las células que forman sus paredes, es decir, son porosos. En cambio los capilares cerebrales tienen paredes continuas; sus células están estrechamente unidas, casi fusionadas. Esto no quiere decir, desde luego, que las sustancias de moléculas pequeñas no puedan atravesar esa barrera; el oxígeno, el alcohol y la mayor parte de los anestésicos pasan fácilmente, por eso el cerebro puede obtener el oxígeno que necesita y a eso se debe también que podamos emborracharnos y ser anestesiados.

¿Cuánto tiempo puede soportar el cerebro sin oxígeno?

Tomemos el caso de un niño que cayó en un lago helado del que fue sacado 40 minutos más tarde aparentemente muerto; sin embargo, se le pudo revivir sin que presentara daño cerebral o, por lo menos, sin

Regiones del cerebro y sus funciones

El cerebro humano pesa alrededor de 1.5 kg, es algo más grande que una toronja de buen tamaño y tiene la consistencia de un flan o de un aguacate maduro. Las estructuras más voluminosas son los hemisferios cerebrales, que parecen una enorme nuez sin cáscara; cada uno tiene cuatro lóbulos: frontal, temporal, parietal y occipital, que forman una especie de casco. En la superficie de los hemisferios cerebrales, lo que se llama la corteza, es donde se almacena la mayor parte de la información. Poco más puede verse por fuera, excepto el cerebelo, del tamaño de un durazno, y el tallo cerebral, que conecta el cerebro con la médula espinal.

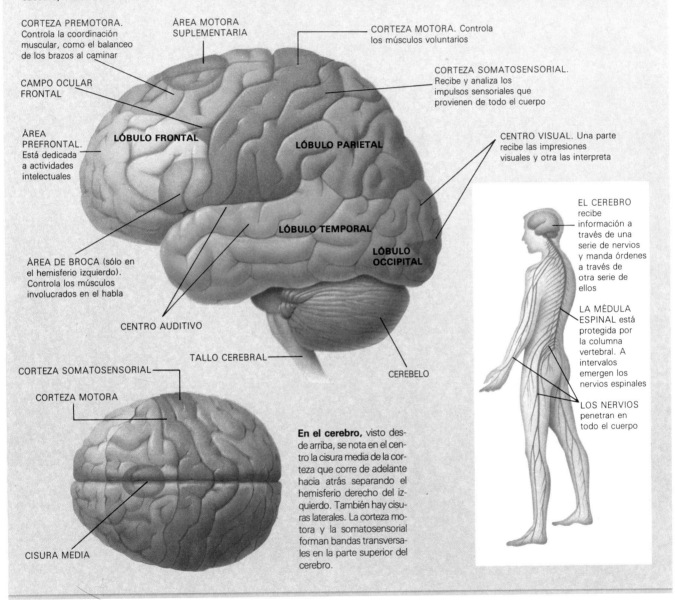

CORTEZA PREMOTORA. Controla la coordinación muscular, como el balanceo de los brazos al caminar

ÁREA MOTORA SUPLEMENTARIA

CORTEZA MOTORA. Controla los músculos voluntarios

CAMPO OCULAR FRONTAL

CORTEZA SOMATOSENSORIAL. Recibe y analiza los impulsos sensoriales que provienen de todo el cuerpo

ÁREA PREFRONTAL. Está dedicada a actividades intelectuales

LÓBULO FRONTAL

LÓBULO PARIETAL

CENTRO VISUAL. Una parte recibe las impresiones visuales y otra las interpreta

ÁREA DE BROCA (sólo en el hemisferio izquierdo). Controla los músculos involucrados en el habla

LÓBULO TEMPORAL

LÓBULO OCCIPITAL

CENTRO AUDITIVO

CORTEZA SOMATOSENSORIAL

CORTEZA MOTORA

TALLO CEREBRAL

CEREBELO

CISURA MEDIA

EL CEREBRO recibe información a través de una serie de nervios y manda órdenes a través de otra serie de ellos

LA MÉDULA ESPINAL está protegida por la columna vertebral. A intervalos emergen los nervios espinales

LOS NERVIOS penetran en todo el cuerpo

En el cerebro, visto desde arriba, se nota en el centro la cisura media de la corteza que corre de adelante hacia atrás separando el hemisferio derecho del izquierdo. También hay cisuras laterales. La corteza motora y la somatosensorial forman bandas transversales en la parte superior del cerebro.

ningún daño serio. Aunque hace unos años se daba por sentado que las células cerebrales empezaban a morirse en cuanto pasaban cuatro minutos sin oxígeno, ahora los médicos se han dado cuenta, analizando una serie de rescates que parecían inexplicables, que el cerebro no muere tan rápidamente como se pensaba, sólo "entra en receso", como lo expresa un neurocirujano.

Lo que ha salvado a algunas personas de morir ahogadas es el reflejo de buceo, que se presenta en los seres humanos y en los mamíferos marinos. Cuando la cara queda sumergida en agua fría, la baja temperatura estimula una reacción refleja que consiste en una reducción drástica del metabolismo. En estas condiciones el cerebro y los demás órganos vitales consumen mucho menos oxígeno de lo normal. (Es sabido que el frío basta para reducir el metabolismo, por eso se emplea en algunas técnicas neuroquirúrgicas.) Además, la sangre se redistribuye aumentando el flujo de brazos y piernas hacia el cerebro y los órganos que más necesidad tienen de oxígeno. Como el reflejo deja de operar en cuanto la cara emerge, se debe empezar la labor de resucitación tan pronto como se haya sacado a la víctima del agua.

49

La sorprendente red neuronal

¿Cómo se transmiten los mensajes del cerebro?

Cuando una parte del cerebro envía un mensaje a otra, emplea dos tipos de energía: eléctrica y química. La electricidad conduce el mensaje de un extremo a otro de cada una de las largas células nerviosas, las neuronas; pero las cosas se complican cuando tiene que pasar de una neurona a otra porque estas células no están directamente conectadas, hay entre ellas un espacio, lo que se llama una sinapsis.

Puede compararse la sinapsis a un río que separa dos tramos de una vía de ferrocarril. Cuando el tren llega a un extremo de la vía, cruza el río en un transbordador y al llegar a la otra orilla sigue su marcha sobre el otro tramo de rieles. Así, el mensaje cerebral cruza la sinapsis a bor-do de un transbordador que, en este caso, es un compuesto químico llamado, genéricamente, neurotransmisor. La corriente eléctrica que conduce el mensaje hasta el extremo de la neurona se interrumpe al llegar a la sinapsis, el neurotransmisor toma entonces a su cargo el mensaje y lo transmite a la siguiente neurona donde se pone en acción otra corriente eléctrica, y así sucesivamente hasta que el mensaje —llamado técnicamente impulso nervioso— llega a su destino.

La transmisión química del impulso a través de la sinapsis es más lenta que la transmisión eléctrica; tarda de una a tres milésimas de segundo (si tomamos una taza de café, la cafeína acelerará el proceso). Unas partes del cerebro producen un tipo de neurotransmisor y otras otro; en total, existen alrededor de 30.

¿Qué sucede cuando las neuronas se dañan o se destruyen?

Las neuronas con que cuenta una persona hasta el final de sus días son las mismas que tenía al nacer. Una vez diferenciadas, este tipo de células no se multiplican; si alguna se lesiona o muere no puede ser reemplazada. Sin embargo, la dotación de neuronas de que está provisto un individuo es tan grande que —a menos que sufra una lesión enorme— basta y sobra para cubrir las contingencias que puedan presentarse a lo largo de la vida. Aunque es verdad que el cuerpo de una neurona es irreemplazable, algunas de sus prolongaciones sí pueden regenerarse después de haber sido destruidas por una lesión; eso explica por qué es posible que los miembros reimplantados recobren parte de sus funciones.

¿Por qué son tan notables las neuronas cerebrales?

Cada neurona, o célula nerviosa, del cerebro está conectada con otras 10 000 o más. No se intenta reproducir aquí todas las conexiones posibles de las neuronas dibujadas porque sería tal la cantidad de filamentos que oscurecerían la ilustración.

Neurona. Cada neurona recibe información de otras de estas células y entonces "decide" si debe transmitir o no el mensaje. La decisión depende de la magnitud de la carga eléctrica que se haya acumulado en la superficie de la célula.

Dendritas. Estas delgadas ramificaciones filamentosas del cuerpo celular que dan a la neurona el aspecto de un pulpo son las que reciben mensajes de otras neuronas.

Axón. Prolongación del cuerpo de la neurona más largo y grueso que las dendritas. La neurona tiene sólo un axón, pero por éste puede ramificarse. El axón transmite los impulsos en dirección del bulbo terminal.

Bulbo terminal. Engrosamiento terminal del axón donde el impulso transmitido eléctricamente a lo largo de la neurona se transforma en una señal química (ver pág. 51).

Sinapsis. Punto donde hace contacto una neurona con otra. La comunicación se establece mediante un neurotransmisor químico.

Lugar de transferencia. Superficie de la membrana neuronal sensible a ciertas señales.

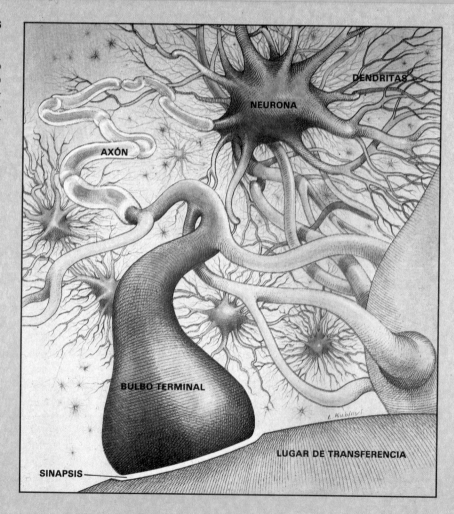

¿Qué relación hay entre el nerviosismo y los nervios?

Cuando estamos nerviosos nos parece que esa sensación procede de la boca del estómago, pero en realidad tiene su origen en el sistema nervioso. Supongamos que el dentista le dice que le tiene que extraer una muela; antes de que pueda razonar y darse cuenta de que no hay nada que temer, esas palabras ya han estimulado al cerebro.

Instantáneamente, su pensamiento se centra en la muela, y en lo más profundo del cerebro, donde se producen las reacciones "irracionales", las neuronas interpretan el mensaje como un peligro. Antes de que haya cerrado la boca para comprobar con la lengua que la muela todavía está en su lugar, las glándulas suprarrenales han recibido se-

ñales que les hacen verter epinefrina en el torrente sanguíneo. Los efectos de esa hormona llegan a todas partes del cuerpo; a ella se deben el rápido latir del corazón, la sensación de vacío en el estómago, el sudor de las manos y la intranquilidad general que llamamos nerviosismo.

Una vez que la epinefrina entra a la sangre, su efecto dura unos minutos sin que pueda detenerse antes la reacción. Aunque en ese momento el dentista decidiera no sacarle la muela, su estado de nerviosismo continuará mientras la hormona permanezca activa. De hecho, el sistema nervioso no necesita un estímulo externo, real, para alarmarse; por lo que a él concierne, un pensamiento es tan válido como un acto. Una idea perturbadora basta para ponerlo a uno nervioso y, una vez que el cerebro reconoce los síntomas, da

por sentado que hay razón para ese nerviosismo y se sostiene en tal estado.

¿Qué es el reflejo rotuliano?

Hay circuitos neuronales integrados a la médula espinal que reciben estímulos y responden a ellos antes de que la información llegue al cerebro; son los llamados arcos reflejos y uno de ellos es el rotuliano. Al dar un golpe seco en el tendón de la rodilla, el estímulo llega a la médula, de la que parte directamente una señal a los músculos unidos al tendón para que se contraigan, lo que hace que la pierna se extienda bruscamente. Si ese reflejo no se presenta, o es demasiado débil, le indica al médico que puede haber anomalías en las conexiones medulares.

¿Cómo pasan los mensajes de una neurona a otra?

Los mensajes eléctricos se transforman en señales químicas en el punto donde la neurona transmisora se encuentra con la neurona receptora. Sin embargo, las dos células no se tocan, son las moléculas del compuesto químico las que atraviesan el espacio que las separa, llamado hendidura sináptica.

Axón. Las neuronas tienen un solo axón que cuenta con uno o varios bulbos terminales.

Hendidura sináptica. Espacio infinitesimal (alrededor de 2 cienmilésimas de milímetro) que separa dos neuronas. El mensaje lo atraviesa en forma de señales químicas.

Bulbo terminal. Este dibujo estilizado muestra en el interior del bulbo terminal los pequeños sáculos que contienen las moléculas (esferas verdes) del compuesto químico encargado de transmitir el mensaje a través de la hendidura sináptica.

Receptores. La superficie sensitiva de la membrana de la neurona receptora sólo responde a determinadas moléculas: las de los neurotransmisores.

Neurotransmisores. Estas moléculas se acoplan a las de los receptores, y sólo a ellas, como una llave a su cerradura.

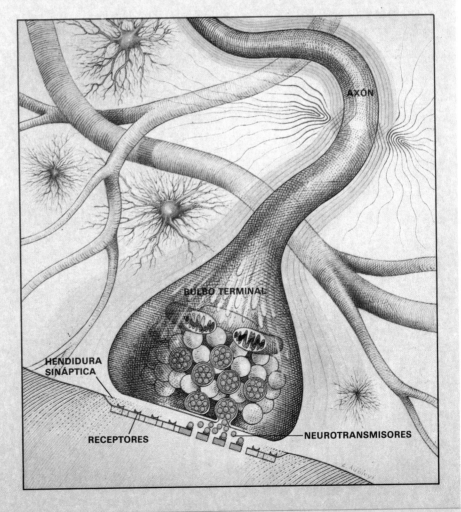

AXÓN

BULBO TERMINAL

HENDIDURA SINÁPTICA

RECEPTORES

NEUROTRANSMISORES

Cómo trabaja el cerebro

¿Cómo pueden saber los científicos la función de cada parte del cerebro?

Casi todo el mundo sabe que las distintas partes del cerebro están especializadas en diferentes funciones, pero ¿cómo se ha determinado esto si no hay forma de observar directamente el trabajo del cerebro? A través de los años, los científicos han encontrado métodos cada vez más precisos para explorar la "geografía" cerebral y han logrado elaborar mapas muy detallados.

Uno de los primeros métodos que se utilizaron fue la autopsia de personas que habían sufrido parálisis, dificultades del lenguaje y otros problemas neurológicos a consecuencia de trombosis, traumatismos encefálicos o lesiones congénitas. Cuando la autopsia revelaba un tumor o cualquier otra anomalía en una parte del cerebro, era de suponer que esa zona tenía a su cargo la función alterada. Así es como se localizaron el área de Broca y la de Wernicke, dos zonas cerebrales que controlan diferentes aspectos del lenguaje.

Otra fuente de información ha sido el estudio de pacientes a los que se les ha tenido que cortar el cuerpo calloso, un haz formado por unos 50 millones de fibras nerviosas que conecta las dos mitades del cerebro (esta operación se hace muy raras veces para ayudar a epilépticos resistentes a cualquier tratamiento). Observando cómo se comportan las personas con el cerebro dicotomizado ante una serie de pruebas de laboratorio, los investigadores han determinado cuáles son las características diferenciales del hemisferio derecho y del izquierdo.

Se pueden criticar estos métodos de cartografía cerebral aduciendo que las personas estudiadas no eran normales y que quizá lo que se aprendió respecto a sus cerebros no puede aplicarse al común de la gente. Ahora se emplea un tipo especial de tomografía para estudiar en vivo el cerebro de personas normales. Esta técnica permite medir el flujo sanguíneo cerebral y traducir esos valores en imágenes que se proyectan en una pantalla. Cuando la persona examinada habla, mueve una mano, canta o realiza otras actividades, el flujo de sangre a la zona del cerebro involucrada en esas funciones aumenta y se ilumina en la pantalla la imagen correspondiente.

¿Tienen las dos mitades del cerebro la misma habilidad para el lenguaje?

Se ha comprobado que el habla es, fundamentalmente, una función del hemisferio cerebral izquierdo. Una embolia masiva que destruya esta mitad del cerebro deja a la víctima incapacitada para hablar o comprender el lenguaje hablado; también anula la habilidad para el cálculo ya que las matemáticas son también especialidad del hemisferio izquierdo, la segunda en orden de importancia. Sin embargo, los estudios que se han hecho demuestran que las personas que sufren lesiones en el hemisferio derecho con frecuencia pierden capacidad para entender los chistes, el lenguaje figurado y otras sutilezas en el significado de las palabras, lo que indica que esta mitad también tiene que ver con el lenguaje aunque su especialidad es la percepción espacial, la creatividad, la música y demás artes.

El que cada mitad del cerebro realice mejor determinadas funciones no es la diferencia más importante; lo que resulta crucial es que cada una tiene su propia manera de pensar. El hemisferio izquierdo es racional, lógico y analítico, capta muy bien símbolos y conceptos abstractos como el del honor o la verdad. El hemisferio derecho es, por lo general, emocional, intuitivo y totalizador, pero necesita de la habilidad lingüística del hemisferio izquierdo para poder funcionar. Para el hemisferio derecho las cosas y los actos concretos tienen mucho más significado que las ideas abstractas.

¿Puede estar ciega una persona a pesar de tener los ojos normales?

La verdad es que no vemos sólo con los ojos, sino con los ojos y el cerebro. Los ojos reciben las impresiones del mundo exterior y las mandan al cerebro donde son interpretadas. Para poder tener una visión total se necesita no sólo la participación del principal centro visual del cerebro localizado en la corteza de los lóbulos occipitales, sino de muchas otras zonas especializadas del cerebro que contribuyen a dar sentido a la información visual que se recibe.

Si a una persona se le extirpara o destruyera la corteza visual primaria, se quedaría ciega, por lo menos en lo que se refiere a darse cuenta de que está viendo, aunque sus ojos funcionaran perfectamente bien. Sin

---

Una antigua teoría: la frenología

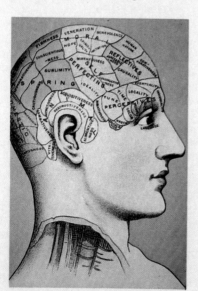

Basta palpar las protuberancias del cráneo de una persona para conocer su carácter, afirmaban a principios del siglo XIX el médico vienés Franz Joseph Gall y sus extravagantes discípulos. Gall, padre de esa seudociencia llamada frenología, sostenía que el cerebro estaba formado por unos 30 "órganos" que se manifestaban en los rasgos del cráneo. La frenología ganó rápidamente adeptos en Europa y Estados Unidos; por todas partes surgieron sociedades frenológicas, libros, panfletos y exhibiciones. Esta moda atrajo incluso a Edgar Allan Poe, Karl Marx y la reina Victoria. "Podrá morir un frenólogo tras otro", decía un fanático, "pero la frenología nunca morirá." Pero murió ante la embestida de la razón y su propio ridículo. La forma del cráneo no refleja, desde luego, la estructura del cerebro, pero en lo que no iban tan desencaminados los frenólogos es en la idea de la regionalización del cerebro; desde este punto de vista puede considerárseles precursores de la cartografía cerebral moderna.

Científicos y charlatanes de feria, por igual, propalaban en el siglo XIX la idea de que cada zona del cerebro tiene distinta función. En principio, al menos, estaban en lo cierto.

Especialización cerebral

Las dos mitades del cerebro, los hemisferios cerebrales, no difieren sólo en tamaño, también son ligeramente distintas de forma y desempeñan diferentes funciones. Ante todo, el hemisferio derecho controla la mitad izquierda del cuerpo y viceversa. La comunicación entre los dos se establece a través de un denso haz de fibras nerviosas llamado cuerpo calloso. Aparentemente, cada hemisferio tiene sus propios talentos: en la mayor parte de la gente el izquierdo domina el lenguaje, las matemáticas y el pensamiento lógico, mientras que el derecho se especializa en la percepción espacial, la apreciación musical y artística, la creatividad y el pensamiento intuitivo.

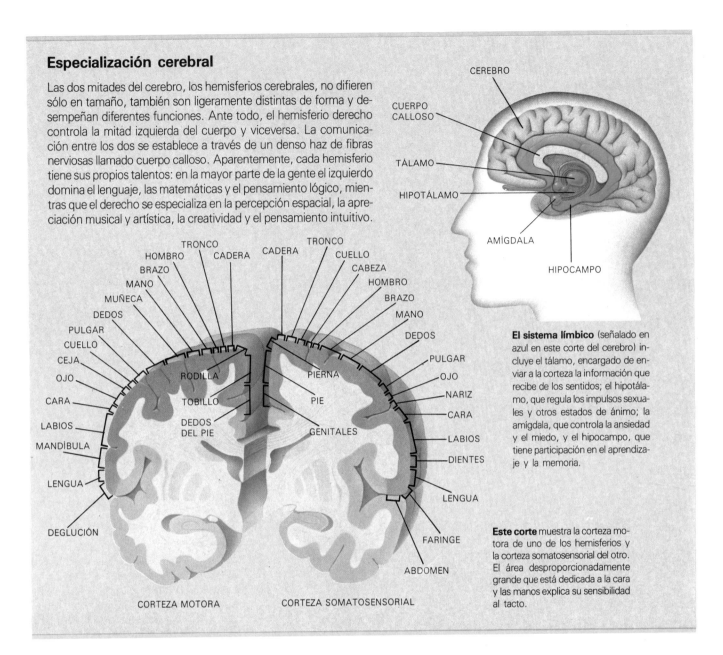

El sistema límbico (señalado en azul en este corte del cerebro) incluye el tálamo, encargado de enviar a la corteza la información que recibe de los sentidos; el hipotálamo, que regula los impulsos sexuales y otros estados de ánimo; la amígdala, que controla la ansiedad y el miedo, y el hipocampo, que tiene participación en el aprendizaje y la memoria.

Este corte muestra la corteza motora de uno de los hemisferios y la corteza somatosensorial del otro. El área desproporcionadamente grande que está dedicada a la cara y las manos explica su sensibilidad al tacto.

---

embargo, los experimentos que se han hecho demuestran que seguiría reaccionando, sin darse cuenta de ello, a determinados estímulos visuales captados por los ojos; por ejemplo, voltearía los ojos e incluso la cabeza en respuesta a los cambios de intensidad de la luz. Si se le destruyeran sólo ciertas partes de las áreas visuales del cerebro, tendría problemas en algunos aspectos de la visión, pero no en todos. Según la parte afectada, podría ser incapaz de juzgar la forma, el tamaño o el propósito de los objetos que viera.

Supongamos, invirtiendo la situación, que la persona estuviera ciega o simplemente tuviera los ojos cerrados, pero que las áreas visuales de su cerebro funcionaran perfectamente bien y se las estimulara eléctrica-

mente. Vería luces, colores, estrellas e incluso alguna escena familiar de una etapa anterior de su vida según la zona estimulada.

¿Puede una parte del cerebro tomar a su cargo la función de otra?

Es raro que una persona adulta se recupere totalmente de una embolia cerebral aunque uno de los hemisferios no haya sufrido ningun daño, porque desde la infancia cada mitad del cerebro se ha ido haciendo cargo de determinadas tareas adaptándose a ellas y ha desarrollado una forma característica de funcionar que le resta plasticidad. En edad adulta, cada uno de sus hemisferios cere-

brales se ha especializado tanto que es difícil, por no decir imposible, que el hemisferio que ha quedado intacto pueda tomar a su cargo las funciones que el otro ha perdido.

La recuperación es más factible cuando la lesión cerebral ocurre durante la infancia, y serán mayores las probabilidades cuanto más pequeño sea el niño. Si, pongamos por caso, una embolia daña el hemisferio izquierdo (que generalmente es el que controla el lenguaje) de un niño de seis años, la lesión posiblemente no impida que el pequeño llegue a desarrollar una habilidad normal para el lenguaje. La terapia de rehabilitación no tendrá el mismo éxito si se trata de un adolescente.

El cerebro y las hormonas

En este partido de futbol mixto para niños de 10 a 12 años, el momento de la verdad llega al ver venir el balón: el chico avanza, la niña retrocede. En el comportamiento no sólo influye el sexo, sino la edad y los valores culturales.

¿Es igual el cerebro de una mujer que el de un hombre?

Si se reconoce que entre la mujer y el hombre hay algunas diferencias en carácter, habilidades y susceptibilidad a ciertas alteraciones neurológicas, sería sorprendente que no hubiera en el cerebro diferencias anatómicas paralelas. Aunque hay unos cuantos investigadores que están convencidos de haber demostrado esas desigualdades, la mayoría acepta que hasta ahora no se han aportado pruebas concluyentes —quizá porque los neurofisiólogos rara vez estudian cerebros vivos— . Eso no quiere decir que no admitan que esas diferencias existen, creen

saber incluso a qué se deben. Es probable que las hormonas fetales que gobiernan el desarrollo de los órganos genitales también feminicen o virilicen, según el caso, el cerebro.

¿Hay diferencias sexuales en el comportamiento humano?

Estudiar la conducta humana no es como estudiar química; resulta difícil medir el comportamiento, es decir, asignarle valores matemáticos, y casi imposible analizarlo objetivamente. Dos investigadores que estudien la misma pauta de conducta probablemen-

te la interpretarán de distinta manera. Por eso, lo primero que hay que dejar claramente establecido acerca de las diferencias sexuales es que, excepción hecha de las anatómicas, hasta ahora nada se ha comprobado de manera irrefutable.

Sin embargo, los científicos generalmente están de acuerdo en que hay bastantes fundamentos para establecer cuatro diferencias sexuales básicas: los niños son más agresivos que las niñas, tienen más facilidad para las matemáticas y es mejor su percepción espacial, lo que les permite descifrar mapas y resolver rompecabezas con más habilidad. Las niñas, en cambio, tienen mayor capacidad que los niños para las funciones verbales, su lenguaje es más fluido y comprenden mejor las disertaciones difíciles. Los especialistas que aceptan la existencia de estas diferencias suelen apoyarse en la obra, ya clásica, de dos psicólogas, Eleanor E. Maccoby y Carol N. Jacklin, cuyas conclusiones son el resultado del análisis de más de 2 000 estudios llevados a cabo por diversos investigadores.

Hay suficientes pruebas para suponer que dos de estas diferencias, la agresividad y la facilidad para las matemáticas, tienen una base biológica; probablemente estén determinadas en cierta medida por los genes. Pero no hay que perder de vista que en todas las diferencias sexuales de la conducta desempeñan un papel importante el aprendizaje y otros factores ambientales. Si se criara exactamente de la misma manera a los niños y a las niñas, probablemente su comportamiento sería mucho más parecido.

Tómese en cuenta que las pruebas en que se han basado los psicólogos para determinar estas diferencias son promedios estadísticos de los que no se puede concluir que *todos* los niños tienen mayor facilidad para las matemáticas que las niñas; hay *algunas* niñas que son mejores en matemáticas que la *mayoría* de los niños; así como hay algunos niños con mayor habilidad verbal que muchas niñas.

¿Qué pruebas hay para decir que los hombres son más agresivos?

Los resultados de 67 estudios sobre el comportamiento humano revelaron que, tal como lo supone la gente, los hombres son más agresivos que las mujeres, tanto física como verbalmente. A lo largo de estos estudios se hicieron 94 pruebas comparando la conducta agresiva de los niños con la de las niñas. En 57 de ellas se obtuvieron diferencias estadísticamente significativas entre uno y otro sexos: 52 en que los niños demostraron ser los más agresivos y sólo 5 en que los superaron las niñas.

En cuanto a si la agresividad tiene o no una base biológica, es decir, si se debe a una diferencia fisiológica entre los sexos más que al aprendizaje, todavía se debate la cuestión. Algunos científicos consideran que por ahora las pruebas no son concluyentes, pero otros muchos están convencidos de que la agresividad puede atribuirse a la hormona masculina llamada testosterona. En un interesante estudio sobre jóvenes delincuentes del sexo masculino se encontró que los más agresivos eran los que tenían en su organismo los más altos niveles de testosterona.

También la antropología ha proporcionado pruebas fehacientes de que en miles de culturas diversas ocurren homicidios —tanto en la guerra como en la vida diaria— y son cometidos en su mayoría por los hombres. Es lógico suponer que una diferencia sexual que se presenta universalmente en miembros de muy diversas culturas no se deba a la forma en que los individuos han sido criados, sino a factores biológicos comunes.

¿Hay anomalías neurológicas influidas por el sexo?

La zurdera que caracteriza, según se calcula, al 10% de la población mundial y que compartían Charles Chaplin, Miguel Ángel y Jack el Destripador, no es, desde luego, una anomalía, pero se presenta con mucha más frecuencia en los hombres que en las mujeres y, cosa curiosa, no es raro verla asociada con ciertas disfunciones que también son más comunes en los hombres que en las mujeres. Una de ellas es la dislexia, una deficiencia de la facultad para leer que puede presentarse incluso en las personas más inteligentes y que las hace leer "las" donde está escrito "sal" o "0907" cuando pone "Lobo". Otras alteraciones más frecuentes en el sexo masculino son la tartamudez y el autismo (retraimiento emocional severo). Muchos científicos creen que estas alteraciones, así como la zurdera, deben provenir de rasgos físicos cerebrales, pero hasta ahora no se ha encontrado el vínculo.

¿Pueden los dos hemisferios del cerebro reconocer rostros?

La lateralización del cerebro —la especialización de cada hemisferio en determinadas funciones— no es radical; a veces ambas mitades pueden llevar a cabo la misma tarea aunque en distintas circunstancias. Aparentemente, los novatos usan la mitad derecha del cerebro para realizar funciones que los expertos hacen con la izquierda. En la mayoría de nosotros, por ejemplo, es nuestro hemisferio derecho el que reconoce una melodía y, al parecer, los músicos profesionales también analizan la música con el hemisferio izquierdo. Aunque desde hace tiempo se acepta que la habilidad para reconocer una cara es una cualidad especial del hemisferio derecho, hay estudios que parecen indicar que cuando la cara es muy familiar el reconocimiento corre a cargo del hemisferio izquierdo.

Hablando de fisonomistas, hay una rara e impresionante alteración llamada prosopagnosia que impide al que la sufre asociar un rostro con la persona a quien pertenece, aunque la mayoría de los enfermos conservan intactas sus capacidades mentales y visuales. El paciente puede ver a su mujer o a sus hijos, describir perfectamente sus rasgos y sin embargo no reconocerlos. No es que no recuerde que existen, el lazo que los une o la personalidad que tienen, sino que la lesión que sufre en una pequeña parte del cerebro ha destruido su capacidad para relacionar mentalmente la fisonomía con la identidad de la persona. En cambio, si oye hablar a su mujer o a sus hijos, los reconoce en seguida.

El cerebro y la música: participación del hemisferio derecho

Cuando un músico profesional sufre una apoplejía que lesiona el hemisferio cerebral derecho, suele deteriorarse su habilidad musical; cuando el daño es en el hemisferio izquierdo, es menos frecuente el deterioro. Esta diferencia no es la única prueba del papel que desempeña la mitad derecha del cerebro en la capacidad musical. Los apopléticos afectados del hemisferio izquierdo —que controla el lenguaje— muchas veces pierden la facultad de hablar, pero pueden articular palabras si las cantan. Se decía de un paciente: "Puede cantar algunos himnos que aprendió antes de caer enfermo tan claramente como una persona sana; sin embargo, este hombre no puede decir una sola palabra, excepto 'sí'."

Del cerebro derecho dependen la apreciación musical y otras habilidades afines.

La exploración del cerebro

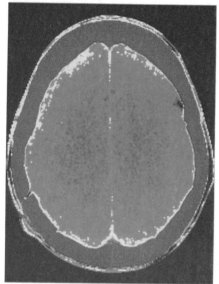

La tomografía axial computarizada permite tomar radiografías del cerebro a distintos niveles (como si se cortaran finas "rebanadas" transversales o longitudinales). En la pantalla de la computadora se proyectan estos "cortes" desde cualquier ángulo que se deseen ver.

¿Se puede estudiar el cerebro con rayos X?

Los aparatos convencionales de rayos X pueden proporcionar nítidas radiografías del cráneo, pero no del cerebro; eso no impide que un especialista pueda muchas veces deducir anomalías cerebrales a través de las imágenes radiológicas de la caja ósea que lo contiene. Si la imagen muestra, por ejemplo, una erosión en la parte interna de la bóveda craneana, se puede sospechar que haya un tumor cerebral. Cuando en una radiografía se ve una línea de fractura de cráneo que corre justo encima del lugar por donde pasa una arteria cerebral superficial, es de temer que exista una hemorragia interna, ya que frecuentemente la fractura rompe el vaso sanguíneo.

¿Qué ventajas tiene la tomografía sobre la radiografía?

Los aparatos de tomografía combinan la computación, los rayos X y la radiactividad o las ondas de radio para obtener imágenes detalladas y brillantes de cualquier zona del cerebro a cualquier profundidad. Algunos de ellos no sólo muestran las estructuras anatómicas, sino la actividad que se lleva a cabo en esas estructuras. Por medio de la tomografía los médicos pueden localizar con precisión un tumor cerebral, por ejemplo, y ver la forma y tamaño que tiene o determinar el punto exacto del cerebro responsable de ataques epilépticos. Pero los aparatos tomográficos no son útiles sólo para el diagnóstico de enfermedades, sino también para la investigación; resultan indispensables cuando se trata de establecer la función que cada parte del cerebro gobierna.

¿Habrá algún día aparatos que puedan leer la mente?

No hay por qué preocuparse, es casi imposible crear un aparato que pueda leer la mente. Es verdad que las modernas técnicas de tomografía axial, transaxial y de resonancia revelan mucho de lo que pasa en el cerebro cuando pensamos, pero el cerebro

Una ventana hacia el interior del cerebro

Los aparatos de tomografía transaxial por emisión de positrones permiten observar cómo funciona el cerebro. Con ellos se puede seguir el rastro de un nutriente cerebral, como la glucosa, y "ver" cómo pasa por el cerebro y cómo lo metabolizan las células para obtener energía. Esto se logra administrando al paciente glucosa marcada con un isótopo radiactivo inocuo que emite positrones (partículas de antimateria), los que al chocar con los electrones (partículas de materia) del cerebro producen descargas de energía que el aparato registra. La intensidad de las descargas varía de acuerdo con la actividad química del cerebro. Hay ciertas alteraciones cerebrales que producen imágenes características.

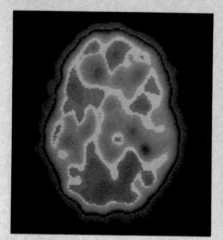

Patrón de actividad de un cerebro normal.

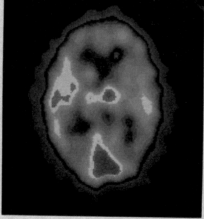

En la esquizofrenia hay marcadas diferencias.

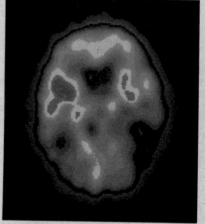

También puede identificarse la demencia.

humano es un órgano tan polifacético que puede usar varias vías neuronales para pensar (o para hacer cualquier otra cosa) y por lo tanto es muy remoto que un patrón específico de actividad cerebral indique siempre el mismo pensamiento en una persona, y menos aún en todos los seres humanos.

Sin embargo, la idea de emplear este tipo de aparatos para descubrir espías no es tan absurda. El científico danés Niels Lassen demostró con un aparato de tomografía transaxial que cuando una persona oye hablar su propia lengua, su corteza cerebral genera un "patrón de reconocimiento" que no se activa si escucha un idioma que no conoce.

¿Qué son las ondas o ritmos cerebrales?

En 1929, cuando el psiquiatra alemán Hans Berger informó que había registrado actividad eléctrica en el cerebro, ninguno de sus colegas le creyó; sin embargo, tres años más tarde el electrofísico inglés Edgar Adrian ganó el premio Nobel de 1932 por haberlo demostrado. Hoy nadie duda que el cerebro, lo mismo que el corazón, está generando continuamente corrientes eléctricas que, aunque son más débiles que las cardiacas, pueden captarse con un electroencefalógrafo (EEG), aparato que registra en una gráfica móvil los cambios de voltaje (tensión eléctrica) y de frecuencia (número de ciclos por minuto) de las corrientes cerebrales. El EEG y su versión moderna conocida por sus siglas en inglés como BEAM se emplean para estudiar la actividad cerebral y diagnosticar anomalías.

Las ondas o ritmos cerebrales son una mezcla de dos a cuatro patrones de frecuencia eléctrica que se observan comúnmente en los encefalogramas y que corresponden a diferentes grados de actividad cerebral. Las ondas *alfa* se registran cuando uno está descansando con los ojos cerrados, pero en estado de vigilia. El cerebro en plena actividad emite ondas de tipo *beta*. Las *delta* se generan durante el sueño profundo o la anestesia; fuera de estas condiciones denotan grave daño cerebral. Por último, las ondas *theta* son aquellas de frecuencia intermedia entre las delta y las alfa que a menudo constituyen un patrón de fondo en el que se mezclan las ondas delta o las beta.

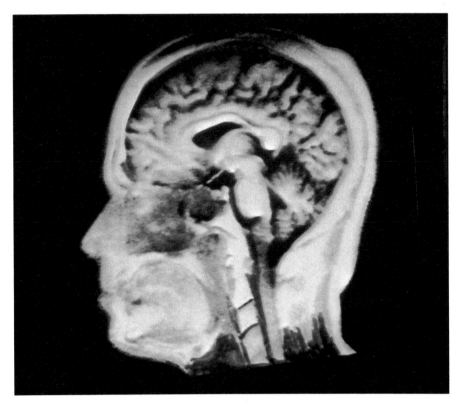

Las imágenes de resonancia magnética se obtienen registrando las señales de radio que emite el tejido cerebral cuando se bombardea con ondas de radio bajo un fuerte campo magnético. Una computadora convierte las señales en imágenes.

¿Cuándo se considera a una persona descerebrada o "cerebralmente muerta"?

Una de las cuestiones fundamentales y más controvertidas a que se enfrentan médicos, abogados, filósofos, teólogos y el común de la gente es cómo definir la muerte; cómo determinar si una persona está muerta o no. Durante siglos se aceptó que la muerte sobrevenía cuando el corazón se paraba y cesaba la respiración, pero después se descubrió la manera de revivir el corazón y los pulmones y mantenerlos funcionando mediante aparatos mucho tiempo después de que los signos vitales típicos han cesado.

Fue entonces cuando surgió el concepto de muerte cerebral, lo que significa, en términos simplificados, que una persona muere cuando muere su cerebro.

El problema es que las autoridades no se ponen de acuerdo en lo que debe considerarse la muerte del cerebro. Hay quien sostiene que el cerebro está muerto en cuanto deja de funcionar la corteza cerebral, la parte pensante y racional del cerebro; otros arguyen que para considerar muerto al cerebro tiene que haber dejado de funcionar también el tallo cerebral que gobierna los procesos vegetativos.

En 1968, un comité de la Escuela de Medicina de Harvard recomendó que se tomaran en cuenta cuatro criterios para determinar la muerte cerebral: falta de respuesta al tacto, el sonido y demás estímulos externos; que no haya movimientos ni respiración espontánea; que no se produzcan reflejos, y que el EEG resulte lineal, es decir, que el electroencefalógrafo no registre ninguna actividad eléctrica en el cerebro.

En muchos países se han aceptado las recomendaciones del grupo de Harvard para declarar muerta a una persona —generalmente se hacen las pruebas dos veces con 24 horas de intervalo—, pero otros han adoptado distintos criterios por lo que sigue en pie la pregunta: ¿cómo se puede determinar con toda seguridad el momento de la muerte?

Existe una diferencia entre una persona "cerebralmente muerta" y otra en "estado vegetativo" (el término alude a las funciones vegetativas del tallo cerebral, no es peyorativo): la primera no suele sobrevivir mucho tiempo aunque se la mantenga en terapia intensiva; la segunda puede permanecer muchos años en ese estado, ya que todavía conserva intacto el tallo cerebral que regula las funciones vitales de su organismo.

¡Dormir! ¡Tal vez soñar!

¿Cuál es el propósito del sueño?

En promedio, los seres humanos pasamos una tercera parte de la vida durmiendo; sin embargo, los científicos todavía no saben con exactitud para qué sirve el sueño. Se supone que contribuye a la recuperación de la energía, pero no está claramente establecido cómo lo logra.

Cualquiera que sea su función, es indiscutible que constituye una necesidad imperiosa; si no lo cree, trate de mantenerse 48 horas sin dormir. Lo más seguro es que no lo consiga, a menos que esté sumamente angustiado o excitado o que se trate de un experimento y los encargados lo despierten cada vez que cierra los ojos.

Hay algo que sí está comprobado: el sueño no es un estado pasivo. La electroencefa-lografía —el estudio de los impulsos eléctricos que se generan en la corteza cerebral— muestra que el cerebro se mantiene activo mientras la persona duerme.

¿Todo el mundo necesita dormir ocho horas al día?

Se necesita dormir lo suficiente para despertarse reanimado. A unas cuantas personas les bastan tres horas de sueño, otras necesitan cinco o seis, pero la mayoría tenemos que dormir siete u ocho horas y no falta quien requiera nueve o más. Los bebés necesitan 16 ó 18 horas de sueño, pero a medida que crecen van durmiendo menos. Usted mismo, conforme pasen los años, requerirá menos horas de sueño que ahora, sea poco o mucho lo que duerma.

¿Qué efecto tiene en una persona la falta prolongada de sueño?

Los experimentos sobre la privación de sueño demuestran que los seres humanos a los que se les obliga a permanecer despiertos comienzan a dar muestras de torpeza a las 24 horas. Después de unos 10 días sin dormir, les cuesta trabajo llevar a cabo cualquier tarea física o mental, y su memoria y capacidad de juicio se deterioran. Si se les mantiene despiertos suficiente tiempo, llegan a alucinar y a mostrar otros síntomas de alteración mental. La privación de sueño tiende también a destruir la fuerza de voluntad y hace al hombre menos lúcido y más sugestionable; por eso la usan policías sin escrúpulos para tratar de hacer confesar a supuestos criminales, los interrogadores militares para extraer información a los prisio-

¿Qué nos pasa mientras dormimos y soñamos?

Hay dos tipos fundamentales de sueño y normalmente pasamos de uno a otro a intervalos de 90 minutos. Al quedarnos dormidos, entramos en una fase de sueño ligero en el que las ondas cerebrales se hacen lentas. Poco a poco vamos cayendo en un sueño profundo, tranquilo, caracterizado por una baja de la temperatura corporal y del pulso. En esta etapa generalmente no se sueña. A los 90 minutos, más o menos, de estar dormidos, la presión arterial, el pulso y la respiración se hacen irregulares, el oído se alerta y los ojos se mueven bajo los párpados de un lado a otro como si estuviéramos viendo una película; lo que pasa es que estamos soñando. Éste es el sueño MOR (movimientos oculares rápidos), también llamado paradójico porque no es tan tranquilo como se supone que debe ser el sueño; en este momento el cerebro está tan activo como durante el día y emite ondas similares a las de una persona despierta. Normalmente dedicamos al sueño MOR 25% del tiempo que pasamos durmiendo.

Mientras dormimos, la actividad eléctrica del cerebro continúa.

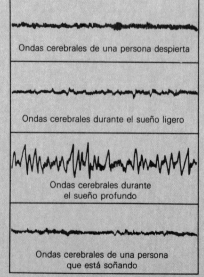

Ondas cerebrales de una persona despierta

Ondas cerebrales durante el sueño ligero

Ondas cerebrales durante el sueño profundo

Ondas cerebrales de una persona que está soñando

Poniendo electrodos en la cabeza del que duerme, los científicos registran las ondas cerebrales de las distintas fases del sueño.

neros de guerra o los adoctrinadores políticos para "lavar el cerebro" a los opositores y convertirlos a su causa.

¿Por qué soñamos?

Incluso las personas que no han recordado nunca un sueño, probablemente lo recordarían si estuvieran en un laboratorio donde se estudian estos problemas y el investigador los despertara durante el sueño MOR, ya que dicen los que han hecho este tipo de experimentos que 84 de cada 100 personas a las que se despierta en ese momento reconocen que estaban soñando. Los especialistas afirman que todos soñamos todas las noches.

Aparentemente el hombre tiene necesidad de soñar y es posible que los sueños contribuyan mucho a la salud mental. Si en el laboratorio se impide a una persona soñar despertándola cada vez que entra en estado MOR, al día siguiente se sentirá cansada e irritable, aunque haya podido dormir ocho horas sin MOR, y en la primera oportunidad que tenga de dormir sin interrupción soñará más de lo que sueña normalmente, como si tuviera una cuota de sueños que cubrir.

¿Por qué soñar es tan importante para nuestro bienestar? Según una teoría, soñar es el mecanismo que emplea el cerebro para captar el sentido de los acontecimientos del día y desechar la información inútil. Freud, por su parte, sostenía que los sueños permiten a la gente expresar sus deseos prohibidos, ocultos bajo un disfraz. Aunque el neurólogo Richard M. Restak no acepta totalmente las ideas freudianas, opina que algunos sueños pueden conducirnos a un conocimiento más profundo de nosotros mismos y de otras personas. Quién no ha tenido alguna vez, dice Restak, un sueño profético o no ha logrado durante el sueño comprender algo importante sobre otra persona o descubrir de pronto la solución de un problema al que estuvo dándole vueltas durante el día.

¿Hay poca gente que sueñe en colores?

Es probable que los que creen que sueñan siempre en blanco y negro estén equivocados. Según los experimentos hechos en los laboratorios de sueño, es mucho más fre-

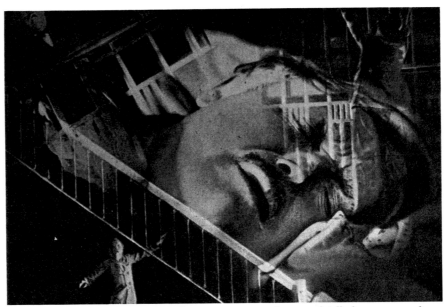

Las pesadillas, esos sueños aterradores que se recuerdan con detalle luego, se producen durante la etapa de sueño MOR. No son lo mismo que los terrores nocturnos, ataques de pánico que despiertan a una persona que no está soñando.

cuente que las personas estudiadas informen que estaban soñando en colores cuando se les despierta durante el estado MOR y se les pide inmediatamente que hablen de su sueño, que cuando el investigador espera a la mañana siguiente para hacer las preguntas. Por eso, algunos científicos afirman que todos soñamos en colores aunque al despertar muchos nos olvidemos de ese aspecto de nuestros sueños.

¿A qué se debe el insomnio?

Muchas veces se atribuye el insomnio al ruido del tráfico, a los vecinos que son unos escandalosos, al colchón viejo que resulta tan incómodo; pero la verdad es que las causas más comunes son la angustia y la depresión. Según un estudio, 70% de los que tienen problemas para dormir sufren alteraciones emocionales. Las dolencias físicas, sobre todo si producen dificultad para respirar, fiebre o dolor, también hacen difícil conciliar el sueño, lo mismo que los medicamentos que se usan para combatir el asma, la hipertensión y otras enfermedades. En otros casos el problema deriva de trabajar por la noche, levantarse y acostarse a horas irregulares o de dormir la siesta durante el día.

Las pastillas para dormir, sobre todo los barbitúricos, tienden a la larga a empeorar el insomnio en lugar de mejorarlo porque no hay ninguna que favorezca un sueño normal. Algunas de estas pastillas inhiben las etapas más profundas de sueño sin MOR y la mayoría suprimen la etapa MOR, el estado en que se producen la mayor parte de los sueños y que resulta tan necesario.

¿Qué es lo contrario del insomnio?

Hay que compadecer al narcoléptico que llega a quedarse dormido sin poder evitarlo en medio de la fiesta más animada, durante una conversación con el jefe, cuando va manejando e incluso mientras hace el amor. La narcolepsia es una enfermedad que produce súbitos e incontrolables ataques de sueño que duran entre 5 y 20 minutos. Si el insomne no puede dormir por la noche, el narcoléptico no puede mantenerse despierto durante el día, pero además sufre otros síntomas más graves o molestos: a veces pierde de pronto el tono muscular y se cae, o en el breve lapso que va de la vigilia al sueño puede tener alucinaciones o quedar momentáneamente paralizado.

En la mayor parte de los casos no se puede explicar la causa de la narcolepsia, pero aparentemente tiene algo que ver con la incapacidad para inhibir el sueño MOR, que es el que produce los sueños. Una vez dormida, la mayor parte de la gente tarda alrededor de 90 minutos en entrar en el primer periodo de sueño MOR; en cambio los narcolépticos caen en ese estado en cuanto se quedan dormidos.

El conocimiento del mundo

Pavlov (de barba blanca) con uno de los perros que salivaban al oír la campana.

La forma más sencilla de aprendizaje: el condicionamiento

Mediante un proceso llamado condicionamiento clásico, el cerebro aprende a asociar dos sucesos hasta entonces desligados; este tipo de aprendizaje se produce al margen de la conciencia. El fisiólogo ruso Iván Pavlov demostró que si se hace sonar una campana sistemáticamente antes de darle carne a un perro, el animal asocia el sonido de la campana con la carne y pronto llega a segregar saliva sólo con oír la campana. Es así como adquirimos muchas preferencias y aversiones; es probable que nos guste, por ejemplo, cierto tipo de música porque inconscientemente la asociamos con experiencias agradables.

¿Podemos pensar sin palabras?

En 1865, el químico alemán Friedrich Kekulé von Stradonitz pasó muchas horas tratando de deducir la estructura molecular del benceno, uno de los grandes misterios científicos de aquella época. Una noche soñó con una serpiente que se curvaba hasta morderse la cola, y a partir de esa imagen desarrolló la teoría del anillo bencénico según la cual los átomos de este compuesto se enlazan formando una cadena cerrada. Kekulé resolvió el problema, no pensando en palabras, sino contemplando una imagen visual, no verbal. Albert Einstein también reconoció en una ocasión que muchas veces no pensaba en palabras sino en "imágenes más o menos claras" que manipulaba mentalmente.

Desde luego que no se necesita ser un Einstein para pensar sin emplear palabras;

lo hacemos todos cada vez que vemos algo con los ojos de la mente: una escena familiar, la imagen de una persona querida, una ciudad lejana.

Las investigaciones psicológicas demuestran que mucha gente emplea imágenes mentales para llevar a cabo determinadas tareas. Durante un experimento se pidió a un grupo de voluntarios que observaran la fotografía de un automóvil y luego se formaran una imagen mental de él. Después se guardó la fotografía y se les dijo a unos que centraran su atención en la parte anterior y a otros en la posterior de la imagen mental del automóvil. A continuación se les preguntó si el automovil tenía o no un adorno en el cofre. Los voluntarios que habían concentrado su atención en la parte delantera de la imagen mental respondieron de inmediato; los que tenían en mente la parte posterior tardaron más porque, al parecer, tu-

vieron que recorrer su imagen mental de atrás hacia adelante para "ver" si tenía adorno o no, igual que si tuvieran delante de los ojos el automóvil real.

¿Qué parte del cerebro es la que aprende?

La mayor parte de los especialistas están de acuerdo en que la memoria se almacena al mismo tiempo en diferentes partes del cerebro; no hay un centro de aprendizaje. Esta teoría está apoyada por estudios hechos en personas que han perdido tejido cerebral como consecuencia de una lesión o una enfermedad. En esos casos se pueden olvidar algunos detalles, pero la mayor parte de lo que se aprendió antes todavía se puede recordar.

¿Notamos todo lo que ocurre a nuestro alrededor?

A cada instante nuestro cerebro está recibiendo innumerables mensajes de todas las partes del cuerpo y del mundo exterior a los que casi no prestamos atención; sólo cuando nos encontramos en una situación desconocida o que nos atemoriza nos mantenemos alertas a todas estas señales que reciben los sentidos.

Por lo general nuestra atención es altamente selectiva; pocas veces nos ponemos a pensar en las sensaciones que producen nuestros procesos orgánicos, incluso en las que causa la ropa sobre la piel. Cuando estamos leyendo una novela apasionante o concentrados en una tarea difícil, ni siquiera escuchamos un radio que suena a todo volumen en la habitación de al lado, o los chistes y las risas de los compañeros de trabajo que están cerca. En general, el cerebro ignora alrededor del 99% de los mensajes que recibe y con razón, ya que la mayoría son insignificantes o poco importantes para lo que interesa en ese momento.

¿Por qué la práctica hace al maestro?

Cuando repetimos una cosa —una frase musical en el piano, un golpe en el tenis o una lista de palabras extranjeras— es como si fuéramos abriendo un surco en el cerebro. No hay que tomar esta analogía literalmente; desde luego que no se forma realmente un surco en el cerebro, pero la repetición produce ciertos cambios anatómicos y químicos que fijan lo aprendido en la memoria y permiten fácil acceso a ello.

Nadie sabe con seguridad cuáles son esos cambios, pero es posible que las partes de las neuronas donde se almacena la memoria aumenten en número o tamaño. Hay pruebas de que la repetida estimulación de las neuronas hace que aumente su producción de ciertas proteínas que favorecen la memoria y, aparentemente, este y otros cambios refuerzan las conexiones entre las neuronas facilitando la transmisión de los impulsos nerviosos a través de ciertas vías.

Es importante tomar en cuenta que la práctica conduce a la perfección sólo si lo que se practica es realmente lo que se quiere aprender. Si insistimos en repetir una nota equivocada en la frase musical o en pronunciar mal una palabra extranjera, fijaremos en la memoria errores que después será muy difícil borrar. Hay que estar seguros de hacer bien una cosa, la que sea, antes de empezar a repetirla para grabarla en la mente.

¿Tienen los bebés sentido de la profundidad?

Cuando la psicóloga Eleanor Gibson y su marido, también psicólogo, fueron hace muchos años al Gran Cañón del Colorado con su hija, la Dra. Gibson se llevó un susto espantoso al ver a la pequeña de dos años acercarse al borde del abismo. La quitó de ahí aterrada y no la soltó ya por más que su marido le aseguraba que un niño de esa edad puede percibir la profundidad tan bien como un adulto.

Años más tarde, la Dra. Gibson y el Dr. Richard Walk llevaron a cabo un experimento, ahora ya famoso, con un "abismo visual" para comprobar lo que afirmaba el marido de la doctora. El equipo que usaron para crear la ilusión de profundidad suele aparecer ilustrado en los libros de texto; consta de una mesa con una cubierta de vidrio grueso rodeada por un borde para que un niño puesto encima no pueda caerse. La mitad de la superficie lleva pegada justo debajo del vidrio una tela de cuadros con la cual también se cubre el piso que queda bajo la otra mitad de la mesa, que tiene más de un metro de altura. Esto produce el efecto de que la mesa termina a la mitad de la super-

ficie de vidrio y después sigue un precipicio. La teoría de los científicos era que si un niño podía percibir la profundidad no se aventuraría hacia la parte "profunda" del vidrio a través del cual podía ver la tela de cuadros muy por debajo de él. Es como si se extendiera una lámina de vidrio, por gruesa que fuera, sobre el Gran Cañón y se nos pidiera a cualquiera de nosotros que pasáramos por encima pudiendo ver allá abajo el fondo del barranco.

El experimento de Gibson-Walk se llevó a cabo con 36 niños de entre 6½ y 14 meses de edad. Se les puso, uno por uno, sobre la parte aparentemente "poco profunda" de la superficie de vidrio, mientras la madre, desde el extremo de la parte "profunda", les hacía señas para que se acercaran a ella. Sólo tres de los niños se atrevieron a gatear sobre el "abismo". Algunos lloraban porque no podían llegar hasta donde se encontraba su madre, otros tanteaban el vidrio de la parte "abismal" como si quisieran comprobar su solidez, pero de todas maneras retrocedían. Así se pudo comprobar que, efectivamente, los bebés perciben muy bien la profundidad.

Experimento con un abismo visual

Este bebé no corre peligro porque el aparente hueco está cubierto por un vidrio grueso. La mayoría de los bebés sometidos a este experimento evitaron el abismo ilusorio demostrando así su capacidad para percibir la profundidad, pero como la coordinación muscular no se desarrolla tan rápidamente, hubo algunos que se apoyaron en el vidrio, obviamente sin querer hacerlo.

Esta mesa especial produce el efecto de que hay un profundo hueco a la izquierda del bebé.

Cómo acumulamos experiencia

¿Por qué olvidamos un número de teléfono tan pronto?

Hay dos clases de memoria, la de corto y la de largo plazo. La memoria de corto plazo sólo puede retener de 5 a 7 datos a la vez y dura, cuando mucho, alrededor de 60 segundos. La memoria de largo plazo puede persistir minutos, horas o años y tiene una capacidad increíble. Según un cálcu-lo estimado, el cerebro puede almacenar 100 billones de *bits* de información, mientras que una computadora apenas almacena 1 000 millones. No hay que dejarse confundir por el término *almacenar*; no existe nada en el cerebro comparable a una biblioteca; no hay un centro en el que estén apilados los recuerdos. Recordar, una de las tareas más importantes del cerebro, es una función que se lleva a cabo en varias partes de este órga-no, y no sólo en una de sus estructuras.

Para que perdure un recuerdo tiene que consolidarse en el cerebro y ése es un proceso que requiere repaso (repetición o estudio) y generalmente clasificación (asignarle una categoría entre elementos relacionados). La consolidación hace que la información pase de la memoria de corto plazo a la de largo plazo y se cree que ese paso deja huella, es decir, produce una alteración en la estructura del cerebro. Un número telefóni-co, a menos que sea uno al que usted llama con frecuencia, no pasa a la memoria de largo plazo; si lo marca y la línea está ocupada, tiene que volver a leerlo para marcarlo de nuevo, porque no ha dejado huella en el cerebro.

¿Por qué los viejos recuerdan bien el pasado pero no el presente?

Un actor de 91 años se quejaba de que no tenía la menor idea de lo que había hecho cinco semanas atrás y, sin embargo, podía recordar perfectamente el papel que había desempeñado en *Enrique VIII*, de Shakespeare, cuando tenía 12 ó 13 años. Todavía podía recitar su parte aunque no había vuelto a leerla desde entonces.

Son varios los factores que contribuyen a este patrón que caracteriza a la memoria de los ancianos. Por un lado, la capacidad para acumular recuerdos nuevos disminuye con la edad; en parte, porque se producen cambios físicos y químicos en el cerebro, en parte, porque los incentivos cambian al paso de los años y el presente puede tener poco interés para el anciano. Al mismo tiempo, los recuerdos de antaño pueden haberse ido acentuando con el tiempo porque han tenido años para consolidarse, es decir, para dejar huellas indelebles en el cerebro, sobre todo si son recuerdos queridos que se han repasado una y otra vez.

¿Por qué no nos acordamos de la época en que éramos bebés?

De acuerdo con una de las teorías, si no nos acordamos mucho de nuestros primeros años de vida es porque en aquella época carecíamos del lenguaje para poder fijar nuestras experiencias en la memoria. Según otra hipótesis, las estructuras cerebrales de un bebé aún no han desarrollado la capacidad de almacenar recuerdos. Algunos in-

---

Nuestra asombrosa memoria para las imágenes

¿Reconoce a una persona pero no puede recordar su nombre? No se extrañe, casi todos tenemos mucha mayor capacidad para recordar lo que vemos que la información llamada "lingüística" (palabras, números y de-más). El promedio de la gente tiene una memoria asombrosa para las imáge-nes, lo que hace pensar a los científicos que el cerebro emplea dos sistemas distintos para almacenar uno y otro tipos de información. Los experimentos que se han hecho demuestran que el cerebro registra y guarda directa-mente las imágenes visuales, mientras que las palabras y otros símbolos lingüísticos tienen que descodificarse, ordenarse y codificarse de nuevo, proceso complejo que, por lo visto, no permite acumular tanta información. Lo de que una imagen vale por mil palabras puede tener una base científica.

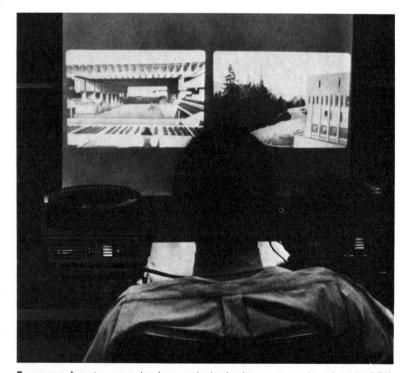

En un experimento para evaluar la memoria visual se les mostraron a los voluntarios 2 560 diapositivas, una cada 10 segundos. Después se proyectaron, una al lado de otra, 280 pares de diapositivas: una correspondía al grupo anterior, la otra era similar pero no se les había mostrado antes. Al pedir a los voluntarios que indicaran en cada par cuál era la que ya habían visto, acertaron entre 85 y 95% de las veces.

vestigadores han propuesto una versión más elaborada de esta hipótesis según la cual en el cerebro puede haber dos tipos de circuitos de memoria, uno para retener información concreta y explícita, como nombres, cifras y fisonomías, y otro para conservar conocimientos menos conscientes, incluyendo destrezas físicas y mentales. El circuito que retiene datos específicos, dicen estos investigadores, no madura a tiempo para registrar las primeras experiencias de la infancia.

¿A qué se debe la amnesia?

Al mencionar la amnesia, es probable que venga a la mente ese tipo de pérdida de la memoria que suelen explotar los guionistas de cine: el protagonista de la película, como consecuencia de un trauma emocional, olvida completamente su pasado hasta el grado de no recordar siquiera quién es, situación que conduce, por lo menos en el cine, a complicaciones estupendamente dramáticas. Esa clase de alteraciones, que son raras en la vida real, suelen atribuirse a causas psicológicas: todo se debe a que al amnésico cinematográfico le resulta demasiado doloroso recordar quién es.

La verdad es que la mayor parte de los casos de amnesia se deben a un daño cerebral de tipo físico, sea amnesia retrógrada, que impide al paciente recordar los acontecimientos que precedieron al trauma, o anterógrada, en que se olvidan las cosas que suceden después de la lesión.

La causa más frecuente de amnesia retrógrada es un golpe accidental en la cabeza, que trae generalmente como consecuencia la incapacidad para recordar lo que pasó alrededor de una hora antes del golpe. Este efecto se debe a que el cerebro lesionado no tuvo tiempo de pasar los sucesos recientes de la memoria de corto plazo a la de largo plazo.

El origen más común de la amnesia anterógrada, que limita la capacidad del paciente para fijar en la memoria de largo plazo nuevas experiencias, es una lesión en el hipocampo, una parte del cerebro ubicada profundamente en los lóbulos temporales y que desempeña una función vital en la memoria. Los amnésicos anterógrados recuerdan bastante bien el pasado y pueden resolver con facilidad una prueba de inteligencia, pero les es imposible llevar una vida normal porque cada mañana despiertan sin poder re-

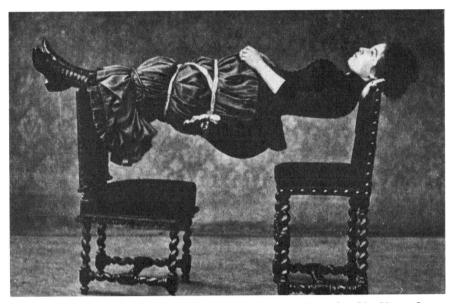

Como se ve, al hipnotismo se le consideró en otra época un juego de salón. Unos afirman que la hipnosis estimula la memoria, otros que distorsiona los hechos; lo cierto es que en ese estado una persona resulta muy sugestionable.

cordar lo que ocurrió el día anterior y pierden toda noción de los acontecimientos más triviales de la vida diaria. Si se mudan de casa después de la lesión, ya no saben dónde viven; pueden leer una y otra vez el mismo libro o la misma revista sin recordar que ya lo habían leído.

¿Se recuerdan mejor las cosas bajo hipnosis?

La hipnosis puede ayudar a curar la amnesia originada por un trauma emocional abrumador, como la que llega a sufrir una persona que manejaba un coche después de un accidente en el que murieron los que la acompañaban. Sin embargo, el psicólogo John Brown de la Universidad de Bristol, en Inglaterra, afirma que no hay pruebas fidedignas de que bajo hipnosis se pueda recordar lo que no se recuerda normalmente.

¿Por qué los olores nos hacen evocar tan vívidos recuerdos?

De todos los sentidos, el olfato es el que se encuentra más cerca del hipocampo, una de las estructuras cerebrales responsables de la fijación de los recuerdos, y también es el que está conectado más directamente con el sistema límbico, que constituye el centro emotivo del cerebro. Los demás sentidos tie-

nen que recorrer un tortuoso camino para llegar a los circuitos de la memoria y a los emocionales del cerebro. Por lo tanto, es la geografía del cerebro la responsable de que un olor familiar pueda despertar tan vívidos recuerdos de lo ocurrido tiempo atrás, incluso en la primera infancia, y producir con ellos esa mezcla de felicidad y tristeza que llamamos nostalgia.

¿A qué fenómeno se llama déjà vu?

En psicología se utiliza el término *déjà vu* (ya visto) para describir esa curiosa sensación de estar viviendo por segunda vez una situación. Es probable que el fenómeno tenga una base fisiológica. Según una teoría, al registrarse un suceso en la memoria, a veces una zona del cerebro lo hace con un retraso de un instante con respecto a las demás. La sensación de que es algo ya vivido ocurre en el momento en que esa zona procesa lo que las otras ya han almacenado. Otra hipótesis supone que en ocasiones un suceso activa en la memoria el rastro de pasadas experiencias con las que tiene una relación real o imaginaria. Si, por ejemplo, hemos anhelado en la niñez visitar un lugar remoto y romántico del que vimos fotografías, es probable que al ir por primera vez, ya de adultos, sintamos que hemos estado ahí antes.

Medida de la inteligencia

Pruebas y juegos mentales

Además de las pruebas destinadas a evaluar lo que se ha aprendido, hay otras que supuestamente miden las aptitudes. Se las ha criticado porque suelen centrarse en la habilidad para resolver problemas de matemáticas, lógica, lenguaje y relaciones espaciales en que también influye el aprendizaje y, además, no toman en cuenta cualidades importantes como la sociabilidad.

6	2	4
2	?	0
4	0	4

1. Aplicando una regla aritmética a dos de los números de cada hilera y columna se obtiene el tercero. ¿Cuál número falta?

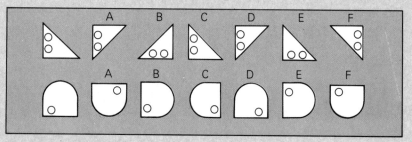

2. Al llegar un chico a su casa encuentra en la cocina un suculento pastel y al lado una nota de su mamá. La nota se ha roto accidentalmente en cuatro tiras, cada una con cuatro letras que son las que aparecen arriba. ¿Qué decía la nota?

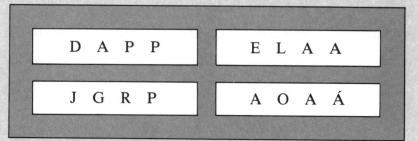

3. Marque en cada hilera las figuras que sean iguales a la primera (puede girarlas sobre el mismo plano). Aunque se supone que este tipo de pruebas no dependen del aprendizaje, el que se ha enfrentado con problemas similares puede resolverlas más fácilmente.

4. Si se desdobla esta caja, ¿a cuál de las cuatro plantillas de abajo corresponderá? (Tome en cuenta que hay una perspectiva desde la que pueden verse los tres dibujos.)

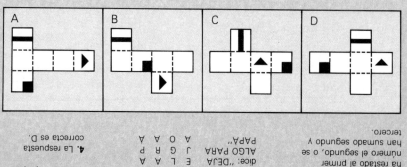

4. La respuesta correcta es D.

3. 1ª hilera: B, C, F. 2ª hilera: A, C, E.

D	A	P	P
E	L	A	A
J	G	R	P
A	O	A	Á

2. La nota dice: "DEJA ALGO PARA PAPÁ."

1. La respuesta es 2. En cada hilera y columna se ha restado al primer número el segundo, o se han sumado segundo y tercero.

¿Qué es la inteligencia?

Aunque casi todos creemos poder reconocer la inteligencia cuando nos encontramos con ella, nos costaría trabajo explicar en qué consiste, y la verdad es que a los psicólogos les pasa lo mismo, por eso no han llegado a una definición que les satisfaga a todos. Muchos se contentan con decir que inteligencia es lo que las pruebas de inteligencia miden; aunque algunos lo dicen en broma, otros consideran que esa definición resulta más práctica que las vagas explicaciones que se acostumbran.

En 1905, el psicólogo francés Alfred Binet, que desarrolló la primera prueba de inteligencia como las que ahora se emplean, especificaba que las actividades fundamentales de la inteligencia son juzgar bien, comprender bien y razonar bien. El psicólogo estadounidense David Wechsler, al que se debe la escala de inteligencia para adultos que lleva su nombre, definía en 1958 la inteligencia como la capacidad global del individuo para obrar con un propósito determinado, pensar racionalmente y enfrentarse eficazmente a su medio ambiente.

¿Es hereditaria la inteligencia?

Como muchas otras características del ser humano, la inteligencia es producto tanto de los genes como del medio ambiente. Se supone que no es un gen sino varios los que contribuyen a determinar la inteligencia, pero hasta ahora no se han identificado los responsables. La prueba de que la herencia desempeña un papel importante en la inteligencia de una persona proviene de estudios hechos entre parientes cercanos en los que se ha visto que cuanto más estrecho es el parentesco, más aproximado resulta el cociente intelectual (CI). Los gemelos idénticos que comparten los mismos genes tienen por lo general un CI mucho más cercano que los hermanos comunes y corrientes, que comparten sólo algunos genes.

Una de las mayores controversias entre los psicólogos es la participación que atribuyen a la herencia en la determinación de la inteligencia. A base de complejos procedimientos estadísticos, algunos han llegado a la conclusión de que la herencia contribuye sólo a un 25% de la diferencia de CI observado entre dos grupos de personas. Otros psicólogos consideran que la cifra asciende al 80%, y se pueden encontrar citados otros muchos porcentajes entre estos dos extremos.

Cualquiera que sea la participación exacta de la herencia, prácticamente todos los especialistas están de acuerdo en que el medio ambiente también es importante en la determinación de la inteligencia. Las personas que han crecido en el mismo ambiente familiar, estén o no emparentadas, tienen un CI más parecido que las criadas en otro ambiente. En Francia se hizo un estudio comparando dos grupos de niños nacidos de familias similares de obreros no calificados. El primer grupo, criado por sus madres, mostró en promedio un CI de 95; el segundo, formado por niños abandonados por sus madres y que habían sido adoptados antes de cumplir los seis meses de edad por familias de clase media, alcanzó un promedio de 109. Hay muchos otros estudios que muestran la correlación entre el CI y el ambiente sociocultural: cuanto más alto es uno, más alto resulta también el otro.

¿Representa la inteligencia una aptitud o varias?

Casi todas las definiciones de inteligencia llevan implícita la idea de que en esencia se trata de una agudeza fundamental o una capacidad para aprender, que nada tiene que ver con el adiestramiento. La mayoría de los psicólogos actuales consideran la inteligencia como un conjunto de aptitudes entre las que se cuenta no sólo la capacidad de razonar, sino también la creatividad, la introspección, la perseverancia, la flexibilidad y la velocidad a la que el cerebro procesa la información.

Muchos de los cientos de pruebas de inteligencia que ahora se usan reflejan ese criterio. Algunas miden sólo tres de los componentes de la inteligencia: las aptitudes verbales, numéricas y de razonamiento; otras miden factores tales como la capacidad de retención de la memoria, la fluidez verbal, la percepción espacial y la habilidad para clasificar, generalizar y razonar por analogía.

¿Podemos elevar nuestro CI?

Después de los siete años de edad, más o menos, el CI de una persona tiende a estabilizarse para el resto de su vida. Puede haber excepciones; algunos estudios muestran un incremento de más de 15 puntos atribui-

ble, por lo menos en parte, a la motivación y a otros factores emocionales.

Sin embargo, como son muy raros los estudios sólidamente científicos sobre el tema, sigue en discusión si los esfuerzos deliberados para aumentar el CI pueden dar resultados o no dado el papel reconocido de la herencia en la determinación de la inteligencia. De acuerdo con el científico Stephen Jay Gould, heredable no significa inevita-

ble; los genes no construyen fragmentos o partes específicas del organismo, son el código que sirve de patrón a una diversidad de formas bajo una serie de condiciones ambientales. Aunque un carácter haya quedado establecido, la influencia del medio puede modificarlo; reconocer que el CI es tanto por ciento heredable no impide aceptar que la educación y la cultura pueden incrementar lo que llamamos "inteligencia".

Un genio visto bajo el microscopio

Cuando murió Albert Einstein en 1955, su cuerpo fue cremado pero, a petición suya, se conservó el cerebro para estudiarlo. Los científicos esperaban hallar en él algo que explicara su gran inteligencia, pero uno de ellos declaró en 1985 que lo único que habían encontrado en el cerebro de ese gran teórico de la física fueron más células de neuroglia que en la mayoría de los cerebros. Como éstas son sólo células de sostén, que además suelen proliferar en la vejez como tejido cicatricial, no se les puede atribuir la creatividad de Einstein.

Ni el microscopio más potente pudo revelar la razón de la inteligencia de Einstein. Uno de los patólogos que estudiaron su cerebro dijo que "era como cualquier otro".

El poder del estado de ánimo y las emociones

¿Qué tan cerca están las lágrimas de la risa?

A mucha gente se le salen las lágrimas cuando van a una boda, a una reunión familiar o se ríen con verdaderas ganas, y lloran también cuando están tristes o reciben una mala noticia.

Esto se debe a que el llanto y la risa, aunque son la expresión de emociones opuestas, emplean muchos de los mismos circuitos cerebrales y músculos. Algunos pacientes que han sufrido un daño cerebral, sobre todo de los lóbulos frontales, pierden el control de sus expresiones emocionales; las costumbres sociales y las inhibiciones adquiridas a lo largo de su vida ya no pueden frenar la manifestación de sus sentimientos. Estas personas pueden ponerse a llorar desconsoladamente al encontrarse con un viejo conocido o reírse a carcajada batiente del chiste más simple; en casos extremos pasan de la risa al llanto y viceversa sin razón aparente, y no pueden expresar emociones intermedias. Imagínese el asombro de la gente cuando una viuda desconsolada, abrumada por la pena, comienza a reír inconteniblemente en el funeral del marido. Pero, ¿qué es realmente lo que sienten estos enfermos cuando les da uno de estos ataques de risa o de llanto? Al preguntárselo a la viuda respondió que se sentía profundamente triste. Hay veces que el comentario más trivial produce en ellos una explosión emocional que no guarda verdadera relación con sus sentimientos íntimos.

¿Pueden enfermarnos las emociones?

Las estadísticas demuestran que hay una mayor incidencia de enfermedades y fallecimientos entre las personas que han perdido recientemente a su cónyuge que entre la población general. Esto se debe, según algunos científicos, a que cuando una persona está sometida a una fuerte tensión emocional, el cerebro reduce la capacidad del sistema inmunitario para combatir las enfermedades. En los animales se han hecho estudios que muestran un vínculo funcional entre el cerebro y el sistema inmunitario, y las investigaciones recientes parecen indicar una relación similar en los seres humanos.

¿Cuándo llega a ser la depresión síntoma de una enfermedad mental?

Es normal sentirse triste o asustado cuando se sufre una pena o se está pasando por un periodo de stress. La depresión que nos produce la muerte de un ser querido y que nos desconecta del mundo temporalmente mientras reconstruimos nuestra vida interior también es natural. Incluso la angustia que magnifica la respuesta a una crisis ayuda a centrarse en un propósito y fortalece la decisión para enfrentarse a una enfermedad, a la pérdida del trabajo o a un matrimonio que se tambalea. En todos estos casos la visión de la realidad es la justa, la respuesta emocional es la apropiada y el estado de ánimo, por doloroso que resulte, conduce a la recuperación.

La depresión y la angustia son anormales cuando no corresponden a lo que realmente ocurre, cuando no conducen a nada y no ceden a pesar de las cosas buenas y amables que ocurran alrededor. La tristeza y la melancolía desmesuradas requieren atención médica.

LAS PALABRAS Y SU HISTORIA

Sonambulismo, como se llama al hábito de caminar dormido, deriva de Somnus, el dios romano del sueño, y es una de las muchas palabras en español que tienen su origen en la mitología clásica. Este término incluye dos vocablos latinos: *somnus,* sueño, y *ambulare,* caminar. Hay otras palabras con la misma raíz como *somnilocuencia,* que significa hablar dormido; *somnífero,* lo que induce el sueño; *somnolencia,* sentir sueño, e *insomnio,* falta de sueño.

Hipnosis procede del nombre del dios griego del sueño, Hypnos, ya que esta condición suele describirse como un estado de trance o de sueño inducido. De acuerdo con la leyenda, Hypnos habitaba en una oscura caverna donde dormía en un cómodo diván arrullado por las aguas del Leteo, el río del olvido. *Letargo,* que significa estupor o somnolencia profunda, deriva de Leteo.

La expresión "dormir como un tronco" da la idea de total inmovilidad. Hay mucha gente que asegura que no se mueve en toda la noche, pero los estudios hechos en el laboratorio demuestran que todos nos movemos y damos vueltas mientras dormimos; menos mal, porque pasar la noche inmóvil afectaría la circulación.

Trance proviene del latín *transire*, que significa morir o, literalmente, pasar a través. Un trance es una condición mental anormal, una disociación de la conciencia como la que produce un golpe en la cabeza. En algunas culturas se induce deliberadamente el estado de trance por medio de drogas, ejercicios respiratorios, el ayuno, música de tambores, danzas y otros ritmos.

El genio significa una enorme capacidad mental que generalmente se traduce en grandes obras en el campo del arte o de la ciencia. Si bien el medio ambiente influye en el desarrollo de las habilidades innatas, la capacidad para ser genio es algo que se hereda a través de los genes. Las palabras *genio* y *genes* derivan de la misma raíz griega: *gignesthai,* que significa nacer.

¿Qué convierte la ira en violencia?

A menudo la violencia está relacionada con un tumor o alguna otra anomalía cerebral. Hay pruebas de que la agresividad va ligada algunas veces a una deficiencia en la cantidad de serotonina —un neurotransmisor— que produce el cerebro. También se ha visto que el PCP, una droga alucinógena llamada comúnmente polvo de ángel que produce alteraciones cerebrales, puede causar accesos de furia y conducir a la automutilación y al asesinato violento.

Esto no quiere decir que toda violencia provenga de anomalías cerebrales; dado el alto nivel de agresividad que hay en el mundo sería absurdo suponer que todos los casos se deban a una disfunción del cerebro. En realidad, la corteza cerebral, la parte pensante del cerebro, normalmente desvía la manifestación directa de nuestros impulsos agresivos. Muchas de las investigaciones que se han hecho sobre la violencia sugieren que en ella influyen mucho los factores ambientales, sobre todo el cine y la televisión. De lo que no se han podido encontrar pruebas convincentes es de que exista una tendencia hereditaria hacia la conducta agresiva.

La locura: de las cadenas a los tranquilizantes

En su actitud hacia la locura, el reformador español Luis Vives fue un vanguardista; ya en 1525 escribía: "Se debe sentir una enorme compasión por tan gran desastre de la mente humana." Durante siglos, antes y después de Vives, el punto de vista predominante era muy diferente. Entre los indios de Norteamérica y en algunas regiones de Oriente, se solía considerar la locura como una visita de los dioses que debía tolerarse, pero en la mayor parte del mundo se creía que era una posesión diabólica o un castigo divino a la depravación moral y se encarcelaba, encadenaba, torturaba y quemaba vivos a los locos. Hasta el siglo XIX, en los manicomios se exhibía a los pacientes por unas monedas. Fue en la década de 1950 cuando al fin se descubrieron fármacos para aliviar los síntomas de las alteraciones mentales.

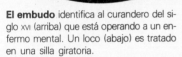

El embudo identifica al curandero del siglo XVI (arriba) que está operando a un enfermo mental. Un loco (abajo) es tratado en una silla giratoria.

Según una antigua superstición, la luz de la Luna era capaz de producir locura o lunatismo. En este grabado del siglo XVII (arriba) unas lunáticas bailan en la plaza del pueblo.

Cuando en el siglo XVIII el Dr. Philippe Pinel hizo que en los manicomios parisienses se desencadenara a los pacientes (izq.), su superior le preguntaba: "¿Está usted mismo loco para liberar a estas bestias?" Pero Pinel estaba convencido de que el buen trato "tenía un efecto benéfico sobre los dementes".

Daños y consecuencias

¿Puede el alcohol dañar al cerebro?

Se alega en contra del alcohol que cada vez que se toma una copa se destruyen 100 000 células cerebrales. Esa afirmación es falsa; en realidad no hay prueba alguna de que beber con moderación afecte al cerebro. Lo malo es que mucha gente bebe inmoderadamente y en esos casos sí hay razones para temer que el exceso de alcohol cause lesiones en el hígado y el cerebro.

Muchas veces la dieta de los alcohólicos es deficiente, sobre todo en vitaminas del complejo B, carencia que llega a causar la destrucción de células cerebrales. Al paso de los años, el alcohólico puede desarrollar el síndrome de Korsakoff, una alteración mental caracterizada por la incapacidad del cerebro para acumular recuerdos nuevos, lo que lleva algunas veces al paciente a fantasear, es decir, a llenar las lagunas que tiene en la memoria con sucesos que nunca han ocurrido. El alcoholismo puede conducir también a una degeneración del cerebelo, la parte del cerebro que gobierna la postura y el equilibrio; a una polineuropatía, lesión de los nervios que termina en la pérdida de la sensibilidad y de la fuerza, o la enfermedad de Wernicke —cuyos síntomas son la parálisis de los músculos que mueven el ojo—, el caminar dando tropezones y el deterioro mental.

¿Son los pensamientos y las emociones interdependientes?

El 13 de septiembre de 1848, mientras Phineas Gage estaba dinamitando una roca en una vía de ferrocarril, la explosión le lanzó a la cara una varilla de hierro que le entró por debajo del ojo izquierdo, le atravesó el cerebro y le salió por la frente a la altura del nacimiento del pelo, horadando y astillando el cráneo. No sólo fue un milagro que este hombre no muriera, sino que lograra recuperarse físicamente por completo y siguiera viviendo otros doce años. Sin embargo, psicológicamente Gage cambió mucho, sus amigos reconocían que ya no era el mismo. El hombre emocionalmente bien equilibrado de antes se había convertido en una persona obstinada, caprichosa, a la que sacaba de quicio cualquier cosa que se opusiera a sus deseos y que lanzaba a cada paso exabruptos blasfemos.

Las partes del cerebro de Gage que quedaron lesionadas fueron los lóbulos frontales, estructuras sobre las que hasta entonces sabían muy poco los neurólogos. Este caso proporcionó a los especialistas la primera prueba clara de que los pensamientos y las emociones están estrechamente vinculados, y lo están porque hay una conexión real, física, entre el sistema límbico (el principal centro emocional del cerebro) y otras estructuras cerebrales.

Gracias al caso Gage y a otros estudios posteriores sabemos ahora que son los lóbulos frontales los que nos permiten controlar las emociones. Una lesión en estos

Sobre grillos, flautas y otros temas aterradores

Uno de los casos más curiosos descritos por el médico griego Hipócrates es el de Nicanor, al que la música de las flautas producía un miedo aterrador. Estos temores irracionales a las cosas más diversas, desde flores hasta grillos, se llaman fobias por el dios griego Phobos, notorio por el pavor que causaba a sus enemigos. Las fobias son alteraciones mentales comunes que limitan la vida del que las sufre, ya que hará lo que sea por evitar lo que le atemoriza: subir 15 pisos por no entrar en un elevador o estar metido en su casa por miedo a los espacios abiertos. Las técnicas de relajación que contrarrestan la angustia pueden curar al 85% de los fóbicos.

Los nombres de las fobias derivan del griego o del latín. Gefirofobia: temor a los puentes.

Acrofobia: miedo a las alturas	**Amaxofobia:** a los vehículos	**Cinofobia:** a los perros	**Nictofobia:** a la oscuridad
Acuofobia: al agua	**Antropofobia:** a la gente	**Claustrofobia:** a los espacios cerrados	**Oclofobia:** a la multitud
Aerofobia: a volar	**Aracnofobia:** a las arañas	**Herpetofobia:** a los reptiles	**Ornitofobia:** a las aves
Agorafobia: a los espacios abiertos	**Astrofobia:** a los relámpagos	**Microfobia:** a los microbios	**Tanatofobia:** a la muerte
Ailurofobia: a los gatos	**Brontofobia:** a los truenos	**Murofobia:** a los ratones	**Xenofobia:** a los extranjeros

lóbulos y la destrucción de sus conexiones con el sistema límbico producen cambios químicos y eléctricos en muchas otras partes del cerebro que alteran la forma en que se experimentan y expresan las emociones.

¿Todos los nervios sienten el dolor?

Los nervios son estructuras especializadas, es decir, están diferenciadas en distintos tipos adaptados para llevar a cabo determinadas funciones; no hay ninguno que pueda hacerlo todo. Una de estas funciones, de suma importancia porque nos permite darnos cuenta de que algo anda mal en nuestro cuerpo, es la sensibilidad al dolor. Las terminaciones nerviosas especializadas en percibir este tipo de señales son los receptores del dolor, de los que hay en el organismo millones, diferenciados en tres tipos básicos: los que son estimulados por lesiones mecánicas, como una cortada o un golpe; los que responden al calor, y los que lo hacen a las sustancias químicas.

En las capas superficiales de la piel, en los músculos, tendones, articulaciones y ciertas partes del cráneo abundan estos tres tipos de receptores; en las zonas más profundas del organismo hay menos, pero también se puede sentir dolor en ellas, sensación enviada por esos nervios.

¿Cuántos tipos de dolores hay?

Agudo, sordo, palpitante, espasmódico son algunos de los adjetivos que suelen emplearse para describir los dolores; sin embargo, no hay consenso entre los fisiólogos. Unos dicen que, por lo general, los dolores pueden clasificarse en una de estas tres categorías: punzante, quemante o sordo; otros consideran sólo dos tipos de dolores: los "primarios", que aparecen de pronto, son agudos y se pueden localizar fácilmente, y los "secundarios", que son difusos, persistentes y difíciles de soportar. Cuando se sufre un dolor secundario suele costar trabajo determinar dónde se origina; casi siempre procede de los órganos internos.

El dolor primario se transmite a la médula espinal y de ahí al cerebro a través de las llamadas fibras rápidas, por las que pasan los impulsos a una velocidad de 6 a 30 m por segundo. El dolor secundario es transmitido por las fibras lentas, que conducen

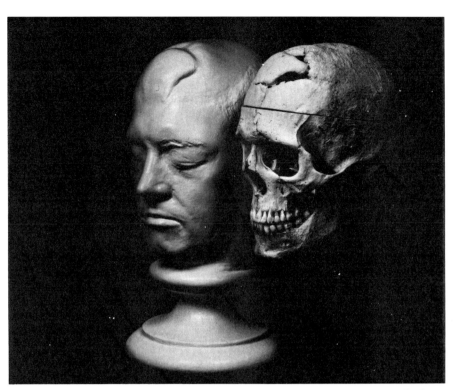

Por la mascarilla y el cráneo de Phineas Gage se puede deducir el daño cerebral causado por la varilla que le atravesó la cabeza. Vivió 12 años más y pudo trabajar un tiempo, pero el accidente alteró su personalidad.

las señales hasta la médula espinal a razón de 0.5 a 2 m por segundo. En el cerebro todas las sensaciones dolorosas llegan primero al tálamo, la estructura que nos hace conscientes del dolor. Allí, los impulsos recibidos de unos cuantos receptores diseminados en uno de los órganos internos llegan a sumarse hasta producir los mayores dolores que una persona pueda sufrir.

¿Qué es el umbral del dolor?

Un golpe en el dedo gordo del pie que obliga a una persona a dar brincos y aullidos puede hacer que otra simplemente se sobe el dedo un momento y siga caminando. La diferencia entre estas dos reacciones puede deberse a que la segunda persona tenga el umbral del dolor más alto que la primera o a que su tolerancia al dolor sea mayor.

El umbral del dolor se define como la intensidad mínima de un estímulo (la fuerza más leve de un golpe o el contacto más breve con la fresa del dentista) que despierta la sensación de dolor. Los estudios hechos en el laboratorio con diferentes tipos de personas: esquimales, pieles rojas y caucásicos, por ejemplo, indican que casi todo el mundo tiene, sobre poco más o menos, el mismo umbral del dolor. Usando una lámpara

de rayos infrarrojos para elevar paulatinamente la temperatura de la piel se ha visto que la mayoría de la gente comienza a sentir dolor cuando el calor llega a los 45° (lo que no es de extrañar, pues a esa temperatura es cuando el calor empieza a dañar los tejidos), y prácticamente todos se quejan de dolor antes de que la temperatura llegue a los 47 grados.

En lo que sí difieren unas personas de otras es en sus reacciones ante el dolor; lo que para una resulta intolerable, no altera a otra, aunque las dos sientan dolor. Hay dolores que producen angustia, depresión, náuseas y lágrimas en cierta gente pero no en otra. La tolerancia al dolor puede variar en una misma persona según las circunstancias y el estado psíquico. Si nos damos un golpe en el dedo gordo del pie al huir de un perro fiero o de un asaltante, probablemente no sintamos ningún dolor. El personal de los hospitales ha descubierto que la preparación psicológica suele reducir el dolor postoperatorio. Un paciente al que se le explica antes de operarlo cómo se va a sentir después, cuánto le va a doler y cuánto tiempo le durará el dolor, generalmente necesita menos analgésicos después de la cirugía que el paciente que no está preparado.

La lucha contra el dolor

¿Puede la tensión disminuir el dolor?

Allá por 1850, el explorador escocés David Livingstone describía así lo que experimentó al ser atacado por un león: "Me agarró del hombro cuando saltó y ambos caímos por tierra... Gruñendo espantosamente me zarandeó como un terrier a una rata. El impacto me produjo una especie de estupor durante el cual no sentía dolor ni miedo."

La reacción descrita por Livingstone no difiere mucho de lo que se observó un siglo después durante la Segunda Guerra Mundial entre los soldados que desembarcaron en Anzio, cabeza de playa de las tropas aliadas en Italia. Los médicos que atendieron a los heridos en el campo de batalla quedaron asombrados de la fortaleza que mostraban muchos hombres gravemente heridos, entre ellos un muchacho con un brazo destrozado que hablaba tranquilamente sin dar muestras de sufrir dolor o alguna alteración mental. Al principio los médicos concluyeron que los heridos parecían insensibles al dolor porque, simplemente, estaban contentos de estar vivos; pero muchos años después, tras muchas investigaciones, los especialistas en cuestiones de dolor han descubierto que lo que les pasaba a Livingstone y al joven soldado de Anzio es que estaban bajo lo que ahora se llama analgesia inducida por la tensión, un alivio del dolor producido como resultado de una emoción violenta.

La explicación de este fenómeno es que en ocasiones el cerebro elabora sus propios analgésicos; produce dos tipos de sustancias opiáceas que se llaman endorfinas y encefalinas, ambas parecidas a la morfina, aunque mucho más potentes. Lógicamente surge la pregunta: ¿por qué el dolor es, entonces, uno de los principales retos a los que se enfrenta la medicina? Simplemente porque la mayor parte de las veces los analgésicos naturales del organismo no suprimen el dolor, aparentemente sólo tienen efectos drásticos en casos de tensión extrema.

¿Cuál es la diferencia entre la anestesia local y la general?

Hace cientos de años, los médicos árabes idearon la manera de anestesiar el brazo de un paciente rodeándolo de nieve y, antes de que se descubrieran los anestésicos químicos, en muchas partes del mundo los cirujanos militares entumecían el brazo o la pierna de los heridos de guerra que iban a operar comprimiendo el nervio más cercano (es el mismo efecto que uno experimenta cuando permanece mucho tiempo en una posición y se le duerme una extremidad). Estas técnicas son versiones primitivas de la anestesia local, que consiste en la insensibilización de una parte del cuerpo sin pérdida de la conciencia.

Los médicos usan actualmente diversos métodos para producir anestesia local; el más común es inyectar anestésicos químicos cerca de la zona que van a operar. La anestesia local bloquea la transmisión de los impulsos nerviosos impidiendo que lleguen al cerebro, pero el cerebro en sí no se ve afectado.

Los anestésicos generales, en cambio, inactivan gran parte del sistema nervioso, producen inconsciencia y evitan que el cerebro perciba el dolor. Estos anestésicos pueden ser gases que el paciente inhala o líquidos que se le inyectan. La anestesia general abarca tres etapas: la analgésica o periodo de

---

La acupuntura: ¿ciencia o brujería?

Hace por lo menos 2 500 años que los médicos chinos han estado usando la acupuntura para aliviar el dolor y las enfermedades. Esta práctica consiste en insertar finas agujas en puntos estratégicos del cuerpo del paciente. Según la tradición, la acupuntura restablece el equilibrio de las "fuerzas vitales" que corren por una serie de vías (meridianos) a las que se da el nombre de ciertos órganos internos. Sobre estos meridianos y fuera de ellos hay alrededor de 360 puntos de acupuntura, la mayoría bastante alejados de la zona donde se supone que ejercen su influencia; para aliviar los dolores menstruales, por ejemplo, se inserta la aguja en el punto 8 del meridiano del hígado (punto situado en la parte interna de la rodilla). La actitud de los médicos occidentales hacia esta técnica oscila entre un injusto desprecio y la plena aceptación. Las investigaciones que se están haciendo sobre la acupuntura parecen indicar que el uso de las agujas estimula la producción de endorfinas, los analgésicos naturales del organismo, pero las autoridades en la materia consideran que aún no hay pruebas concluyentes. A pesar de ello, en muchas prestigiadas escuelas de medicina occidentales se dan cursos de acupuntura. La Organización Mundial de la Salud reconoce el valor de la acupuntura para el tratamiento de algunas enfermedades, entre ellas la ciática, la osteoartritis y las úlceras.

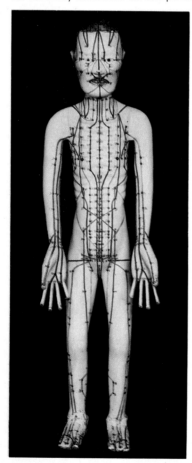

En esta figura japonesa de papier-mâché hecha en el siglo XIX aparecen cuidadosamente anotados los puntos de acupuntura, que ascienden a 660 según la versión japonesa de este método de curación chino.

PRESCRIPTION FOR SCOLDING WIVES.

London. Publ.d by T.M.Lean, 26, Haymarket. Jan.1.1830

Cuando en 1772 Joseph Priestley descubrió el gas hilarante u óxido nitroso, se tomó como una curiosidad. En esta caricatura de 1830 los maridos lo usan para poner eufóricas a las esposas regañonas. Hasta la década de 1840 no se empleó como anestésico.

adormecimiento; la de excitación en la que el paciente ya está inconsciente pero en un estado de agitación, y la etapa de tolerancia que es cuando se practica la cirugía.

¿Se da cuenta de lo que ocurre alrededor una persona anestesiada?

Hasta hace poco, todo el mundo suponía que un paciente inconsciente por la anestesia general no se daba cuenta de nada de lo que ocurría en la sala de operaciones, pero se ha podido comprobar que no es así. Henry Bennett, un psicólogo de la Escuela de Medicina de la Universidad de California, y otros investigadores han descubierto que los pacientes anestesiados pueden oír lo que se dice a su alrededor, por lo que recomiendan a los médicos que tengan cuidado con los comentarios que hacen en el quirófano. El que un médico manifieste, por ejemplo, que la operación no está resultando bien, puede asustar al enfermo y retardar su recuperación; en cambio una sugerencia alentadora puede ayudarle.

¿Qué pruebas hay de todo esto? Durante un estudio se puso en la sala de operaciones una grabación pidiendo a los pacientes que si habían podido escuchar ese mensaje lo demostraran tocándose las orejas en el transcurso de una entrevista que se efectuaría un día o dos después de la operación. Durante la entrevista los pacientes hicieron exactamente lo que se les pidió, aunque ninguno recordaba conscientemente haber oído la grabación. Otro estudio consistió en decirles a los pacientes a quienes se estaba operando de la columna, mientras estaban inconscientes, que no tendrían dificultad para orinar posteriormente (lo que a veces constituye un problema en este tipo de operaciones), y no la tuvieron.

¿Qué son las clínicas del dolor?

Aunque uno se sienta muy mal cuando sufre un dolor agudo, por lo menos sabe que pasará y que el médico terminará curando el dolor y la causa que lo produce. Pero el dolor crónico es otra cosa; puede afectar cualquier parte del cuerpo, persiste durante meses o años a pesar de todos los esfuerzos que se hagan por aliviarlo, muchas veces no se sabe con certeza su origen, y el desgaste físico y emocional que produce termina por deshacer la vida de los millones de personas que lo sufren y de sus familiares. Para tratar de ayudar a toda esta gente se han abierto en distintas partes del mundo lo que se llama clínicas del dolor.

Estas clínicas están afiliadas generalmente a hospitales o institutos de investigación y cuentan con los servicios de diversos especialistas, entre ellos neurólogos, ortopedistas, terapeutas físicos y psiquiatras. Aunque los médicos de estas clínicas no rehúyen la prescripción de analgésicos, se centran más en otros tipos de tratamientos, ya que sus pacientes suelen estar saturados de los medicamentos para calmar el dolor que han estado tomando antes de recurrir a la clínica. Entre las técnicas que emplean se cuentan la hipnosis, la relajación y la psicoterapia. A veces hacen uso de la estimulación eléctrica de los nervios a través de la piel, producida por un generador de pilas que va adherido a la zona de donde proviene el dolor y que el paciente puede controlar. Un método similar es la estimulación del cerebro mediante electrodos implantados en él, que el paciente activa con un transmisor manual.

Alteraciones cerebrales

¿Es la jaqueca un dolor cerebral?

Para entender lo que son las jaquecas hay que tomar en cuenta dos fenómenos. Uno, el cerebro es insensible al dolor; el tejido cerebral rara vez duele, aunque el cirujano lo esté cortando con un bisturí. Dos, hay dolores que se llaman referidos; parecen provenir de una parte del cuerpo cuando en realidad se originan en otra.

Las jaquecas son dolores referidos; lo que duele es la cabeza, pero los tejidos que están causando el dolor pueden estar en otra parte, dentro del cráneo o fuera de él. Una jaqueca puede ser producida por cansancio de la vista o por fatiga general, por una tensión emocional o por un tumor cerebral, por haber consumido demasiada cafeína o por haber dejado de tomarla estando habituado a hacerlo en grandes cantidades, y por muchas otras causas. Es consolador saber que en la mayoría de los casos las jaquecas no son síntoma de ninguna enfermedad grave.

¿Cuáles son los síntomas de un tumor cerebral?

Cuando se sufre un dolor de cabeza palpitante, lo primero que suele pensarse es en un tumor cerebral; sin embargo, eso suele ser lo menos probable. Es mucho más frecuente que los primeros síntomas de un tumor en el cerebro sean accesos de mareos, debilidad de un brazo o una pierna, marcha vacilante, habla confusa y pérdida de la vista o del oído. Las jaquecas persistentes pueden ser sospechosas si antes sólo se presentaban en raras ocasiones, y sobre todo si empeoran cuando el paciente se acuesta o si se presentan al levantarse por la mañana y luego desaparecen. Es muy probable que se produzcan dolores de cabeza frecuentes a medida que el tumor crece. El deterioro mental se manifiesta sólo en etapas avanzadas.

Tratándose de tumores cerebrales, la diferencia entre uno maligno y otro benigno no tiene tanta importancia como en otros casos, porque no hay espacio en el cráneo para que un tumor crezca sin causar daño; aunque un tumor sea benigno puede comprimir el tejido cerebral y lesionarlo seriamente. La extirpación quirúrgica se complica porque para alcanzar el tumor puede haber necesidad de destruir tejido cerebral. El resultado depende muchas veces de la ubicación del tumor; en ocasiones la extirpación parcial, la radiación o ambos tratamientos pueden conceder al paciente años de una vida normal.

¿Qué es la enfermedad de Alzheimer?

La enfermedad de Alzheimer es una degeneración cerebral que, tarde o temprano, hace al paciente olvidar todo, incluso cómo cocinar, cómo manejar el automóvil y hasta cómo amarrarse las agujetas de los zapatos. Al final, esta enfermedad conduce a un estado de coma y a la muerte. En los Estados Unidos, donde se ha efectuado una estadística, se ha visto que ataca al 7% de las personas mayores de 65 años. Esto significa que, aunque hay millones de víctimas, la mayoría de la gente nunca se verá afectada por esta enfermedad. Esta degeneración no es resultado del proceso normal de envejecimiento; puede presentarse también en personas de 40 ó 50 años.

¿Cómo se manifiesta la esquizofrenia?

La esquizofrenia, la más común de las enfermedades psiquiátricas graves, se caracteriza por una seria distorsión de los pensamientos, las emociones y la percepción del mundo.

El esquizofrénico que no está bajo tratamiento vive en un mundo de fantasía, puede sufrir alucinaciones, o falsas percepciones, que le hacen oír voces que no existen. También suele crearse ilusiones, quizá figurarse que alguien lo persigue, o tener delirios de grandeza, adjudicándose, por ejemplo, la personalidad de alguna gran figura de la historia. Hay un tipo de esquizofrénicos que pueden permanecer horas en la misma posición, acurrucados o en una pose dramática como la de una estatua. Las reacciones emocionales de los esquizofrénicos también suelen ser desproporcionadas; pueden aterrorizarse o enfurecerse por un suceso aparentemente trivial y, en cambio, permanecer indiferentes ante otro verdaderamente trágico.

La esquizofrenia se ha presentado en todas las sociedades a través de todos los tiempos. En cuanto a su causa, aunque no hay acuerdo entre los especialistas, muchos opinan que esta alteración procede de una predisposición hereditaria desencadenada por la tensión del medio ambiente. Muchos estudios indican que hay anomalías, aún no bien comprendidas, en la forma en que el cerebro del esquizofrénico elabora sus neurotransmisores, los compuestos químicos que le permiten mandar y recibir mensajes.

Después de una apoplejía, algunas neuronas adoptan nuevas funciones

Aunque las neuronas cerebrales que han sido destruidas por una apoplejía no se regeneran, algunos apopléticos recuperan muchas de las facultades perdidas. Estos casos asombrosos de rehabilitación suelen deberse a que otras partes del cerebro han tomado a su cargo las funciones que desempeñaban las regiones dañadas gracias a la enorme plasticidad de las neuronas, que les permite aprender nuevas tareas, aunque puede llevarles bastante tiempo hacerlo. Esta serie de autorretratos del pintor alemán Anton Räderscheidt constituye un dramático ejemplo de su recuperación después de una embolia que dañó seriamente la parte del cerebro responsable de la atención visual, la que determina lo que una persona percibe. Los pacientes con lesiones en esta región ignoran la mitad izquierda de su campo visual aunque lo pueden ver perfectamente. En el primer autorretrato de Räderscheidt no aparece la mitad de la cara, pero a medida que se fue recuperando, la visión de sí mismo también se expandió.

Anton Räderscheidt sano.

En el autorretrato pintado dos meses después de la embolia omite la mitad de la cara.

Autorretrato de Räderscheidt hecho tres meses y medio después del accidente vascular.

En el tercer autorretrato del artista, la visión de sí mismo es casi completa.

El último autorretrato, que llena la tela, fue pintado nueve meses después del ataque.

¿Cómo se sabe que el cerebro derecho es más emotivo que el izquierdo?

Algunas víctimas de apoplejía minimizan la importancia de su parálisis y se les toma, erróneamente, por estoicos; otros niegan estar incapacitados. Lo que es interesante es que tanto los aparentes estoicos como los que no aceptan la realidad están paralizados del lado izquierdo, lo que significa que la apoplejía dañó el hemisferio derecho del cerebro. Su reacción emocional in-

congruente deriva de ese daño, lo que indica que el hemisferio derecho del cerebro tiene más que ver con las emociones que el izquierdo. Esta teoría está reforzada por el hecho de que los apopléticos paralizados del lado derecho —que por lo tanto tienen dañado el hemisferio izquierdo del cerebro— sí suelen mostrar síntomas de depresión.

La conducta emocional de los apopléticos es sólo una de las muchas pruebas que indican la conexión que hay entre el hemisferio derecho y la emotividad. Durante un estudio, los investigadores mostraron unas

películas sobre mutilaciones quirúrgicas a un grupo de voluntarios que llevaban unos lentes de contacto especiales que impedían la visión con un ojo o con el otro. Cuando los voluntarios vieron las películas con el ojo izquierdo (lo que significa que las interpretó el hemisferio derecho) reconocieron que les habían impresionado más que cuando las vieron con el ojo derecho (interpretadas por el hemisferio izquierdo). Esta respuesta fue confirmada midiendo el ritmo cardiaco que mostró mayor alteración cuando era el hemisferio derecho sólo el que "veía".

Capítulo 3

EL SISTEMA ENDOCRINO

En casos de extrema urgencia, sentimos un flujo repentino de energía como si fuera un choque eléctrico. Sólo cuando el miedo o la tensión son grandes nos damos cuenta del efecto de las hormonas; normalmente, su enorme influencia en las funciones del cuerpo es tan sutil que no la notamos.

¿Qué son las hormonas?

Si le pidieran a usted que nombrara los dos principales sistemas que controlan el organismo, con toda seguridad podría contestar la mitad de la pregunta: el sistema nervioso; pero no sería nada raro que no conociera el otro: el sistema endocrino. Hay mucha gente que apenas ha oído hablar de todas esas pequeñas glándulas de diversas formas dispersas en distintas partes del cuerpo que integran ese sistema. El sistema nervioso y el endocrino interactúan y ambos tienen una importancia vital en nuestra salud física y mental porque, juntos, coordinan las funciones del organismo.

Estos dos sistemas tienen tendidas grandes redes de comunicación. El sistema nervioso transmite sus mensajes por medio de impulsos electroquímicos que viajan a gran velocidad hasta los músculos y las glándulas. El sistema endocrino emplea hormonas, mensajeros químicos de efecto inmediato o retardado que a través del torrente sanguíneo pueden llegar a todas las células del organismo.

Las hormonas ayudan a mantener constante el medio interno controlando la cantidad de agua y sales que debe haber en los tejidos, el nivel de azúcar en la sangre o la proporción de sal en el sudor para ajustar el organismo a las condiciones que lo rodean. Las hormonas también producen cambios a largo plazo, como el crecimiento o la madurez sexual, y otros que son periódicos, como el ciclo menstrual. Pueden desencadenar respuestas drásticas del cuerpo cuando se ve atacado por una enfermedad o traumatismo o cuando el cerebro percibe un peligro. Las hormonas están también muy relacionadas con emociones intensas como la ira y el miedo, el júbilo y la desesperación.

¿Por qué sentimos una descompensación cuando cambiamos de horario?

Todo el que ha viajado suficientemente lejos de su huso horario acostumbrado habrá notado que se siente fatigado, indolente, ligeramente indispuesto y víctima del insomnio. La razón de estas alteraciones es que los cambios drásticos en las horas de comer, dormir y levantarse a que tiene que someterse se contraponen a los ciclos internos de su cuerpo. Estos ritmos circadianos, como se les llama, son básicamente relojes o marcapasos biológicos que gobiernan las fluctuaciones periódicas del sueño, la vigilia, la temperatura, el metabolismo y otras funciones. Aunque los relojes biológicos están dirigidos por el paso natural de la luz del día a la oscuridad de la noche, una vez establecidos tienden a funcionar más o menos independientemente de las señales que vienen del exterior.

¿Qué se puede hacer para evitar las consecuencias del cambio de horario? Algunos médicos recomiendan que si el viaje va a durar sólo un día o dos, lo mejor es tratar de trabajar, comer y dormir con arreglo al horario que se seguía en casa. Tratándose de viajes más largos, conviene empezar de inmediato a vivir de acuerdo con los horarios locales para que el reloj interno se reajuste lo antes posible.

Por cierto que se escogió el término *circadiano* —que en latín significa "casi un día"— para describir los ritmos corporales, porque la mayoría de ellos tienen una periodicidad de 24 horas, aproximadamente, aunque también hay algunos que se repiten a intervalos de unas horas o unas semanas. Todos estos ciclos están aparentemente regulados por una especie de reloj maestro que se encuentra en el hipotálamo.

Ignorar los ritmos circadianos puede resultar no sólo molesto sino peligroso. Se ha visto que el cambio de turno diurno a nocturno reduce la productividad y aumenta el número de accidentes, sobre todo si el cambio es semanal en lugar de abarcar periodos más largos. Por otro lado, hay estudios que demuestran que ciertos medicamentos, incluyendo algunos para tratar el cáncer o reducir la coagulación de la sangre, resultan más eficaces si se toman a determinadas horas.

¿Por qué algunos atletas toman esteroides?

Ganar no es lo más importante, decía en una ocasión un entrenador de futbol americano, es lo único que importa. Y muchos fanáticos del deporte están de acuerdo. Este criterio ha hecho que aumenten cada vez más los atletas jóvenes que toman esteroides, arriesgando su salud y quizá su vida, con la esperanza de lograr una ventaja ante sus competidores. Lo irónico es que, mientras los riesgos son reales, las ventajas bien pueden ser ilusorias.

Los esteroides que toman los atletas

Sin duda a mucha gente le gustan las emociones fuertes. Cuando nos subimos en la montaña rusa, la sensación de ir cayendo velozmente a un precipicio estimula la secreción de las hormonas suprarrenales que nos preparan para una emergencia; pero al mismo tiempo, el saber que en realidad no hay peligro tranquiliza al cerebro y el terror se convierte en algo emocionante.

para tratar de aumentar su musculatura y su agresividad son variantes sintéticos de la testosterona, la hormona responsable del desarrollo de los caracteres sexuales secundarios y de la musculatura en los adolescentes del sexo masculino. Los médicos prescriben algunas veces esteroides para acelerar la cicatrización después de una operación o contrarrestar el debilitamiento de los huesos en las mujeres de edad. En estos casos el paciente sufre una deficiencia de esteroides naturales que los sintéticos ayudan a suplir, pero los atletas segregan cantidades normales de hormonas y es dudoso que los suplementos mejoren su desempeño en las competencias deportivas.

Lo indudable es que los esteroides tomados en grandes cantidades por tiempo prolongado tienen efectos colaterales graves. Pueden impedir el crecimiento, dañar el hígado y quizá causar cáncer. Están relacionados con casos de apoplejía y alteraciones cardiacas. Algunas veces detienen la producción natural de testosterona, lo que atrofia los testículos y produce esterilidad. En las mujeres pueden interrumpir el ciclo menstrual y contribuir al desarrollo de una musculatura varonil, voz grave, vello facial excesivo y calvicie.

¿Comer mucha azúcar puede producir diabetes?

Es más probable que los chicos que se atracan de dulces desarrollen caries dentales que diabetes. Sin embargo, existe por lo menos la posibilidad —hasta ahora no se ha podido negar ni comprobar— de que el consumo excesivo de azúcar precipite la diabetes en personas que están genéticamente predispuestas a esa enfermedad.

Las pruebas al respecto son contradictorias. Por un lado, se ha visto que las ratas de laboratorio con una tendencia hereditaria hacia la diabetes suelen desarrollar con más frecuencia la enfermedad si se les somete a una dieta rica en azúcar que si se les priva del dulce. Los habitantes de Yemen, donde la dieta es baja en azúcar y son raros los diabéticos, con frecuencia se vuelven diabéticos y obesos cuando emigran a Israel, donde el consumo de azúcar es alto. Por otro lado, hay pueblos que comen mucha azúcar y la gente no es gorda ni diabética. La verdad es que se puede ser delgado y diabético o gordo y no sufrir de diabetes; entre el 40 y el 50% de los obesos no presentan síntomas de esa enfermedad. Desde luego, a los que ya se les ha diagnosticado la diabetes se les recomienda no comer dulces ni beber refrescos embotellados.

Esos órganos misteriosos

¿De dónde obtuvo el sistema endocrino su nombre?

En el cuerpo tenemos dos tipos de glándulas: exocrinas y endocrinas, términos que derivan del griego y se forman con los prefijos *exo*, que significa externo, y *endo*, interno. Las glándulas exocrinas cuentan con conductos propios en los que vierten sus secreciones, que llegan así al exterior del cuerpo o a otros órganos internos; ejemplos de este tipo de glándulas son las salivales, las sudoríparas y el hígado. Las glándulas endocrinas, llamadas también glándulas de secreción interna, no tienen conductos propios; los compuestos que segregan, las hormonas, pasan directamente a la sangre, que se encarga de transportarlos a todos los órganos internos. Entre las glándulas endocrinas se cuentan la hipófisis, la tiroides, las suprarrenales y los testículos.

Tenemos también una glándula que es a la vez endocrina y exocrina; se trata del páncreas, que en realidad constituye dos órganos en uno. La mayor parte del páncreas segrega jugos digestivos que llegan al intestino delgado a través del conducto pancreático, pero dispersos entre el teji-do glandular exocrino hay grupos microscópicos de células endocrinas que producen insulina y otras hormonas. En el páncreas hay entre 200 000 y 1 800 000 de estos conglomerados, que se llaman islotes de Langerhans.

¿Cuántas hormonas produce nuestro cuerpo?

No hace mucho, los científicos creían que nuestro organismo producía alrededor de 40 hormonas; hoy se han identificado más de 100 y seguramente su número seguirá aumentando, porque los investigadores continúan encontrando hormonas nuevas. Hasta ahora, se sabe que el aparato digestivo produce por lo menos cinco compuestos de este tipo, los ovarios segregan media docena de estrógenos distintos, la hipófisis y el hipotálamo juntos fabrican unas 16 hormonas de diverso tipo, y las glándulas suprarrenales por lo menos 30 clases de esteroides. Esto a título de ejemplo, porque falta mencionar muchas otras glándulas productoras de hormonas.

¿Por qué se compara a las hormonas con una llave?

Puesto que las hormonas son transportadas por el torrente sanguíneo que llega a todas partes del cuerpo, podría suponerse que afectan a todos los tejidos, pero no es así. Cada hormona ejerce su influencia sólo en las células a las que va destinada y que cuentan con receptores especiales capaces de reconocer su estructura molecular. En cierta forma, las moléculas de cada hormona son como llaves hechas para entrar en determinada cerradura y no en otra, y los receptores pueden compararse a una cerradura que sólo se abre con la llave adecuada. La oxitocina, por ejemplo, que produce la contracción del músculo uterino durante el parto, no afecta a otros tejidos. Sin embargo, hay "llaves" hormonales que encajan en las "cerraduras" de diversos tipos de tejidos; son hormonas de efecto amplio.

La palabra *hormona* se acuñó en 1905 y deriva de un vocablo griego que significa "estimular", porque entonces se creía que ésa era su función; ahora se sabe que también puede inhibir los procesos orgánicos. En realidad las hormonas actúan activando o desactivando los genes que gobiernan una función determinada, o acelerando o retardando el ritmo de las funciones normales de las células a las que van destinadas. Hay hormonas que producen efectos de corta duración a los pocos segundos de haber entrado en la sangre; otras actúan más lentamente pero sus efectos son más prolongados.

¿Cómo se regula normalmente la producción de hormonas?

La cantidad de cada hormona que circula por la sangre suele ser justo la que se necesita en ese momento, ya que la producción aumenta o disminuye según cambian los requerimientos de cada persona. Esto es posible gracias a un mecanismo de retroalimentación que regula la secreción hormonal informando a las glándulas endocrinas sobre las necesidades del organismo.

Cuando en la sangre hay una cantidad anormalmente alta de una hormona o de alguna otra sustancia relacionada con el proceso en el que esa hormona interviene, se produce un mecanismo de retroalimentación negativo, que inhibe la secreción de esa hormona. Por ejemplo, si hay circulando en la sangre gran cantidad de calcio, su presencia

---

Una antigua teoría: la glándula pineal y el alma

Para el filósofo francés René Descartes, la glándula pineal era el lugar donde entraban en contacto la mente y el cuerpo; para muchos antiguos pensadores era nada menos que el asiento del alma. Aunque esta pequeña estructura cerebral que parece un piñón sigue siendo un misterio, los científicos aceptan que constituye una especie de reloj interno. Al parecer, reacciona indirectamente a la luz a

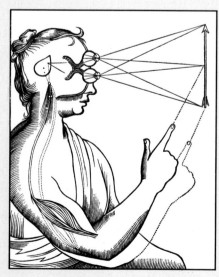

través de la información que le proporcionan los ojos. A medida que cae la noche, la glándula pineal se activa y comienza a segregar una hormona llamada melatonina; en cuanto amanece, la producción se detiene. Por eso en invierno, cuando las noches son largas, el nivel de melatonina es alto y en cambio en verano es bajo. Quizá a ella se deba el cambio de estado de ánimo estacional: la depresión invernal y la euforia de la primavera.

Descartes aceptaba que la glándula pineal y los ojos estaban vinculados, como se ve en este grabado de una obra fechada en 1686.

hace que las glándulas paratiroides produzcan menor cantidad de hormona paratiroidea. Un nivel alto de otras hormonas en la sangre hace que las glándulas que las elaboran disminuyan o detengan su producción por un tiempo.

En el caso de los mecanismos de retroalimentación positivos, la presencia de una hormona hace que se estimule la secreción hormonal, en lugar de inhibirla. Así, se necesita que haya en la sangre cierta cantidad de estrógenos para estimular en la hipófisis la secreción de hormona luteinizante que, a su vez, estimula la ovulación.

¿Qué funciones desempeñan las hormonas en el organismo?

En términos generales, las hormonas se encargan de mantener constante el medio interno regulando los procesos bioquímicos que se llevan a cabo en el organismo, pero es tal la diversidad de sus funciones que los científicos han aislado algunas sin haber podido averiguar todavía el papel que desempeñan. Mencionaremos aquí sólo unos cuantos ejemplos de las funciones hormonales.

La hormona de crecimiento o somatotropina, secretada por la hipófisis, es responsable —muchas veces a través de otras hormonas— del desarrollo de los huesos, los músculos y diversos órganos.

Las hormonas formadas por las glándulas suprarrenales tienen a su cargo un cúmulo de funciones, entre otras mantener estable la presión sanguínea y ayudar al organismo a defenderse del stress.

El glucagón producido por el páncreas eleva el nivel de azúcar en la sangre cuando se encuentra bajo; ésta es una función de gran importancia, sobre todo porque el cerebro se vería amenazado si le faltara su principal nutriente, que es la glucosa, durante el tiempo que pasamos sin comer.

La vasopresina de la hipófisis ayuda al organismo a conservar el agua (aparentemente también tiene algo que ver con la memoria y el aprendizaje). La razón por la cual la cerveza, el vino y los licores aumentan la frecuencia con que se orina es porque el alcohol reduce la secreción de vasopresina.

La hormona de las glándulas paratiroides (incrustadas en la tiroides) hace que aumente la cantidad de calcio en la sangre cuando se encuentra por debajo del nivel normal. Esto lo consigue inhibien-

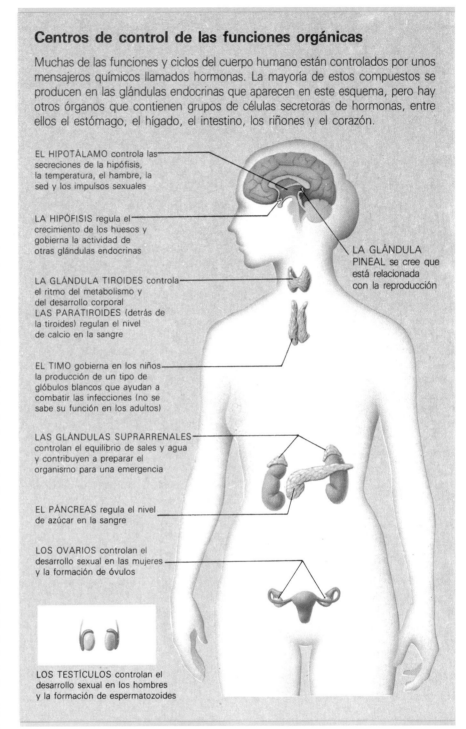

Centros de control de las funciones orgánicas

Muchas de las funciones y ciclos del cuerpo humano están controlados por unos mensajeros químicos llamados hormonas. La mayoría de estos compuestos se producen en las glándulas endocrinas que aparecen en este esquema, pero hay otros órganos que contienen grupos de células secretoras de hormonas, entre ellos el estómago, el hígado, el intestino, los riñones y el corazón.

EL HIPOTÁLAMO controla las secreciones de la hipófisis, la temperatura, el hambre, la sed y los impulsos sexuales

LA HIPÓFISIS regula el crecimiento de los huesos y gobierna la actividad de otras glándulas endocrinas

LA GLÁNDULA PINEAL se cree que está relacionada con la reproducción

LA GLÁNDULA TIROIDES controla el ritmo del metabolismo y del desarrollo corporal
LAS PARATIROIDES (detrás de la tiroides) regulan el nivel de calcio en la sangre

EL TIMO gobierna en los niños la producción de un tipo de glóbulos blancos que ayudan a combatir las infecciones (no se sabe su función en los adultos)

LAS GLÁNDULAS SUPRARRENALES controlan el equilibrio de sales y agua y contribuyen a preparar el organismo para una emergencia

EL PÁNCREAS regula el nivel de azúcar en la sangre

LOS OVARIOS controlan el desarrollo sexual en las mujeres y la formación de óvulos

LOS TESTÍCULOS controlan el desarrollo sexual en los hombres y la formación de espermatozoides

do la excreción de ese elemento, estimulando su absorción en el tracto digestivo y facilitando la extracción del que hay en los huesos porque entre ellos y la sangre se establece un continuo intercambio de calcio. Si la dieta no aporta suficiente para reponer el que se extrae de los huesos, éstos se van debilitando y se fracturan espontáneamente; pero el calcio no sólo es indispensable para el esqueleto, también

interviene en funciones vitales como la transmisión del impulso nervioso, la contracción muscular, la coagulación de la sangre y la secreción glandular. Si la cantidad que hay en la sangre es alta, puede debilitar el tono muscular y favorecer la formación de cálculos renales; si es demasiado baja, llega a causar calambres, espasmos, convulsiones e incluso la muerte.

Glándulas maestras

Vínculo entre el hipotálamo y la hipófisis

En el sistema endocrino, unas hormonas estimulan o inhiben la secreción de otras controlando así el funcionamiento del organismo. Antes se creía que la glándula maestra de este sistema era la hipófisis; hoy se sabe que ella misma está gobernada en gran parte por el hipotálamo. Es éste el que hace que la hipófisis libere las hormonas que almacena, tanto las que produce en su lóbulo posterior —entre ellas oxitocina, vital para el parto y la lactación, y vasopresina, que regula el equilibrio del agua— como las que segrega el lóbulo anterior, que a su vez estimulan la liberación de las hormonas que producen otras glándulas endocrinas.

La hipófisis, controlada por el hipotálamo, está formada por dos lóbulos distintos, el anterior y el posterior; cada uno segrega diferentes hormonas.

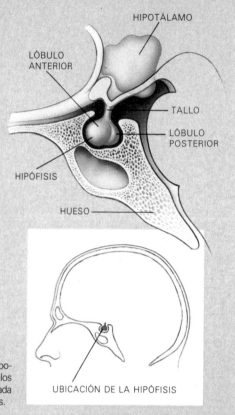

HIPOTÁLAMO

LÓBULO ANTERIOR

TALLO

LÓBULO POSTERIOR

HIPÓFISIS

HUESO

UBICACIÓN DE LA HIPÓFISIS

¿Cómo se comunica el cerebro con el resto del organismo?

El hipotálamo está formado por un conjunto tan pequeño de células cerebrales que los científicos no se dieron cuenta cabal de su importancia hasta la década de 1960. Aparentemente, este órgano es el que registra la información sobre las condiciones en que se encuentra el cuerpo y el principal coordinador de las relaciones entre el sistema nervioso y el endocrino; puede considerársele, por lo tanto, como el intermediario entre el cerebro y el resto del organismo, el mecanismo con que cuentan para comunicarse uno con otro.

Los mensajes que llegan o parten del cerebro pasan por el hipotálamo, que "toma nota" no solamente de las sensaciones de las que estamos conscientes, como la belleza de una puesta de sol, la picadura de una abeja o la delicia de un aroma, sino también de la información que no llega a la conciencia, como el nivel de hormonas en el torrente sanguíneo o la concentración de nutrientes en los tejidos.

Para responder a los mensajes que recibe sobre las condiciones internas del organismo, el hipotálamo se vale muchas veces de la hipófisis, una glándula endocrina suspendida por debajo de él con la que se comunica a través de las hormonas que produce o por medio de impulsos nerviosos. La hipófisis responde a las órdenes del hipotálamo segregando sus propias hormonas, que se vierten a la sangre y llevan el mensaje a los diversos tejidos, incluso a otras muchas glándulas endocrinas. Cuando el hipotálamo recibe la información de los ajustes fisiológicos que han hecho las hormonas siguiendo sus órdenes, el circuito se cierra.

A pesar de la importancia del hipotálamo, la comunicación entre el cerebro y el resto del organismo puede hacerse sin su intervención. En casos de emergencia, el sistema simpático se encarga de estimular directamente a las glándulas suprarrenales para hacerlas segregar adrenalina y noradrenalina, y él mismo descarga sustancias similares a través de las terminaciones nerviosas.

¿Por qué se dice que la hipófisis es la glándula maestra?

La hipófisis, que se encuentra en la parte media del cráneo a la altura del puente de la nariz, no es mayor que un chícharo y sin embargo se la ha considerado como "el director de la orquesta endocrina". No cabe duda de que esta glándula constituye un vínculo crucial entre el sistema nervioso y el endocrino, que produce muchas hormonas distintas y que influye en procesos muy importantes como son el crecimiento, el metabolismo, el desarrollo sexual y la reproducción, pero no ejerce esta enorme influencia por cuenta propia. El verdadero maestro del sistema endocrino es el hipotálamo, a cuyo servicio está la hipófisis.

¿A qué se debe el gigantismo?

El gigantismo proviene de una excesiva producción de somatotropina —la hormona de crecimiento— debida a un tumor en la hipófisis, que es la glándula que la segrega. Los gigantes hipofisiarios no alcanzan un total desarrollo sexual y, si no se les trata, generalmente mueren en los primeros años de la vida adulta, ya que el tumor crece hasta destruir a la hipófisis, privando al organismo de las hormonas que controlan la madurez sexual y otras funciones vitales.

¿Qué diferencia hay entre un enano y un liliputiense?

En medicina se emplea el término *enano* para describir a cualquier persona de estatura anormalmente baja. Algunos enanos tienen el cuerpo bien proporcionado y muchos son sexual e intelectualmente normales, pero la mayoría de la gente asocia la palabra con una persona desproporcionada, deforme y mentalmente anormal; por eso se hace una distinción llamando liliputienses (como los personajes de la novela de Jonathan Swift) a esos adultos en miniatura que son normales en todo excepto en la estatura. El enanismo puede ser hereditario o adquirido y sus causas varían mucho, pero la mayoría de los liliputienses son enanos hipofisiarios que deben su baja estatura a la poca cantidad de la hormona de crecimiento que produce la hipófisis.

Gigantes, enanos y otras variaciones del crecimiento

El gigantismo se hace aparente en la adolescencia porque los puntos de crecimiento de los huesos (epífisis) siguen formando tejido sin detenerse. La enorme estatura de algunos jugadores de basquetbol no se debe a un trastorno hormonal, son simplemente altos; tampoco los pigmeos, que no miden más de 1.40 m, son enanos. Los enanos suelen nacer con una talla y un peso normales —la hormona de crecimiento no parece ser esencial para el desarrollo en el útero— pero después crecen a la mitad del ritmo de un niño normal, y aunque siguen haciéndolo pasados los 20 años, su talla promedio es de 1.20 metros.

El papel del extraterrestre (E.T.) en la película del mismo nombre lo desempeñó casi siempre una complicada máquina, pero algunas escenas las hizo un enano.

Rose Clare era una enana (medía apenas 94 cm de alto) de porte distinguido que vestía con elegancia.

El gigante Robert Wadlow (2.50 m de estatura) tenía que hacerse los trajes a la medida. Aquí le prueba uno un sastre de talla normal.

La estatura del jugador de basquetbol Manute Bol (2.30 m) no se debe al gigantismo, es un rasgo hereditario normal. Bol pertenece a la tribu dinka de Sudán, que cuenta con los hombres más altos del mundo.

Influencia de las hormonas en el crecimiento

¿Cuándo comienza el organismo a producir hormonas sexuales?

La secreción de estrógenos en las niñas y de andrógenos en los niños comienza a las pocas semanas de la concepción, que es cuando también comienza la diferenciación sexual. Los andrógenos hacen que se formen el pene y el escroto a partir de los tejidos fetales primitivos, que tienen la capacidad de convertirse en órganos genitales de uno u otro sexo. Si no hay andrógenos presentes, el tejido indiferenciado formará estructuras reproductoras femeninas. Como se ve, la secreción de andrógenos por parte de los testículos fetales es esencial para el desarrollo de los varones, mientras que no se requiere que los ovarios fetales sean funcionales para que se desarrollen órganos sexuales femeninos.

Las hormonas sexuales fetales pueden afectar a otras cosas, además de a los genitales. Los neurofisiólogos creen que también pueden feminizar o masculinizar el cerebro del feto, contribuyendo quizá a las diferencias posteriores entre la conducta de los hombres y de las mujeres.

La producción de hormonas sexuales, que es estimulada durante la vida fetal por las hormonas de la placenta, se reduce drásticamente después del nacimiento. Aparentemente las gónadas (ovarios o testículos) de los niños son capaces de producir hormonas; si no lo hacen es probablemente porque el hipotálamo aún no libera —nadie sabe por qué— la hormona necesaria para que la hipófisis forme a su vez las hormonas que estimulan la secreción de las gónadas. Sólo al llegar a la pubertad, los ovarios de las niñas comienzan otra vez a producir estrógenos en grandes cantidades, y los testículos de los niños a segregar andrógenos.

¿Por qué crecen tanto los adolescentes?

La primera infancia es la época de crecimiento más rápido, pero la adolescencia no se queda muy atrás. El periodo de máximo crecimiento de la adolescencia comienza alrededor de los 10 años y medio, alcanza la cima a los 12 años y termina a los 14; cuando están dando el gran estirón, los chicos crecen un promedio de 10.2 cm al año y las niñas 8.3 centímetros.

No todo su cuerpo crece al mismo ritmo: la cabeza, las manos y los pies alcanzan el

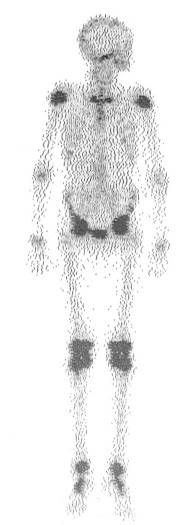

Los puntos rojos de este escintigrama marcan las zonas de crecimiento de los huesos de un niño normal. Antes de la pubertad, el crecimiento depende más que nada de la somatotropina; después intervienen las hormonas sexuales.

tamaño adulto antes y, por lo tanto, quedan desproporcionados durante algún tiempo. Las piernas crecen más rápidamente que el torso, pero se detienen antes mientras que el torso sigue creciendo; por eso los adolescentes tienen ese aspecto tan desgarbado y dejan cortos los pantalones antes que los sacos.

El estirón que dan los adolescentes se debe más a las hormonas sexuales que a la somatotropina (la hormona de crecimiento). En esta etapa de la vida la producción de andrógenos en las glándulas suprarrenales de ambos sexos y en los testículos de los niños aumenta considerablemente, lo mismo que la secreción de estrógenos en los ovarios de las muchachas.

¿Necesitan los adultos somatotropina?

Hace unos años, los fisiólogos creían que el cuerpo dejaba de producir somatotropina después de la adolescencia, pero se ha visto que la hipófisis sigue produciendo esta hormona de crecimiento en la edad adulta —cuando la persona ya ha alcanzado su estatura máxima— casi en la misma proporción que durante la infancia o la pubertad. A cualquier edad, la secreción de somatotropina aumenta o disminuye según las condiciones; aumenta, por ejemplo, cuando ayunamos, hacemos ejercicio, dormimos o nos sometemos a una operación quirúrgica.

No se ha visto que en los adultos la deficiencia de la hormona de crecimiento produzca síntomas que se puedan identificar claramente, lo que parece indicar que en esta etapa probablemente no resulte esencial. Pero hay que tomar en cuenta que esta hormona no sólo interviene en el crecimiento; también afecta el metabolismo ya que estimula la producción de proteínas, el empleo de la grasa acumulada para producir energía y el consumo de las reservas corporales de carbohidratos. Aunque los adultos no necesiten la somatotropina para crecer, pueden beneficiarse de sus efectos metabólicos generales.

¿Producen los varones alguna hormona femenina?

Hace años, cuando los científicos empezaron a estudiar las hormonas sexuales, dieron por sentado que las diferencias entre hombres y mujeres eran absolutas: los hombres producían un tipo de hormonas y las mujeres otro diferente; pero pronto se dieron cuenta de que unos y otros producen las mismas hormonas sexuales, la única diferencia es la proporción de hormonas virilizantes y feminizantes con que cuenta cada sexo. En los hombres, los efectos de los andrógenos que segrega su cuerpo en grandes cantidades superan a los de los estrógenos que elaboran en cantidades reducidas. En las mujeres, la influencia de los estrógenos sobrepasa a la de los andrógenos. Cuando se descubrió esto, ya se había etiquetado a los andrógenos como "hormonas masculinas" y a los estrógenos como "hormonas femeninas" y, por lo menos en lo que se refiere al uso popular, ese calificativo ha perdurado, aunque no sea del todo preciso.

Las glándulas suprarrenales, tanto en los hombres como en las mujeres, producen pequeñísimas cantidades de estrógenos y una proporción algo mayor de andrógenos, que también se forman en los ovarios y desde luego en los testículos. Pero los testículos no sólo segregan andrógenos, sino también pequeñas cantidades de progesterona, la hormona que prepara el útero de la mujer para el embarazo, y de estrógenos, alrededor de una quinta parte de la cantidad que produce una mujer que no está embarazada. Cosa curiosa, los estrógenos de los hombres y de las mujeres se derivan en parte de la testosterona.

¿A qué se debe que la voz de los muchachos se haga grave?

Durante los siglos XVII y XVIII, los más famosos cantantes de música religiosa y operística eran varones sopranos y altos, los llamados *castrati*, hombres a los que se había castrado en la niñez para que conservaran el registro vocal que tenían antes de la pubertad. Esta práctica comenzó en el siglo XVI cuando se relegó a las mujeres cantantes tanto de las iglesias como de los escenarios, y ya en el siglo XVIII la mayor parte de los cantantes de ópera eran *castrati*. La gran potencia de sus voces se debía en parte a la capacidad de sus pulmones y a su volumen corporal.

El comentario anterior sirve para ilustrar el efecto que tiene la testosterona sobre el cambio de voz de los muchachos durante la pubertad. A ella se debe que su laringe se agrande y que las cuerdas vocales dupliquen su longitud, lo que hace que la voz baje de tono alrededor de una octava. Unas veces el cambio es abrupto y otras gradual, pero generalmente se hace notorio más o menos a la misma edad en que el pene alcanza casi su tamaño definitivo.

¿En qué medida afectan las hormonas masculinas a una mujer normal?

Aunque en la sangre y en la orina de los hombres se pueden encontrar pequeñas cantidades de estrógenos, sobre todo durante la adolescencia y la vejez, la función que desempeñan esas hormonas en su organismo no se ha podido precisar. Tampoco se conoce la razón por la cual los hombres producen progesterona y prolactina, las hormonas que en la mujer estimulan el embarazo y la lactación. En cambio, el papel de los andrógenos en el organismo femenino se comprende mejor; ejercen su mayor influencia durante la pubertad, estimulando el crecimiento de vello en las axilas y el pubis, el desarrollo del clítoris y contribuyendo a que crezcan rápidamente. También los andrógenos hacen que la voz de las muchachas baje ligeramente de tono y en algunos casos, desgraciadamente, que les salga acné.

Deficiencia de la hormona de crecimiento

Si un niño resulta bajo para su edad, probablemente sea porque ha heredado genes de corta estatura; pero también puede ser indicio de que algo anda mal en su organismo: quizá tenga alguna enfermedad sanguínea o hepática, desnutrición, carencias emocionales o una insuficiente producción de somatotropina, la hormona de crecimiento que sintetiza la hipófisis. Una de las formas que tienen los médicos para determinar si la baja estatura es normal consiste en medir el ritmo de crecimiento. Entre los 3 y los 9 años, la mayoría de los niños crecen en promedio 5 cm al año; un ritmo mucho más lento constituye un aviso y merece la pena que el médico estudie las causas. En algunos casos el problema se resuelve inyectándoles somatotropina.

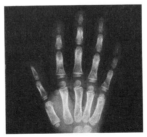 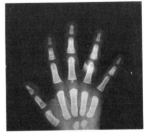

Radiografías de la mano de dos niños de 5 años. La más pequeña, de huesos más cortos, indica una insuficiencia de somatotropina.

A los 10 años, el niño con una deficiencia hormonal (der.) es más bajo que su compañero de 9 años (izq.). Un tratamiento con somatotropina podría hacerlo crecer.

El sexo y el ciclo de la vida

Desarrollo prematuro o tardío en hombres y mujeres

Además del desarrollo de los genitales, la madurez sexual produce en los hombres una voz más grave y unos hombros más anchos, y en las mujeres un ensanchamiento de las caderas. Las hormonas sexuales aceleran la formación de tejidos nuevos al estimular la producción de proteínas celulares. A los pocos años, los adolescentes de maduración lenta alcanzan a sus compañeros.

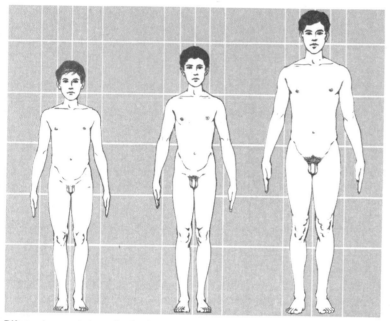

Diferencias en el desarrollo de chicos de 15 años según resultados de un estudio.

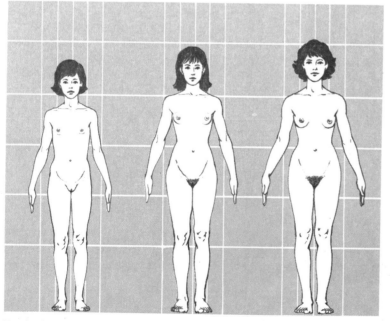

En el mismo estudio, las niñas de 13 años presentaron diferencias similares.

¿Maduran antes los muchachos y las muchachas de hoy?

La tendencia de las chicas a presentar la menarquia (la primera menstruación) cada vez más jóvenes se observa sobre todo en las sociedades prósperas, probablemente porque la buena alimentación es uno de los factores que más influyen en la maduración sexual. En los muchachos no se cuenta con una prueba objetiva de su madurez sexual comparable a la menarquia, pero es razonable suponer que si ahora las chicas maduran antes, también lo hagan ellos.

La tendencia a la madurez temprana no ha progresado uniformemente; durante la revolución industrial de principios del siglo XIX se detuvo por un tiempo, y luego siguió reduciéndose el límite de edad. Ahora, en los Estados Unidos se ha notado otro estancamiento: durante los últimos tres decenios, por lo menos entre las jovencitas de clase media, la edad de la menarquia se ha mantenido estable.

¿Tiene forzosamente que ser tormentosa la adolescencia?

Aristóteles, el filósofo griego, consideraba a los adolescentes "pasionales, irascibles y dados a dejarse llevar por sus impulsos", punto de vista que hasta hoy comparten psicólogos, psiquiatras y padres de familia. No es de extrañar que los adolescentes actúen así dados los cambios por los que tienen que pasar durante la pubertad y la necesidad de irse adaptando a una nueva vida sexual, independiente y productiva.

Sin embargo, algunos psicólogos han empezado a darse cuenta de que la desorientación no tipifica a todos los adolescentes. Los estudios que se han hecho a chicos y chicas adolescentes indican que la mayoría, al llegar a esa edad, ya han adoptado los valores de sus padres y han avanzado mucho hacia la autosuficiencia. En pocas palabras, la adolescencia no significa necesariamente rebeldía, descontento y confusión psicológica.

¿Afecta la vida sexual el nivel de hormonas en el organismo?

En los seres humanos, la vida sexual se considera influida más por factores psicológicos que fisiológicos. Algunos especialistas afirman que una vez que hombres y mujeres han desarrollado un patrón de conducta sexual que les satisface, su vida sexual continúa siendo la misma aunque la edad o las enfermedades reduzcan su producción hormonal. De acuerdo con los que siguen esta teoría, la disminución del interés sexual y, en los hombres, la merma de la potencia sexual generalmente son el resultado de alteraciones emocionales como la depresión, el sentimiento de culpa o las desavenencias maritales.

Sin embargo, muchos fisiólogos, aunque reconocen que en algunos casos la importancia de los factores psicológicos es grande, consideran que cuando la actividad sexual del hombre disminuye, generalmente se debe a una deficiencia de testosterona, la hormona producida principalmente por los testículos, o a un exceso de prolactina, segregada por la hipófisis. Estos hombres pueden recuperar sus funciones sexuales normales si se les prescriben inyecciones de testosterona o algún otro tratamiento.

Es curioso, pero hay pruebas de que la testosterona también influye en la actividad sexual de las mujeres. Son sus glándulas suprarrenales las que fabrican esta hormona, aunque en cantidades muy pequeñas comparadas con las que, sumadas, segregan en el hombre las suprarrenales y los testículos. Sin embargo, cuando se le extirpan a una mujer las glándulas suprarrenales, suele notar una disminución de su interés sexual que puede renovarse si se le inyecta testosterona. En cambio el estrógeno, que es la principal hormona que segregan los ovarios, no parece aumentar el interés de la mujer en el sexo ni afectar la intensidad del orgasmo.

¿Qué pasa en el organismo cuando surge el deseo sexual?

Mucha gente supone que el deseo sexual va acompañado de un alto nivel de hormonas sexuales en la sangre; sin embargo, los científicos no han podido descubrir qué función tengan los andrógenos o los estrógenos directamente en el momento del coito.

Aunque la menopausia deja a una mujer con muy poco estrógeno, apenas un poco más de la reducida cantidad que producen sus glándulas suprarrenales, muchas de ellas no notan que su interés sexual disminuya, reconocen incluso que gozan más de las relaciones sexuales despés de la menopausia, quizá porque ya no tienen que preocuparse por un posible embarazo.

Ya que las relaciones sexuales constituyen uno de los placeres de la juventud, el seguir gozando de ellas en la vejez contribuye, si no a un verdadero rejuvenecimiento, por lo menos a la sensación de que sigue valiendo la pena vivir.

En cambio en los hombres, un bajo nivel de testosterona suele ir asociado con una falta de interés sexual. En esos casos, la administración de la hormona puede incrementar su deseo sexual.

¿Puede una activa vida sexual hacer que una persona se sienta más joven?

Hay un chiste que define a la vejez como la edad en que un hombre persigue a las muchachas pero ha olvidado para qué. El chiste puede resultar gracioso o cruel, según el punto de vista, pero la actitud que refleja —la suposición de que el sexo es algo imposible o ridículo en los viejos— probablemente se revertirá contra los que la comparten. Sin desearlo conscientemente, lograrán que se cumpla en ellos la profecía.

La edad madura o la vejez no traen consigo cambios físicos que puedan alterar la satisfacción sexual. Muchas mujeres de edad notan que disminuye la lubricación de la vagina, pero eso es algo que puede fácilmente corregirse con lubricantes artificiales. Los hombres necesitan más tiempo para lograr una erección, pero,

como compensación, ésta dura más.

Lo que sí es indiscutible es que la frecuencia de las relaciones sexuales va disminuyendo con la edad. Kinsey y sus colaboradores dan la cifra promedio de 1.8 veces por semana en parejas de 50 años y 0.7 en parejas de 70 años. Los hombres viejos mantienen, por lo general, una vida sexual más activa que las mujeres de la misma edad. A través de un estudio se encontró que el 70% de los hombres de 70 años continúan sexualmente activos, y el 50% de los que tienen 75. Entre las mujeres, según los resultados de otro estudio, 70% de las que tienen 60 años y 50% de las que tienen 65 siguen manteniendo relaciones sexuales regulares. Las personas de edad más interesadas en el sexo son aquellas que también lo fueron de jóvenes.

De acuerdo con Masters y Johnson, la función sexual en los hombres y las mujeres puede continuar más allá de los 80 años a condición de que tengan una actividad sexual regular, buena salud, una actitud positiva ante la vejez y una pareja que les atraiga y a la que ellos atraigan. Siendo así, los ancianos pueden seguir disfrutando del sexo hasta el fin de sus días.

Respuesta al miedo y a las tensiones

¿Qué función tienen las glándulas suprarrenales?

Cada glándula suprarrenal tiene el aspecto de uno de esos sombreros de tres picos como el que usaba Napoleón, y descansa sobre la parte superior de un riñón, como si estos órganos llevaran puesto un tricornio (la palabra *suprarrenal* deriva del latín y significa precisamente encima del riñón). Estas glándulas endocrinas miden entre 2.5 y 5 cm de largo y pesan unos cuantos gramos cada una; sin embargo, producen más de tres docenas de hormonas.

Las suprarrenales están constituidas por dos partes tan diferentes que en realidad se considera a cada una como si fuera un par de glándulas, una dentro de la otra. La corteza o parte externa es amarilla y recibe instrucciones principalmente de la hipófisis a través de la hormona adrenocorticotrópica. La médula o parte interna es de color café rojizo, y responde directamente a las órdenes del sistema nervioso.

Todas las hormonas que segrega la corteza se parecen mucho en su estructura química, y reciben en conjunto el nombre de esteroides de los que hay tres tipos básicos: mineralocorticoides, cuya tarea fundamental es controlar el equilibrio de sodio y potasio en el organismo; glucocorticoides, que entre otras cosas contribuyen a elevar el nivel de glucosa en la sangre, y hormonas sexuales, tanto andrógenos como estrógenos.

La médula suprarrenal segrega sólo dos hormonas: adrenalina y noradrenalina, que son las responsables de algunas de las reacciones que se producen en casos de pánico y de furia. Son vitales cuando una persona se encuentra en situaciones de emergencia porque preparan al organismo para combatir o huir de un peligro potencial echando mano de toda su energía.

¿Por qué nos late tan aprisa el corazón cuando estamos asustados?

Cuando el cerebro percibe un grave peligro, ya sea real o potencial, todo el cuerpo se prepara para enfrentar al enemigo o huir, respuesta bien conocida que aparece descrita en todos los textos de introducción a la psicología. Ante las señales que les envía el sistema nervioso, las glándulas suprarrenales, que desempeñan un papel fundamental en este sistema de alarma, vierten en el torrente sanguíneo dos de sus hormonas: la epinefrina (adrenalina) y la norepinefrina (noradrenalina), a las que se debe principalmente que el corazón lata tan aprisa cuando estamos asustados; en esas condiciones incluso las terminaciones nerviosas del corazón liberan norepinefrina. La epinefrina es un potente estimulante cardiaco, tan efectivo que algunas veces en caso de paro cardiaco se inyecta directamente en el corazón para restablecer su funcionamiento. La epinefrina y la norepinefrina producen una dilatación de las arterias coronarias que acelera las contracciones del corazón, y una vasoconstricción que eleva la presión arterial. A los pocos segundos se han producido en el cuerpo muchos cambios.

Ante la amenaza de un perro guardián, el organismo reacciona de inmediato disponiendo todas sus capacidades físicas para la defensa.

EL HIPOTÁLAMO
incita a la acción

LA HIPÓFISIS
libera hormonas

LAS GLÁNDULAS
SUPRARRENALES
liberan hormonas

EL LATIDO CARDIACO
se hace más enérgico
y acelerado

LA PRESIÓN ARTERIAL
se eleva

EL NIVEL DE AZÚCAR
en la sangre aumenta

LOS VASOS
SANGUÍNEOS
superficiales se
constriñen (así la
hemorragia es menor
en caso de heridas)

LA RAÍZ DEL PELO
se eriza

LAS PUPILAS
se dilatan aguzando
la visión

LAS VÍAS
RESPIRATORIAS
se expanden para
que entre más aire

LA DIGESTIÓN se retarda

LA TRANSPIRACIÓN
aumenta y mantiene
al cuerpo frío

LOS MÚSCULOS reciben
más sangre preparando al
cuerpo para la acción

¿Cuál es la reacción del sistema endocrino en caso de tensión?

Si nos van a operar o nos dicen que necesitamos operarnos, si nos vamos a examinar o a pedir un trabajo, si nos angustia el montón de cuentas que tenemos que pagar, si nos encontramos parados en un embotellamiento de tráfico, enzarzados en una violenta pelea o ante un ladrón armado, la tensión física y mental que cualquiera de estas situaciones produce exige de nuestro organismo esfuerzos especiales, a lo que responde de inmediato el sistema endocrino.

La médula suprarrenal segrega adrenalina y noradrenalina, que hacen que el corazón lata más aprisa y que los pulmones inhalen más aire. El hipotálamo produce hormona liberadora de corticotropina, que hace segregar a la hipófisis hormona adrenocorticotrópica, la que a su vez estimula a la corteza suprarrenal para que vierta en la sangre glucocorticoides.

El más importante de los glucocorticoides es el cortisol, también conocido como hidrocortisona, del que en caso de emergencia las suprarrenales pueden producir 20 veces la cantidad normal. Esta hormona prepara al organismo a enfrentar la tensión movilizando todas sus reservas energéticas. Extrae los aminoácidos almacenados en los músculos y en otros tejidos, ayuda a que lleguen al hígado y acelera su conversión en glucosa que tanto se necesita; también libera los ácidos grasos del tejido adiposo.

La verdad es que todavía no ha quedado claro cómo pueden estos cambios ayudar a lidiar con las tensiones de la vida actual. Las hormonas son esenciales para enfrentar una lesión o una enfermedad, para huir de un animal en la selva o para entablar una lucha cuerpo a cuerpo con el enemigo, pero las tensiones de la civilización no exigen un esfuerzo físico de tal naturaleza y la secreción indiscriminada de hormonas que realmente no se necesitan puede tener un efecto nocivo sobre la salud.

¿Tiene alguna utilidad médica la adrenalina?

Las víboras suelen producirnos más miedo que las abejas, avispas, avispones y hormigas de fuego, pero en algunas regiones del mundo las picaduras de esos insectos causan al año el doble de muertes que las mordeduras de las serpientes.

Generalmente la muerte por picaduras de insectos se debe a una reacción alérgica que se desencadena a los pocos minutos. Las personas que han sufrido serias inflamaciones locales cuando les ha picado un insecto, es muy probable que sean sumamente alérgicas, en cuyo caso los médicos recomiendan que cuando salgan al campo lleven un botiquín con adrenalina para que se la inyecten cuando sea necesario. Esta hormona abre las vías respiratorias, estimula el corazón y mantiene constante la presión sanguínea.

En algunos casos de emergencia se usa la adrenalina para restablecer el latido del corazón inyectándosela directamente. Los asmáticos suelen emplear medicamentos a base de adrenalina para relajar el espasmo de los bronquios, y también sirven para destapar la nariz congestionada.

¿Puede hacer daño un tratamiento prolongado con glucocorticoides?

La utilidad de los glucocorticoides (entre los que se encuentra la cortisona) como medicamentos se debe a su poder de reducir la inflamación e inhibir el sistema inmunitario, efectos que, al parecer, sólo tienen estas hormonas cuando se toman en cantidades mucho mayores de las que el cuerpo produce normalmente. Sin embargo, cuando se toman en altas dosis por tiempo prolongado, pueden producir también efectos colaterales indeseables. Los menos alarmantes desde el punto de vista médico, aunque no estético, son la acumulación de grasa y la "cara de luna", pero puede haber complicaciones más graves como la osteoporosis, úlceras pépticas, diabetes, hipertensión y lentitud en la curación de las heridas. La inhibición del sistema inmunitario predispone al paciente a las infecciones, que pueden pasar inadvertidas porque al no haber inflamación hay menos dolor o fiebre. Otro riesgo potencial son las alteraciones mentales, desde una euforia leve hasta una verdadera psicosis.

Esto no significa que haya que privarse de los beneficios de un tratamiento con glucocorticoides. Los efectos colaterales más graves se pueden evitar tomando la dosis eficaz más baja durante el menor tiempo posible, criterio que hoy día toman muy en cuenta los médicos. Los especialistas han encontrado que incluso las dosis altas pueden resultar bastante seguras si se toman en días alternos, lo que algunas veces hace más eficaz el tratamiento.

Control del metabolismo

¿Qué tiene que ver la glándula tiroides con la energía?

La tiroides es una glándula en forma de mariposa que pesa menos de 30 g y que está situada en el cuello justo por debajo de la nuez, con un ala a cada lado de la tráquea. Su función más importante es la secreción de dos hormonas que desempeñan un papel crucial en el ritmo metabólico, es decir, la velocidad a la que el organismo transforma los nutrientes en energía. Si el ritmo metabólico es ligeramente bajo, se experimenta una cierta lasitud; pero si desciende notablemente, todas las funciones orgánicas se retardan. En cambio, si el ritmo se acelera un poco por encima de lo normal suele producir una sensación de nerviosismo que se convierte en agitación, pérdida de peso, bochorno y claras alteraciones emocionales cuando la aceleración aumenta considerablemente.

Las dos hormonas que regulan el metabolismo son la tiroxina y la triyodotironina; de la cantidad total de triyodotironina con que cuenta el organismo, sólo el 20% se produce en la tiroides, el resto se forma en otros tejidos a expensas de la tiroxina.

Una de las pruebas más usadas por los médicos para evaluar el funcionamiento de la tiroides es medir el metabolismo basal, es decir, la cantidad de oxígeno que requiere el organismo para mantener sus funciones básicas estando en reposo. El metabolismo basal puede llegar a descender 40% por debajo de lo normal cuando la tiroides no funciona, o ascender del 60 al 100% cuando la glándula está produciendo hormonas en exceso. Sin embargo, si la tiroides deja de funcionar, puede no notarse ningún descenso del metabolismo durante algún tiempo, porque esa glándula es capaz de almacenar una cantidad de hormonas suficiente para suplir las necesidades del organismo durante 1 a 3 meses.

¿A qué se debe el bocio?

Si no se le proporciona al organismo suficiente yodo, la glándula tiroides se ve en problemas para sintetizar sus hormonas, lo que se traduce en un engrosamiento de la glándula al que se llama bocio. Hay algunas regiones del mundo donde el yodo escasea y en las cuales es raro ver a alguna persona que no tenga bocio. La inflamación, que puede alcanzar el tamaño de una naranja, se debe a que, al no contar la tiroides con suficiente yodo, produce tan pocas hormonas que no alcanzan a detener la secreción de la hormona estimulante de la tiroides procedente de la hipófisis. En algunos casos la tiroides hipertrofiada segrega una cantidad de hormonas que es suficiente para satisfacer las necesidades del organismo.

¿Por qué hay gente que come mucho y no engorda?

Si usted es de las personas que sufren para no subir de peso, probablemente envidie a aquellos que comen y comen sin engordar ni un gramo. Muchas veces se trata de gente activa que quema todas las calorías que consume, pero a otros lo que les pasa es que padecen hipertiroidismo, una alteración que proviene de un exceso de hormonas tiroideas.

La superabundancia de hormonas estimula el apetito y acelera tanto el metabolismo que el organismo quema una enorme

Este cartel nepalés que muestra a una mujer con bocio exhorta a los enfermos a que se traten.

Función del yodo en la dieta

Toda persona adulta necesita alrededor de 60 millonésimas de gramo de yodo al día para que la glándula tiroides pueda cumplir sus funciones. Los alimentos generalmente cubren esta cuota porque las plantas absorben el yodo del suelo, pero hay regiones en que la tierra contiene poco o nada de yodo. Previendo esto, en muchos países se añade yodo a la sal común; pero en los más pobres, donde no es asequible este producto, es común la deficiencia tiroidea que puede traer como consecuencia el retraso mental y físico de los niños. El remedio para contrarrestar esta deficiencia es inyectar a la población en masa aceite yodado, que se fija a las grasas del cuerpo y va liberando yodo a lo largo de unos cinco años.

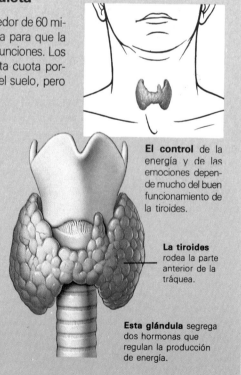

El control de la energía y de las emociones depende mucho del buen funcionamiento de la tiroides.

La tiroides rodea la parte anterior de la tráquea.

Esta glándula segrega dos hormonas que regulan la producción de energía.

cantidad de calorías llegando a producir una excesiva pérdida de peso. Los enfermos están inquietos, hiperactivos y tan tensos que no pueden dormir reposadamente, lo que se traduce en un cansancio continuo. Otros síntomas frecuentes son: sudores, palpitaciones, incapacidad para soportar el calor, temblores en las manos y debilidad muscular.

El tratamiento más frecuente del hipertiroidismo es destruir la glándula con yodo radiactivo y luego administrar al paciente medicamentos que contengan la cantidad necesaria de hormonas tiroideas; hasta ahora este procedimiento no ha demostrado tener efectos adversos. Otras opciones son el empleo de fármacos que disminuyan la actividad de la tiroides o la extirpación quirúrgica de parte de la glándula.

¿Produce el páncreas otras hormonas además de la insulina?

En cierto sentido, el páncreas constituye dos órganos en uno. Como glándula digestiva, segrega enzimas que ayudan a desdoblar los alimentos y convertirlos en compuestos que el cuerpo pueda asimilar. Como glándula endocrina produce por lo menos dos hormonas que regulan el metabolismo de los carbohidratos y otras que tienen diversas funciones. La mayor parte de la gente ha oído hablar de una hormona pancreática que regula el nivel de azúcar en la sangre, la insulina, pero hay otra, el glucagón.

La insulina y el glucagón son secretados por grupos de células que forman los llamados islotes de Langerhans. Después de comer, cuando el nivel de glucosa en la sangre es alto, el páncreas segrega insulina que reduce la cantidad circulante de azúcar, en parte ayudando a que pase a través de la membrana celular y se distribuya en el interior de las células. Cuando el nivel de glucosa desciende por debajo del que el cerebro y los demás tejidos necesitan, el páncreas libera glucagón, que aumenta la proporción de ese azúcar en la sangre extrayendo las reservas que hay en el hígado.

¿Qué es la diabetes mellitus?

La diabetes mellitus es una alteración pancreática que constituye una de las principales causas de enfermedad, incapaci-

La insulina: un tratamiento, pero no una cura

En 1922, cuando se empleó por primera vez la insulina para tratar la diabetes y se vio cómo se recuperaban los niños enfermos que estaban a punto de morir, mucha gente creyó, erróneamente, que por fin se había encontrado una cura milagrosa. Es cierto que las inyecciones de insulina permiten al diabético, cuyo páncreas no segrega suficiente hormona, vivir muchos años con una enfermedad que antes significaba la muerte casi segura, pero de ninguna manera constituyen una cura. Las inyecciones diarias de insulina suplen la falta de la hormona, pero no inducen al páncreas a formar su propia insulina ni regulan el suministro de la hormona como lo hace un páncreas normal.

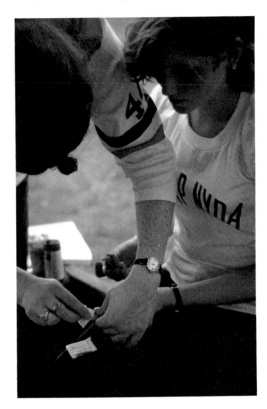

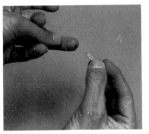

Picándose un dedo, el diabético extrae una muestra de sangre.

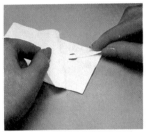

Él mismo hace la prueba para ver el nivel de glucosa en la sangre.

Al diabético juvenil se le enseña a lidiar física y emocionalmente con su enfermedad.

dad y muerte. Los síntomas más notables son: pérdida de peso y producción excesiva de orina, pero también se caracteriza por un hambre y una sed extremas. Esta descompensación en el metabolismo de los carbohidratos se debe a que el páncreas produce muy poca insulina o a que el organismo no es capaz de utilizar la insulina que el páncreas segrega.

Hay dos tipos principales de diabetes mellitus. El tipo I, también llamado insulinadependiente o diabetes juvenil, suele aparecer en la infancia súbitamente, y es el más grave de los dos. Se debe a una baja producción de insulina posiblemente porque un virus o el propio sistema inmunitario del paciente ataca a las células de los islotes de Langerhans. En la diabetes de tipo II, que

surge en la edad madura, el páncreas puede producir una cantidad normal de insulina pero, por alguna razón, el organismo no puede utilizarla para metabolizar los carbohidratos.

En uno y otro casos, el resultado es que gran parte del azúcar no llega a las células y se acumula en la sangre y se excreta en la orina. Una de las consecuencias de la diabetes no tratada, sobre todo del tipo I, es que altera el metabolismo de las grasas, lo que puede producir abruptamente un estado de coma y más tarde la muerte. A largo plazo, esta alteración es responsable de las complicaciones que pueden acompañar a la diabetes: aterosclerosis prematura, apoplejías, afecciones renales y lesiones oculares.

Capítulo 4

EL CORAZÓN Y EL APARATO CIRCULATORIO

El secreto de la actividad del corazón consiste en un haz de tejido especializado que genera una corriente eléctrica. Este marcapasos natural produce una contracción muscular que impulsa la sangre a todo el organismo.

¿Está realmente el corazón del lado izquierdo?

Si resulta tan difícil desarraigar algunas ideas erróneas es porque suele haber detrás alguna razón que las apoya. Tomemos el caso del corazón; mucha gente supone que está en el lado izquierdo del pecho, aunque no es así. Si imaginamos una línea vertical que pase exactamente por el centro del tórax, el corazón se encontrará normalmente casi en medio: un poco más cargado a la izquierda que a la derecha de esa línea.

Además, está colocado en posición diagonal, con la parte superior más ancha hacia la derecha y el extremo inferior, el ápice, hacia la izquierda. El latido del corazón se siente más en el ápice que en la base y quizá a esto se deba el error tan generalizado de suponer que el corazón está en el lado izquierdo.

Tampoco la forma de este órgano corresponde a la de los dibujos que hacen los enamorados. Aunque resulta muy prosaico, la verdad es que se parece a la de una pera.

¿Por qué son los moretones azules o morados?

Cuando los vasos sanguíneos más delgados, llamados capilares, se rompen, la sangre invade los tejidos y los glóbulos rojos se difunden. La hemoglobina, que es su principal pigmento, es roja cuando está cargada de oxígeno, pero se vuelve azul al perderlo. Los tejidos en los que ha ocurrido el derrame absorben inmediatamente el oxígeno de la hemoglobina, que no puede reponerlo porque los capilares están rotos y, por lo tanto, queda azul. Un moretón se ve de un color aún más intenso si los tejidos que hay por encima son rosados.

A medida que los glóbulos rojos se desintegran y son reabsorbidos —tardan generalmente 14 días—, el moretón va desapareciendo. Los productos de la descomposición de la hemoglobina son los que le dan el color amarillento. Al final el pigmento es eliminado por los glóbulos blancos.

¿Nunca descansa el corazón?

Muchas preguntas pueden responderse acertadamente con un sí y con un no, todo depende de cómo se definan los términos y se interpreten los hechos. Si decimos que el corazón nunca descansa, estaremos en lo cierto, y también lo estaremos si decimos que trabaja mucho.

Algunos especialistas insisten en que, bajo condiciones normales, el corazón nunca cesa de latir: está contrayéndose y relajándose, contrayéndose y relajándose sin parar, de lo que se concluye que nunca descansa.

Pero hay otros que interpretan la fase de relajación —que es cuando el corazón se llena— como un descanso. Un acreditado libro de texto dice que "el corazón descansa... una fracción de segundo entre un latido y otro"; pero en otra obra igualmente autorizada encontramos: "en un lapso de 70 años de vida, el corazón habrá descansado alrededor de 40 años", y el mismo autor añade: "descansa incluso cuando está trabajando al máximo, lo que nos da una excelente lección sobre el valor que tiene un esfuerzo acompasado".

¿Cómo afecta al corazón un choque emocional?

Ante un peligro, una tensión o un conflicto emocional, el organismo responde liberando adrenalina en el torrente sanguíneo, lo que eleva la presión arterial, constriñe los vasos sanguíneos y acelera el latido cardiaco. Los médicos se basan en estos cambios fisiológicos para afirmar que los choques emocionales pueden lesionar el corazón, pues es bien sabido que la hipertensión y la taquicardia tienen un efecto nocivo sobre el organismo.

¿Puede haber personas de "sangre fría"?

De las personas temerarias o insensibles se dice que tienen mucha "sangre fría"; es un término muy expresivo que responde a una certera impresión psicológica, pero literalmente hablando no es cierto: no hay ninguna persona que tenga la sangre fría.

Todos los seres humanos tenemos la sangre caliente, lo que quiere decir que nuestra principal fuente de calor procede de nosotros mismos, de los procesos fisiológicos normales de nuestro organismo. Esta característica la comparten los demás mamíferos y las aves, en cambio el resto de los animales sí son, efectivamente, de sangre fría y la temperatura de su cuerpo depende de la del medio ambiente que los rodea.

Esta diferencia tiene consecuencias prácticas de gran importancia. Los animales de sangre caliente pueden desenvolverse con máxima eficiencia en las condiciones climáticas más variadas. En cambio los de sangre fría —serpientes, lagartijas, insectos, etc.— funcionan mal, o simplemente no funcionan, a menos que su medio ambiente alcance la temperatura adecuada.

¿Tenemos en el cuerpo un termostato?

A pesar de todos los cambios de la temperatura ambiental a los que está expuesta una persona en el transcurso del día, la ma-

La ropa de invierno conserva el calor del cuerpo porque retiene capas de aire caldeado. *Si siente frío, cúbrase bien la cabeza; si tiene calor, quítese el sombrero.*

yoría mantiene la temperatura corporal bastante constante: alrededor de 37°, que es la temperatura a la que mejor trabaja el organismo. Esto se puede lograr gracias a un termostato biológico que tenemos en el cerebro.

Cerca de la base del cerebro hay una estructura llamada hipotálamo que registra la temperatura de la sangre que pasa por ella y, si es necesario, estimula un cambio en el diámetro de los vasos sanguíneos. Supongamos que la temperatura interna se eleva por encima de lo normal, ya sea porque está caldeado el ambiente, porque esa persona ha hecho mucho ejercicio o tiene fiebre, o simplemente porque la digestión u otros procesos normales del organismo han generado un calor excesivo. En ese caso, el hipotálamo estimula una dilatación de los vasos sanguíneos de la piel, lo que aumenta el flujo de sangre a la periferia, donde se disipa. Si, por el contrario, la temperatura interna baja, los vasos cutáneos se constriñen, la afluencia de sangre a la superficie se reduce y el cuerpo puede conservar su calor.

En algunas operaciones del corazón o de las arterias, los cirujanos bajan artificialmente la temperatura del cuerpo del paciente para reducir la necesidad de sangre circulante en los órganos durante el tiempo que tarda la intervención.

¿Por qué es necesario protegerse la cabeza cuando hace frío?

A veces, cuando hace mucho frío, el aparato circulatorio no alcanza a conducir a las extremidades toda la sangre que necesitan para mantenerse calientes, y por eso los dedos de las manos y de los pies, la nariz y las orejas se ponen pálidos o toman un tinte azuloso.

La cabeza y las extremidades necesitan más sangre cuando hace frío, pero si el organismo no cuenta con suficiente calor, ajusta el aparato circulatorio para que por lo menos el cerebro reciba todo el que requiere a expensas de otros tejidos menos importantes. Incluso cuando la nariz y las orejas están heladas, el cerebro se encuentra a una temperatura casi normal. Si no se lleva puesto un gorro o un sombrero, se puede perder mucho calor a través de la parte superior de la cabeza. Lo de ponerse un gorro para calentarse los pies no es un absurdo ya que, con el cráneo bien protegido, el organismo puede contar con más calor para enviarlo a las extremidades.

El corazón: una bomba doble

¿Qué tan complejo es el corazón?

La mayoría de la gente tiene la idea de que el corazón es un órgano impar que constituye una unidad, pero la verdad es que está formado por dos bombas, cada una con dos cavidades. La mitad derecha recibe la sangre parcialmente desoxigenada que proviene de los distintos órganos y la impulsa hacia los pulmones donde se reabastece de oxígeno. La mitad izquierda recibe esta sangre oxigenada en los pulmones y la envía al resto del organismo.

Estas dos mitades son muy parecidas, pero la izquierda es un poco más pequeña y tiene las paredes musculares más gruesas debido a que realiza un mayor esfuerzo, ya que tiene que bombear la sangre a una presión más alta para que llegue a las regiones más distantes del cuerpo. Por eso la presión arterial es más baja en los pulmones, aunque están más cerca del corazón, que en los brazos. Cada mitad del corazón tiene una cavidad superior de paredes más delgadas llamada aurícula, que hace las veces de una sala de recepción donde se acumula la sangre que llega, y una cavidad inferior, el ventrículo, más grande, más musculosa y de paredes más gruesas que es la que realiza la mayor parte del trabajo de bombeo.

A las aurículas llegan grandes venas y de los ventrículos salen arterias de grueso calibre. En los orificios que comunican la aurícula con el ventrículo y el ventrículo con la arteria que de él sale hay válvulas que se abren en un solo sentido. Un tabique separa estas dos bombas de manera que su contenido nunca se mezcla.

El corazón está rodeado por un saco laxo, el pericardio, que evita que al latir roce con las paredes del tórax. Las paredes del corazón están formadas por tres capas superpuestas de tejidos especializados. La más externa es el epicardio, una membrana delgada y lustrosa. Después se encuentra una gruesa capa muscular llamada miocardio, que es la que desarrolla el trabajo más arduo. Por último está el endocardio, otra delgada membrana lisa y brillante que reviste por dentro las cavidades. Todos estos tejidos son alimentados por una red vascular que procede de la arteria coronaria, así llamada por los primeros anatomistas debido a que rodea la parte superior del corazón como si fuese una corona.

¿Qué hace latir al corazón?

Cada latido del corazón es iniciado por un haz de tejido muscular con propiedades especiales que está situado en la aurícula derecha. Este nódulo actúa como un marcapasos natural emitiendo un impulso eléctrico que obliga a las fibras musculares de ambas aurículas a contraerse, lo que impulsa la sangre hacia los ventrículos. Unos cuantos milisegundos después de haberse iniciado este impulso, su carga eléctrica llega a un segundo nódulo de tejido especializado formado por fibras musculares de más lenta conductividad. Este nódulo tarda alrededor de un décimo de segundo en soltar su carga, que estimula a los ventrículos a contraerse comprimiendo la sangre contra las paredes y, por lo tanto, aumentando la presión interna. Esta fuerza hace que se cierren las válvulas aurículo-ventriculares y se abran las que conducen a las arterias: la pulmonar (ventrículo derecho) que va a los pulmones, y la aorta (ventrículo izquierdo) que va al resto del cuerpo.

Cuando la contracción cesa, la presión en las arterias es mayor que en los ventrículos, por lo que se cierran las válvulas que hay entre ellos impidiendo el reflujo de la sangre. Los ruidos que se oyen en el corazón se deben a los movimientos de los músculos y de las válvulas.

¿Qué se puede hacer cuando falla el marcapasos natural del corazón?

Cuando el marcapasos natural no transmite los impulsos con regularidad, se puede recurrir a diversos tratamientos. Para averiguar de qué tipo de alteración del ritmo cardiaco se trata, lo primero que hace el médico es obtener un electrocardiograma del paciente. Esta técnica de diagnóstico muestra en una gráfica la actividad eléctrica del corazón. Una vez que el médico ha determinado la dolencia, prescribe el medicamento que esté indicado en cada caso.

Algunas veces hay que recurrir a un cirujano para que implante un marcapasos artificial. Este aparato se suele insertar, con todo y pilas, bajo la piel cerca del hombro, unido al corazón por un electrodo. Es una operación sencilla que se hace bajo anestesia local. También hay modelos que se llevan externamente. La base de los marcapasos es un electrodo que emite un impulso eléctrico a determinados intervalos para acelerar el corazón si es anormalmente lento, o para acompasar su ritmo si es errático. Estos aparatos, que ahora usa mucha gente en todo el mundo, permiten a los pacientes llevar una vida prácticamente normal.

¿SABÍA USTED QUE...?

- **Nuestros vasos sanguíneos** podrían —según un cálculo que se ha hecho— rodear dos veces la Tierra si se extendieran uno a continuación del otro.

- **El hormigueo**, esa sensación de pinchazos, cosquilleo y comezón que se siente en las manos, piernas y pies, se debe a una mala circulación de la sangre.

- **Ciertos rasgos de carácter** pueden significar una mayor propensión a las enfermedades cardiacas. Algunos especialistas han establecido dos tipos de personalidades: los individuos de tipo A son excesivamente competitivos, inquietos, muy conscientes del tiempo y poco pacientes; en cambio los de tipo B son tranquilos y tolerantes. Según varios estudios, la gente de tipo A está más expuesta a un ataque cardiaco que la de tipo B de la misma edad, sexo y tipo de trabajo. Un cambio de conducta puede ayudar a los de tipo A a reducir el riesgo.

- **Los hombres tienen** un volumen mayor de sangre en el aparato circulatorio que las mujeres, y también un mayor número de glóbulos rojos.

- **El grupo sanguíneo más común** es el tipo O. Sin embargo, en ciertas regiones predominan otros grupos; en Noruega, por ejemplo, es más frecuente el tipo A.

- **Las pesadillas** y los terrores nocturnos pueden parecer tan reales que el miedo acelera los latidos del corazón. Durante un estudio, se encontró que el pulso de uno de los voluntarios se elevaba a 150 latidos por minuto mientras dormía.

¿Qué causa los murmullos cardiacos?

A los ruidos que se oyen en el corazón con ayuda del estetoscopio los médicos los llaman soplos o murmullos cardiacos, pero no todos se oyen como murmullos suaves, también los hay que parecen gorgoteos o chirridos. Generalmente no son más que el ruido normal de la sangre al pasar por las distintas regiones del corazón y rara vez son un síntoma de un serio problema cardiaco.

Sin embargo, hay cierto tipo de soplos o murmullos que indican un mal funcionamiento de las válvulas. Cuando una de ellas no cierra bien, permite un reflujo de la sangre que llega a oírse con el estetoscopio.

Muchos de los soplos anormales se deben a alteraciones de la válvula mitral, la que se encuentra entre la aurícula y el ventrículo izquierdos. Hay veces que ya se nace con esa malformación valvular; en otras ocasiones el mal funcionamiento se debe a la fiebre reumática, una enfermedad que era antes frecuente en la infancia. Afortunadamente, muchas de las anormalidades valvulares se pueden corregir hoy día por medio de la cirugía.

Recorrido de un glóbulo rojo a través del aparato circulatorio

Un glóbulo rojo que ya ha perdido parte de su oxígeno (está desoxigenado) y regresa al corazón, puede entrar ya sea por la vena cava superior (1) o por la vena cava inferior (1); las dos desembocan en la aurícula derecha (2). El glóbulo atraviesa entonces la válvula tricúspide (3) y llega al ventrículo derecho (4) de donde es bombeado, a través de la válvula pulmonar (5), hasta la arteria pulmonar (6) que lo conduce a los pulmones. Allí, cede su bióxido de carbono y recoge oxígeno. Regresa entonces al corazón por una de las venas pulmonares (7), entra a la aurícula izquierda (8), pasa por la válvula mitral (9) y llega al ventrículo izquierdo (10). De ahí es bombeado a través de la válvula aórtica (11) a la aorta (12) y al resto del cuerpo.

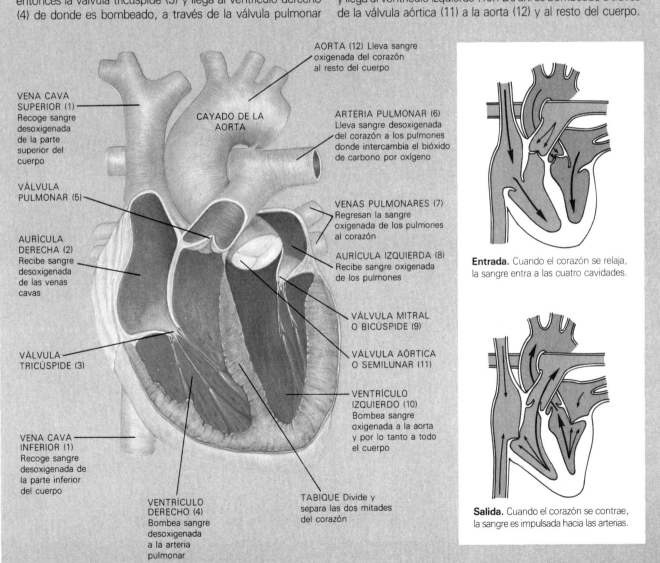

AORTA (12) Lleva sangre oxigenada del corazón al resto del cuerpo

CAYADO DE LA AORTA

VENA CAVA SUPERIOR (1) Recoge sangre desoxigenada de la parte superior del cuerpo

VÁLVULA PULMONAR (5)

AURÍCULA DERECHA (2) Recibe sangre desoxigenada de las venas cavas

VÁLVULA TRICÚSPIDE (3)

VENA CAVA INFERIOR (1) Recoge sangre desoxigenada de la parte inferior del cuerpo

VENTRÍCULO DERECHO (4) Bombea sangre desoxigenada a la arteria pulmonar

ARTERIA PULMONAR (6) Lleva sangre desoxigenada del corazón a los pulmones donde intercambia el bióxido de carbono por oxígeno

VENAS PULMONARES (7) Regresan la sangre oxigenada de los pulmones al corazón

AURÍCULA IZQUIERDA (8) Recibe sangre oxigenada de los pulmones

VÁLVULA MITRAL O BICÚSPIDE (9)

VÁLVULA AÓRTICA O SEMILUNAR (11)

VENTRÍCULO IZQUIERDO (10) Bombea sangre oxigenada a la aorta y por lo tanto a todo el cuerpo

TABIQUE Divide y separa las dos mitades del corazón

Entrada. Cuando el corazón se relaja, la sangre entra a las cuatro cavidades.

Salida. Cuando el corazón se contrae, la sangre es impulsada hacia las arterias.

La intrincada red circulatoria

¿Cuál es la función de las arterias?

Las arterias constituyen una parte importante del sistema de transporte de la sangre. En un momento dado, el 15% de toda la sangre con que cuenta el organismo se encuentra contenida en estos vasos. La arteria pulmonar conduce la sangre que ha ido perdiendo oxígeno (y absorbiendo bióxido de carbono) hasta los pulmones, donde se invierte el proceso. La aorta y sus ramas conducen la sangre oxigenada del corazón a todas las partes del cuerpo. La conexión que suele haber entre los pares de arterias garantiza un aporte continuo de sangre incluso cuando una de ellas está obstruida.

Cada vez que se contraen los ventrículos llenos de sangre, impulsan el líquido a presión hacia las dos grandes arterias que de ellos parten: la pulmonar y la aorta. La arteria aorta tiene la forma de un bastón o un cayado; primero asciende desde el ventrículo izquierdo y luego se curva y desciende por delante de la columna vertebral, originando

en su trayecto ramas que a su vez se subdividen en arterias de menor y menor calibre.

Las arterias sanas tienen gruesas paredes musculares que se adaptan a la presión de la sangre que circula por ellas, es decir, son elásticas. Cuando después de cada latido entra a ellas un gran flujo de sangre, se dilatan y en cuanto esa sangre pasa, su calibre se reduce de nuevo. Si se cercena una arteria, la sangre se vierte a borbotones espasmódicos debido a la expansión y contracción rítmicas de sus paredes, sincronizadas con el latido del corazón.

¿En qué difieren las venas de las arterias?

Las venas se complementan con las arterias; las unas no pueden funcionar sin las otras. Estos vasos comienzan en las ramas más delgadas, las vénulas, y transportan sangre cargada de productos de desecho y parcialmente desoxigenada que van recogien-

do de todo el organismo para conducirla de nuevo al corazón.

Aunque siguen un trayecto paralelo al de las arterias, son más numerosas y, en un momento dado, contienen más sangre que ellas (alrededor del 70% del total). Las venas tienen las paredes más delgadas y la sangre circula por ellas a una presión más baja que en las arterias; a esto se debe que cuando se corta una vena la sangre fluya más uniformemente y con menor violencia que cuando se trata de una arteria, lo que hace que sea más fácil parar la hemorragia.

La mayor parte del tiempo, la sangre circula por las venas en contra de la fuerza de gravedad. Lo que podría esperarse lógicamente sería que la sangre corriera hacia abajo y se reuniera en la parte inferior del cuerpo. Para ayudar a mantener el flujo hacia el corazón, muchas venas están provistas de válvulas que sólo se abren hacia arriba; el diafragma y los músculos de las extremidades también contribuyen a ello dando masaje a las venas.

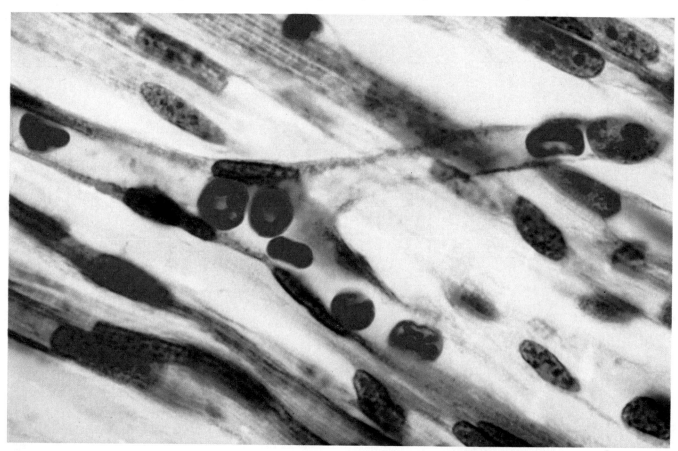

Esta micrografía de un tejido muscular muestra unos vasos capilares llenos de sangre. Estos vasos conectan las venas con las arterias y es en ellos, exclusivamente, donde se lleva a cabo el intercambio entre la sangre y los tejidos. Los nutrientes de la sangre arterial entran a cada célula y ellas vierten a los capilares sus desechos metabólicos.

El objeto de toda esta red vascular es transportar oxígeno y nutrientes a los tejidos y recoger los productos de desecho. El intercambio con los tejidos se lleva a cabo en unos vasos microscópicos de paredes monocelulares, llamados capilares, que están intercalados entre las ramas más delgadas de las arterias y de las venas que se denominan, respectivamente, arteriolas y vénulas. A través de las paredes permeables de los capilares pasan el oxígeno y los nutrientes hacia los tejidos, y el bióxido de carbono y otros materiales y fluidos de desecho de los tejidos hacia los capilares, de donde son transportados al sistema venoso y linfático. Es por lo tanto en los capilares donde se efectúan las más importantes funciones del aparato circulatorio: el intercambio de productos entre la sangre y los tejidos.

¿Qué indica el pulso?

El pulso que se siente en la muñeca —por ser allí donde es más fácil localizar una gran arteria superficial— representa una onda de presión que se propaga a través de las arterias cada vez que la contracción del corazón inyecta sangre en ellas. Generalmente se dice que el corazón de un adulto sano en reposo late a razón de 72 pulsaciones por minuto, como promedio; pero los márgenes normales varían entre 60 y 100.

El esfuerzo físico puede elevar el pulso a un máximo de 220 menos la edad de la persona; pero un pulso así de alto no puede mantenerse mucho tiempo: si el esfuerzo continúa, el ritmo puede bajar a un 75% del valor máximo.

Los medicamentos, las hormonas, la fiebre, el ejercicio y las alteraciones emocionales a menudo causan una elevación temporal del ritmo cardiaco, pero generalmente no afectan el funcionamiento del corazón. Sin embargo, cuando el pulso se mantiene anormalmente alto o bajo conviene consultar a un médico para que determine si está producido por alguna enfermedad. Hay que tomar en cuenta que las personas que hacen mucho ejercicio tienen *siempre* el pulso bajo cuando están en reposo porque su corazón se ha hecho mucho más eficiente.

¿Cuánta sangre puede bombear el corazón?

El corazón pesa apenas de 280 a 300 g y tiene el tamaño de un puño; sin embargo,

Los riñones: purificadores de la sangre

Los riñones son un par de órganos que desempeñan una función básica para el organismo: recogen los productos de desecho de la sangre y regulan los fluidos internos y el contenido de sales. A pesar de ser tan pequeños, procesan y purifican toda la sangre cada 50 minutos; alrededor de 1 700 litros de sangre pasan por ellos al cabo del día. Aunque representan menos del 0.5% del peso corporal, contienen más de 2 millones de nefronas formadas por microscópicos filtros y túbulos que abarcarían más de 80 km si se extendieran uno a continuación del otro. Como los riñones son órganos vitales, si fallan tienen que ser sustituidos por un aparato de diálisis.

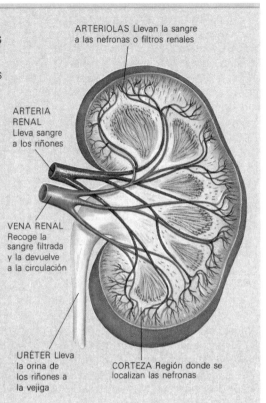

ARTERIOLAS Llevan la sangre a las nefronas o filtros renales

ARTERIA RENAL Lleva sangre a los riñones

VENA RENAL Recoge la sangre filtrada y la devuelve a la circulación

URÉTER Lleva la orina de los riñones a la vejiga

CORTEZA Región donde se localizan las nefronas

su capacidad de trabajo es realmente extraordinaria.

El volumen de sangre que bombean ambos ventrículos en cada contracción varía de una persona a otra, pero, en promedio, asciende a 150 ml por latido en un adulto. Considerando un pulso normal de 70 latidos por minuto (100 800 al día), da un total de unos 15 000 litros de sangre bombeada en un día a través de los 96 500 km de vasos sanguíneos.

¿Cuál es la función de los riñones?

Los riñones, considerados como los principales químicos del organismo, tienen una función tanto excretora como reguladora. Excretan agua, pero *también* la conservan; eliminan a través de la orina todos los productos del desdoblamiento de los alimentos que pueden ser potencialmente nocivos, antes de que alcancen niveles tóxicos; devuelven a la sangre agua, glucosa, sal, potasio y otras muchas sustancias vitales en las proporciones adecuadas para mantener el medio interno estable a pesar de las varia-

ciones de clima, dieta y otros factores externos.

Los riñones son un par de órganos del tamaño del puño de un niño y con forma de frijol que se encuentran en la parte posterior de la cavidad abdominal justo por encima de la cintura. Están irrigados por las arterias renales que se subdividen en ramas cada vez más delgadas hasta llegar a unas estructuras microscópicas llamadas nefronas, que son las unidades funcionales del riñón. Una parte de cada nefrona actúa como un filtro y hay alrededor de un millón de ellas en cada riñón.

Dentro de cada nefrona se separan las sustancias nocivas de las útiles. Los desechos son transportados a una cavidad en forma de embudo, la pelvis renal, de donde pasan a los uréteres, dos conductos largos que llegan a la vejiga. La mayor parte del filtrado —el líquido que ha pasado a través de la nefrona— se reabsorbe en los capilares que contiene llevando una carga balanceada de compuestos útiles. Los riñones filtran alrededor de 180 litros de líquido al día, de los cuales sólo se eliminan 1.5 litros en forma de orina.

Un ejército de especialistas

¿Cómo está formada la sangre?

En una sola gota de sangre hay más de 250 *millones* de células aisladas que flotan en un líquido amarillento llamado plasma. Las células sanguíneas constituyen alrededor del 40% del volumen total de sangre, que en un adulto de talla media es de 4 a 5 litros, aproximadamente el 7% del peso del cuerpo.

En la sangre hay tres tipos de células que desempeñan cada uno una función distinta. Los glóbulos rojos o eritrocitos transportan el oxígeno y el bióxido de carbono; los glóbulos blancos o leucocitos defienden al organismo de los gérmenes patógenos y otros elementos extraños que pueden ser nocivos, y las plaquetas o trombocitos desempeñan el papel principal en la coagulación de la sangre.

El plasma, que representa alrededor del 55% del volumen de la sangre, está formado en más de un 90% por agua. Sin embargo, contiene miles de sustancias diversas, entre ellas, proteínas, glucosa, sales, vitaminas, hormonas, anticuerpos y desechos metabólicos. Gracias al plasma, la sangre fluye fácilmente y distribuye en todo el organismo los elementos y compuestos que necesita para su nutrimiento y protección.

¿Por qué es roja la sangre?

Es curioso que si se examina al microscopio un delgado frotis de sangre no se ve roja, sino de un color amarillento. El color rojo aparece sólo cuando se ven juntas grandes masas de células sanguíneas porque procede de la hemoglobina, el pigmento rojo compuesto de hierro que forma la parte fundamental de los eritrocitos. La intensidad del color rojo varía según la cantidad de oxígeno que contiene la muestra de sangre. La sangre arterial que va cargada de oxígeno es de un color escarlata brillante; la venosa, que ha perdido ya gran parte de ese elemento, adquiere un tinte azuloso y es más oscura.

¿Qué función desempeñan los glóbulos rojos?

Una de las propiedades más importantes de la hemoglobina es su extraordinaria capacidad para combinarse con el oxígeno en cuanto las dos sustancias entran en contacto, lo que ocurre en los pulmones. Cada molécula de hemoglobina que pasa por ellos recoge hasta cuatro moléculas de oxígeno y las transporta a todos los tejidos del organismo a través del torrente sanguíneo. Tan importante como ésta es la función que desempeñan los glóbulos rojos recogiendo el bióxido de carbono que producen las células al desdoblar los nutrientes.

Los glóbulos rojos son células pequeñas, delgadas y en forma de disco cóncavo por ambas caras. Son indiscutiblemente los cuerpos sólidos más abundantes en el torrente sanguíneo: en un momento dado, es probable que circulen por el organismo 25 billones de ellos, cantidad más que suficiente para cubrir cuatro canchas de tenis si se colocaran uno al lado del otro. Además, trabajan incesantemente recorriendo el aparato circulatorio alrededor de 300 000 veces antes de envejecer y desintegrarse tras una vida media de 120 días. Éstos son sustituidos por nuevos eritrocitos que se forman en la médula roja de los huesos a razón de 3 millones por segundo. De ahí son recogidos por la red de capilares e incorporados al torrente circulatorio.

La formación de un eritrocito tarda 6 días. Aquí se ve a intervalos de 3 días cambiando hasta su forma definitiva. Su vida media es de 120 días.

Los eritrocitos y los leucocitos tienen distintas funciones

Los glóbulos rojos o eritrocitos sirven como equipo de abasto llevando el oxígeno a todas las células y recogiendo el bióxido de carbono; en cambio, los glóbulos blancos o leucocitos constituyen un ejército que defiende al organismo de los invasores y recoge los escombros. Hay cinco tipos de leucocitos que se despliegan estratégicamente: 1) neutrófilos, encabezan la batalla en el lugar de la lesión englobando bacterias y partículas extrañas; 2) eosinófilos, combaten ciertas reacciones alérgicas y eliminan las sustancias nocivas; 3) basófilos, liberan anticoagulantes y constriñen o dilatan los vasos sanguíneos para reducir la inflamación; 4) linfocitos, combaten contra los microbios patógenos y se acumulan en las lesiones cancerosas; 5) monocitos, se convierten en macrófagos capaces de englobar enteras grandes partículas.

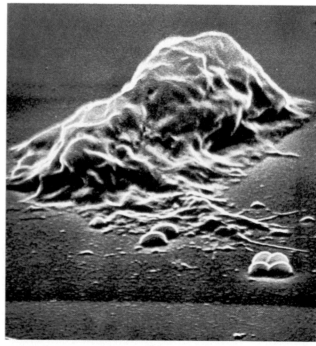

Un macrófago, el mayor de los leucocitos, avanza sobre unas bacterias.

¿Son los glóbulos blancos realmente blancos?

Los defensores del organismo —los soldados que combaten contra las bacterias y otros invasores— son los llamados glóbulos blancos. Su nombre, como el de los glóbulos rojos, es un tanto equívoco ya que en realidad no son blancos, sino incoloros.

Mientras que sólo hay una clase de glóbulos rojos, entre los blancos se encuentran varios tipos y cada uno combate de una manera distinta. Unos de ellos, por ejemplo, destruyen las células muertas; otros producen anticuerpos contra los virus, desintoxican las sustancias que pueden resultar nocivas o engloban y digieren a las bacterias.

El lapso de vida de los glóbulos blancos varía de acuerdo con las batallas que tengan que sostener en su recorrido a través del torrente sanguíneo. A pesar de la importante función que desempeñan, resultan escasos si se comparan con los glóbulos rojos; la relación que guardan es de 1 por cada 700 eritrocitos. Los glóbulos blancos se forman en diversas partes del organismo: unos proceden de la médula ósea; otros se originan en los ganglios linfáticos, el bazo, el timo, las amígdalas y otras regiones del sistema linfático.

¿Qué hace que se coagule la sangre?

Cuando un vaso sanguíneo ha sido dañado o cortado y se produce una hemorragia, las plaquetas acuden rápidamente a contener el derrame, pero mueren al hacerlo. Estas células se adhieren a los bordes de la herida, segregan una sustancia que estimula a otras plaquetas a participar en la empresa y se aglutinan formando un tapón que, si la lesión es pequeña, basta para cerrarla. Si la herida es más grave, las plaquetas desencadenan una serie de reacciones químicas que producen un coágulo con el que se obtura el orificio.

La sangre tiene más plaquetas (15 millones en cada gota) que glóbulos blancos, pero menos que eritrocitos. Su nombre deriva de la forma, ya que bajo el microscopio se ven como pequeñas placas redondas u ovales. Se forman en la médula ósea y tienen una vida media de 5 a 8 días.

¿Cómo afecta la altitud a la composición de la sangre?

Como lo saben muy bien todos los aficionados al montañismo, cuanto más alto se asciende, menor es la proporción de oxígeno disponible. Como la necesidad de oxígeno del cuerpo humano está estrechamente delimitada, cuando se encuentra en estas condiciones tiene que recurrir a mecanismos adaptativos internos muy especiales para poder cubrir sus requerimientos.

Cuando el nivel de oxígeno es bajo, los riñones, que registran la composición de la sangre que llega a ellos, aceleran la producción de una hormona llamada eritropoyetina (el hígado también secreta esta hormona). Al llegar la eritropoyetina a la médula roja de los huesos, estimula la formación de glóbulos rojos. Si una persona permanece varias semanas a una altitud de 4 000 m o más, la producción de glóbulos rojos en su organismo puede aumentar hasta un 30 o un 40%. Como la capacidad de la hemoglobina para combinarse con el oxígeno disminuye cuando la presión atmosférica baja, el aumento en el número de eritrocitos permite que la sangre pueda captar más oxígeno y cubrir así las necesidades del organismo.

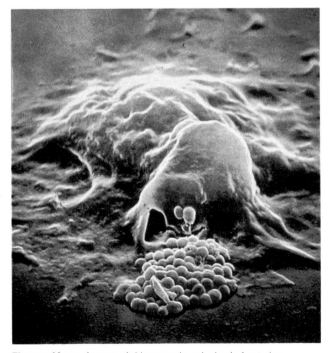

El macrófago devora rápidamente la colonia de bacterias.

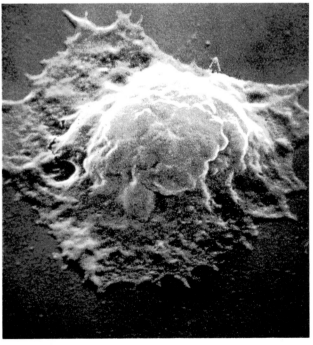

Estos defensores circulan por la sangre hasta que se necesitan.

Grupos sanguíneos y transfusiones

¿Por qué importan tanto los grupos sanguíneos?

Cuando los europeos empezaron a experimentar con transfusiones de sangre en el siglo XVII, murieron tal cantidad de pacientes que la ley las prohibió en Inglaterra, Francia e Italia. Se dice que los incas de Sudamérica practicaban transfusiones mucho antes y que eran pocos los que morían a consecuencia de ellas. Si era así, la razón puede haber sido, aunque no lo supieran en aquella época, que casi todos los incas pertenecían al mismo grupo sanguíneo, mientras que los europeos, como la mayor parte de los pueblos, pertenecían a grupos diferentes que son incompatibles. Hoy día, las transfusiones de sangre no representan ningún peligro, porque antes de hacerlas se verifica si el donante y el receptor pertenecen al mismo grupo, evitando así las graves reacciones que se producen cuando se mezclan dos sangres que son incompatibles.

La existencia de grupos sanguíneos —que son hereditarios— fue descubierta en 1900 por el médico austriaco Karl Landsteiner, que ganó el premio Nobel por este avance científico que ha salvado tantas vidas. Desde entonces, se han establecido otros sistemas de clasificación, pero el de Landsteiner sigue siendo el más importante.

¿Cuáles son los principales grupos sanguíneos?

Dentro del sistema ABO, la sangre humana se clasifica en cuatro grupos: A, B, AB y O. En una sangre de tipo A, los glóbulos rojos llevan una proteína llamada antígeno A, y el plasma otra proteína llamada anticuerpo b. (Un antígeno es una sustancia que estimula al organismo para que produzca un anticuerpo.) La sangre de tipo B contiene antígeno B y anticuerpo a; la de tipo AB presenta los dos antígenos, pero ningún anticuerpo, y la de tipo O no tiene antígenos, pero incluye los dos anticuerpos.

Estos grupos son importantes en el momento de una transfusión porque ciertos antígenos y anticuerpos se contrarrestan. Como la forma de uno encaja en la del otro, los antígenos y los anticuerpos incompatibles se aglutinan formando grumos que obstruyen los vasos sanguíneos con fatales consecuencias.

Las personas del grupo A sólo pueden recibir sin peligro sangre de donadores del mismo grupo A o del O; lo mismo pasa con los del grupo B, que sólo pueden recibir sangre tipo B u O. Los que pertenecen al grupo AB se conocen como receptores universales porque su sangre es compatible con todos los grupos, incluyendo, naturalmente, el suyo. En cambio las personas del grupo O sólo pueden tolerar sangre de donadores del grupo O, pero ellos son donadores universales porque pueden dar sangre a todos.

¿Qué es el factor Rh?

Los antígenos A y B son los más conocidos, pero no son los únicos que existen en la sangre humana; hay otro, denominado

---

Lugar de origen de los glóbulos rojos

A la médula ósea se le ha llamado "la fábrica de la sangre" porque es ahí donde se forman los glóbulos rojos y las plaquetas; pero no toda ella tiene esa capacidad: en los adultos está restringida a la médula roja que se encuentra en la región esponjosa de los huesos largos, como el fémur, y de los planos, como los del cráneo, las vértebras, las costillas y el esternón.

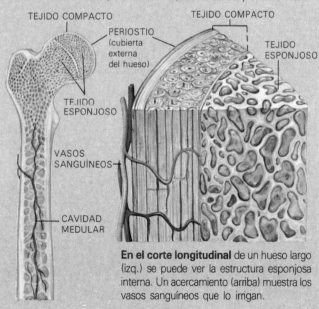

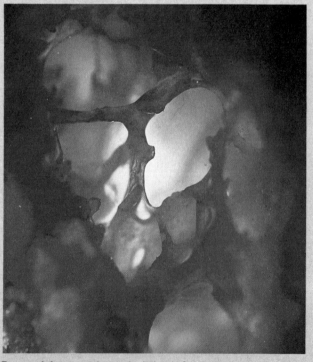

En el corte longitudinal de un hueso largo (izq.) se puede ver la estructura esponjosa interna. Un acercamiento (arriba) muestra los vasos sanguíneos que lo irrigan.

En un adulto se producen alrededor de 3 millones de glóbulos rojos por segundo en la intrincada estructura de la médula roja de los huesos, como la que se ve en esta micrografía. Aquí se recicla parte del hierro de los eritrocitos desintegrados para formar los nuevos.

factor Rh, que se encuentra en los glóbulos rojos de más del 85% de la población de todo el mundo. Este componente resulta importante cuando una mujer con Rh negativo (sin antígeno Rh) concibe un hijo de un hombre que es Rh positivo (con antígeno Rh en su sangre), porque esa circunstancia puede representar un peligro para el feto o el recién nacido.

El riesgo depende de dos posibilidades: que la sangre de la madre contenga anticuerpos incompatibles con el factor Rh adquiridos previamente, y que estos anticuerpos atraviesen la placenta y ataquen al factor Rh del feto. Si se dan estas condiciones, el bebé puede desarrollar una icterica e incluso nacer muerto.

¿Cómo puede haber adquirido la madre estos anticuerpos destructivos? Puede haber sido por una transfusión de sangre Rh positivo o en un embarazo previo si la sangre del feto se mezcló con la suya en el momento del parto o de un aborto.

El primer embarazo de este tipo implica poco riesgo porque la formación de anticuerpos toma tiempo; pero una vez que la sangre de la madre se ha sensibilizado, la incompatibilidad Rh puede representar un serio problema en los siguientes embarazos. Para evitar ese peligro, ahora los médicos administran a las madres Rh negativo después de cada embarazo un desensibilizante, descubierto hace poco, para que su sangre no forme anticuerpos que destruyan los glóbulos rojos Rh positivo. Otra técnica moderna consiste en sustituir totalmente la sangre del recién nacido mediante una transfusión.

¿En qué consiste una biometría hemática?

Una biometría hemática consiste en determinar el número de eritrocitos, leucocitos, plaquetas y contenido de hemoglobina de la sangre estudiando una pequeña muestra de ella. El número o porcentaje obtenido se compara con los valores considerados normales para ver si hay un exceso o una deficiencia de cualquiera de ellos.

En una biometría más detallada se desglosa la cantidad relativa de cada uno de los distintos tipos de leucocitos o glóbulos blancos. Las anormalidades en su número pueden indicar una reacción alérgica, una infección o una enfermedad de la sangre.

Para hacer una biometría se comienza por diluir la muestra de sangre en una solución

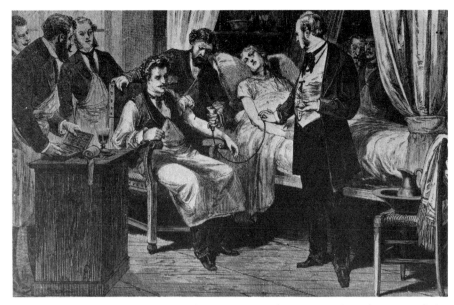

Antes de que se descubrieran en 1900 los grupos sanguíneos, era un riesgo hacer transfusiones, pues no se sabía que las sangres deben ser compatibles.

de agua destilada y sales para dispersar las células sanguíneas. Se toma un volumen determinado de la muestra diluida y se extiende uniformemente sobre un portaobjetos cuadriculado, llamado cámara cuentaglóbulos, que lleva encima un cubreobjetos. Luego se lleva al microscopio y el hematólogo cuenta el número de células de cada tipo que encuentra en un determinado número de cuadrículas. Hoy día, ese trabajo lo pueden hacer los microscopios electrónicos de barrido.

¿Puede hacerse una autotransfusión de sangre?

Es verdad que las transfusiones de sangre han salvado la vida a muchos millones de personas, pero no dejan de tener sus riesgos. Hay enfermedades que se pueden transmitir de la persona que dona la sangre a la que la recibe y, además, si la sangre del donante y la del receptor no se han clasificado adecuadamente para estar seguros de que los grupos son compatibles, la transfusión puede provocar reacciones severas que llegan incluso a ser fatales.

La mejor manera de prevenir estos riesgos potenciales es que el paciente sea su propio donador. Claro que esta medida preventiva es imposible si se trata de una intervención de urgencia, pero puede llevarse a cabo si el paciente sabe con varias semanas o meses de anticipación que será operado. En ese caso, puede ir periódicamente al hospital para que le saquen en cada ocasión alrededor de medio litro de sangre, hasta que reúna la que puede necesitar durante

la intervención. En el hospital conservan su sangre en perfectas condiciones y la envían al quirófano el día de la operación.

¿Puede el grupo sanguíneo probar la paternidad?

El grupo sanguíneo al que pertenece cada persona está determinado por la herencia. Un niño hereda dos genes de grupo sanguíneo, uno de la madre y otro del padre; por lo tanto, no puede pertenecer a determinado grupo a menos que uno de los dos padres lleve un gene de ese tipo. La diferencia de grupos de sangre entre dos personas puede indicar que es imposible que se trate de padre e hijo. A eso se debe que con frecuencia se citen los grupos sanguíneos como evidencia en demandas de paternidad o en casos en que se sospecha que en el hospital han confundido a dos recién nacidos.

Con este tipo de pruebas cabe demostrar que un hombre *no* es el padre de un niño, pero nunca que lo *sea*. Si ambos pertenecen al mismo grupo sanguíneo, eso sólo indicaría que *podría* ser el padre, como también podría serlo cualquier otro hombre que tenga el mismo tipo de sangre.

Veamos un ejemplo sencillo: una madre con sangre tipo O tiene un niño que pertenece al grupo A y acusa a un hombre de ser el padre. Si ese hombre tiene sangre del grupo O, queda plenamente demostrado que no es el padre, ya que no puede haberle transmitido el gene del tipo A. Pero si ese hombre pertenece efectivamente al grupo A, sólo existe la posibilidad de que haya sido el padre.

Curación espontánea de heridas y moretones

¿Cómo controla el organismo las hemorragias?

Cuando se rompe un vaso sanguíneo se produce una hemorragia; si se trata de una arteria, la sangre sale a borbotones espasmódicos; si es una vena, fluye lenta y uniformemente; la ruptura de los capilares produce un derrame menor. Cuando no se logra detener una hemorragia que es fuerte, el volumen de sangre circulante puede disminuir hasta el grado de provocar un descenso drástico de la presión y causar un paro cardiaco

que conduzca a la muerte. Si se trata de una herida menor, en cuanto comienza la hemorragia el organismo pone en acción dos mecanismos que ayudan a reducir la pérdida de sangre.

El primero es la formación de un coágulo en el lugar de la herida. La coagulación de la sangre es un proceso complejo que comienza cuando las plaquetas se adhieren a los bordes de la herida abierta. Al entrar en contacto con el tejido lesionado, las plaquetas se abren y liberan una sustancia proteínica, llamada tromboplastina, que da lu-

gar a una serie de reacciones químicas. Éstas terminan por convertir el fibrinógeno de la sangre en filamentos sólidos de fibrina que se entrelazan sobre la herida reteniendo entre sus mallas a los eritrocitos, leucocitos y plaquetas de la sangre que pasa a través de ellos. Así se forma un coágulo que tapona la abertura y para la hemorragia.

Al mismo tiempo, las sustancias químicas que se producen en el lugar de la herida hacen que las paredes musculares de los vasos sanguíneos locales se contraigan reduciendo el volumen de sangre que fluye a ese

Este glóbulo rojo ha quedado atrapado en la red de fibrina.

Cómo se curan por sí mismas las heridas

Si no fuera por las plaquetas, cada vez que nos hiciéramos una herida correríamos el riesgo de morir debido a la pérdida de sangre. En cuanto se produce una herida en la piel, las plaquetas se aglomeran para taponarla y liberan una sustancia que retarda el flujo de sangre. El fibrinógeno de la sangre forma filamentos de fibrina que se entrelazan reteniendo en su trama las células sanguíneas, lo que forma un coágulo en el lugar de la lesión. Poco después, el coágulo se contrae soltando plasma y aproximando los bordes de la herida. Además de detener la hemorragia y cubrir la abertura, el coágulo proporciona el sustrato donde se formará el nuevo tejido. A medida que la herida cicatriza, el coágulo se seca, dando lugar a una costra dura que reviste la superficie protegiendo a las nuevas células epiteliales, que se van multiplicando por debajo hasta llenar la abertura. Los glóbulos blancos acuden a defender la zona contra las infecciones y a limpiarla de células muertas. La sangre vuelve a fluir a través de los nuevos capilares que se forman en esa zona para nutrir el tejido cicatricial.

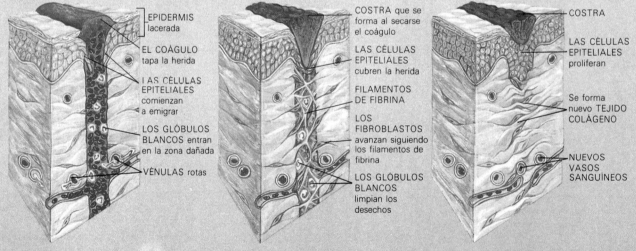

La herida se llena de sangre, células muertas y desechos, y el coágulo la cubre.

Mientras el proceso de regeneración comienza debajo de la costra, los leucocitos limpian la zona.

El nuevo tejido formado de células epiteliales, fibroblastos, colágeno y capilares llena la herida.

punto. Si la hemorragia es fuerte, y está bajando la presión sanguínea, estas mismas sustancias mandan señales al cerebro y él se encarga de disminuir el flujo de sangre.

¿Qué puede hacerse cuando la hemorragia no cesa?

A veces las heridas son tan serias que la hemorragia vence todos los mecanismos protectores del organismo. Hay, además, algunas personas, como los hemofílicos, que carecen de uno de los factores que intervienen en la coagulación de la sangre, y por eso cualquier pequeña cortada causa en ellos una hemorragia prolongada que es difícil contener.

Cuando, por cualquier razón, la hemorragia dura más de unos cuantos minutos o es muy fuerte, hay que pedir ayuda médica; mientras llega, se pueden tomar algunas medidas de emergencia. Generalmente basta aplicar una presión en el lugar de la herida, pero si el sangrado es abundante, hay que localizar la arteria que se encuentra entre la herida y el corazón y presionar fuertemente en ese punto.

Si la presión arterial del paciente ha bajado bruscamente, el médico quizá le haga una transfusión. Cuando no se encuentra sangre completa del tipo adecuado, se le administra plasma para restituir el volumen necesario de sangre hasta encontrar un donante compatible.

¿Cuándo comienza a cicatrizar la herida?

Siempre que ha habido un derrame de sangre, el proceso de cicatrización comienza en cuanto se ha detenido la hemorragia. Probablemente se soporten mejor las molestas sensaciones que produce este proceso si se sabe en qué consiste.

El primer paso es la inflamación: la herida enrojece, su temperatura aumenta, se hincha y duele. El enrojecimiento y la elevación de la temperatura se deben a que los vasos sanguíneos de la zona se dilatan considerablemente para inundar los tejidos dañados con sangre fresca. Los capilares se adelgazan y el agua del plasma sanguíneo pasa a los tejidos circundantes haciendo que se hinchen, lo que presiona las terminaciones sensoriales de los ner-

LAS PALABRAS Y SU HISTORIA

Sangre azul. Es un término de origen español que se aplica a una persona que ha nacido en una familia noble o de abolengo. Los castellanos de piel clara, descendientes de una estirpe de aristócratas, se decían de sangre azul para distinguirse de sus vasallos de tez más oscura, cuya sangre estaba mezclada con la de los moros. Si el color azul de las venas resaltaba más en los nobles castellanos era simplemente porque tenían la piel más blanca.

Arteria. Es un vaso que lleva sangre del corazón al resto del organismo. La palabra procede del griego y significa conducto de aire, porque los antiguos griegos al estudiar la anatomía en los cadáveres encontraban las arterias vacías, y supusieron que eran conductos para la circulación del aire.

A sangre fría. Significa tomar una decisión deliberada basada sólo en la razón. En cambio, se dice que es de sangre ardiente una persona que se deja llevar por sus emociones. Estos términos probablemente se deben a una antigua creencia que atribuía a la sangre el dominio de las emociones.

Hermanos de sangre. Se dice de dos personas que han sellado un pacto mezclando sus sangres. Entre algunos pueblos esta relación es tan estrecha como el parentesco directo.

Sangre de atole. Se usa en México para describir a una persona tranquila, que no se inmuta por nada; en España se emplea el término sangre de horchata.

vios que envían al cerebro una señal de dolor.

Cuando el flujo de sangre disminuye, los glóbulos blancos o leucocitos entran al tejido inflamado para recoger los restos de las células muertas y destruir las bacterias que invaden la herida a través de la piel lacerada. Los leucocitos liberan además una sustancia química que atrae al lugar de la herida a otros glóbulos blancos para que ayuden en la tarea.

Una vez que la inflamación cede, comienza la fase de restauración. En algunos casos esto significa la regeneración de nuevas células idénticas a las que se destruyeron. Cuando no es posible la regeneración, se forma un tejido cicatricial en lugar del que se ha desintegrado.

¿Qué produce el pus?

Cuando una herida se infecta, millones de glóbulos blancos acuden al lugar de la lesión para combatir a las bacterias. El pus es la mezcla amarillenta y semisólida de estas células y los restos de las bacterias y de los tejidos dañados. En la mayor parte de los casos, el pus alcanza la superficie de la piel, la rompe por presión y sale al exterior.

¿Por qué algunas personas cicatrizan más rápidamente que otras?

Así como no hay dos personas que tengan las mismas huellas dactilares, tampoco las hay con sistemas de defensa y de regeneración igualmente eficaces. Cada uno ha nacido con una serie de características biológicas particulares que incluyen la resistencia a las infecciones, la velocidad de coagulación de la sangre y la capacidad para formar nuevos tejidos, condiciones que influyen en la cicatrización.

Cuanta más edad tiene una persona, más tarda en cicatrizar, pero la edad no es el único factor que influye en este proceso. De una forma que los investigadores apenas comienzan a comprender, el estado general de salud, la nutrición e incluso la tensión emocional y la que produce el medio ambiente pueden acelerar o retrasar el periodo de cicatrización. Por último, hay que tomar en cuenta que algunas personas son más prudentes que otras para tratar sus heridas: las mantienen limpias y bien aireadas y usan los medicamentos indicados. La cicatrización requiere cierto grado de cooperación por parte del paciente para que se efectúe rápidamente y bien. Pero la cooperación no explica plenamente el proceso, que será siempre un pequeño milagro de la naturaleza.

Los misterios de la inmunidad

La función vital del timo

Al timo se debe el desarrollo del sistema inmunológico. Es una glándula bilobular que se encuentra por detrás del esternón. Como se ve aquí, en la infancia está bien desarrollado, pero entre los ocho y los diez años comienza a atrofiarse y en los adultos queda reducido al tamaño de un pulgar. En los niños el timo produce linfocitos que están codificados para reconocer y proteger los tejidos propios, y a la vez desencadenar un ataque contra cualquier forma extraña. Más tarde, la formación de linfocitos corre a cargo de los ganglios linfáticos, la médula ósea y el bazo.

¿Cómo se defiende el organismo de las enfermedades?

El organismo cuenta con un impresionante ejército para combatir las enfermedades, empezando por la piel, que constituye una barrera infranqueable para las infecciones, los ácidos estomacales que destruyen a las bacterias o el moco de las vías respiratorias y urogenitales, que arrastra hacia el exterior cualquier partícula extraña. Pero las defensas más eficaces y, hasta ahora, las más enigmáticas se encuentran en la sangre y en los ganglios linfáticos. Los glóbulos blancos y ciertas sustancias llamadas anticuerpos, capaces de identificar y destruir a los gérmenes patógenos, son los soldados que forman el formidable sistema inmunológico. Los mecanismos de la inmunidad son sumamente complejos; algunos científicos afirman que el día que lleguemos a comprender y a manipular el funcionamiento de los anticuerpos y de otras sustancias de la sangre se revolucionará la terapéutica médica.

Casi todos nacemos con un sistema inmunológico completo pero sin desarrollar que madura poco después de llegar al mundo. Durante ese periodo de maduración, el niño recibe factores complementarios de inmunidad de la sangre y la leche maternas. Por su propia naturaleza, unas especies son inmunes a ciertas enfermedades que atacan a otras; a eso se debe que el ser humano no contraiga muchas de las enfermedades que afligen a los animales. La eficiencia del sistema inmunológico depende en gran medida de la herencia, pero los hábitos alimenticios y de vida también influyen.

¿Qué sucede cuando el organismo no puede combatir a los agentes patógenos?

Hay muchas enfermedades contra las cuales el organismo no adquiere inmunidad. Cada persona se hace resistente a los agentes patógenos a través de la inmunidad adquirida, y la forma más drástica de obtenerla es contraer la enfermedad. Cada microorganismo posee un antígeno específico que el organismo reconoce como una sustancia extraña. Como respuesta, la sangre y el sistema linfático comienzan a producir anticuerpos, unas proteínas capaces de neutralizar el efecto de un determinado antígeno.

Si la resistencia del organismo es suficientemente grande, los anticuerpos poco a poco superan a los invasores y la enfermedad cede. De ahí en adelante, en el caso de ciertas infecciones, la persona queda inmune al ataque de esa enfermedad.

¿Cómo actúan las vacunas?

Otra forma de adquirir una resistencia activa a ciertas enfermedades es a través de una inmunización artificial: una vacuna. Al organismo se le inyectan gérmenes de esa enfermedad que han sido tratados en el laboratorio para hacerlos inofensivos, o casi inofensivos, pero que bastan para estimular la producción de anticuerpos específicos que le harán adquirir inmunidad. En ciertos casos, los microorganismos patógenos han sido destruidos por medio de calor, aldehído fórmico o luz ultravioleta antes de preparar la vacuna; así se hacen la de la tos ferina y la de la fiebre tifoidea, por ejemplo. Sin embargo, muchas tienen que elaborarse con gérmenes vivos para que resulten eficaces; se recurre entonces a debilitar o atenuar los microorganismos con sustancias químicas por otros medios para que resulten inocuos. De este tipo es la vacuna oral Sabin contra la polio. Un tercer grupo de vacunas, que incluye las de la viruela y la tuberculosis, se hacen con antígenos activos de enfermedades similares pero mucho más leves.

¿En qué casos se emplean antitoxinas y gammaglobulina?

Algunas infecciones bacterianas, sobre todo el tétanos, el botulismo y la gangrena gaseosa, vierten en la corriente sanguínea sustancias venenosas que causan una severa intoxicación. Para combatir sus efectos se usan antitoxinas y gammaglobulina.

Las antitoxinas se obtienen inyectando una pequeña cantidad de bacterias en animales de laboratorio que, para defenderse, forman anticuerpos. De la sangre de esos animales se extraen los anticuerpos, que son purificados antes de inyectárselos a las personas intoxicadas. Esto les confiere una inmunidad inmediata pero de corta duración, generalmente no más de seis semanas. Si el peligro de la enfermedad persiste, es necesario aplicarles inyecciones de refuerzo de la misma antitoxina.

A diferencia de las antitoxinas, la gammaglobulina procede de la sangre de un ser humano que por haber padecido antes una enfermedad ha formado anticuerpos específicos. A veces se inyecta gammaglobulina a las personas expuestas a una enfermedad grave contra la que no han sido vacunadas. Se administra sobre todo a las que han estado en contacto con los virus A y B de la hepatitis, pero también ha resultado eficaz para prevenir las paperas y el sarampión.

¿Qué sucede cuando el sistema inmunológico falla?

Las deficiencias del sistema inmunológico son muy graves. Una de ellas, la *inmuno-deficiencia congénita*, se presenta en los niños cuya médula ósea es incapaz de producir los glóbulos blancos especializados que son esenciales en este sistema. Los pequeños quedan entonces desvalidos para luchar contra las enfermedades y generalmente mueren poco después de nacer, víctimas de cualquier infección.

El *síndrome de inmuno-deficiencia adquirida* o SIDA se desarrolla en personas sanas después de infectarse con un virus que destruye determinado tipo de glóbulos blancos. En estas condiciones mueren a consecuencia de las más diversas enfermedades, sobre todo de infecciones y de cáncer del sistema linfático.

La *autoinmunidad* es una alteración del sistema inmunológico que le hace confundir sus propias células con antígenos extraños y, por lo tanto, producir anticuerpos que atacan y destruyen tejidos sanos de su mismo cuerpo. Hay suficientes pruebas para suponer que la artritis reumatoide, la esclerosis múltiple y cierto tipo de hipertiroidismo pueden ser atribuibles a una anomalía del sistema inmunológico.

Estimulación de reacciones inmunológicas por medio de vacunas

La vacunación tiene una larga historia que comienza hace miles de años con los chinos, que inhalaban polvos hechos con los tejidos de las víctimas de la viruela; los griegos y los turcos se hacían rasguños que infectaban con gérmenes vivos. Este método se introdujo en Inglaterra a principios del siglo XVIII, pero fue el médico británico Edward Jenner el que logró en 1796 la primera vacuna segura. Jenner había notado que quienes contraían la leve viruela vacuna quedaban inmunes a la terrible enfermedad, así que infectó a un paciente con gérmenes vacunos esperando protegerlo de la viruela. Su prueba tuvo éxito.

A pesar de ser eficaz, la vacuna desató controversias e ironías en el siglo XIX.

Edward Jenner mostró su confianza en la vacuna inyectando a su hijo gérmenes de la viruela vacuna para inmunizarlo contra la viruela humana.

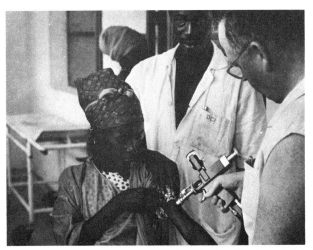

Con esta pistola inyectora se pueden inocular sin peligro hasta 1 000 personas en una hora. Es lo último en métodos de vacunación.

Monitoreo del corazón

¿Cómo se mide la presión arterial?

La presión arterial —la fuerza que ejerce la sangre sobre las paredes de las arterias— es la que mantiene a la sangre circulando. Mientras las variaciones de la presión permanezcan dentro de ciertos límites, las arterias las podrán soportar perfectamente. Pero si una presión alta (hipertensión) o baja (hipotensión) son persistentes, pueden afectar seriamente la salud. Además, indican que existe un problema subyacente que las ha provocado.

Los médicos miden la presión arterial en dos fases del ciclo cardiaco. La primera, llamada presión sistólica, es la fuerza máxima que ejerce la sangre sobre las paredes arteriales cuando el ventrículo izquierdo se contrae y bombea el líquido hacia esos vasos. La presión diastólica es la más baja y corresponde al intervalo entre dos latidos, cuando el corazón está relajado y llenándose de sangre. Estas dos lecturas se anotan en forma de una fracción con la presión sistólica en el numerador y la diastólica en el denominador.

Para obtener estos datos se envuelve el brazo del paciente con un manguito inflable de tela suave que está unido a un instrumento que mide la presión (esfigmomanómetro), y se bombea aire dentro del manguito hasta que la presión que ejerce sobre el brazo sea suficiente para detener el flujo de sangre en la arteria principal de esa región. Después se pone el estetoscopio sobre la arteria, justo por debajo del manguito, y se va soltando el aire hasta que se oiga de nuevo el pulso. En ese momento la presión del aire en el manguito es ligeramente menor que la de la sangre y la cifra que marca la escala del esfigmomanómetro corresponde a la presión sistólica o máxima. Se sigue dejando escapar el aire hasta que ya no se oiga el pulso y se toma la lectura del aparato en ese instante, lo que indica la presión diastólica o mínima.

¿Cuál es la presión normal?

Cuando se habla de presión arterial, como de cualquier otro proceso de un organismo sano, la palabra *normal* no significa que pueda aplicarse a todo el mundo; se trata solamente de un promedio de las variaciones individuales. Siendo así, la presión arterial promedio de un adulto joven en buenas condiciones físicas es de 115 a 120 sobre 75 a 80. Los recién nacidos tienen una presión sistólica entre 20 y 60 que va aumentando década a década en el transcurso de su vida.

La presión arterial depende de muchos factores, como la fuerza del bombeo cardiaco, lo herméticamente que se cierren las válvulas, la elasticidad de las paredes arteriales y la cantidad y consistencia de la sangre. También influyen otros factores menos directos como la digestión, el hábito de fumar, el peso corporal y las emociones.

¿Cuáles son los riesgos de la hipertensión?

La hipertensión severa puede causar un ataque cerebral o cardiaco. Incluso siendo leve, si es crónica, reduce las expectativas de vida. Una hipertensión prolongada puede deberse a un aneurisma, un punto débil en la pared de una arteria que se distiende al paso de la sangre. En casos graves, el aneurisma puede resultar fatal, sobre todo si se encuentra en una arteria grande que al romperse deja escapar una enorme cantidad de sangre causando un descenso abrupto de la presión que provoca la muerte.

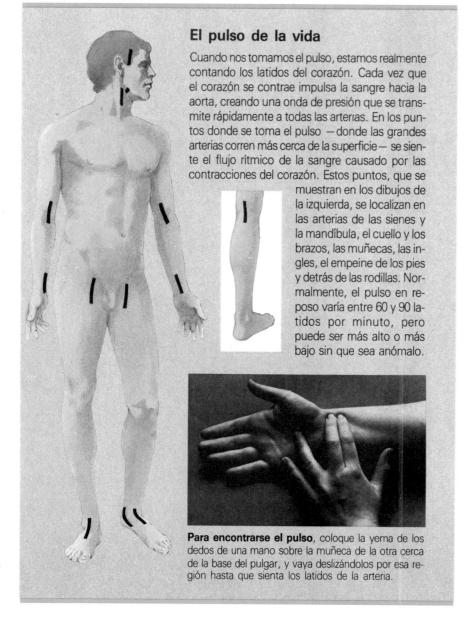

El pulso de la vida

Cuando nos tomamos el pulso, estamos realmente contando los latidos del corazón. Cada vez que el corazón se contrae impulsa la sangre hacia la aorta, creando una onda de presión que se transmite rápidamente a todas las arterias. En los puntos donde se toma el pulso —donde las grandes arterias corren más cerca de la superficie— se siente el flujo rítmico de la sangre causado por las contracciones del corazón. Estos puntos, que se muestran en los dibujos de la izquierda, se localizan en las arterias de las sienes y la mandíbula, el cuello y los brazos, las muñecas, las ingles, el empeine de los pies y detrás de las rodillas. Normalmente, el pulso en reposo varía entre 60 y 90 latidos por minuto, pero puede ser más alto o más bajo sin que sea anómalo.

Para encontrarse el pulso, coloque la yema de los dedos de una mano sobre la muñeca de la otra cerca de la base del pulgar, y vaya deslizándolos por esa región hasta que sienta los latidos de la arteria.

Pruebas especiales para descubrir anomalías cardiovasculares

Hay ciertas anomalías de la actividad eléctrica del corazón que sólo se pueden detectar cuando éste se encuentra trabajando al máximo. Para hacer esta prueba se pone al paciente a correr sobre una banda continua motorizada mientras un electrocardiógrafo registra el funcionamiento del corazón. Otro método de diagnóstico es la arteriografía coronaria o angiograma, que consiste en introducir un catéter por una vena, empujarlo hasta que alcance el corazón e inyectar un colorante. Con rayos X se sigue la difusión del colorante a través del aparato cardiovascular, lo que muestra defectos congénitos, filtraciones, bloqueos arteriales y deficiencias valvulares. A veces se emplea un detector nuclear de barrido para obtener esa información sin necesidad de usar un catéter, basta inyectar en la sangre talio radiactivo y seguir su trayecto con el detector. Una computadora convierte los datos en una imagen que se proyecta en una pantalla. El ecocardiograma emplea una técnica similar al sonar para proyectar también una imagen del corazón.

En la prueba de la pista móvil este guerrero masai demuestra la fortaleza de su corazón y que se atribuye a la vida activa que lleva.

¿Es hereditaria la hipertensión?

Hay un tipo de presión arterial alta, llamada hipertensión esencial, que aparentemente es hereditaria. Los médicos no saben a qué se debe, pero hay familias en las que se encuentra con mayor frecuencia que en otras. La mayor parte de los casos de hipertensión son de este tipo. Generalmente no se presenta antes de los 40 años y puede ser controlada por medio de dieta, medicamentos y un programa para reducir de peso.

Hay otra clase de hipertensión, la hipertensión secundaria, que no es de origen genético sino que se desarrolla como consecuencia de otras alteraciones; de enfermedades renales o cardiacas, por ejemplo. Algunas veces es provocada por el uso de pastillas anticonceptivas. Una vez que se ha determinado y tratado el problema que la producía, la hipertensión secundaria generalmente cede.

¿Tiene la sal algún efecto sobre la presión arterial?

La sal es indispensable para la vida, ya que el papel que desempeña regulando la cantidad de agua que retienen los tejidos resulta crucial, pero también es muy fácil excederse en su consumo. Aunque el organismo sólo necesita diariamente una cantidad minúscula de sal, la mayoría de la gente toma mucha más de la que requiere y ese consumo aumenta año con año. Las investigaciones médicas han demostrado que cuando una dieta se basa en alimentos salados, la presión sanguínea tiende a subir.

A los hipertensos se les recomienda reducir drásticamente el consumo de sal. La sal no se encuentra sólo en los alimentos, sino también en los antiácidos, en los laxantes y en los refrescos carbonatados. Incluso cuando se trata escrupulosamente de evitar la sal se puede estar consumiendo más de la que se necesita, porque muchos alimentos naturales contienen una buena cantidad de cloruro de sodio.

¿Qué sucede cuando la presión arterial baja mucho?

La hipotensión crónica, una presión que normalmente es más baja que el promedio, rara vez indica una alteración grave y causa pocos problemas, como no sean algunos mareos y periodos de debilidad ocasionales. Hay un tipo raro de hipotensión, llamada de posición, que se manifiesta cuando la persona que la sufre se levanta bruscamente, pero en seguida recupera la estabilidad.

Las personas altas y delgadas tienden a la hipotensión porque la presión ejercida por las contracciones del corazón ha perdido más fuerza al llegar a la cabeza y a las extremidades que en las personas de baja estatura. Por eso también los altos tienen mayor propensión a desmayarse.

¿Qué indica un electrocardiograma?

Para la mayor parte de nosotros, un electrocardiograma (ECG) es una gráfica indescifrable, pero para el cardiólogo todos esos garabatos que registran los impulsos eléctricos del corazón tienen un significado enorme; la forma, longitud y espaciamiento de las crestas y depresiones, y las irregularidades del patrón general le indican cómo están funcionando el corazón y el aparato circulatorio.

Aunque el ECG ha demostrado ser un instrumento valioso para hacer el diagnóstico de las enfermedades cardiacas puesto que indica las lesiones y el grado de deterioro del tejido, poco puede decir sobre los problemas cardiacos de una persona sana. Hay mucha gente que ha sufrido un ataque cardiaco severo apenas unos cuantos días o semanas después de haberse hecho un electrocardiograma que resultó aparentemente normal.

Cuando las cosas van mal

¿Cuál es la enfermedad del corazón más frecuente?

Debido a que las enfermedades cardiovasculares son la principal causa de muerte y de incapacidad en los países industrializados, se les ha llamado colectivamente la "peste negra" de nuestro tiempo. Hay muchas anomalías que se pueden presentar en el aparato circulatorio, pero la más común es la cardiopatía coronaria, que consiste en la obstrucción de las arterias coronarias, dos vasos sanguíneos que derivan de la aorta e irrigan el músculo cardiaco. A la cardiopatía coronaria se deben casi la tercera parte de las muertes que ocurren en el mundo occidental.

¿Qué le ocurre al corazón cuando existe una cardiopatía coronaria?

La mayor parte del corazón obtiene la sangre que necesita de las dos arterias coronarias. Si uno de estos vasos se obstruye, la parte del corazón que irrigaba se muere por falta de oxígeno, lo que se manifiesta como un ataque cardiaco o un infarto del miocardio. Los infartos se presentan con más frecuencia en personas de 40 a 60 años de edad, pero se sabe de niños, incluso de 5 años, que han sufrido ataques cardiacos.

La cardiopatía coronaria casi siempre se debe a una alteración conocida como aterosclerosis que consiste en la formación de depósitos de grasa, o ateromas, sobre las paredes internas de las arterias. Aunque la aterosclerosis se ha convertido en el azote de las prósperas sociedades modernas, no es una enfermedad del siglo xx; en las antiguas momias egipcias se han encontrado huellas de este tipo de alteraciones.

La aterosclerosis convierte las arterias, que normalmente son lisas y elásticas, en unos conductos rugosos, rígidos y estrechos. A medida que su luz se reduce, el volumen de sangre que pueden conducir disminuye progresivamente. Al crecer, la masa del ateroma se transforma en una placa dura y blancuzca que obstruye el paso de la sangre y puede llegar a erosionar la pared de la arteria. Estas zonas rugosas favorecen la formación de coágulos de sangre o trombos. La trombosis coronaria se debe a la formación de un coágulo estacionario en una de las arterias coronarias y bloquea el paso de la sangre. En la embolia coronaria, la obstrucción se debe a un coágulo que se ha desprendido de otro vaso y ha circulado por el torrente sanguíneo hasta llegar a alojarse en la arteria coronaria ya constreñida.

¿Hay otros factores que predispongan a una cardiopatía coronaria?

La lista de los factores inevitables que predisponen a una cardiopatía coronaria la encabeza la herencia. Si ambos padres han sufrido aterosclerosis, sus hijos corren un riesgo mayor de padecerla que el común de la gente. Otro factor de este tipo es la edad; pocas son las personas menores de 50 años que presentan síntomas de cardiopatía coronaria, pero después de esa edad aumentan considerablemente.

Las hormonas sexuales femeninas aparentemente protegen las coronarias, ya que es raro encontrar esta cardiopatía en las mujeres antes de la menopausia; en cambio, después de los 60 años son tan susceptibles como los hombres.

Se ha calculado que las personas que fuman una cajetilla o más al día tienen el doble de probabilidades de desarrollar esta enfermedad que las que no fuman. La hipertensión crónica, la diabetes, la obesidad, la tensión emocional y la falta de ejercicio también aumentan las probabilidades. Para protegerse de una cardiopatía coronaria conviene evaluar los hábitos de vida y cambiarlos si es necesario.

¿Influye realmente el colesterol?

El colesterol es uno de los muchos compuestos grasos que se encuentran en la sangre y en los tejidos humanos; se forma en el hígado y es indispensable para la generación de nuevas células y de ciertas hormonas. También se encuentra en los alimentos y lo ingerimos al comer carne, mantequilla, leche, queso y huevos.

Los médicos han notado que los enfermos del corazón suelen tener un alto nivel de colesterol en la sangre. Los científicos suponen que la aterosclerosis comienza cuando el excesivo colesterol de la sangre penetra la tersa cubierta interna de las arterias y forma allí pequeños depósitos. Si las arte-

---

Una antigua teoría: las propiedades terapéuticas de la sangría

Durante cientos de años se utilizaron las sangrías como un remedio para males tan dispares como la amnesia, la sordera y los ataques cerebrales. Se suponía que, en caso de enfermedad, la sangre se estancaba en ciertas partes del cuerpo, y que provocando una hemorragia se revitalizaba al paciente. En la práctica se sangraba de tal manera a los enfermos que muchos se debilitaban y otros se morían. Para sangrarlos se sajaba una vena, se ponían sanguijuelas o se usaban copas de succión (ventosas) que producían moretones. Hacia 1860 se desacreditaron estos métodos, pero hoy la medicina los está reconsiderando. En ciertos casos de microcirugía se usan sanguijuelas para extraer el exceso de sangre en los tejidos, que podría coagularse y retrasar la cicatrización. Cuando hay un aumento anormal de eritrocitos se suele sangrar al enfermo y restituir el volumen con plasma.

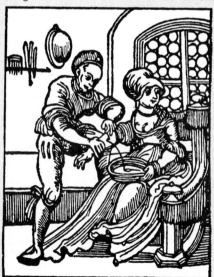

En tiempos medievales las sangrías las efectuaban los barberos que fungían como cirujanos. Con frecuencia la práctica consistía en abrir una vena en la región afectada.

rias están sanas, este proceso es gradual, pero aparentemente se acelera si la persona tiene la presión arterial alta o fuma mucho.

Sin embargo, no todos los que llevan una alimentación rica en colesterol desarrollan aterosclerosis, quizá porque cada uno metaboliza este compuesto en distinto grado. El organismo contiene más de una docena de proteínas que se combinan con el colesterol. Se supone que las lipoproteínas de baja densidad recogen el colesterol y lo depositan en las células, mientras que las lipoproteínas de alta densidad se combinan con el exceso de este compuesto y ayudan al organismo a eliminarlo. Por lo tanto, puede deducirse que las personas que tienen más proteínas de alta densidad están menos expuestas a un ataque cardiaco que las demás.

Aunque todavía queda mucho que aprender acerca del papel que desempeñan el colesterol y las lipoproteínas, muchos médicos sostienen que se puede disminuir el riesgo de una enfermedad del corazón evitando los alimentos ricos en grasas de origen animal porque así se retardará la formación de depósitos de grasa en las arterias coronarias. Incluso hay algunos médicos que opinan que esa medida puede hacer que los ateromas ya formados se reduzcan de tamaño.

¿Un ataque cardiaco significa siempre la invalidez o la muerte?

No hay duda de que un ataque cardiaco es una experiencia aterradora, pero las estadísticas muestran que dos de cada tres personas sobreviven al primer ataque. Si llegan a morir, generalmente eso ocurre en el transcurso de las dos horas que siguen al ataque. Si el paciente resiste un día, tiene casi ganada la partida y si vive después de una semana, es probable que supere el problema. Una persona que ha sufrido una trombosis coronaria y sobrevive diez años tiene la misma expectativa de vida que otra que no ha tenido nunca un ataque.

El corazón cicatriza, igual que lo hace un hueso roto. Pero después de un ataque, como no haya sido muy leve, el paciente debe pasar de dos a seis semanas en el hospital. Las personas que estaban acostumbradas a hacer ejercicio y deporte antes del ataque pueden volver a hacerlo después poco a poco, y la mayoría pueden regresar a su trabajo a los tres meses (a veces antes).

Cómo se obstruyen las arterias

La aterosclerosis comienza por laceraciones en el revestimiento interno de las arterias causadas por la hipertensión, el alto nivel de colesterol, el exceso en el fumar u otros factores. Los lípidos de la sangre, incluyendo el colesterol, se acumulan en las zonas dañadas formando gruesas masas sebáceas que reciben el nombre de ateromas o placas ateroscleróticas.

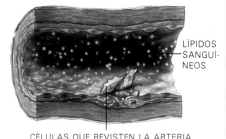

LÍPIDOS SANGUÍNEOS

CÉLULAS QUE REVISTEN LA ARTERIA

En la formación de la placa intervienen además dos tipos de células sanguíneas: los macrófagos, que son los glóbulos blancos más grandes, y las plaquetas, las pequeñas células que participan en la coagulación de la sangre. Los macrófagos se llenan de colesterol y este compuesto se acumula, además, en los espacios que quedan entre ellos, contribuyendo a estrechar las arterias.

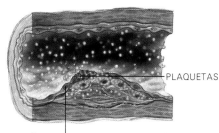

PLAQUETAS

CÉLULAS QUE REVISTEN LA ARTERIA

La placa aterosclerótica reduce la luz de las arterias y hace difícil la circulación de la sangre De estos puntos se puede desprender un coágulo que se desplace hacia el corazón o alguna arteria pequeña, obstruyéndola. Si bloquea una arteria coronaria, causa angina de pecho o un ataque cardiaco; si tapona uno de los vasos que van al cerebro, produce un ataque cerebral.

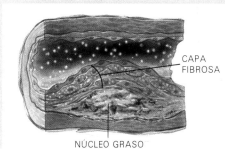

CAPA FIBROSA

NÚCLEO GRASO

El laseroscopio, este nuevo instrumento para deshacer ateromas que funciona como un zapapico, fue inventado por un cardiólogo y se encuentra en etapa experimental. El aparato se coloca en un catéter que el cirujano introduce con mucho cuidado en la arteria dañada. Al llegar al ateroma que obstruye la circulación, lanza un rayo láser y desintegra el depósito de grasa. Antes de disparar el láser, se infla por detrás del ateroma una especie de globo que detiene momentáneamente el flujo de sangre; así se despeja el camino para el láser y no se dañan las células sanguíneas.

PUNTA DEL CATÉTER

El laseroscopio
consta de tres tubos concéntricos. El más interno es el que lleva el rayo láser, el segundo está hecho de fibras ópticas que permiten ver el interior de la arteria, y el tercero es un aspirador que recoge las partículas que se desprenden.

Alteraciones sanguíneas y circulatorias

¿Qué produce las venas varicosas?

Muchas venas están provistas de válvulas para que la sangre, que corre por ellas más lentamente que por las arterias, no retroceda. Cuando las válvulas no trabajan bien, la sangre se acumula en un solo punto largo tiempo haciendo que las venas se dilaten hasta cuatro o cinco veces su grosor normal y se vuelvan nudosas (várices). Las hemorroides son un ejemplo de venas varicosas, pero es más frecuente encontrarlas en las piernas, donde la sangre tiene que fluir en contra de la gravedad. Como la piel irrigada por las venas varicosas está mal oxigenada, forma eccemas y úlceras. A veces las várices se rompen causando derrames. Las personas más vulnerables son las que han heredado válvulas débiles, las que trabajan muchas horas de pie, las obesas, las que sufren estreñimiento crónico y las mujeres embarazadas. El tratamiento varía desde usar medias elásticas hasta la cirugía.

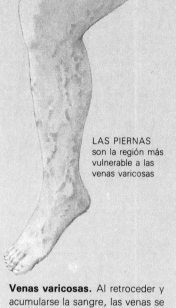

LAS PIERNAS son la región más vulnerable a las venas varicosas

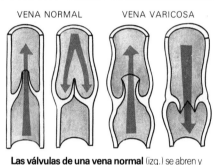

VENA NORMAL   VENA VARICOSA

Las válvulas de una vena normal (izq.) se abren y cierran para evitar el retroceso de la sangre. Las válvulas débiles (der.) permiten que la sangre se estanque.

Venas varicosas. Al retroceder y acumularse la sangre, las venas se distienden y con frecuencia duelen.

¿Qué es la flebitis?

Las venas varicosas algunas veces conducen a una seria alteración que se conoce como flebitis o inflamación de una vena, generalmente de las piernas. La flebitis también se presenta como consecuencia de una intervención quirúrgica. Esta alteración es potencialmente peligrosa porque suele estar relacionada con la formación de un trombo, o coágulo de sangre, en la vena. Si el trombo se desprende del vaso donde se formó, se llama émbolo. Estos émbolos originados por una flebitis se integran a la corriente sanguínea y pueden quedar atrapados en las arterias pulmonares impidiendo el paso de la sangre a la parte del pulmón que esa arteria irrigue.

A veces la flebitis se manifiesta como consecuencia de la inmovilidad después de una operación, un parto o cualquier otro estado que requiera un largo periodo de reposo en la cama. La vena afectada toma una coloración oscura y la zona que la rodea enrojece y duele. En casos graves puede haber fiebre y la pierna palidece.

¿Qué es un ataque cerebral?

Apoplejía, embolia cerebral y ataque cerebral son todos ellos términos que se emplean para describir una súbita anomalía que interrumpe el aporte de sangre al cerebro. Esto puede ocurrir porque uno de los vasos que irrigan el cerebro se rompa o porque una arteria quede obstruida por un coágulo de sangre, una burbuja de aire o cualquier otra partícula extraña. Las células cerebrales de la parte afectada se quedan sin oxígeno y dejan de funcionar temporalmente, pero si la interrupción se prolonga

el tejido muere. Como consecuencia, las partes del organismo controladas por esas células cerebrales pierden su coordinación.

La gravedad de un ataque cerebral varía de acuerdo con el tiempo que dure la interrupción del aporte de oxígeno y la parte del cerebro dañada. La isquemia cerebral transitoria, que es sólo una breve reducción del flujo de sangre al cerebro, se manifiesta por un lenguaje confuso, debilidad en las manos o en los pies, vista nublada o visión doble, síntomas que desaparecen a las pocas horas. Un ataque cerebral leve generalmente produce una súbita e intensa jaqueca, pérdida del conocimiento y algunas disfunciones permanentes que con frecuencia no son fáciles de determinar.

Las apoplejías, embolias o trombosis cerebrales graves pueden causar una considerable pérdida de la memoria y de la agilidad mental, inquietud persistente en los pies, cambios bruscos del estado emocional y parálisis de uno o de ambos lados del cuerpo, dependiendo del hemisferio cerebral que haya sido afectado. Si uno de estos ataques daña el centro cerebral que regula la respiración, lo más probable es que el paciente muera. En los países industrializados, los ataques cerebrales ocupan el tercer lugar como causa de muerte, después de las enfermedades cardiacas y del cáncer.

¿Quiénes están más expuestos a un ataque cerebral?

A la hipertensión se le suele llamar "el asesino silencioso" porque rara vez advierte a sus víctimas del daño que está produciendo a sus vasos sanguíneos, daño que puede resultar fatal. Efectivamente, el 80% de la gente que sufre un ataque cerebral tiene la presión alta.

Pero los hipertensos no son los únicos vulnerables; también son buenos candidatos a un ataque cerebral los obesos, los que tienen una predisposición genética a la arteriosclerosis y ciertos enfermos de diabetes. Los grandes fumadores tienen tres veces más probabilidades de sufrir un ataque que los no fumadores. Aparentemente, las pastillas anticonceptivas aumentan el riesgo de padecer este tipo de lesiones vasculares, sobre todo en las mujeres que presentan migrañas cuando toman las pastillas. Cualquiera que haya tenido uno o más ataques leves y transitorios se encuentra en serio peligro; cuatro de cada cinco personas en estas condiciones

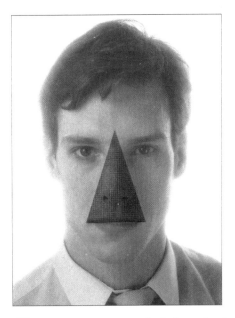

Nunca se arranque un pelo de la nariz ni se exprima un grano de la zona aquí marcada. La infección puede llegar a las venas del cráneo que van por detrás de los ojos; como son muy pequeñas, se pueden obstruir con un coágulo infectado.

probablemente sufrirán un ataque cerebral grave en el transcurso de los cinco años siguientes a menos que tomen medidas para prevenirlo. En algunos casos se prescriben medicamentos que relajan la musculatura lisa o que reducen las probabilidades de que se formen trombos. También conviene controlar la presión alta y el endurecimiento de las arterias. Como algunas veces se ha encontrado una relación entre la tensión emocional y los ataques cerebrales, una buena medida preventiva es aprender a lidiar con las presiones de la vida.

¿Pueden volver a la vida normal los que han sufrido un ataque cerebral?

La popular actriz de cine Patricia Neal y el famoso científico Louis Pasteur tienen algo en común: los dos sufrieron ataques cerebrales muy severos, los dos hicieron esfuerzos heroicos para superar la invalidez y los dos volvieron a sus respectivas carreras demostrando una enorme capacidad. Pasteur quedó parcialmente paralizado, pero Patricia Neal se recuperó casi completamente.

Hace años, poco se podía hacer por las

víctimas de un ataque cerebral, pero ahora la rehabilitación comienza en seguida, a veces el mismo día en que se presenta el ataque. Por eso, aproximadamente el 30% de los pacientes se recuperan totalmente, 15% quedan realmente incapacitados y el 55% restante conservan algunas deficiencias pero en su mayoría llevan una vida satisfactoria. Los especialistas que trabajan con este tipo de pacientes afirman que la recuperación no sólo depende de la gravedad del daño original y de la pericia de los expertos en rehabilitación, sino también de la determinación del enfermo para superar sus deficiencias.

¿Qué es la gangrena?

Gangrena no es el nombre de una enfermedad, sino un término que se aplica a la putrefacción de los tejidos muertos, cualquiera que haya sido la causa. La palabra procede del griego y significa "roer".

La gangrena se puede producir como consecuencia de una infección o de la falta de riego sanguíneo. Una de las principales causas es la congelación que destruye la red vascular, sobre todo en las manos o en los pies. La arteriosclerosis, las quemaduras de tercer grado, la diabetes no tratada, las infecciones persistentes, las magulladuras severas y la embolia también pueden terminar en una gangrena. Desgraciadamente, muchas veces no queda más alternativa que la

amputación para evitar que se extienda la gangrena.

¿A qué se llama enfermedad del beso?

La mononucleosis infecciosa es una enfermedad viral persistente pero rara vez grave. Se presenta con más frecuencia entre la gente joven de 15 a 25 años de edad y se dice que se transmite a través de los besos, de ahí su nombre. Es probable que haya algo de verdad en esta suposición, ya que los virus se encuentran también en la saliva.

Los primeros síntomas se confunden a menudo con una gripe porque son fiebre, dolor de cabeza, irritación de garganta y cansancio general. Al cabo de uno o dos días se inflaman los ganglios linfáticos del cuello y, conforme avanza la enfermedad, también pueden aumentar de tamaño los de las axilas y de la ingle. El bazo y el hígado suelen agrandarse y con frecuencia aparece además un eccema en la piel. El análisis de sangre muestra un aumento en el número de linfocitos, muchos de ellos anormales, y otras irregularidades. Como la mononucleosis es de origen viral, no responde a los antibióticos. El paciente se recupera por sí mismo al cabo de un periodo de 3 a 12 semanas, pero es frecuente que le quede un cansancio y un estado de apatía que a veces dura hasta un año.

Remedios populares: un remedio para los males del corazón

Lo absurdo de muchos remedios populares, como es usar una pulsera de cobre para curar el reumatismo, o la hipertensión, ha desprestigiado a la herbolaria, que ha sido la base de la farmacología. El polvo de la dedalera, por ejemplo, se usaba hace mucho para aliviar la hidropesía y la medicina moderna ha podido comprobar sus propiedades: la digitalina, fármaco que se emplea para tratar las enfermedades congestivas del corazón, se extrae de la dedalera. La digitalina actúa sobre el músculo cardiaco desacelerándolo pero aumentando la potencia de las contracciones. Como se trata de un medicamento peligroso que en dosis altas puede causar incluso la muerte, la digitalina sólo puede ser prescrita por un médico.

La dedalera (*Digitalis purpurea*) es una planta de jardín de flores moradas de cuyas hojas se extrae la digitalina.

Deficiencias sanguíneas

¿Qué es la anemia?

De acuerdo con los especialistas de la Escuela de Medicina de Harvard, la anemia —una deficiencia en el número de glóbulos rojos o en la cantidad de hemoglobina que contienen— no es una enfermedad, sino el síntoma de una o varias afecciones subyacentes. Algunas son comunes y de fácil tratamiento, otras son raras y en ocasiones fatales.

Cualquiera que sea la causa, la anemia hace que el organismo no trabaje bien, ya que no obtiene suficiente oxígeno de la sangre. Los anémicos con frecuencia se sienten débiles, cansados y abatidos, les falta el aliento y algunas veces se desmayan al hacer ejercicio o, en casos graves, estando en reposo.

La anemia puede tener diversos orígenes, el más común es una deficiencia de hierro. A falta de este elemento, el organismo no puede formar suficiente cantidad de hemoglobina, la proteína de la sangre compuesta de hierro que se encarga de transportar el oxígeno a los tejidos. El tratamiento consiste en administrar un suplemento alimenticio a base de hierro. La deficiencia de ácido fólico, bien sea porque falte en los alimentos o porque el organismo no sea capaz de absorberlo a partir de ellos, también produce anemia, que se corrige fácilmente tomando un suplemento que lo contenga. La anemia perniciosa es más grave; puede deberse a la carencia de vitamina B_{12} en la dieta o a la incapacidad del intestino para absorberla por falta de una proteína especial que interviene en el proceso llamada factor intrínseco. En estos casos hay necesidad de estar inyectando periódicamente vitamina B_{12}.

¿Pueden los rayos X producir anemia?

La exposición repetida a grandes dosis de rayos X, sustancias radiactivas, microondas y otras emisiones de alta energía, puede producir un tipo particular de anemia conocida como anemia aplásica. Este tipo de radiaciones dañan la médula ósea, que en esas condiciones produce menor número de glóbulos rojos y blancos. La deficiencia de glóbulos rojos es la que causa la anemia, y la reducción en el número de glóbulos blancos hace al organismo más vulnerable a las infecciones.

La anemia aplásica también puede desarrollarse por otras razones, como es el contacto prolongado con benceno, arsénico, compuestos de oro y otras sustancias químicas tóxicas. Hay casos en que los medicamentos prescritos para otras dolencias conducen a una anemia de este tipo. A los primeros síntomas, el médico seguramente reducirá la dosis de esos fármacos o los sustituirá por otros.

¿Hay personas más susceptibles a la anemia?

La anemia drepanocítica o de células falciformes es más frecuente entre los negros, y la anemia mediterránea o de Cooley está prácticamente restringida a las poblaciones de origen mediterráneo. Estos dos tipos de anemia son producto de una mutación genética que no se manifiesta o que no produce síntomas a menos que el enfermo haya heredado un gene mutante de cada uno de sus padres. Hasta ahora, la anemia drepanocítica se puede tratar, pero no curar. La única forma de evitarla es la consulta genética prematrimonial.

La anemia de Cooley no se caracteriza sólo por una notoria deficiencia de hemoglobina, sino que además los glóbulos rojos son anormalmente delgados y frágiles. Los niños que nacen con esta alteración es difícil que sobrevivan a menos que se les prolongue la vida con transfusiones periódicas de sangre.

¿Puede cualquiera tener hemofilia?

La mayoría de la gente no tiene la menor probabilidad de padecer hemofilia, ya que ésta es una enfermedad hereditaria y sólo afecta a 1 de cada 10 000 varones. Esta alteración se debe a la falta en la sangre de uno de los factores que intervienen en la coagulación; como resultado, la persona que la sufre puede desangrarse hasta morir con que se haga una herida leve. Prácticamente se presenta sólo en los varones porque el gene anormal está unido al cromosoma X, uno de los dos cromosomas que determinan el sexo. Los hombres tienen un solo cromosoma X, por lo que basta que ése lleve el gene hemofílico para que se manifieste la enfermedad. En cambio las mujeres tienen dos cromosomas X, así que el gene anómalo de uno se contrarresta con el otro. Para que una mujer presente hemofilia tiene que haber heredado dos genes alterados, uno de la madre y otro del padre.

Antes, la mayor parte de los hemofílicos morían en la infancia. Ahora se ha logrado aislar y purificar el factor coagulante que les falta a los hemofílicos e inyectárselo. Esto no quiere decir que el problema esté resuelto. Muchos de ellos requieren varias inyecciones al año que son sumamente caras, tienen que limitar mucho sus actividades para evitar cualquier herida y corren un grave riesgo cada vez que necesitan una intervención dental o quirúrgica.

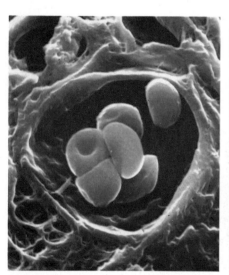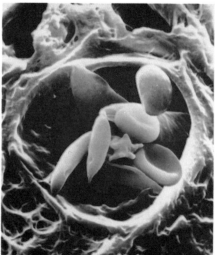

Los glóbulos rojos normales (izq.) *tienen forma de disco. En la anemia drepanocítica adoptan una forma de media luna* (der.), *lo que reduce su capacidad para transportar oxígeno y hace que se aglutinen limitando el aporte de oxígeno a los tejidos.*

La hemofilia: una enfermedad de la sangre que influyó en la historia

Cuando se hizo este retrato de la reina Victoria y su familia, en 1887, no se sabía que la hemofilia amenazaba a sus descendientes.

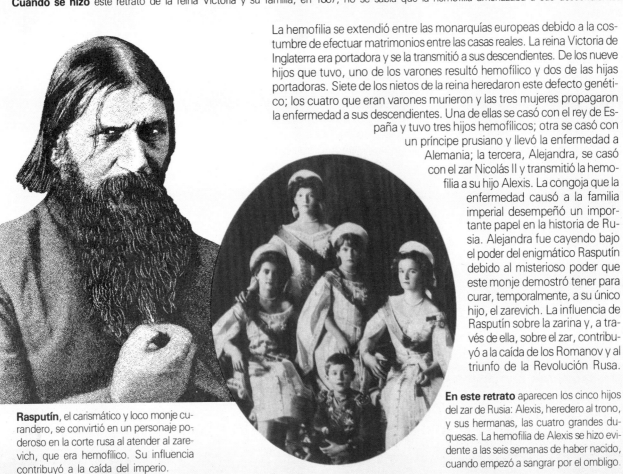

La hemofilia se extendió entre las monarquías europeas debido a la costumbre de efectuar matrimonios entre las casas reales. La reina Victoria de Inglaterra era portadora y se la transmitió a sus descendientes. De los nueve hijos que tuvo, uno de los varones resultó hemofílico y dos de las hijas portadoras. Siete de los nietos de la reina heredaron este defecto genético; los cuatro que eran varones murieron y las tres mujeres propagaron la enfermedad a sus descendientes. Una de ellas se casó con el rey de España y tuvo tres hijos hemofílicos; otra se casó con un príncipe prusiano y llevó la enfermedad a Alemania; la tercera, Alejandra, se casó con el zar Nicolás II y transmitió la hemofilia a su hijo Alexis. La congoja que la enfermedad causó a la familia imperial desempeñó un importante papel en la historia de Rusia. Alejandra fue cayendo bajo el poder del enigmático Rasputín debido al misterioso poder que este monje demostró tener para curar, temporalmente, a su único hijo, el zarevich. La influencia de Rasputín sobre la zarina y, a través de ella, sobre el zar, contribuyó a la caída de los Romanov y al triunfo de la Revolución Rusa.

Rasputín, el carismático y loco monje curandero, se convirtió en un personaje poderoso en la corte rusa al atender al zarevich, que era hemofílico. Su influencia contribuyó a la caída del imperio.

En este retrato aparecen los cinco hijos del zar de Rusia: Alexis, heredero al trono, y sus hermanas, las cuatro grandes duquesas. La hemofilia de Alexis se hizo evidente a las seis semanas de haber nacido, cuando empezó a sangrar por el ombligo.

El ignorado sistema linfático

¿Qué es el sistema linfático?

La mayoría de nosotros apenas si hemos oído hablar del sistema linfático pero, si no fuera por él, no estaríamos vivos. Este sistema está estrechamente relacionado con el aparato cardiovascular y tiene a su cargo varias funciones importantes. Primero, contribuye a la defensa del organismo ya que filtra los gérmenes patógenos, produce glóbulos blancos y genera anticuerpos. Segundo, participa en la distribución de los líquidos y de los nutrientes por todo el cuerpo debido a que recoge el exceso de líquido y de proteínas dejados por los capilares sanguíneos en los tejidos, con lo que evita que éstos se congestionen.

El sistema linfático está formado por los capilares linfáticos, otros vasos de mayor calibre, los ganglios o nódulos linfáticos, el bazo, las amígdalas y el timo. El líquido que circula por él se llama linfa y proviene del plasma sanguíneo, pero está más diluido y tiene un color más claro. La linfa pasa a través de los capilares y llena los espacios intercelulares.

Los capilares linfáticos están abiertos por un extremo y distribuidos por todo el cuerpo. Su función es recoger el exceso de líquido y transportarlo a los vasos linfáticos, que terminan por confluir en dos grandes troncos. Uno de ellos es el conducto torácico, que corre a lo largo de la columna vertebral y desemboca en una gran vena del lado izquierdo, cerca del corazón. El otro es el conducto linfático derecho, que termina en otra vena de grueso calibre del lado derecho.

A diferencia de la sangre, que es impulsada por el corazón, la linfa circula sin ayuda de un sistema de bombeo. La linfa que llena los vasos linfáticos es empujada por la continua presión del líquido tisular, que está constantemente drenando hacia los espacios intercelulares. La contracción y la expansión de las arterias y de los músculos entre los que corren los vasos linfáticos también contribuyen a impulsar la linfa hacia su destino final. Por último, el acto de respirar crea un vacío parcial en el conducto torácico que hace fluir la linfa hacia arriba hasta verterse en el torrente circulatorio del que proviene.

¿Qué función tienen los ganglios linfáticos?

Intercalados en el trayecto de los vasos linfáticos se encuentran más de 100 estructuras pequeñas, ovales y encapsuladas: los ganglios o nódulos linfáticos. Generalmente están bastante dispersos, pero hay algunas regiones del cuerpo, como son el cuello, las axilas y las ingles, en las que los ganglios se agrupan en mayor número. Internamente, los ganglios están formados por una serie de trabéculas fibrosas a través de las cuales fluye la linfa. El nódulo actúa como una barrera contra las infecciones, ya que filtra y destruye los microorganismos y las toxinas.

Cuando se presenta una infección, los ganglios pueden aumentar de tamaño y doler, como sucede con los del cuello cuando hay una inflamación de los oídos o de la garganta. La congestión de los ganglios indica que están trabajando al máximo. Si la inflamación persiste más de dos semanas sin que exista una causa aparente, es necesario que lo investigue un médico.

¿Qué papel desempeña el bazo?

El bazo es la estructura linfática más grande del organismo, tiene más o menos el tamaño del corazón y se encuentra colocado en el lado izquierdo del abdomen justo por detrás del estómago. Está constituido por una masa esponjosa capaz de contener hasta 1 litro de sangre. Su función es la misma que la de los ganglios linfáticos y además produce glóbulos blancos de los llamados linfocitos.

El bazo también se encarga de eliminar del torrente sanguíneo los glóbulos rojos envejecidos o alterados, devolviendo a la sangre el hierro que contenían para que se utilice de nuevo en la fabricación de hemoglobina y desdoblando el resto de las moléculas para que puedan ser expulsadas como desechos. Este órgano almacena cierta cantidad de sangre que devuelve a la circulación cuando, por alguna razón, la provisión de oxígeno se agota y el organismo requiere un mayor aporte de sangre. Como respuesta a esta necesidad urgente, el bazo se contrae soltando toda su reserva de sangre, rica en oxígeno y nutrientes, en la circulación general.

¿Qué es un linfoma?

Se llama linfoma a los tumores malignos que se desarrollan en el tejido linfático. Aunque el origen de los linfomas aún no se conoce bien, cada vez hay más pruebas de que muchos de ellos se deben a una infección de tipo viral.

Los primeros síntomas de la formación de un linfoma son el aumento de tamaño de un ganglio que persiste en ese estado y que a pesar de ello no duele. En ese caso, generalmente se manda hacer un análisis de sangre seguido de una biopsia. Si las pruebas indican que efectivamente se trata de un linfoma, inmediatamente se empieza el tratamiento para evitar que se extienda. Como en muchas otras formas de cáncer, el tratamiento puede incluir cirugía, radiaciones y quimioterapia. Aunque se trata de una enfermedad que pone en peligro la vida,

Un órgano utilísimo, pero frágil

Por sus múltiples funciones (producir células sanguíneas, filtrar la sangre, destruir los glóbulos rojos envejecidos y almacenar sangre de reserva), el bazo es, sin duda alguna, un órgano polifacético. Pero, si se lesiona, generalmente no se puede rehabilitar. Con frecuencia se oye comentar que han tenido que extirparle el bazo a una persona porque se le rompió en un serio accidente automovilístico. Esa medida se toma para evitar la pérdida de sangre, porque el bazo es tan blando y esponjoso y tiene una cubierta tan delgada que es imposible coserlo. Hay que decir que el paciente al que le han quitado el bazo no suele echarlo de menos.

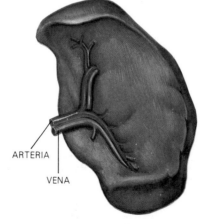

ARTERIA

VENA

El bazo se aloja detrás del estómago

Un sistema vascular paralelo al torrente sanguíneo

Todos los tejidos blandos del organismo están bañados por un líquido acuoso llamado linfa. Este segundo sistema vascular desempeña una importante labor depuradora, ya que los ganglios linfáticos filtran las bacterias y, junto con el bazo, forman linfocitos que combaten a los gérmenes. Pero el sistema linfático tiene a su cargo otras funciones: absorbe las grasas, transporta nutrientes y desechos, y mantiene el equilibrio de los líquidos en los tejidos. Cuando éstos se inflaman como consecuencia de un traumatismo, es este sistema el que recoge el exceso de líquido y lo vierte en el torrente sanguíneo. La linfa no cuenta con un órgano que la impulse, se desplaza gracias a la presión que ejercen la respiración y las contracciones de los músculos y de los vasos sanguíneos adyacentes, y no retrocede debido a que los grandes vasos linfáticos tienen válvulas que lo impiden.

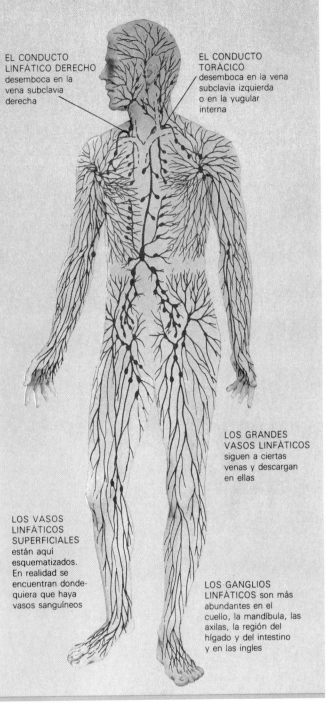

EL CONDUCTO LINFÁTICO DERECHO desemboca en la vena subclavia derecha

EL CONDUCTO TORÁCICO desemboca en la vena subclavia izquierda o en la yugular interna

LOS GRANDES VASOS LINFÁTICOS siguen a ciertas venas y descargan en ellas

LOS VASOS LINFÁTICOS SUPERFICIALES están aquí esquematizados. En realidad se encuentran dondequiera que haya vasos sanguíneos

LOS GANGLIOS LINFÁTICOS son más abundantes en el cuello, la mandíbula, las axilas, la región del hígado y del intestino y en las ingles

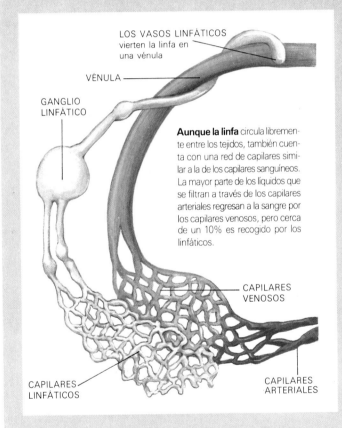

LOS VASOS LINFÁTICOS vierten la linfa en una vénula

VÉNULA

GANGLIO LINFÁTICO

Aunque la linfa circula libremente entre los tejidos, también cuenta con una red de capilares similar a la de los capilares sanguíneos. La mayor parte de los líquidos que se filtran a través de los capilares arteriales regresan a la sangre por los capilares venosos, pero cerca de un 10% es recogido por los linfáticos.

CAPILARES VENOSOS

CAPILARES LINFÁTICOS

CAPILARES ARTERIALES

---

afortunadamente las posibilidades de curación son ahora mucho mayores que antes.

¿Qué es la enfermedad de Hodgkin?

Hace apenas unos cuantos años, diagnosticar la enfermedad de Hodgkin era lo mismo que sentenciar a muerte al paciente. Incluso ahora, sólo el 25% de las personas a las que se les encuentra la enfermedad en un avanzado estado de desarrollo pueden llegar a curarse; pero si se diagnostica y se empieza a tratar con radiaciones y con quimioterapia en una etapa temprana, las probabilidades de recuperación aumentan al 90 por ciento.

Las personas más propensas a sufrir la enfermedad de Hodgkin son los adultos entre 15 y 35 años y los mayores de 50. Entre los adultos, los hombres tienen el doble de probabilidades de desarrollar la enfermedad que las mujeres. Esta alteración comienza con un engrosamiento de los ganglios del cuello que gradualmente se extiende a todo el sistema linfático, incluyendo el bazo. Si no se trata, los ganglios hipertrofiados llegan a interferir con las funciones vitales. La presión que ejercen sobre los órganos adyacentes y las terminaciones nerviosas producen una disfunción o una parálisis.

111

Capítulo 5

EL APARATO RESPIRATORIO

Se supone que la respiración es tarea de las vías respiratorias y de los pulmones. Efectivamente, en los pulmones se lleva a cabo el intercambio de gases y los glóbulos rojos se encargan del transporte, pero en el proceso químico participan todas las células de nuestro organismo.

¿Qué es la respiración?

Cada día aspiramos y exhalamos unos 19 000 litros de aire; con ello cumplimos dos propósitos. Primero, suministramos al organismo el oxígeno que necesita para la combustión de los alimentos, proceso del que las células obtienen su energía. Segundo, eliminamos el bióxido de carbono, que es el producto de desecho de las funciones vitales. Cuando aspiramos, introducimos a los pulmones oxígeno, un gas que constituye, aproximadamente, el 20% del aire puro. Al exhalar el aire, eliminamos el exceso de bióxido de carbono.

Aunque el acto de respirar normalmente es involuntario, podemos alterarlo conscientemente dentro de ciertos límites. Se puede, por ejemplo, aspirar una bocanada de aire mucho mayor de lo normal antes de sumergirse en el agua y detener voluntariamente la respiración, pero no por mucho tiempo. Los reflejos involuntarios que nos obligan a respirar son tan fuertes que no podemos sustraernos a ellos, por eso es imposible suicidarse conteniendo la respiración.

¿Por qué a veces falta el aliento?

Durante un ejercicio violento, los músculos consumen oxígeno a una velocidad mayor que la que pueden desarrollar el corazón y los pulmones para suministrarlo. En estas condiciones, los músculos pueden seguir trabajando por corto tiempo con un déficit de oxígeno. Mientras ese déficit no se cubra, se tendrá la sensación de que falta el aire; por eso, después del ejercicio se sigue jadeando unos minutos.

¿Qué produce el ronquido y cómo se cura?

El conjunto de estertores, gruñidos, silbidos y jadeos que llamamos ronquidos no indica ninguna alteración grave, pero con bastante frecuencia ha sido la causa de desavenencias maritales, el objeto de bromas pesadas y chistes malos, y la razón para que se inventaran unos 200 remedios supuestamente infalibles para curarlo.

Uno de cada siete adultos ronca cuando duerme y siempre se trata de personas que respiran por la boca, ya que el ruido lo hace la úvula o campanilla que vibra al pasar el aire por ella.

La mayor parte de las personas que roncan duermen con la boca abierta porque tienen alguna obstrucción en las vías nasales o en la garganta. La causa concreta puede ser una congestión nasal, adenoides o amígdalas muy desarrolladas, pólipos en la nariz, el tabique desviado, una dentadura postiza mal ajustada o la costumbre de dormir boca arriba, lo que hace que la lengua caiga hacia atrás y obture parcialmente la laringe.

Un antiguo consejo para evitar los ronquidos es coser un botón en la espalda del camisón o de la piyama; esta medida impide dormir boca arriba, pero no resuelve los demás problemas, pues hay mucha gente que duerme de lado y ronca. A veces ayuda el bajar de peso, ya que la obesidad puede producir congestión nasal. Los alimentos muy salados también contribuyen a la congestión, por eso no conviene comerlos en la cena. El mejor remedio es quizá unos tapones para los oídos de los que tienen que dormir con alguien que ronca.

¿Por qué bostezamos?

Si usted ve bostezar a la gente que sale de un cine, no lo interprete como una prueba de que la película es mala. A pesar de lo que la gente supone, el bostezo no es necesariamente un signo de aburrimiento o de que se tiene sueño; simplemente indica que hay una mayor necesidad de oxígeno, es un reflejo que obliga a que entre aire a los pulmones.

La provisión de oxígeno del organismo se agota después de haber pasado largo tiempo respirando superficialmente, cosa que suele ocurrir cuando se está cansado, tenso o se ha permanecido mucho tiempo sentado. El bostezo no es síntoma de una enfermedad o una alteración; al contrario, es raro que una persona gravemente enferma, física o mentalmente, bostece.

¿A qué se llama tabaquismo pasivo?

En los últimos años se ha desatado una agria controversia entre los fumadores y sus oponentes sobre el derecho a fumar en lugares públicos. Se tienen ya bastantes pruebas de que el tabaquismo puede dañar, no sólo a los fumadores, sino también a los no fumadores que están a su alrededor. Sin embargo, hasta ahora los médicos no han podido determinar con qué frecuencia el llamado tabaquismo pasivo llega a producir cáncer pulmonar en los no fumadores. En un estudio hecho a 2 000 personas que no fumaban, los investigadores encontraron notables diferencias entre los que casi no tenían contacto con fumadores y los que regularmente se veían obligados a respirar el humo de los cigarros de los demás. Casi todos los no fumadores que estaban expuestos al humo presentaban alguna alteración pulmonar, y los que vivían continuamente al lado de grandes fumadores sufrían, además, una disminución de su capacidad respiratoria.

¿Puede la vitamina C disminuir la susceptibilidad a los resfriados?

A principios de los años setenta se difundió la idea de que tomando vitamina C se podían evitar los resfriados o hacerlos más leves. El principal defensor de esta teoría, Linus Pauling, premio Nobel de química, sostiene que si se toman de 1 000 a 2 000 mg diarios de vitamina C —de 4 000 a 10 000 si ya se está acatarrado— se tendrán menos resfriados y éstos serán más cortos y leves. Pauling se basa en los resultados de algunas pruebas experimentales.

Sin embargo, los especialistas en infecciones de las vías respiratorias altas no han encontrado pruebas definitivas de que la vitamina C reduzca la frecuencia o la severidad de los resfriados. Además, las dosis altas de vitamina C pueden producir efectos colaterales indeseables.

Todo el mundo bosteza, incluso este oficial de la guardia montada británica que está de servicio. El bostezo oxigena la sangre expandiendo los pequeños sacos pulmonares llamados alveolos y hace que se exhale el bióxido de carbono.

El aliento vital

¿Cómo funcionan los pulmones?

El aire que aspiramos entra a los pulmones a través de las vías respiratorias formadas por las fosas nasales (o la boca), la faringe, la laringe, la tráquea y los bronquios. Estos últimos son dos ramificaciones terminales de la tráquea que entran uno a cada pulmón. Dentro del pulmón los bronquios se ramifican extensamente dando lugar a conductos cada vez más delgados, los bronquiolos, que terminan en los conductos alveolares. Los conductos alveolares conducen a unas pequeñas estructuras en forma de saco rodeadas por una densa red de capilares sanguíneos y llamadas alveolos pulmonares. Las paredes de los alveolos y de los capilares son tan delgadas que los gases pueden pasar fácilmente a través de ellas. En los dos pulmones hay alrededor de 600 millones de alveolos y es en ellos donde se lleva a cabo la función pulmonar: el intercambio de oxígeno y de bióxido de carbono entre el aire inhalado y la sangre.

Una quinta parte del aire que aspiramos es oxígeno. Cada vez que inhalamos, el aire llena los alveolos y el oxígeno pasa a la sangre; una pequeña cantidad se disuelve en ella, pero la mayor parte de él se combina químicamente con la hemoglobina y así es conducido a los tejidos. Cuando los capilares llegan a ellos, la hemoglobina libera el oxígeno, recoge el bióxido de carbono producido por las células y regresa con él a los alveolos, donde es eliminado junto con el aire exhalado.

¿Qué determina el ritmo de la respiración?

La frecuencia y la profundidad de la respiración varían de acuerdo con la velocidad a la que los tejidos consuman el oxígeno y produzcan bióxido de carbono y eso, generalmente, depende del grado de actividad. El centro respiratorio del cerebro envía impulsos a los músculos respiratorios regulando su actividad. En otras regiones del sistema nervioso central se cuantifica el nivel de bióxido de carbono que hay en la sangre; en cuanto se eleva ligeramente, se envía una señal al centro respiratorio que, inmediatamente, modifica la frecuencia y la profundidad de la respiración para que el nivel de bióxido de carbono vuelva a la normalidad.

Este sistema también registra la concentración de oxígeno, pero es menos sensible a los pequeños cambios.

Normalmente, una persona inspira y espira 15 veces por minuto haciendo pasar por los pulmones alrededor de medio litro de aire en cada ocasión. Esa cantidad representa apenas el 12% del aire que un adulto joven y sano puede introducir en los pulmones en una inspiración profunda. Cuando se está haciendo un ejercicio violento, la frecuencia respiratoria puede aumentar al doble y la cantidad de aire que entra a los pulmones en cada inspiración llega a quintuplicarse. Al respirar más rápida y profundamente se emplea la capacidad de reserva que tienen los pulmones.

¿Qué es el diafragma?

Los pulmones están encerrados en una especie de jaula cuyas paredes están formadas por las costillas y el piso por el diafragma, una capa muscular en forma de cúpula con la convexidad dirigida hacia el tórax. Al inspirar, el diafragma baja hasta quedar plano y los músculos que se insertan en las costillas se contraen y las elevan, con lo que las dimensiones de la cavidad torácica aumentan, aumentando también la capacidad de los pulmones.

¿Cómo se produce el hipo?

El hipo es un fenómeno que abarca dos fases. Primero, el diafragma se contrae involuntariamente porque los nervios que lo controlan se han irritado, bien sea por haber comido demasiado aprisa o por cualquier otra razón. Segundo, al inhalar el aire, el espacio que queda entre las cuerdas vocales de la laringe se cierra violentamente produciendo el ruido característico.

Hay muchos remedios caseros para curar el hipo. Hay quien recomienda beberse un vaso de agua sin respirar o contener la respiración hasta que cese el hipo. Estas medidas pueden hacer que el diafragma vuelva a su ritmo normal porque reducen el aporte de oxígeno y aumentan el nivel de bióxido de carbono, lo que estimula el centro respiratorio del cerebro. Otra manera de estimular el sistema nervioso es con un susto o haciendo cosquillas en la nariz. Si el hipo persiste a pesar de estos esfuerzos, es necesario consultar a un médico.

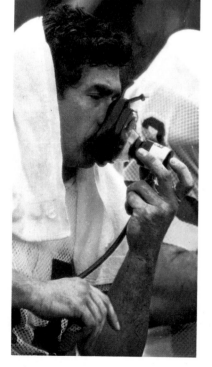

¿Es peligroso respirar oxígeno puro?

Aunque parezca incongruente, el exceso de oxígeno puede resultar tóxico. Algunas veces, los médicos emplean oxígeno puro en casos de urgencia, como puede ser una afección pulmonar grave, aunque eso significa una concentración cinco veces mayor que la que normalmente tiene el aire. Si se respira continuamente y por tiempo prolongado, el oxígeno puro puede producir una acumulación de líquido en los pulmones, colapso de los alveolos pulmonares, convulsiones e incluso, si se trata de bebés prematuros, ceguera. Por eso se emplea oxígeno en concentraciones mucho más bajas para tratamientos prolongados, en el hospital o en la casa de personas asmáticas, los que sufren ataques cardiacos o aquellos que convalecen de una operación pulmonar.

Este exhausto jugador de futbol americano inhala oxígeno para recuperarse, pero hay médicos que dudan de la eficacia de este recurso.

En las profundidades del aparato respiratorio

Los pulmones son dos órganos de forma cónica, no exactamente iguales, que se encuentran dentro de la cavidad torácica. Están protegidos por las costillas, la columna vertebral, el esternón y los músculos respiratorios. Entre los pulmones están colocados el corazón, la tráquea y el esófago, que no aparece en este dibujo, pero que va por detrás de la tráquea conectando la faringe con el estómago. La parte externa de los pulmones y el interior de la cavidad torácica están recubiertos por una membrana serosa llamada pleura. La lubricación de estas dos hojas de la pleura permite que los pulmones se expandan y se retraigan fácilmente sin adherirse a la cavidad torácica. El diafragma, que forma el piso del tórax (y el techo del abdomen), es una estructura continua que tiene sólo tres orificios por donde pasan el esófago y los grandes vasos sanguíneos.

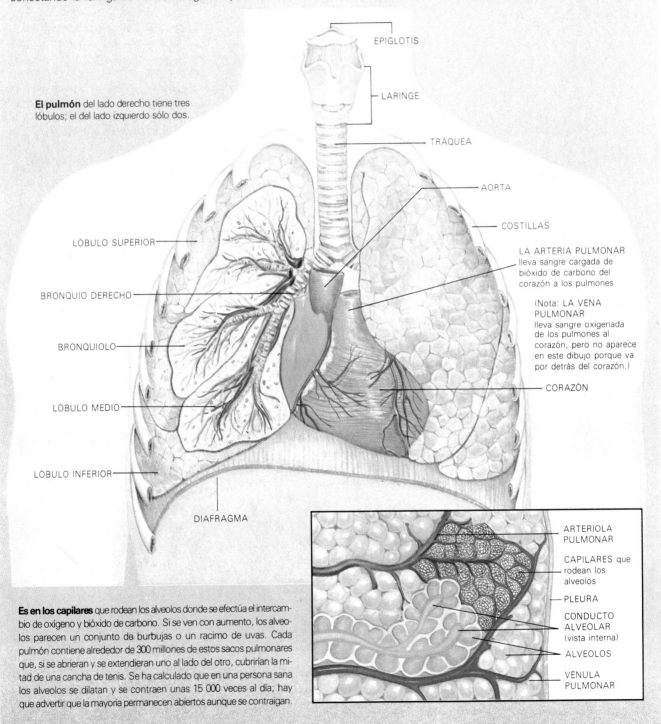

El pulmón del lado derecho tiene tres lóbulos; el del lado izquierdo sólo dos.

EPIGLOTIS

LARINGE

TRAQUEA

AORTA

COSTILLAS

LÓBULO SUPERIOR

LA ARTERIA PULMONAR lleva sangre cargada de bióxido de carbono del corazón a los pulmones

BRONQUIO DERECHO

(Nota: LA VENA PULMONAR lleva sangre oxigenada de los pulmones al corazón, pero no aparece en este dibujo porque va por detrás del corazón.)

BRONQUIOLO

CORAZÓN

LÓBULO MEDIO

LÓBULO INFERIOR

DIAFRAGMA

ARTERIOLA PULMONAR

CAPILARES que rodean los alveolos

PLEURA

CONDUCTO ALVEOLAR (vista interna)

ALVEOLOS

VÉNULA PULMONAR

Es en los capilares que rodean los alveolos donde se efectúa el intercambio de oxígeno y bióxido de carbono. Si se ven con aumento, los alveolos parecen un conjunto de burbujas o un racimo de uvas. Cada pulmón contiene alrededor de 300 millones de estos sacos pulmonares que, si se abrieran y se extendieran uno al lado del otro, cubrirían la mitad de una cancha de tenis. Se ha calculado que en una persona sana los alveolos se dilatan y se contraen unas 15 000 veces al día; hay que advertir que la mayoría permanecen abiertos aunque se contraigan.

Exámenes y mediciones

¿Cuánto aire pueden contener los pulmones?

Respirando normalmente, un hombre adulto puede contener en los pulmones 2.5 litros de aire, en promedio. El volumen de ventilación pulmonar, que corresponde al aire que entra y sale en cada respiración, suele ser medio litro. La diferencia se debe a que siempre queda aire en los pulmones después de la espiración.

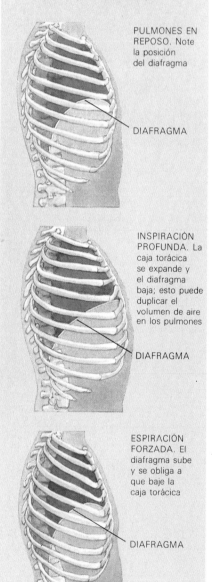

PULMONES EN REPOSO. Note la posición del diafragma

DIAFRAGMA

INSPIRACIÓN PROFUNDA. La caja torácica se expande y el diafragma baja; esto puede duplicar el volumen de aire en los pulmones

DIAFRAGMA

ESPIRACIÓN FORZADA. El diafragma sube y se obliga a que baje la caja torácica

DIAFRAGMA

¿Para qué golpea el médico el tórax del paciente cuando lo examina?

Percutir el tórax de un paciente es algo así como tocar un tambor o golpetear una pared para localizar dónde hay una falla. El médico pone una mano sobre el pecho del paciente y da sobre ella unos golpecitos con los dedos de la otra mano; va repitiendo esta operación metódicamente en distintos puntos del torso y escucha con atención los diferentes sonidos que producen esos golpecitos. Para un oído bien entrenado, los sonidos dicen mucho acerca del estado de los órganos de la cavidad torácica. A esta técnica se le llama percusión auscultatoria.

Unos pulmones sanos, llenos de aire, resuenan como si allí hubiera un hueco. Si los alveolos están distendidos, como sucede en los enfisematosos, los pulmones también resuenan, pero la resonancia es mucho mayor de lo normal. Por el contrario, si los pulmones están parcialmente infiltrados de líquido o se ha colapsado uno, el sonido que producen es seco.

¿Qué información obtiene el médico mediante la palpación?

El método de exploración que se basa en el tacto se llama palpación. Cuando se trata de un examen del tórax, el médico coloca las manos simétricamente sobre uno y otro lados del torso del paciente y le pide que respire profundamente. Si los pulmones y la caja torácica funcionan bien, el médico notará que ambos lados se expanden y se contraen en la misma medida.

Después, el médico le pide al paciente que diga varias veces "33", palabras escogidas simplemente por su resonancia. Normalmente, las vibraciones de la cuerdas vocales se transmiten a los pulmones y de ahí a la pared del tórax, donde el médico las siente a través de los dedos. Los cambios en la transmisión de las vibraciones le indican si hay alguna lesión pulmonar.

¿Qué es un estetoscopio?

Si se sabe cómo interpretarlos, muchos de los ruidos que se producen dentro del pecho revelan el estado físico de una persona, pues hay algunas enfermedades que producen sonidos característicos.

Para poder oír bien estos sonidos, el médico recurre a un aparato que conduce el sonido llamado estetoscopio (este instrumento también se emplea para examinar otras partes del cuerpo).

El examen por medio del estetoscopio es lo que se llama auscultación. El médico coloca el extremo del instrumento, que consiste en una caja de resonancia, sobre el pecho del paciente y escucha a través de los auriculares. Si está examinando los pulmones, lo que oye es el paso del aire a través de los conductos, que en una persona sana parece un rugido cuando pasa por los bronquios y una suave brisa si se trata de los bronquiolos. El estetoscopio registra las anomalías como diferentes sonidos distintivos: silbidos, crujidos o alteraciones de la intensidad.

¿Para qué sirve el broncoscopio?

El broncoscopio es un tubo delgado y flexible hecho a base de fibras ópticas, que permiten el paso de la luz, por medio del cual el médico puede ver el interior de las vías respiratorias hasta llegar a los pulmones y examinar si hay zonas irritadas, crecimientos anormales u obstrucciones. Al paciente se le introduce el broncoscopio por la nariz o por la boca bajo anestesia local. El instrumento cuenta con un aditamento de succión, cepillos bronquiales y un pequeño fórceps con los que el médico puede eliminar partículas extrañas o tomar una muestra de tejido; por otro conducto se administra medicamento en el punto exacto en que se necesita. El broncoscopio es extraordinariamente útil y con él se pueden efectuar operaciones que antes sólo eran posibles mediante cirugía.

¿Con qué frecuencia se debe uno mandar hacer una radiografía de tórax?

Las radiografías de tórax eran cosa de rutina en los exámenes médicos periódicos, pero los doctores las ordenan ahora con mucha menor frecuencia, dependiendo de la razón del examen. Este cambio de actitud se debe a que una radiografía significa exponer al paciente a radiaciones y, aunque las dosis son muy bajas, los médicos opinan que el riesgo supera las ventajas, excepto en algunos casos, como pueden ser los

Las asfixiantes modas de antaño

Las mujeres de la Grecia y la Roma antiguas usaban un corsé de lino de tres piezas que no oprimía la figura más de lo que puede hacerlo una faja completa moderna. Desde entonces, la moda femenina ha colocado la cintura más arriba o más abajo produciendo mayores o menores molestias, pero cuando se convirtió en un verdadero atentado contra la salud fue a finales del siglo XIX y principios del XX, al extenderse el uso de los corsés de ballenas.

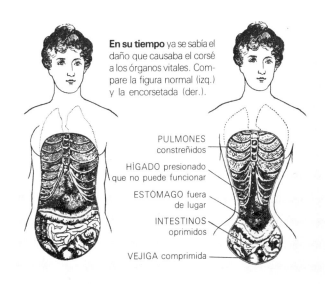

En su tiempo ya se sabía el daño que causaba el corsé a los órganos vitales. Compare la figura normal (izq.) y la encorsetada (der.).

PULMONES
constreñidos

HÍGADO presionado
que no puede funcionar

ESTÓMAGO fuera
de lugar

INTESTINOS
oprimidos

VEJIGA comprimida

Las mujeres de cintura de avispa de la era victoriana se desmayaban a menudo. En seguida alguien pedía: "¡córtenle las cintas!", pues la culpa era del corsé.

enfermos del corazón o los que necesitan supervisión periódica porque se trata de grandes fumadores o de personas que por su trabajo están expuestas al cáncer pulmonar.

Fuera de estos casos, los rayos X se usan ahora casi exclusivamente para proporcionar al médico mayor información sobre una herida o una enfermedad ya diagnosticada, o para comprobar los resultados de una intervención quirúrgica. Si se trata sólo de hacer un diagnóstico, se recurre a la prueba de funcionalidad pulmonar y otros estudios más sencillos, baratos y reveladores, que han desplazado a las radiografías de rutina.

¿En qué consisten las pruebas de funcionalidad pulmonar?

La mayoría de la gente no tiene que preocuparse de que le llegue a faltar el aire ya que cuenta con una enorme reserva respiratoria, es decir, los pulmones pueden aspirar mucho más aire del que se necesita estando en reposo, y el ritmo de la respiración aumenta cuando se hace un esfuerzo. Incluso los pacientes a los que se les ha extirpado un pulmón no sienten que les falte el aliento, excepto cuando hacen un ejercicio violento.

Si una persona se queja continuamente de que le falta el aire estando en reposo o cuando hace un ejercicio moderado, o si se sospecha que tiene una enfermedad pulmonar, el médico suele recomendar que se haga unas pruebas de funcionalidad pulmonar. En estas pruebas se mide la capacidad respiratoria de los pulmones y se compara con el promedio de personas sanas de la misma edad y el mismo sexo.

En una de las pruebas se mide el volumen de ventilación pulmonar que corresponde a la cantidad de aire (normalmente medio litro) que entra y sale de los pulmones en cada respiración estando el examinado en reposo.

Otra prueba determina la capacidad respiratoria máxima, que es el volumen de aire, considerablemente mayor que el anterior, que pasa a través de los pulmones cuando se inspira y espira lo más profundamente que sea posible. Normalmente esta cifra alcanza entre 125 y 170 litros por minuto en un varón adulto sano y de 100 a 140 litros en una mujer de las mismas condiciones. Como incluso los pulmones de una persona sana tienden a perder elasticidad con el transcurso de los años, se considera una reducción de un 20% en personas de 60 años y de un 40% si tienen ya 75 años. El reposo en la cama durante varios días reduce la capacidad respiratoria, el ejercicio sistemático la aumenta.

Estas pruebas se llevan a cabo con un espirómetro, que recoge y mide el aire respirado registrando los resultados en una gráfica.

Estornudos, catarro y tos

Al medir el efecto de los estornudos se ha comprobado que el aire expelido alcanza velocidades de más de 160 km/h. Antaño se creía que cada vez que se estornudaba el alma salía del cuerpo y el demonio podría invadirlo a menos que alguien que estuviera cerca invocara a Dios diciendo: ¡Jesús!

¿Cómo se produce un estornudo?

Los estornudos suelen ser provocados por el polvo, el polen o cualquier otra partícula irritante que se haya introducido en las sensibles membranas mucosas de la nariz. Estas membranas, que están provistas de abundantes terminaciones nerviosas, responden a la irritación mandando señales al centro respiratorio situado en la base del cerebro. Casi inmediatamente, este centro envía impulsos nerviosos a los músculos respiratorios haciendo, primero, que se aspire profundamente por la boca y, segundo, que las vías respiratorias se cierren y los músculos se contraigan comprimiendo el pecho. Cuando la presión del aire contenido en los pulmones se ha elevado, las vías respiratorias se abren de pronto y el aire sale en forma explosiva por la boca y la nariz arrastrando consigo las partículas irritantes. El resultado es un estornudo, un mecanismo de defensa primario con el que el organismo trata de librar las vías respiratorias de cualquier cuerpo extraño.

En cada estornudo se expulsan alrededor de 5 000 gotitas de moco que puede estar infectado. Si al estornudar no nos ponemos la mano o un pañuelo delante de la nariz y de la boca, las gotitas de líquido pueden llegar a una distancia de casi 4 metros.

¿Qué causa la tos?

La tos obedece a un mecanismo similar al del estornudo, sólo que en este caso el lugar de la irritación está localizado en las vías respiratorias bajas: laringe, tráquea y bronquios.

Los médicos consideran seria una tos que dura más de dos semanas. Cuando la tos es muy violenta, puede dañar las cuerdas vocales, los bronquios o los pulmones. Llega incluso a romper las costillas y ejerce tal presión sobre los músculos abdominales que puede desgarrar o romper algunos de ellos. Aun siendo leve, lo menos que hace es interrumpir el sueño. Algunas veces, una tos crónica es síntoma de otras enfermedades, graves, como pueden ser una sinusitis, asma, alergias, tuberculosis, enfisema y cáncer pulmonar.

¿Ayudan realmente las medicinas para la tos?

Si se tiene una tos seca o improductiva, es decir, una irritación que estimula constantemente el reflejo de la tos sin llegar a despejar las vías respiratorias, puede ser útil el tomar un medicamento que la suprima. El más eficaz es la codeína, pero como se trata de un narcótico que puede crear hábito, además de producir otros efectos colaterales indeseables, no es muy recomendable. Los medicamentos que se venden sin necesidad de receta médica contienen muy pequeñas cantidades de esta sustancia, y los médicos no suelen ser muy afectos a prescribir fármacos con una mayor proporción de codeína para uso prolongado. Algo menos potente es el supresor de la tos conocido como dextrometorfán, pero tiene la ventaja de que no es narcótico.

Los medicamentos llamados expectorantes, que se pueden conseguir con o sin receta médica, favorecen la tos productiva, la que extrae líquido y mucosidad de los pulmones y bronquios. Los laboratorios que producen estos medicamentos afirman en su propaganda que ayudan a fluidificar el moco y por lo tanto a eliminarlo, pero muchos especialistas aseguran que la mayoría de los expectorantes no sirven para nada y que el resto implica diversos riesgos para la salud.

Generalmente, el chupar un dulce, tomar muchos líquidos y poner un vaporizador en la habitación contribuyen a aliviar las molestias y a facilitar la expectoración. De ninguna manera se debe tratar uno mismo una tos persistente; hay que consultar al médico para que determine cuál es el problema que la está provocando, ya que puede tratarse de una afección seria que conviene atender a tiempo.

¿Qué es el catarro o resfriado común?

Aunque parezca mentira, el padecimiento, tan común como molesto, que llamamos catarro o resfriado no es una enfermedad específica, sino un conjunto de síntomas que pueden estar producidos por unos 200 virus diferentes.

Los médicos definen el resfriado como una infección de rápida evolución que afecta las vías respiratorias altas y que produce congestión y flujo nasales, ojos llorosos y, a veces, irritación de la garganta y fiebre. Si se empieza a contar desde que aparecen los primeros síntomas hasta que la congestión cede, un catarro típico suele durar alrededor de siete días, aunque esto varía mucho de una persona a otra y de un virus a otro.

¿Por qué el catarro comienza produciendo flujo nasal?

La verdad es que no comienza así; cuando la nariz empieza a fluir, el enfermo lleva ya de uno a cuatro días acatarrado. Lo que pasa es que los virus del resfriado no producen síntomas en cuanto entran al organismo, por eso al principio este tipo de enfermedades pasan inadvertidas.

El flujo nasal es la respuesta de la membrana mucosa que reviste las fosas nasales a la irritación que le causan los virus que la invaden. A pesar de ser tan molesta, la obstrucción de la nariz —producida por una inflamación que dilata los pequeños vasos sanguíneos y congestiona la mucosa llenándola de líquido— es un mecanismo de defensa del organismo. Es el precio de nuestra guerra contra los virus.

¿Por qué los catarros son más frecuentes en invierno?

Los virus que producen el catarro o resfriado no son ni más activos ni más numerosos en invierno, lo que sucede es que el organismo es más susceptible en esa estación. Como la gente pasa más tiempo dentro de las casas cuando hace frío y se cierran puertas y ventanas, está constantemente expuesta a fuentes de infección confinadas a un espacio más reducido. En la misma medida contribuye a los catarros el aire seco del invierno, sobre todo dentro de las casas

cuando se prende la calefacción o los calentadores eléctricos. Esta atmósfera reseca las mucosas de las vías respiratorias y reduce mucho su capacidad para resistir las infecciones. Por lo tanto, un virus que en verano sería enérgicamente combatido por el organismo, encuentra en invierno una oposición mucho menor.

¿Se puede contraer un catarro por mojarse los pies?

Por lo que los especialistas han podido comprobar, no hay ninguna relación directa entre pescar un resfriado y haber estado con los pies mojados, caminando bajo la lluvia o expuesto a corrientes de aire. Hace unos años, unos investigadores ingleses llevaron a cabo un complicado experimento para determinar el efecto del enfriamiento en un grupo de voluntarios. Dividieron a estas personas en tres grupos. A los del primero les inocularon virus del catarro, les hicieron que se pusieran trajes de baño mojados y los dejaron durante media hora expuestos al frío. A los del segundo no los inocularon, pero los sometieron a las mismas penalidades que al primero. Los del tercer grupo fueron infectados, pero se les mantuvo secos y abrigados. A su debido tiempo, los voluntarios del primero y el tercer grupo desarrollaron un catarro más o menos de las mismas proporciones, mientras que los del segundo siguieron tan sanos como antes.

Remedios populares: para el resfriado y la gripe ¡una polla!

El resfriado y la gripe inhiben el olfato y quitan el hambre precisamente cuando el enfermo debe comer bien, ya que para defenderse de las infecciones el organismo necesita la energía que proporcionan los alimentos. En estas condiciones, es probable que el enfermo decaído, con la nariz tapada, e inapetente, acepte una polla de leche bien caliente cuyo vaporcillo ayuda a descongestionar la nariz por un momento, un chorrito de jerez que reanima el espíritu abatido, una pizca de canela para estimular el gusto embotado, y una yema o dos para alimentar el cuerpo. La gente ha estado siempre en busca de remedios que alivien los agobios de la gripe y el resfriado, y eso ha dado como resultado los más increíbles cocimientos y cataplasmas, entre ellos caracoles cocidos en agua de cebada. En la antigua Rusia se consideraba como un remedio infalible frotarse el pecho con grasa de cerdo, y los colonos de Nueva Inglaterra se envolvían el cuello con la piel de un gato negro para curar la irritación de garganta. Hoy día contamos con diversos medicamentos para aliviar los síntomas del resfriado, pero lo mejor sigue siendo descansar, mantenerse abrigado, tomar muchos líquidos y comer alimentos ligeros que se digieran fácilmente.

La imagen tradicional del acatarrado es un ser envuelto en abrigos y bufandas, con los pies metidos en agua caliente y bebiendo una tisana. Pero la verdad es que no hay nada que reduzca la duración de este tipo de padecimientos.

Calamidades que todos compartimos

¿Cómo atacan los virus del resfriado?

Los virus resultan, en cierta forma, unos enemigos tan poco imponentes que parece mentira que nos puedan causar tanto daño.

Comparados con las bacterias, que son otros de los principales agentes de las enfermedades humanas, los virus resultan insignificantes. Son unas cien veces más pequeños que ellas —miden en promedio 0.0000025 mm de diámetro— y tienen una estructura mucho más primitiva. Los virus no se pueden reproducir fuera de las células, lo que tendría que ser un obstáculo para la propagación de las enfermedades virales, pero tienen en cambio una habilidad que contrarresta muchas de sus limitaciones: pueden penetrar en una célula y multiplicarse a expensas de su citoplasma.

Afortunadamente, el organismo no está inerme ante un ataque viral. En el aparato respiratorio penetran con mucha frecuencia virus del catarro y sólo de vez en cuando sucumbimos a ellos. Los pelos de la nariz, los cilios —filamentos microscópicos— de las células que tapizan las fosas nasales, y el moco evitan que los virus se introduzcan en las células.

Cada tipo de virus se especializa en una clase particular de células. Los del resfriado, por ejemplo, atacan exclusivamente a las células de la membrana mucosa que reviste el tracto respiratorio, y llegan allí principalmente a través de las aberturas nasales.

Es posible infectarse cuando alguien estornuda cerca de nosotros, pero es mucho más frecuente pescar un resfriado al tocar los objetos con los que ha estado en contacto una persona que se encuentra en las primeras etapas de esa enfermedad.

¿Hay personas más vulnerables al catarro?

Es un hecho que cuanto más vieja se hace una persona, menos catarros tiene. La razón principal es que aparentemente la edad confiere un mayor grado de inmunidad a los virus del resfriado común, pero también contribuye el que las personas mayores se lavan las manos con más frecuencia y tienen más cuidado con lo que tocan.

Un bebé normal, por lo demás sano, suele sufrir de 6 a 12 catarros u otras infecciones respiratorias en el primer año de vida. Esa proporción va disminuyendo gradualmente; un adolescente probablemente no padezca más de dos o tres resfriados al año. La frecuencia sigue bajando, e incluso desaparecen los catarros, hasta que esos jóvenes se convierten en padres. Entonces, el estrecho contacto con niños que se enferman a menudo de catarro puede contrarrestar la inmunidad adquirida por los padres, sobre todo las madres, que con frecuencia comparten los resfriados de sus hijos pequeños.

Algunos estudios sobre la susceptibilidad a los catarros indican que los factores socioeconómicos pueden influir en la frecuencia con que una persona se acatarra. Las familias de más bajos ingresos padecen 33% más resfriados que las del nivel económico más alto, lo que quizá se deba a que están mal alimentadas y viven hacinadas.

Algunas pruebas parecen indicar que la tensión emocional puede favorecer los catarros, lo mismo que cualquier otra enfermedad. Aunque la razón no se conoce con certeza, los especialistas suponen que se debe a que la gente responde a las tensiones fumando, bebiendo o trabajando en exceso, y todo ello debilita las defensas inmunitarias del organismo.

¿SABÍA USTED QUE...?

- **Antiguamente se creía** que la función de la respiración era exclusivamente enfriar la sangre y proveer de aire a la voz.

- **Los nativos de los Andes**, en Sudamérica, se han adaptado a la baja presión atmosférica de esas alturas —apenas 571 g/cm^2, mientras que a nivel del mar es de 1 033 g/cm^2— desarrollando unos pulmones más grandes.

- **Otro nombre de la gripe** es influenza, palabra que viene del italiano y significa influencia, quizá porque se atribuía a una mala influencia de los astros.

- **No hay necesidad de sacar** por la noche las flores o las plantas de los cuartos de los enfermos porque, aunque es cierto que consumen oxígeno en las horas de oscuridad, la cantidad que absorben es insignificante. En todo caso habría que sacarlas porque pueden albergar insectos y gérmenes en el agua.

- **El estetoscopio fue inventado** por René Laënnec, un médico francés que vivió a finales del siglo XVIII y principios del XIX. Laënnec tenía una enferma del corazón y se dio cuenta de que no podía oírle el pecho, así que enrolló un papel para hacer un tubo, puso un extremo sobre el tórax de la paciente y acercó el oído al otro extremo logrando oír perfectamente sus ruidos cardiacos. Más tarde se le añadieron al estetoscopio los auriculares, las conexiones de hule y la caja de resonancia, pero el principio es exactamente el mismo.

- **Una persona normal** respira alrededor de 390 000 m^3 de aire en el transcurso de una vida promedio.

¿Es la gripe simplemente un mal catarro?

Cuando se tiene la nariz tapada y la garganta irritada, uno no sabe, y probablemente tampoco le importe, si está resfriado o tiene gripe; las dos afecciones le hacen sentirse en un estado deplorable. Sin embargo, la gripe y el catarro son enfermedades distintas producidas por distintos virus, y la gripe presenta además otros síntomas característicos que van desde dolores de cabeza, escalofríos, irritación de los ojos y dolores musculares generalizados hasta una fatiga agotadora y fiebre de 39° o más.

La gripe está considerada como una infección potencialmente peligrosa que puede resultar muy grave para los niños pequeños, los ancianos y las personas que están debilitadas por una enfermedad crónica del corazón, o por una afección pulmonar. Algunos médicos recomiendan que las personas que pertenecen a cualquiera de estos tres grupos se vacunen todos los años contra las cepas más activas de los virus que causan la gripe.

La gripe: un enemigo esquivo

Como la gripe es una enfermedad recurrente, se han desarrollado vacunas anuales que suelen ponerse en otoño, antes de las epidemias invernales. El problema es que la inmunidad adquirida contra un tipo de gripe, a base de formar anticuerpos que combaten a los virus que la producen, no es efectiva contra otros tipos de gripe, y es difícil predecir cuál atacará ese año. Hay cuatro cepas principales de estos virus: A, B, C y D; cada una con numerosas subcepas que, además, tienden a mutar, es decir, a cambiar significativamente su estructura, lo que reduce la efectividad de las defensas inmunológicas del organismo. El virus tipo A suele presentarse cada dos o tres años, el tipo B sigue ciclos de unos cuatro o cinco años, los demás son imprevisibles. La famosa epidemia de gripe asiática de 1957 fue producida por una cepa de virus A. Los que corren mayor peligro son los niños pequeños que nunca han tenido gripe, los ancianos y los que sufren algún padecimiento crónico.

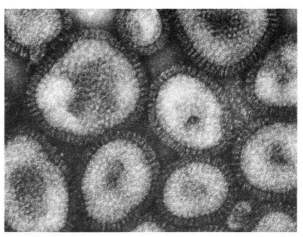

Aumentados 200 000 veces, estos virus A de la gripe erizados de espinas parecen minas flotantes listas para explotar.

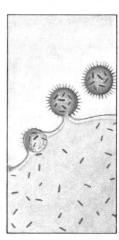

Al llegar a una célula pulmonar (arriba), un virus tipo A se abre camino hacia el interior, libera sus genes y se apodera del terreno obligando a la célula a formar gran número de nuevos virus que, más tarde, saldrán de ella listos para invadir otras células.

La ineficacia de los tapabocas de gasa se comprobó durante la epidemia mundial de gripe española de 1918; cobró 20 millones de víctimas.

Alteraciones y enfermedades pulmonares

¿Qué es una bronquitis?

La bronquitis es una inflamación de la membrana mucosa que reviste los bronquios y puede estar producida por una infección bacteriana o viral. La bronquitis aguda, de corta duración, generalmente no es una enfermedad aislada, sino una complicación de otras enfermedades, como son el catarro común, la gripe, la sinusitis o el sarampión. Los síntomas característicos de la bronquitis son tos, con la que se eliminan flemas, fiebre moderada y malestar general. En una persona, por lo demás sana, el ataque de bronquitis suele ceder a los diez días, o antes si se trata con medicamentos. Sin embargo, hay que tener mucho cuidado cuando el enfermo es un anciano o un niño muy pequeño, porque puede complicarse con una neumonía.

La bronquitis crónica es una enfermedad seria porque puede causar una lesión permanente a las vías respiratorias, incluyendo inflamación, engrosamiento y pérdida de la elasticidad de los bronquios. Esto puede producir una obstrucción parcial y una excesiva secreción de moco viscoso que dificultan el paso del aire a los pulmones, haciendo que sea menor la cantidad de oxígeno transferido a la sangre. La bronquitis crónica también puede ser un síntoma de otra enfermedad pulmonar anterior.

Se considera que una persona sufre de bronquitis crónica si los síntomas duran por lo menos tres meses y recurren en dos o más años consecutivos. Hay más hombres que mujeres con este tipo de afección, que predomina más en las áreas urbanas que en las rurales. A ello contribuyen el tabaquismo y la contaminación atmosférica.

¿Qué es lo que produce el asma?

Probablemente todos hemos oído de alguien que no puede tener perros o gatos en la casa porque es alérgico a los pelos de estos animales y le producen reacciones diversas que pueden llegar al asma bronquial.

Sin embargo, los pelos de los animales no son las únicas sustancias extrañas que provocan asma; también puede deberse al polen de las plantas, al polvo, a las plumas y a diversas sustancias químicas y alimentos. Normalmente, el ataque se produce cuando el asmático inhala la sustancia a la que es alérgico, llamada alergeno, y los músculos hipersensitivos que forman la pared de los bronquiolos se contraen en un fuerte espasmo. Esta contracción puede llegar a reducir la luz de los conductos al grosor de un alfiler provocando una sensación de asfixia, y el paciente suele tardar en recuperarse totalmente unos días.

El asma no se cura, pero puede controlarse con una combinación de terapias una vez que se ha identificado el alergeno. En algunos casos, el asmático puede ser desensibilizado con vacunas que previenen los ataques. Si se presenta un ataque agudo, se puede recurrir a medicamentos que dilaten los bronquios. En casos extremos, hay necesi-

Alergenos conducidos por el aire

El asma y la fiebre del heno, o rinitis alérgica, son dos afecciones muy molestas que se deben a reacciones anormales del organismo cuando se encuentra ante ciertas sustancias llamadas alergenos, como pueden ser el polen, el polvo, el pelo que sueltan los animales o las plumas con que se rellenan almohadas y edredones. Cuando una persona hipersensible aspira este tipo de irritantes que flotan en el aire, el sistema inmunológico de su organismo reacciona produciendo histaminas "protectoras" que son las que causan los estornudos, la comezón, la sensación de asfixia y demás síntomas.

La predisposición a las alergias es hereditaria y por lo menos un 10% de la población sufre de alguna de ellas. El mejor y más obvio tratamiento es evitar los alergenos, que los especialistas identifican haciendo unas pruebas en la piel del paciente. Si no es posible evitarlos, el médico puede prescribir un medicamento antialérgico o inyectar al enfermo periódicamente una pequeña cantidad del alergeno para irlo desensibilizando. Gracias a estas "vacunas" muchos alérgicos pueden pasar la temporada de polen sin molestias.

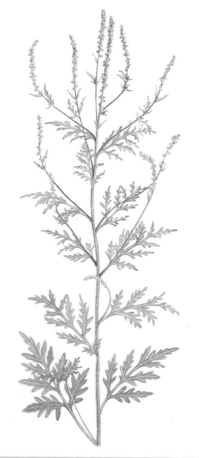

Este diminuto ácaro del polvo (aquí muy aumentado) puede causar una reacción alérgica si se inhala.

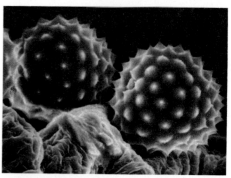

El polen de las ambrosias en flor desata una fuerte reacción alérgica entre los que sufren fiebre del heno.

dad de hospitalizar al paciente y darle respiración mecánica.

El asma generalmente aparece por primera vez en la infancia pero, afortunadamente, muchos de los enfermos ya han superado esta sensibilidad cuando llegan al estado adulto. Aunque en algunas personas hay factores psicológicos que afectan la intensidad de los ataques, todos los casos de asma tienen su origen en una hipersensibilidad fisiológica a los alergenos.

¿Por qué está aumentando el cáncer pulmonar?

Hace tiempo, cuando todavía no se había extendido tanto el hábito de fumar y la contaminación ambiental no era un problema tan serio, el cáncer pulmonar era una enfermedad rara. Sin embargo, ahora, cuando la tasa de mortalidad de la mayoría de los cánceres está bajando, el número de muertes debidas al cáncer del pulmón (llamado técnicamente carcinoma broncogénico) tiende a aumentar. La razón se atribuye, en parte, a que ha aumentado considerablemente el número de mujeres que fuman; durante muchos años este tipo de cáncer estaba restringido casi exclusivamente a los hombres entre los que era responsable, aproximadamente, de un 30% de las muertes debidas a todas las formas de cáncer. Pero ahora, la frecuencia de esta enfermedad se ha elevado constantemente entre las mujeres que fuman.

La contaminación del aire en todo el mundo como resultado del crecimiento urbano e industrial ha incrementado la inhalación de sustancias tóxicas. La proporción de los pulmones que está directamente expuesta a la contaminación ambiental es mucho mayor que la de cualquier otra parte del cuerpo, ya que la superficie interna de estos órganos es 40 veces mayor que la de la piel; se comprende entonces que la calidad del aire les afecte tanto y sea otra de las causas del cáncer pulmonar.

¿Ha dejado de ser la tuberculosis un grave problema de salud?

Hace años, se conocía la tuberculosis como tisis consuntiva porque iba gradualmente consumiendo el organismo. Gracias a la introducción de una efectiva terapia a base de antibióticos, la tuberculosis ha dejado de ser, desde los años cincuenta, la enfermedad generalizada, y muchas veces mortal, que antes era. Sin embargo, todavía se registran bastantes casos y puede considerarse una enfermedad grave.

La tuberculosis es causada por un bacilo, *Mycobacterium tuberculosis*, que se establece en los pulmones vulnerables abriendo cavidades, llamadas cavernas, y dando lugar a que se forme tejido cicatricial. La gente que ha estado expuesta a esta enfermedad debe acudir al médico para que le haga una prueba. Los síntomas son: tos, fatiga, esputo sanguinolento y falta de apetito. El tratamiento consiste generalmente en una terapia medicamentosa.

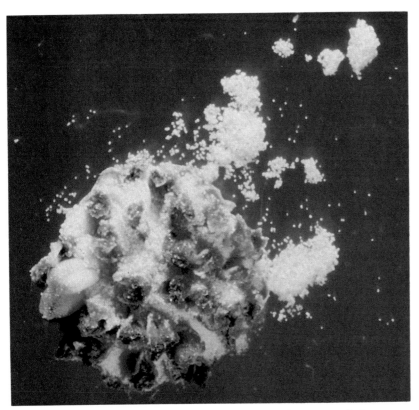

El polen del nogal negro hace estornudar, llorar y moquear a los que son alérgicos.

Los pelos de los gatos desatan reacciones alérgicas.

Urgencias respiratorias

¿Qué es la hiperventilación?

Una de las experiencias más aterradoras por la que alguien puede pasar es un ataque de hiperventilación. Se trata de una pavorosa sensación de asfixia que obliga al que la sufre a respirar profunda y aceleradamente sin que consiga recuperar el aire.

Aunque las víctimas de un ataque de hiperventilación respiran desesperadamente tratando de introducir oxígeno en los pulmones, su verdadero problema, por extraño que parezca, es que están absorbiendo *demasiado* aire. En lugar de hacerlos sentir mejor, esa respiración profunda y rápida empeora las cosas porque hace que baje mucho el nivel de bióxido de carbono en la sangre. Estamos acostumbrados a pensar que el oxígeno es siempre "bueno" para el organismo y el bióxido de carbono "nocivo", pero la verdad es que sólo necesitamos cierta cantidad de oxígeno y que normalmente debe quedar en el organismo determinado nivel de bióxido de carbono para que se pueda llevar a cabo el intercambio de gases.

A los pocos minutos de comenzar la hiperventilación, la alteración de la acidez de la sangre debida a la pérdida excesiva de bióxido de carbono produce vértigo, mareo, sudoración, taquicardia y cosquilleo o adormecimiento de las manos y los pies. El enfermo incluso se desmaya, pudiéndose confundir su estado con un ataque cardiaco.

Afortunadamente, hay un método sencillo para detener el ataque: hacer que la persona afectada respire durante unos minutos dentro de una bolsa de papel. A medida que parte del bióxido de carbono espirado vuelve a los pulmones y se restablece el equilibrio en la sangre entre este gas y el oxígeno, la respiración va haciéndose normal. Si el paciente se desmaya, puede dejar de respirar momentáneamente, pero recuperará la respiración en cuanto se acumule en el organismo suficiente bióxido de carbono.

¿Qué produce el colapso de un pulmón?

El colapso del pulmón, que técnicamente se llama atelectasia, es un estado de urgencia que a veces se presenta en los recién nacidos porque los pulmones no llegan a expandirse totalmente. En los adultos se puede producir debido a una herida en el tórax, la presencia de un cuerpo extraño en la tráquea o la obstrucción de un bronquio por un tapón mucoso o por un tumor.

Un tipo de colapso pulmonar es el llamado neumotórax. Normalmente, el ligero vacío que existe entre las dos hojas de la pleura hace que los pulmones permanezcan dilatados; pero si entra aire en ese espacio, el vacío desaparece y la presión hace que el aire salga de los pulmones contrayéndolos e impidiendo que se expandan. En casi todos los casos de colapso pulmonar se puede recuperar la función respiratoria normal si se presta pronta atención médica.

¿Qué es un enfisema y cómo puede curarse?

El enfisema es una grave alteración de los pulmones que consiste en una hipertrofia de los alveolos que están muy distendidos y han perdido su elasticidad y parte de su riego sanguíneo, lo que reduce la capacidad de intercambio de oxígeno y de bióxido de carbono entre la sangre y el aire de los pulmones. Es más frecuente encontrar esta enfermedad entre los hombres de mediana edad o los ancianos, los que padecen de bronquitis crónica o de asma, los que viven en áreas de alta contaminación ambiental y los grandes fumadores. Los síntomas del enfisema son: falta de aire, jadeos y estertores, piel azulada (cianosis) y tos crónica, algunas veces dolorosa, que produce flemas densas y viscosas.

Las lesiones producidas por el enfisema son irreversibles, pero si el enfermo deja de fumar y se muda a un lugar donde el aire esté poco contaminado, puede detenerse la evolución del padecimiento. Desgraciadamente, los que sufren enfisema están más expuestos a las infecciones respiratorias y a los ataques cardiacos.

¿Qué debe hacerse cuando una persona se atraganta?

Cuando a una persona se le atora en la tráquea un trozo de comida o cualquier otro cuerpo extraño que impide el paso del aire, en cuatro minutos puede sufrir un daño cerebral permanente o morir asfixiada. En los Estados Unidos, antes de que el doctor Henry Heimlich desarrollara una técnica para dar los primeros auxilios en estos casos, el atragantamiento ocupaba el sexto lugar entre las causas de muerte accidental.

Hay tres formas de ayudar a alguien que se ha atragantado. Una es seguir la técnica de Heimlich, que se explica detenidamente en la página siguiente. Otra es dar al acci-

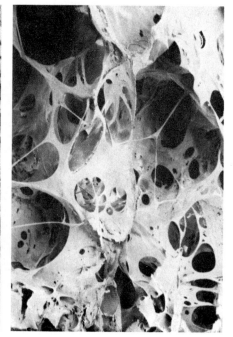

El tejido pulmonar normal (izq.) contrasta notablemente con el enfisematoso (der.). Como los alveolos del enfermo se han distendido tanto, es menor la cantidad de oxígeno que puede atravesar sus paredes y entrar a la sangre.

dentado varios golpes fuertes y secos en la espalda, entre los omóplatos, con la base de la mano. La cabeza de la víctima debe estar más baja que el tronco para que los golpes no vayan a introducir más el cuerpo extraño en lugar de expulsarlo.

En muchos casos, la tráquea no está totalmente obstruida y el accidentado puede obtener suficiente aire para aguantar más de cuatro minutos si respira despacio. Si ninguna de las medidas anteriores ha dado resultado, calme a la persona atragantada y haga que respire lenta y tranquilamente mientras la lleva al hospital.

Por otra parte, no hay que confundir un atragantamiento con un ataque cardiaco; el que sufre un ataque cardiaco puede hablar, el atragantado no.

¿Cómo se da respiración artificial?

Hay varios métodos para restablecer la respiración cuando se ha detenido debido a un accidente, asfixia, estrangulación, un paro cardiaco, una sobredosis de medicamentos o un choque eléctrico. La respiración artificial permite que el organismo de la víctima cuente con suficiente oxígeno hasta que pueda respirar por sí misma o se le aplique un respirador mecánico.

El método de respiración artificial más conocido y ampliamente utilizado es el de boca a boca. Acueste al accidentado sobre la espalda y levántele el cuello para que la cabeza quede inclinada hacia atrás lo más posible. Tápele la nariz apretándosela con dos dedos y espire sobre su boca a razón de 12 veces por minuto (20 veces si se trata de un niño), soplando con la suficiente fuerza para que el pecho se le levante visiblemente, como si estuviera respirando por sí mismo.

Algunas veces la víctima comienza a respirar después de tres horas de haberle estado dando respiración artificial y cuando ya se consideraba inútil todo esfuerzo. Por eso, el personal de primeros auxilios está entrenado para poder continuar su extenuante labor mientras haya la más leve esperanza de que la víctima responda.

La respiración artificial mecánica se aplica mediante un respirador, que insufla con fuerza aire en los pulmones a través de un tubo que se introduce a la tráquea por la boca. El respirador hace el trabajo que normalmente harían los músculos respiratorios.

Ayuda a una persona que se ha atragantado, usando la técnica de Heimlich

Cuando una persona se atraganta con algo que le obstruye la tráquea impidiéndole respirar, no puede hablar para pedir ayuda, lo único que puede hacer es gesticular y hay que auxiliarla de inmediato. Se necesita comprimirle el torso con fuerza para que expulse el aire de los pulmones violentamente y pueda arrojar el cuerpo extraño. Si usted se atraganta estando solo —o si los que están con usted no saben qué hacer—, inclínese sobre el respaldo de una silla u otro mueble firme y lance con fuerza el abdomen contra él varias veces hasta que elimine la obstrucción.

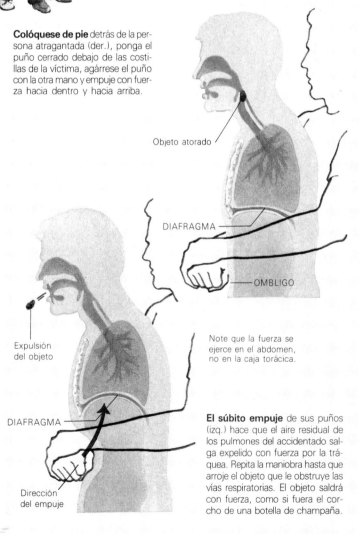

Colóquese de pie detrás de la persona atragantada (der.), ponga el puño cerrado debajo de las costillas de la víctima, agárrese el puño con la otra mano y empuje con fuerza hacia dentro y hacia arriba.

Objeto atorado

DIAFRAGMA

OMBLIGO

Expulsión del objeto

Note que la fuerza se ejerce en el abdomen, no en la caja torácica.

DIAFRAGMA

Dirección del empuje

El súbito empuje de sus puños (izq.) hace que el aire residual de los pulmones del accidentado salga expelido con fuerza por la tráquea. Repita la maniobra hasta que arroje el objeto que le obstruye las vías respiratorias. El objeto saldrá con fuerza, como si fuera el corcho de una botella de champaña.

Peligros ambientales

Los alpinistas que ascienden a gran altitud pueden sufrir hipoxia, una deficiencia de oxígeno que produce fatiga mental y somnolencia. Esto se evita llevando un tanque de oxígeno.

¿Qué es el mal de montaña?

Los sherpas, habitantes de las montañas de Nepal y afamados alpinistas, pueden permanecer varias horas sin experimentar molestias a una altitud de casi 9 000 m, donde es muy baja la presión de oxígeno; pero una persona que vive a nivel del mar empezará a sentir mal de montaña —producto del bajo nivel de oxígeno en la sangre— a una altura mucho menor, probablemente en cuanto ascienda unos 3 000 m o menos. Incluso los sherpas necesitan irse aclimatando cuando van a subir a grandes alturas.

La mayor parte de la gente vive a alturas comprendidas entre el nivel del mar y los 2 000 m. A medida que la altitud aumenta, la proporción de oxígeno disponible disminuye, pero las diferencias entre la mayor parte de las ciudades no son suficientemente gran-

des para causar trastornos a la gente sana que viaja de una baja a otra alta.

Los síntomas físicos y psicológicos del mal de montaña empiezan a aparecer cuando el cambio de altitud es marcado y brusco. Estos síntomas abarcan: vértigos, debilidad, dolores de cabeza, falta de aire, incapacidad para discernir y depresión o, en algunos casos, euforia excesiva.

El mal de montaña también puede presentarse en los aviones que vuelan a grandes alturas cuando baja la presión de la cabina; por eso estos aparatos están provistos de mascarillas de oxígeno. En las montañas, estos síntomas generalmente desaparecen por sí mismos al cabo de unos días, en cuanto el organismo se adapta a la disminución del oxígeno disponible. Pasado un tiempo, comienza a formarse un número de glóbulos rojos mayor de lo normal, con lo que aumenta la proporción de oxígeno absorbido. Esto es lo que les sucede a los sherpas, expuestos desde que nacen a una atmósfera con un bajo nivel de oxígeno. Pero también ellos tienen que irse adaptando cuando se trata de subir a alturas extremas, como la cumbre del Everest, por ejemplo, situada a 8 848 m. El mal de montaña se puede combatir también con medicamentos.

¿En qué medida afecta el clima a la respiración?

En 1952, la niebla londinense mató a alrededor de 4 000 personas; pero éste es, desde luego, un ejemplo extremo del daño a la salud que puede causar el clima.

La susceptibilidad de la gente a la contaminación ambiental varía considerablemente, pero hay ciertas condiciones atmosféricas que dificultan la respiración a todos por igual y que pueden significar un grave riesgo para la salud. Una de ellas, a la que se ha dado más publicidad, es la inversión de la temperatura.

Normalmente, la temperatura baja a medida que aumenta la altura, pero hay alteraciones atmosféricas que invierten el fenómeno haciendo que las capas de aire caliente se estacionen arriba y actúen como una tapadera que mantiene a ras del suelo la niebla y los contaminantes que, en otras condiciones, se disiparían. Después de pasar varios días expuestas a este ambiente, las personas más débiles —como son los recién nacidos, los ancianos enfermos y los asmáticos— con

frecuencia contraen afecciones respiratorias que pueden llegar a matarlos.

¿Cuáles de los contaminantes atmosféricos son más peligrosos para la salud?

La verdad es que el aire puro es ya una cosa rara, no sólo en las ciudades, sino también en lugares cada vez más alejados de las áreas metropolitanas. Las autoridades gubernamentales de todo el mundo están luchando por reducir la contaminación ambiental, pero los progresos en ese campo son demasiado lentos. Las pruebas que se han hecho del aire de las ciudades indican que está cargado de sustancias tóxicas como plomo, cobre, cinc, bióxido de azufre y monóxido de carbono.

Aunque algunos contaminantes son más tóxicos que otros, la cantidad total a que está expuesta la gente generalmente afecta más su salud que cualquiera de ellos en particular. Tómese en cuenta que alrededor de los complejos industriales urbanos descienden todos los días casi 700 kg de contaminantes por km². Incluso los aviones que vuelan a gran altura afectan la calidad del aire: se ha estimado que un jet lanza a la atmósfera unos 200 000 kg de monóxido de carbono durante un viaje trasatlántico.

¿Está uno también expuesto a contaminantes dentro de la casa?

La contaminación del aire dentro de las casas muchas veces es mayor que afuera. De acuerdo con un estudio hecho en los Estados Unidos sobre la calidad del aire en 40 casas de tipo promedio, se encontraron en la atmósfera doméstica contaminantes tóxicos como aldehído fórmico, bióxido de azufre, asbestos, plásticos, solventes, plaguicidas, cloroformo, benceno, monóxido de carbono y humo. Entre los problemas médicos serios que pueden presentarse si se inhalan algunas de estas sustancias durante un tiempo prolongado se cuentan las reacciones alérgicas, el cáncer y los defectos congénitos.

La contaminación dentro de los hogares ha aumentado considerablemente a medida que han ido cambiando los materiales y los métodos de construcción, y se ha incrementado el uso de productos de limpieza y cosméticos. Entre los que más contaminan se cuentan los aerosoles, los calentadores o estufas de petróleo o queroseno que no tienen un buen sistema de ventilación, e incluso las emanaciones que se desprenden de la ropa que ha sido lavada en seco.

El problema se agrava en las ciudades modernas porque las casas están sólidamente construidas y bien aisladas. En algunas entra tan poco aire fresco y es tan difícil que salga el aire viciado que la concentración de los contaminantes en el interior llega a niveles peligrosos para la salud.

¿Qué trabajos significan un mayor riesgo de enfermedades pulmonares?

Desde el comienzo de la civilización han existido trabajos que implican un mayor riesgo de enfermedades pulmonares. Entre la gente que trabaja, año tras año, en minas, fábricas y talleres que producen mucho polvo y, por lo tanto, están continuamente inhalando sustancias nocivas, es inevitable que se presenten muchos más casos de afecciones pulmonares que van, desde simples molestias, hasta diversos grados de incapacidad e incluso la muerte.

Hay tres tipos fundamentales de agentes que causan enfermedades laborales de los pulmones: partículas orgánicas como mohos, proteínas animales y productos vegetales; partículas inorgánicas que incluyen fragmentos de metales pesados; y sustancias químicas dispersas en el aire. Se ha visto que los fumadores expuestos a estos agentes corren mayor riesgo de contraer una enfermedad de este tipo que el resto de los trabajadores.

Algunas de las enfermedades del aparato respiratorio desencadenadas por partículas orgánicas son el pulmón de granjero, frecuente entre los campesinos que manejan paja y granos en los que se desarrollan mohos; la bisinosis, que afecta a los que hilan el algodón y otras fibras vegetales; y la enfermedad del sembrador de hongos o alveolitis alérgica, causada por las esporas de los champiñones.

Entre las enfermedades laborales debidas a la inhalación de partículas inorgánicas se encuentran la silicosis, producida por el polvo de las piedras y las rocas, la arena, el cuarzo y el sílice; la neumoconiosis de los mineros, provocada por el polvo del carbón; y la beriliosis, originada por el berilio que se usa para hacer lámparas fluorescentes.

En este grupo también está comprendida la asbestosis, causada por el fino polvo que se desprende del asbesto al procesarlo. Las partículas de asbesto, delgadas como agujas, obstruyen las vías respiratorias y laceran los pulmones, haciendo difícil la respiración y disminuyendo la capacidad de absorber oxígeno y eliminar bióxido de carbono. Además de los trabajadores del asbesto, a esta enfermedad están expuestos los que viven en casas construidas con este tipo de materiales.

Entre los productos químicos que pueden causar enfermedades pulmonares se incluyen los solventes usados para hacer pinturas y los plaguicidas.

Si usted está expuesto a este tipo de enfermedades, consulte con el médico. Si no puede mejorar sus condiciones de trabajo, sería recomendable que cambiara de empleo.

A una profundidad de unos 9 m, la presión del agua es ya casi el doble de la que estamos acostumbrados a soportar.

Peligro en las profundidades

El buceo puede ser peligroso para los novatos porque la presión del aire inhalado aumenta a medida que aumenta la presión del agua al descender. En los equipos de buceo autónomo, el regulador es el que va equilibrando la presión del aire con la del agua. Este equipo ha liberado a los buzos de los pesados trajes presurizados y de los tubos de aire alimentados desde la superficie, pero su uso requiere mayores conocimientos y un buen entrenamiento. Aunque la profundidad del agua no sea muy grande, si se asciende rápidamente se pueden sufrir cefaleas, vértigos, vómitos, dolores articulares y otras alteraciones más graves. Si el buceador se asusta y contiene la respiración mientras sube, la presión puede romper el tejido pulmonar e introducir aire en la sangre, que al llegar al cerebro causa inconsciencia y después la muerte. El único tratamiento es una rápida recompresión. La enfermedad por descompresión se debe a la formación de burbujas de nitrógeno en los tejidos y en la sangre como consecuencia de haber pasado mucho tiempo a gran profundidad.

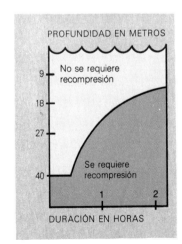

Cuanto más profundamente se baja y más tiempo dura la inmersión, mayor es el peligro de una descompresión.

Informe sobre el tabaquismo

El hábito de fumar: un invento del Nuevo Mundo

Cuando Cristóbal Colón y sus hombres desembarcaron en el Nuevo Mundo en 1492, se quedaron atónitos al ver a los nativos fumando hojas de tabaco enrolladas a la manera de los puros actuales. En el siglo XVI los españoles llevaron esa planta a Europa, pero los que la pusieron de moda fueron el francés Jean Nicot, embajador en Portugal, y el inglés Walter Raleigh, que maravilló a los londinenses echando humo con una adornada pipa que había llevado de América. Los médicos, al notar su efecto tranquilizante, prescribieron el ta-

baco como una panacea para todo tipo de males. Pronto el uso se extendió por Europa y fue arraigando el hábito. El tabaco se fumaba, se masticaba y se aspiraba por la nariz. En el siglo XVIII se populariza-ron los cigarros, que entonces no eran más que pequeños puros en-vueltos en papel.

La pipa sagrada (arriba) fue objeto de ve-neración en casi todas las tribus indígenas norteamericanas. Se usaba en todo tipo de ceremonias.

El intrépido aventurero inglés Walter Ra-leigh causó sensación al introducir el taba-co en Inglaterra. Cuando un criado lo en-contró fumando su pipa con el rostro envuelto en humo, se asustó tanto que se apresuró a apagar el "fuego" lanzando sobre Raleigh un tarro de cerveza.

¿Por qué es nocivo el tabaco?

Mal aliento, tos seca crónica, enfisema, cardiopatías y cáncer son sólo algunas de las enfermedades que pueden atribuirse, por lo menos en parte, al hábito de fumar.

El humo que produce el tabaco al arder contiene muchos gases irritantes y tóxicos; el más abundante es el monóxido de carbono, el mismo compuesto que se encuentra en las emanaciones letales de los escapes de los auto-móviles. Lo que hace que el monóxido de carbono sea tan peligroso es su extraordinaria capacidad para combinarse con la hemoglo-bina, el pigmento de la sangre que lleva el oxí-geno vital a los tejidos. La hemoglobina tiene mayor afinidad por el monóxido de carbono que por el oxígeno, así que los grandes fuma-

dores están privando a su organismo del 10% de la capacidad oxigenadora de la sangre.

La falta de oxígeno conduce a una serie de cambios perjudiciales en las funciones del or-ganismo. Para empezar, el corazón tiene que trabajar más aprisa para proveer de oxígeno a los tejidos, y los vasos sanguíneos de los dedos de las manos y de los pies se contraen dificultando la circulación. Comparado con una persona que no fuma, el fumador pro-medio tiene el doble de probabilidades de sufrir un ataque cardiaco. Si el fumador es una mujer que *además* toma anticoncepti-vos orales, tiene 20 veces más probabilida-des de desarrollar una cardiopatía que los no fumadores. También es posible que haya otros cambios que aún se desconocen en la química sanguínea de los fumadores.

¿Cuáles son los componentes del tabaco que causan cáncer?

Los alquitranes del tabaco, unas sustan-cias viscosas de color negro o café oscuro muy similares al chapopote que se usa para pavimentar las carreteras, son los principa-les carcinógenos de esta planta. Se acumu-lan en los sensibles tejidos del aparato respi-ratorio irritándolos continuamente, hasta que al cabo de unos años producen altera-ciones graves como pueden ser la bronqui-tis crónica y el cáncer.

El fumar cigarros puede causar cáncer en diversas partes del cuerpo, pero no es de extrañar que los órganos más susceptibles a lesiones sean los pulmones. El cáncer pul-monar es la forma más frecuente de esta enfermedad en el mundo occidental: los hombres que han fumado mucho durante 20 años o más son 20 veces más susceptibles que los no fumadores. Las mujeres, que antes rara vez padecían esta forma de cáncer, han ido engrosando la lista de enfermos a medida que se han incorporado a la de los grandes fumadores.

¿Hay formas de fumar más peligrosas que otras?

Muchos de los que fuman cigarros suponen que podrán estar a salvo del cáncer si usan una boquilla, fuman cigarros con filtro o cambian al puro o a la pipa, pero desgraciadamente no es así.

Sin embargo, no todas las formas de fumar causan el mismo daño. Está bastante bien establecido que hay una relación directa entre el perjuicio que produce el tabaco y las cantidades de alquitrán, nicotina y monóxido de carbono absorbidas. Los que fuman cigarros generalmente inhalan el humo, que llega directamente a las vías respiratorias y a los pulmones; los que fuman puro o pipa no lo hacen así; por lo tanto, es más probable que los primeros desarrollen cáncer de pulmón o cardiopatías.

Sin embargo los fumadores de puro o de pipa corren otro tipo de riesgos. Aunque entre ellos el cáncer pulmonar es ligeramente más frecuente que entre los no fumadores, es mucho más común el cáncer de los labios, la boca, la laringe y el esófago.

Si se trata de escoger, teóricamente el fumador correrá menos riesgo si elige un cigarro con filtro, bajo en nicotina y alquitranes, pero en la práctica se ha demostrado que no es necesariamente así, ya que la persona acostumbrada a altas concentraciones de estos compuestos, cuando cambia a una marca de cigarros más suaves y con filtro, lo compensa fumando más e inhalando más profundamente. Por su parte, los que adoptan la boquilla terminan fumando más de cada cigarro.

¿Cuáles son los riesgos de fumar durante el embarazo?

Como la madre y el feto están tan estrechamente unidos, los perjuicios del tabaco alcanzan al niño antes de nacer. Hay estudios que demuestran que las mujeres embarazadas que fuman entre 15 y 20 cigarros al día tienen el doble de probabilidades de sufrir un aborto que las que no fuman y, si el niño nace a término, seguramente pesará menos que los niños de madres que no fuman. Lo más probable es que todo esto se deba a la deficiencia de oxígeno que afecta, no sólo a la madre que está inhalando el monóxido de carbono del humo de los cigarros, sino también al embrión o al feto que se está desarrollando dentro de ella.

Durante las primeras semanas de vida, el índice de mortalidad entre los hijos de fumadoras es 30% más alto que entre los de mujeres que no fuman. Los bebés amamantados por madres que fuman absorben una pequeña cantidad de nicotina y cuando crecen son más susceptibles a las infecciones respiratorias, entre ellas las neumonías, que el resto de la población.

¿Nunca es tarde para dejar de fumar?

Aparentemente, todos los procesos degenerativos que conlleva el tabaquismo se detienen en el momento en que uno apaga su último cigarro. Después de haber dejado de fumar, las probabilidades de desarrollar una enfermedad asociada al tabaco disminuyen año con año.

Unos investigadores que siguieron la historia clínica de un grupo de médicos británicos durante 20 años encontraron que entre los fumadores la tasa de mortalidad por cáncer pulmonar era 16 veces más alta que entre los que nunca habían fumado. Pero también comprobaron que la tasa de mortalidad de los médicos que dejaron de fumar cuando se empezó el estudio fue bajando al transcurrir el tiempo. Después de 9 años de abstinencia, el riesgo de cáncer de los ex fumadores era sólo 6 veces mayor que el de sus colegas que nunca habían fumado, y a los 15 años sus probabilidades se habían reducido el doble.

Se han inventado las más variadas técnicas para dejar de fumar —acupuntura, hipnosis, yoga y muchas otras— y por lo que se ha visto todas han ayudado a alguien, pero el factor principal es, indudablemente, la determinación de llevarlo a cabo.

El cine como promotor del tabaquismo

El fumar hizo furor cuando el cine lo convirtió en un sinónimo de madurez, "glamour", mundanidad y atractivo sexual. Muchas escenas de amor mostraban a los enamorados aspirando lentamente un cigarro mientras las volutas de humo envolvían sus rostros. El cine también estableció otros modelos, el del fuerte y silencioso héroe del Oeste enrollando un cigarro o el del prominente hombre de negocios que apretaba entre sus dientes un enorme puro. Inspiradas en tales personajes, varias generaciones de cinéfilos quedaron convencidas de que fumar era la mejor prueba de madurez. El tabaquismo sufrió un rudo golpe cuando empezaron a publicarse los informes médicos sobre el daño que causaba y las autoridades sanitarias exigieron que así se indicara en las cajetillas de cigarros.

El arte de fumar en las películas alcanzó su punto culminante en una escena de *Now, voyager* en la que Paul Henreid prende dos cigarros y le da uno a Bette Davis.

Capítulo 6

LA PIEL

Es poco frecuente darse cuenta de que la piel es un órgano, como el hígado o los pulmones, pero efectivamente lo es, y el mayor de todos. La piel protege el cuerpo, proporciona información sobre el mundo que nos rodea e incluso sintetiza vitamina D.

¿Qué función desempeña la piel?

Como cubierta protectora, la piel resulta extraordinaria: es impermeable, ayuda a regular la temperatura del cuerpo, detiene y destruye las bacterias patógenas, hace crecer el pelo, excreta líquidos y sales, y por medio de su agudo sentido del tacto nos permite relacionarnos con el mundo que nos rodea.

Pero eso no es todo; la piel también absorbe los rayos ultravioleta de la luz del Sol y los emplea para convertir ciertas sustancias químicas en vitamina D, que el organismo necesita para poder utilizar adecuadamente el calcio.

Esta vestimenta natural que nos cubre pesa entre 3 y 5 kg. Si la extendiéramos sobre una superficie, cubriría un área de 1 por 2 metros.

¿Por qué unas personas sienten más cosquillas que otras?

Una de las cosas curiosas acerca de las cosquillas es que uno no se las puede producir a sí mismo; la otra es la ambivalencia de la respuesta psicológica. La primera reacción generalmente es placentera, pero algunas veces se va convirtiendo en angustia; la sensación que nos producen es una mezcla de tensión y voluptuosidad.

Aunque todavía no se comprende bien el mecanismo al que obedecen, se supone que el leve deslizamiento de las yemas de los dedos sobre la piel excita ciertas terminaciones nerviosas, finas y muy sensibles, situadas bajo la epidermis, sobre todo en las axilas, las palmas de las manos y las plantas de los pies.

La respuesta a ese roce, lo que llamamos cosquillas, es involuntaria, pero a veces se puede controlar a base de un gran esfuerzo. La primera reacción, y la más obvia, es la risa, pero hay otras alteraciones fisiológicas: el pulso se acelera, la presión arterial aumenta y el cuerpo se pone tenso y en estado de alerta.

¿Qué provoca la sudoración de las manos y el sudor frío?

La humedad en las manos y el sudor que baña el cuerpo pueden ser producto de la emoción, la fiebre, el calor o el ejercicio. El sudor de las palmas de las manos con frecuencia va asociado a un estado de tensión y ansiedad, en cambio ese sudor frío que parece helarnos el cuerpo es el resultado de un miedo que está al borde del pánico.

¿Por qué nos sonrojamos?

Por lo que hasta ahora se sabe, los seres humanos son los únicos animales que se sonrojan, lo que quizá se deba a que somos los únicos capaces de sentir vergüenza, turbación y temor al ridículo, que son las emociones que con más frecuencia nos hacen ruborizar.

Es fácil reconocer las emociones que producen el sonrojo, pero, aunque parezca mentira, los científicos aún no se ponen de acuerdo sobre el mecanismo que lo estimula. Se sabe que el intenso color rojo que adquiere la piel —sobre todo la de la cara, el cuello y la parte alta del pecho— se debe a la dilatación de los vasos sanguíneos que la irrigan, lo que aumenta el flujo de sangre que pasa por ellos.

Al darnos cuenta de que nos hemos ruborizado, nuestro bochorno aumenta sin que podamos impedirlo, ya que se trata de una reacción totalmente involuntaria. No hay fuerza de voluntad capaz de evitar el sonrojo; si uno se siente avergonzado no se puede hacer nada para controlarlo.

¿A qué se deben las diferencias en el color de la piel?

Todo el mundo, desde el más rubio de los escandinavos hasta el más negro de los africanos, tenemos en la piel aproximadamente el mismo número de células pigmentarias llamadas melanocitos; por lo tanto, el color de nuestra piel no depende de la cantidad de este tipo de células que haya en ella, sino de la forma como funcionan.

Las variaciones de color que se presentan entre unas etnias y otras y entre los individuos de la misma etnia se deben a la cantidad de melanina, un pigmento de color café oscuro que producen los melanocitos.

El color de la piel tiene una función protectora porque la melanina absorbe la luz ultravioleta que, aunque es necesaria en cantidades moderadas, resulta nociva si entra al organismo en exceso. En África y otras regiones soleadas, la piel oscura sirve de defensa contra la intensa radiación solar. En los países escandinavos y en otras zonas donde llega menos luz ultravioleta, la piel clara permite a los habitantes recibir toda la que necesitan para que su organismo produzca vitamina D.

¿Qué tienen de particular los pelirrojos?

Rutilismo es el extraño término que los científicos aplican al carácter que produce el pelo rojo y procede de una palabra latina que significa, precisamente, rojo. Además de ser tan llamativo, el pelo rojo es peculiar porque debe su color a un raro pigmento. En la mayoría de las personas, el color del pelo se debe a la mayor o menor cantidad de melanina. El pelo negro o castaño oscuro contiene una alta concentración de melanina, el rubio es claro simplemente porque tiene una baja proporción de ese pigmento. Pero los pelirrojos "puros" tienen un gene particular que les hace producir un pigmento rojo, distinto a la melanina, al que deben el sorprendente tono de su pelo.

Algunas veces, el pigmento rojo no puede competir con la melanina que todos producimos y queda más o menos enmascarado. Si el nivel de melanina en el pelo es alto, el color rojo sólo se manifiesta como un tono caoba o cobrizo; si el gene del rutilismo se da en una persona rubia, la combinación resultante es un color fresa.

El color del cabello es una característica hereditaria y los colores oscuros dominan sobre el rubio o el rojo. Así, un niño será rubio o pelirrojo sólo si ambos padres lo son o si llevan el gene que produce ese color de pelo aunque no se manifieste. Si uno de los padres es rubio o pelirrojo y el otro es moreno, es muy probable que el niño nazca con el pelo oscuro.

Por razones desconocidas, en unos países abundan más los pelirrojos que en otros. En el norte de Alemania, por ejemplo, uno de cada 100 habitantes es pelirrojo; en Escocia, en cambio, ese número llega al 11%. Es verdad que el pelo rojo es muy bonito, pero trae consigo ciertas desventajas. Los pelirrojos se queman con facilidad y su piel es hipersensible a muchos medicamentos.

El color de la piel está determinado por un pigmento llamado melanina. La gente *de piel oscura tiene mucha melanina, en cambio los de piel rosada tienen tan poca que se trasluce el color de la sangre. Los albinos carecen de melanina.*

La piel: una armadura extraordinaria

¿Es la piel tan simple como parece?

La mayoría de nosotros no sabemos lo que es la piel y consideramos que se trata de una estructura sencilla porque no vemos más que la superficie externa, pero esa superficie es sólo la última de las capas de un complejo sistema que llega más profundamente y que varía de un lugar a otro de nuestro cuerpo. Vista en un corte transversal, la piel presenta dos zonas fundamentales: la dermis y la epidermis. La dermis es la más profunda y gruesa; en ella se encuentran glándulas sebáceas y sudoríparas, folículos pilosos, nervios, receptores táctiles y una red de vasos sanguíneos que nutren a las capas que están por encima.

Un especialista se entretuvo en contar el número de estos elementos que había en 1 cm^2 de piel de determinada zona del cuerpo y encontró: 10 folículos pilosos, 16 glándulas sebáceas, 100 glándulas sudoríparas, numerosos vasos sanguíneos, incontables nervios y 230 receptores sensoriales de distinto tipo.

¿Cómo se renueva la piel?

Por encima de la dermis (palabra que en griego significa piel) se encuentra la epidermis (que quiere decir encima de la piel). Las células más profundas de la epidermis se están continuamente multiplicando para formar nuevas células que se van incorporando a los estratos superiores. A medida que ascienden se van aplanando, queratinizando y muriendo hasta llegar a la capa córnea, que es la más externa. A diferencia de la dermis, la epidermis carece de nervios y de vasos sanguíneos, y es alimentada por el oxígeno y los nutrientes que se difunden de las capas inferiores. Habrá notado que si al coser llega a atravesarla con la aguja, no le duele ni sangra.

¿Qué función tiene la carne de gallina?

A decir verdad, ninguna. Generalmente se nos pone la carne de gallina cuando tenemos frío como consecuencia incidental de los esfuerzos del organismo para mantener la temperatura interna dentro de los límites normales. Los receptores del frío que hay en la piel, estimulados por la temperatura exterior, mandan señales a una parte del cerebro llamada hipotálamo. El hipotálamo, a su vez, envía estímulos a los delgados vasos sanguíneos que abundan en la piel para que se contraigan reduciendo la pérdida de calor, pero esos estímulos alcanzan también a los pequeños músculos erectores, que se contraen erizando el vello y produciendo la carne de gallina.

¿Por qué sudamos?

Dispersas por la dermis hay millones de diminutas glándulas que producen el sudor y lo vierten en la superficie de la piel. Hay dos tipos de glándulas sudoríparas que responden a diferentes estímulos: las ecrinas y las apocrinas.

Las glándulas ecrinas, que se encuentran uniformemente distribuidas en la piel, son las que más sudor producen como respuesta a una elevación de la temperatura en la superficie del cuerpo o a diversas emociones. Las apocrinas, que se localizan sobre todo en las axilas, las ingles y el área genital, se forman allí desde antes del nacimiento, pero no llegan a tener una funcionalidad total sino hasta la pubertad. Los estímulos que las activan son las emociones fuertes, desde el coraje y el miedo hasta la excitación sexual.

La secreción de las glándulas sudoríparas no tiene un olor molesto; el mal olor, sobre todo el del sudor de las glándulas apocrinas, se debe a las bacterias que proliferan en las zonas húmedas y cálidas de nuestro cuerpo donde el sudor se acumula.

¿Es siempre bueno sudar?

A través de la piel excretamos todos los días alrededor de medio litro de agua. Este tipo de sudoración, del que no nos damos cuenta y que por eso se llama transpiración insensible, no se origina en las glándulas sudoríparas, sino que está formado por líquido que se difunde a través de la capa córnea de la piel.

El verdadero sudor comienza a producirse cuando se eleva la temperatura ambiente o se hace un ejercicio violento, y fluye a través de los millones de poros que hay en la piel formando gotas visibles que pronto se convierten en regueros. De esta manera se pueden llegar a perder más de 11 litros de líquido en 24 horas.

Si esta intensa sudoración se prolonga por mucho tiempo, puede resultar nociva. Cuando el sudor no se evapora a la misma velocidad que se forma, pierde su efecto refrescante; además, sustrae sales de la provisión que necesita el organismo. Como el sudar tanto produce mucha sed, se bebe agua en grandes cantidades, lo que diluye aún más las soluciones salinas que forman el medio interno de nuestro cuerpo.

¿SABÍA USTED QUE...?

- **La reina Isabel I de Inglaterra** usaba un polvo blanco de alabastro o almidón para embellecerse el cutis. Además de imitarla, sus damas se untaban el rostro con clara de huevo para evitar que se les cayese el polvo.

- **El pelo corto se popularizó** entre las mujeres durante la Primera Guerra Mundial, cuando empezaron a trabajar en las fábricas para sustituir a los hombres que estaban en el frente. En vista de que sus exuberantes rizos y trenzas solían enredarse en las máquinas, decidieron prescindir de ellos.

- **La piel humana es tan resistente** y duradera que cuando se tomaron las huellas dactilares de una momia que tenía 2 000 años de antigüedad se encontró cada relieve y cada surco perfectamente conservados.

- **El cold cream fue inventado por los griegos** y consistía en una mezcla de aceite de oliva, miel de abejas y agua de rosas. Aunque los productos actuales están más refinados y se les añaden otros ingredientes, la fórmula básica es la misma.

- **El pie de atleta es una forma de tiña**, enfermedad producida por un hongo que puede afectar cualquier parte del cuerpo, sobre todo los pies y el cuero cabelludo.

- **El pelo, lo mismo que las uñas**, crece más aprisa en verano que en invierno; en cambio los frecuentes cortes no estimulan su crecimiento, aunque así lo *parezca*.

¿A qué profundidad llega la piel?

El grosor de la piel varía considerablemente en unos puntos y en otros; donde es más delgada es en los párpados, en cambio en la palma de las manos y en la planta de los pies es notablemente gruesa. En promedio, la capa más superficial de la piel, la epidermis, tiene un grosor de 0.1 mm; la dermis, que está por debajo, es unas cuatro veces más gruesa.

El estrato más superficial de la epidermis, llamado capa córnea, está formado por células en la última etapa de queratinización: aplanadas, insensibles y a punto de descamarse. Los demás estratos de la epidermis están constituidos por células vivas y reciben nutrientes de la dermis por difusión.

La dermis, que proporciona a la piel nutrimento, fuerza y soporte, está formada principalmente por colágeno, una proteína fibrosa de las más resistentes que hay en el organismo, y elastina, otra proteína que se caracteriza por su plasticidad.

La dermis también está estratificada. La capa superior, llamada papilar, consiste en una serie de pequeñas papilas o montículos ricos en vasos sanguíneos y terminaciones nerviosas. La capa reticular, que está por debajo, es una densa malla de fibras conectivas adheridas en su base al tejido subcutáneo, que no se considera parte de la piel. Las fibras conectivas y la grasa del tejido subcutáneo protegen los órganos internos.

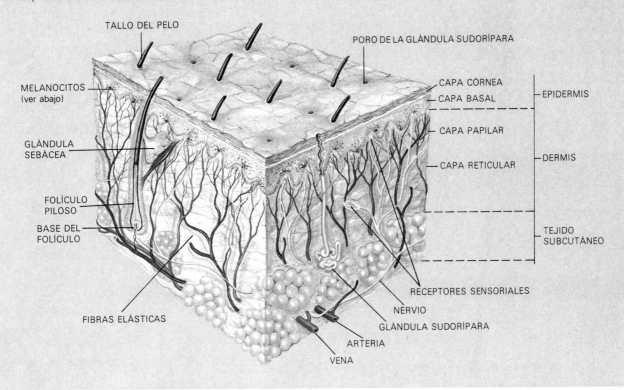

La melanina, pigmento que da color a la piel, se forma en unas células llamadas melanocitos situadas en la capa basal de la epidermis (ver arriba). La función de la melanina es proteger los tejidos internos del exceso de rayos ultravioleta. A medida que se forman, los gránulos del pigmento son transferidos a través de unas finas prolongaciones de los melanocitos a otras células epiteliales, principalmente a las basales. Estas células se dividen y van ascendiendo, primero a la capa de células espinosas y luego a la capa córnea.

CAPA CÓRNEA de células cada vez más aplanadas que se van descamando.

CÉLULAS ESPINOSAS que llevan gránulos de melanina (puntos oscuros) hacia la superficie.

MELANOCITO situado entre varias células basales a las que transfiere gránulos de melanina.

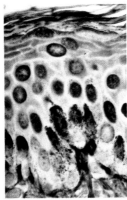

Corte teñido para mostrar la forma de los melanocitos.

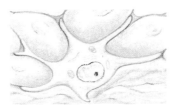

Este melanocito, aislado entre células basales, tiene poca melanina.

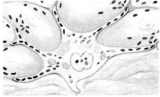

Cuando la piel se broncea, se forman más gránulos, que emigran hacia arriba.

La piel como medio ecológico

¿Está nuestra piel alguna vez realmente limpia?

Al salir de la tina o de la regadera podremos sentirnos frescos y rozagantes, pero desde el punto de vista bacteriológico no estamos muy limpios que digamos. Desde luego que lavarnos con agua y jabón desprende el polvo y el sudor del día, parte de las secreciones oleosas del cuerpo y muchos microorganismos; pero deja aún en la piel billones de bacterias, levaduras y hongos que son residentes habituales y de los que no podemos librarnos por mucho que nos frotemos.

Estos microorganismos son especialmente abundantes en las zonas de nuestro cuerpo donde encuentran un ambiente húmedo y cálido y copioso alimento. Para ellos esos nutrientes son las secreciones de las glándulas sebáceas, que producen una sustancia oleosa, y de las glándulas sudoríparas, sobre todo las apocrinas. El rostro, el cuello, las axilas y el área genital son las partes que más bacterias albergan: un hombre sano y limpio tiene en la axila, como promedio, 2.4 millones de bacterias por cada centímetro cuadrado. En cambio el torso y la parte alta de los brazos son los que menos bacterias hospedan, precisamente porque son los que menos glándulas sebáceas y apocrinas tienen. Cada tipo de microorganismos tiene preferencia por una zona en particular. Los hongos prosperan bien en el ambiente húmedo que les proporcionan las ingles y los pies; en cambio la piel grasienta de la nariz, los oídos y el cuero cabelludo es ideal para que se multipliquen las levaduras.

¿Son nocivos los gérmenes de la piel?

Las bacterias llamadas *Staphylococcus aureus* pueden resultar tremendamente patógenas si llegan a penetrar en el torrente circulatorio. La gravedad de las enfermedades que causan varía desde barros y forúnculos hasta neumonía, endocarditis y septicemias que pueden resultar mortales. Sin embargo, esas mismas bacterias son inofensivas cuando permanecen en la superficie de la piel, lo mismo que la inmensa mayoría de los gérmenes que normalmente la pueblan.

Otro ejemplo: el *Corynebacterium acnes*, que habita en los folículos pilosos, la mayor parte de las veces no causa daño alguno, pero durante la adolescencia, cuando la actividad de las glándulas sebáceas aumenta notablemente, empieza a proliferar provocando lo que para los chicos jóvenes es una pesadilla: el acné.

Lo mismo ocurre con ciertos hongos que prosperan entre los dedos y en las plantas de los pies sin causar problemas. Pero si la piel se agrieta o si los pies sudan excesivamente, empiezan a multiplicarse e invaden las capas más profundas produciendo el pie de atleta.

¿Nos benefician en algo los microorganismos que pueblan nuestra piel?

La idea de tener seres vivos pululando por encima de nosotros nos resulta de lo más desagradable, pero los científicos afirman que muchos de esos microorganismos nos evitan males mayores, ya que nos están protegiendo de los gérmenes patógenos que an-

Una sencilla práctica de vital importancia

Ignaz Semmelweis, un joven obstetra que en el decenio de 1840 trabajaba en una maternidad de Viena, fue uno de los primeros en reconocer que los gérmenes patógenos pueden transmitirse por contacto. En el hospital había muchos casos de fiebre puerperal, una infección que en aquella época mataba un alto porcentaje de mujeres recién paridas. Curiosamente, la tasa de mortalidad era mucho mayor en la sala que estaba a cargo de estudiantes de medicina que en la atendida por comadronas. Semmelweis se dio cuenta de la causa cuando vio morir a un colega de una infección similar: los estudiantes hacían autopsias, las comadronas no, y eran ellos los que llevaban las infecciones del anfiteatro a la sala de maternidad. Semmelweis resolvió el problema preparando un antiséptico para que los estudiantes se lavaran las manos. Aunque así redujo la tasa de mortalidad, la antisepsia tardó varios años en ser aceptada.

Semmelweis, en otro tiempo desdeñado por su teoría de la antisepsia, ahora es respetado como precursor. El lavamanos que usaba (der.) está en un museo.

dan por todas partes listos para atacar. El hecho de que la piel esté ya ocupada por organismos inocuos significa una competencia para los patógenos y una protección para nosotros. Incluso entre nuestros huéspedes habituales hay algunos que desempeñan un papel más activo en esta defensa. Existe un grupo de bacterias que transforman la secreción de las glándulas sebáceas en ácidos grasos que inhiben el desarrollo de microorganismos nocivos.

¿También los bebés tienen bacterias en la piel?

La piel de los bebés que nacen por cesárea está estéril, pero empieza a adquirir microorganismos en cuanto sale a la luz; la de los niños que nacen por vía natural se puebla de bacterias durante el proceso mismo del parto, ya que en la vagina de la madre hay siempre microorganismos e inevitablemente el bebé entra en contacto con ellos. Algunos de los gérmenes llegan a la piel del niño al tocarlo o cargarlo, otros están diseminados en el aire procedentes de las minúsculas escamas de piel muerta que constantemente soltamos todos.

¿Pueden vivir en nuestra piel insectos y otros organismos parecidos?

La piel humana algunas veces alberga ácaros microscópicos como el arador de la sarna y el ácaro de las cosechas o piojo rojo. Sólo la hembra del arador de la sarna acude a la piel, donde se entierra para poner sus huevecillos que eclosionan a los tres o cuatro días. Las crías se hacen notar unas cuantas semanas más tarde produciendo una reacción alérgica que causa mucha comezón. Las larvas del ácaro de las cosechas, que se suelen adquirir en el campo, también se alojan bajo la piel, donde se nutren de sangre y provocan ronchas e inflamación.

Los piojos, en cambio, viven encima de la piel y no dentro de ella. Se alimentan de sangre chupándola a través de un tubo de succión, como lo hacen los mosquitos. Los que transmiten el tifus son los piojos de la ropa o piojos blancos. Las ladillas y los piojos de la cabeza son menos peligrosos; las primeras infestan el vello del pubis y de las axilas, los segundos se alojan en el cuero cabelludo.

Este acercamiento de una glándula sudorípara explica por qué el baño diario no libra a la piel de gérmenes. Sus numerosas oquedades sirven de escondite a las bacterias, como éstas teñidas de verde que ocupan las paredes de un poro.

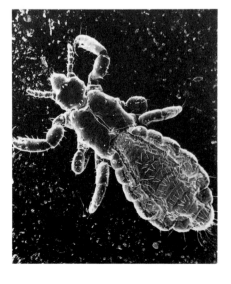

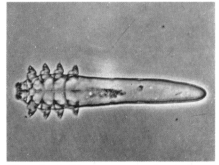

Entre los habitantes temporales de la piel se cuentan huéspedes indeseables como el piojo (izq.), que muerde para chupar la sangre y puede transmitir enfermedades. En cambio este ácaro (arriba), comensal permanente de los folículos pilosos, suele ser inofensivo.

La piel que nos tocó en suerte

Ser pecoso es una tendencia hereditaria que seguramente ya se habrá manifestado a la edad de 6 años; pasados los 20 no suelen aparecer nuevas pecas.

¿Por qué algunas personas son pecosas?

Aunque cualquiera puede desarrollar esos pequeños puntos pigmentados que llamamos pecas, es más frecuente que se formen en las personas de piel clara. Las pecas no causan daño ni molestias y algunos las encuentran graciosas. Aparentemente, ese tipo de pigmentación se debe, por lo menos hasta cierto grado, a la herencia.

Normalmente, la luz del Sol estimula la producción de melanina, el pigmento que da color a la piel y la protege del daño que puede hacerle el exceso de rayos ultravioleta. En las personas de piel muy clara, las células pigmentarias no responden homogéneamente a los rayos solares (a veces no responden en absoluto). El resultado es que la piel no se broncea uniformemente, sino que el pigmento aparece en forma de pequeñas manchitas oscuras entre las cuales la piel queda expuesta a quemarse.

¿A qué se debe el albinismo?

La palabra albino viene del latín *albus*, que quiere decir blanco. En los albinos la piel, el pelo y el iris de los ojos carecen de color propio; la piel y el iris se ven color de rosa porque se traslucen los vasos sanguíneos que hay por debajo; en cambio el pelo, como no los tiene, permanece blanco.

El albinismo afecta alrededor de una de cada 20 000 personas de cualquier raza y es hereditario. Se debe a la falta total de melanina, el pigmento que normalmente da color a la piel, al pelo y al iris de los ojos. La melanina es el producto final de una compleja serie de reacciones químicas y no se puede formar sin la presencia de una enzima llamada tirosinasa. Como el organismo de los albinos no está genéticamente codificado para producir esta enzima, no puede elaborar melanina.

¿Qué son las manchas de nacimiento?

Las manchas de nacimiento se deben a una distribución anormal de los vasos sanguíneos o de las células pigmentarias. Cuando a las pocas semanas de haber nacido aparece en la cara de un bebé una mancha de un color rojo intenso a veces realzada, lo que técnicamente se llama un angioma cavernoso y comúnmente se conoce como antojo, los padres se alarman y se desesperan sin necesidad. Es verdad que la mancha seguirá creciendo durante seis meses o más, pero lo más probable es que ya haya desaparecido cuando el niño tenga edad de ir a la escuela.

Las llamadas manchas de vino sí son un problema porque no desaparecen y pueden llegar a desfigurar hasta la mitad de la cara. Hasta hace poco tiempo, la única manera de resolver el problema era ocultarlas con un maquillaje especial, pero ahora ha empezado a usarse el láser, en algunos casos con buenos resultados.

Tanto los antojos como las manchas de vino están producidos por una acumulación anormal de capilares, que son los vasos sanguíneos más delgados. Los antojos se van difuminando a medida que la piel del niño crece; las manchas de vino son demasiado grandes y densas para dispersarse.

¿Pueden dar problemas los lunares?

Los lunares, como las pecas, son acumulaciones de melanina, pero los lunares suelen aparecer aislados y no en grupos.

Hay otra diferencia entre ellos. La melanina de las pecas se concentra en la epidermis, la capa más externa de la piel; en cambio la que forma los lunares se suele depositar en capas más profundas. Si se acumula en la dermis se le llama técnicamente nevo intradérmico (del latín *nevus*, que significa marca en el cuerpo); si el pigmento se localiza entre la dermis y la epidermis, constituye un nevo de unión. Los lunares intradérmicos suelen estar ligeramente realzados y frecuentemente sobre ellos crece vello. Los de unión, en cambio, son planos y más oscuros.

Los lunares intradérmicos rara vez significan un peligro y la mayoría de los nevos de unión también suelen ser benignos, pero hay algunos que pueden ser precursores de melanomas malignos. Si usted tiene un lunar que está cambiando de tamaño o de color o de repente empieza a sangrar, debe consultar al médico lo antes posible.

¿Tienen las huellas digitales algún uso práctico?

Todo el mundo sabe que las huellas digitales que deja impreso el relieve de la piel de las yemas de los dedos sirve a la policía para identificar a los criminales desde 1901, cuando se introdujo en Scotland Yard el sistema Galton-Henry para clasificarlas. Las ventajas de esta forma de identificación han hecho que rebase los círculos policiacos y se use también en asuntos civiles.

Lo que es quizá menos conocido es que esa serie de surcos y elevaciones de la piel que llamamos huellas digitales tienen un uso práctico en la vida: dan a la superficie de la piel una rugosidad que evita que se nos resbalen las cosas que tomamos con los dedos y son indispensables para apreciar lo que tocamos.

¿Por qué a los bebés se les toma la huella del pie en lugar de las de los dedos?

La mayoría de los hospitales prefieren tomar la huella plantar de los recién nacidos por dos razones muy sencillas: una, que al imprimir sus huellas digitales lo primero que hace el bebé es meterse los dedos entintados en la boca, y la otra, que es más fácil obte-

ner huellas claras de dos pies que de diez dedos diminutos, sobre todo cuando el niño no deja de moverse.

Como medio de identificación las huellas plantares son menos confiables que las digitales; lo mismo serviría cualquier otra superficie de las manos o de los pies. A los adultos es más fácil tomarles las huellas digitales y se tiene la ventaja de que ya están clasificados los arcos, espirales y asas que forman su relieve.

No hay dos huellas digitales iguales

En los gemelos idénticos el dibujo del relieve de las yemas de los dedos es similar, pero no exactamente igual. Las huellas digitales de una persona difieren siempre de las de cualquier otra y nunca varían. La piel que vuelve a formarse después de una herida sigue el mismo patrón que tenía al nacer, a me-

nos que se destruya hasta la capa más profunda. Por eso las huellas digitales son el mejor medio de identificación. Han resultado útiles para identificar amnésicos que habían olvidado hasta su nombre, víctimas de accidentes que quedaron con la cara destrozada y, naturalmente, criminales.

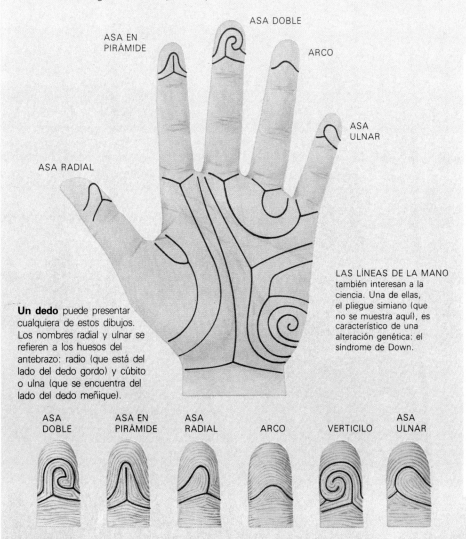

ASA EN PIRÁMIDE

ASA DOBLE

ARCO

ASA ULNAR

ASA RADIAL

Un dedo puede presentar cualquiera de estos dibujos. Los nombres radial y ulnar se refieren a los huesos del antebrazo: radio (que está del lado del dedo gordo) y cúbito o ulna (que se encuentra del lado del dedo meñique).

LAS LÍNEAS DE LA MANO también interesan a la ciencia. Una de ellas, el pliegue simiano (que no se muestra aquí), es característico de una alteración genética: el síndrome de Down.

| ASA DOBLE | ASA EN PIRÁMIDE | ASA RADIAL | ARCO | VERTICILO | ASA ULNAR |

Las micrografías de la piel de otras partes del cuerpo muestran un dibujo muy distinto del relieve de las manos y de los pies.

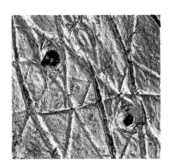

Piel del lóbulo de la oreja.

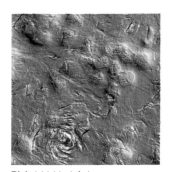

Piel del labio inferior.

La sensibilidad de la piel humana

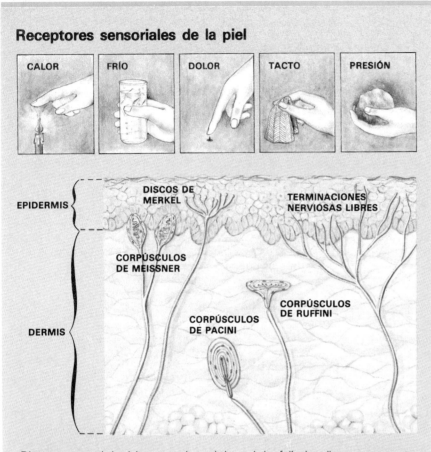

Receptores sensoriales de la piel

CALOR — FRÍO — DOLOR — TACTO — PRESIÓN

EPIDERMIS

DISCOS DE MERKEL

TERMINACIONES NERVIOSAS LIBRES

CORPÚSCULOS DE MEISSNER

CORPÚSCULOS DE RUFFINI

CORPÚSCULOS DE PACINI

DERMIS

Dispersas por toda la piel y agrupadas en la base de los folículos pilosos se encuentran terminaciones nerviosas libres que responden al dolor y a la presión. También hay receptores especializados (ver arriba) que registran las sensaciones de calor, frío, tacto y presión; es difícil percibir una de estas sensaciones aislada, porque generalmente se estimulan varios receptores simultáneamente. Los receptores se suelen congregar en ciertas regiones que por eso resultan muy sensibles, como las yemas de los dedos, por ejemplo.

¿Qué tan importante es el sentido del tacto?

Si a los bebés no se les toca, se les acaricia y se les carga en brazos, se retarda considerablemente su desarrollo físico y mental, e incluso algunos llegan a morir.

Antes de la Primera Guerra Mundial, unos visitantes que recorrían un hospital infantil de Alemania notaron a una mujer, ya de edad, que iba y venía por las salas cargando a horcajadas sobre la cadera a uno de los enfermitos. El director del hospital les explicó que cuando los médicos habían hecho ya todo lo posible por un niño sin que mejorara, se lo encargaban a la vieja Ana, que siempre lograba sacarlos adelan-

te. En un estudio hecho en los Estados Unidos más recientemente, se encontró que los bebés prematuros que sólo recibían los cuidados rutinarios del hospital aumentaban de peso más lentamente, lloraban con más frecuencia y eran menos activos que aquellos a los que las enfermeras regularmente cargaban y acariciaban.

Obviamente, el sentido del tacto es de vital importancia, no sólo para los bebés, sino para todo el mundo. Entre los adultos, tocar a los demás y ser tocados por ellos contribuye muchísimo al equilibrio emocional de una persona.

Además de todo esto, los receptores sensoriales de la piel son una de las principales fuentes de información sobre el mundo ex-

terior y nos previenen del peligro. Si la piel no reaccionara al dolor, nos quemaríamos gravemente antes de darnos cuenta de que estábamos tocando un objeto ardiendo. Se puede vivir sin el sentido de la vista, el oído, el olfato y el gusto, pero no sin la sensación del tacto, el dolor, el frío o el calor.

Nos podemos dar idea de la importancia de este sentido por las numerosas y variadas expresiones que hacen referencia a él en el lenguaje cotidiano. Describimos a una persona diciendo que es *áspera* o, por el contrario, que tiene una *sensibilidad a flor de piel*; se reconoce el mérito de alguien que tiene *mucho tacto*, pero procuramos alejarnos del que está de *mírame y no me toques*. Cuando una cosa resulta desagradable decimos que *va a contrapelo*, mientras que si sale bien es *suave como la seda*. Tomando en cuenta lo que hemos visto, no puede extrañarnos que el tacto sea uno de los primeros sentidos que se desarrollan en el ser humano.

¿Qué pasa cuando tocamos algo?

Si un insecto suficientemente grande camina sobre nuestra piel, sabemos exactamente dónde está aunque tengamos los ojos cerrados. Esto se debe a que cada vez que algo nos toca o tocamos algo, entra en acción todo un dispositivo de mecanismos sensoriales.

El secreto de esta enorme sensibilidad reside en una serie de estructuras que responden al tacto; una de ellas es el pelo. Cada vello actúa como una pequeña antena que manda sus señales a un haz de nervios que se encuentran en la base del folículo piloso.

Las áreas que no tienen vello cuentan con su propio sistema de alarma. Los labios, los pezones y los órganos genitales están provistos de una densa red de receptores sumamente sensibles que responden al más leve toque. En las partes más profundas de la piel hay otros receptores que registran la presión ejercida sobre la superficie del cuerpo. Por último, hay estructuras especiales que son capaces de sentir las vibraciones, el frío y el calor.

¿Qué produce el picor?

Hay muchas cosas que pueden producir sobre la piel esa molesta sensación continua e irritante que llamamos picor o comezón: insectos, las fibras de las telas, una infección, una alergia, una alteración emocional e incluso ciertos medicamentos.

Las causas pueden ser diversas, pero el mecanismo que lo desencadena es siempre el mismo. En la superficie de la piel hay finísimas fibras nerviosas que se mueven en cuanto reciben un estímulo local, por leve que sea, y transmiten ese movimiento como un impulso al sistema nervioso central, que lo traduce como picor. El rascarse puede eliminar el estímulo o no, pero lo que hace es producir un dolor que neutraliza la sensación de comezón a nivel de la médula espinal.

¿Qué tan sensibles son los labios?

Todas las madres acostumbran tocar la frente de sus hijos para ver si tienen fiebre, ya que la temperatura interna del cuerpo se refleja en la piel. Sin embargo, cuando no están muy seguras de si el chico tiene fiebre o no, usan los labios en lugar de la palma de la mano; lo hacen porque saben que son mucho más sensibles. Aunque en toda la piel hay receptores sensoriales que registran la temperatura, en las palmas de las manos hay relativamente pocos (la piel allí es más gruesa que en otras partes), pero en cambio en los labios son abundantes.

¿Por qué se parten los labios?

Los labios partidos muchas veces se confunden con los "fuegos", que son las lesiones producidas por el herpes simple, una infección de tipo viral. Las grietas y hendiduras que parten los labios pueden deberse a un resfriado, a una avitaminosis o simplemente a factores ambientales. No sólo la piel de los labios se agrieta, también ocurre con frecuencia en la cara, las manos y los talones; cualquier parte de la piel puede sufrirlo.

Esto se debe a que la capa externa se ha secado y al perder líquido las células se contraen. Los factores que aceleran el proceso pueden ser el frío, el viento, el aire seco del interior de las casas o el uso de jabones. Para prevenirlo hay que protegerse la cara con una bufanda al salir al aire frío, humedecer el ambiente dentro de la casa y untarse los labios con manteca de cacao o vaselina para suavizarlos y formar una capa impermeable que evite la deshidratación.

¿Cómo distinguimos lo frío de lo caliente?

En la piel hay estructuras sensoriales y terminaciones nerviosas especializadas que son sensibles a la temperatura; unas responden al calor y otras al frío. Cuanto más alta es la temperatura, con más frecuencia descargan sus impulsos los receptores del calor; cuanto más baja, más aumentan las descargas de los receptores del frío. Sobre esta base el cerebro puede interpretar la intensidad del frío o del calor.

Como todo el mundo sabe por experiencia personal, los receptores de la temperatura tienen la capacidad de adaptarse. Cuando nos metemos en una tina de agua muy caliente o nos echamos un clavado en un lago de agua helada, al principio se siente la temperatura con toda intensidad, como una sensación desagradable, pero al poco tiempo la molestia desaparece.

¿Por qué no podemos distinguir el calor del frío cuando son muy intensos?

Además de los receptores del calor y del frío, la piel contiene receptores del dolor que también responden a la temperatura pero que sólo se activan cuando el estímulo es intenso. Todo impulso que el cerebro recibe de estos receptores lo traduce como dolor. El calor o el frío extremos estimulan tanto a los receptores de la temperatura como a los del dolor, pero como los impulsos de estos últimos se superponen a los primeros, lo único que se siente es dolor.

Los parches de perfusión cutánea parecen un trozo de tela adhesiva, pero representan la forma más revolucionaria de tomar un medicamento: absorberlo por la piel. Los que sufren angina de pecho usan parches de nitroglicerina que la van liberando más uniformemente que las tabletas orales. Los que necesitan medicación contra el mareo, como la tripulación de barcos pequeños, llevan parches (izq.) detrás de la oreja.

Cuando la piel está en peligro

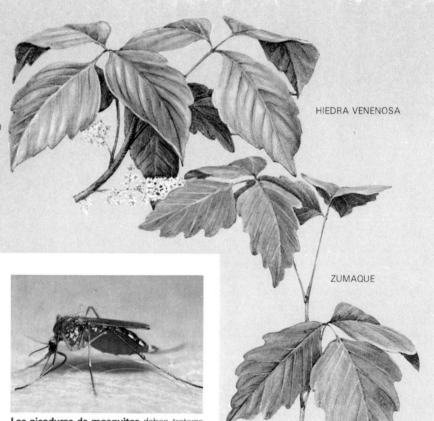

Azares de un día de campo

El eccema que producen la hiedra venenosa y el zumaque es una dermatitis de contacto. La mejor defensa es aprender a reconocer estas plantas y mantenerse lejos de ellas. Las dos pertenecen al mismo género: tienen las hojas divididas en tres foliolos de manera que parecen estar agrupadas de tres en tres, y dan unas bayas blancas. La hiedra venenosa es una trepadora y el zumaque un arbusto. La sustancia irritante se encuentra en los tallos y en la savia, pero puede ser arrastrada por el viento. Si ha tenido contacto con ellas, lávese con un jabón fuerte o detergente y póngase una loción calmante. Si la reacción es grave, vea al médico.

HIEDRA VENENOSA

ZUMAQUE

Antes de cortar una flor mírela bien, porque entre los pétalos puede haber una abeja libando.

Las picaduras de mosquitos deben tratarse con ungüento o con hielo; rascarse lesiona la piel.

¿Cómo evitar las mordeduras o picaduras de insectos?

En primavera, cuando las abejas y las avispas apenas han empezado a formar sus colonias, es más difícil que nos pique una que en verano o en otoño, cuando las colmenas y los avisperos llegan a albergar hasta 2 000 ó 3 000 insectos. Su principal fuente de alimentación son las flores, por lo tanto es más probable que nos ataquen en una zona florida del jardín o del campo.

Como estos insectos se sienten atraídos por los colores brillantes, la mejor vestimenta para el campo es la ropa caqui, que no sólo es de color claro, sino también de un tejido grueso y tupido que no pueden atravesar los aguijones.

También se recomienda no usar perfumes, lociones ni atomizadores para el pelo cuando se va de excursión, porque su fragancia puede atraer a los insectos. Si se emplea un repe-

lente, hay que leer las instrucciones del fabricante para saber la cantidad que debe aplicarse y la frecuencia con que puede usarse.

¿Qué hacer en caso de una picadura?

Si le ha picado una avispa o un avispón, ahuyente al insecto y aplíquese un cubito de hielo sobre la herida. Si se trata de una abeja que le ha dejado dentro el aguijón, sáqueselo con cuidado usando la uña o la hoja de una navaja, y lávese con agua y jabón. Para reducir la absorción del veneno aplíquese un cubito de hielo envuelto en un trapo. Si a la persona a la que ha picado se le empieza a hinchar la cara, le falta el aire o presenta cualquier otro síntoma alarmante, llévela de inmediato con un médico. Los que saben que son muy alérgicos a las picaduras deben llevar adrenalina cuando salen de excursión.

¿Cómo se sacan las garrapatas?

Estos pequeños ácaros chupadores de sangre abundan en los arbustos y pastizales, de donde brincan a la piel. Cuando muerden, su cuerpo se hincha de sangre y el primer impulso es agarrarlas y quitárselas de encima. Pero como tienen la cabeza embebida en la piel, si se hace así la cabeza quedará dentro; lo que hay que lograr es que la saque. Unte a la garrapata con un aceite espeso que le tape los poros respiratorios; a la media hora seguramente se habrá desprendido y la podrá quitar con unas pinzas.

¿Pueden los sapos causar verrugas?

Desde luego que no, ésta es una de las tantas supersticiones que hay sobre estos tumores benignos de la piel. También se dice que se curan con brujería o exorcismos, con el jugo de ciertas plantas y una gran variedad de cocimientos milagrosos. La verdad es que la mayoría tienden a desaparecer por sí mismas tan misteriosamente como han surgido. Todos estos mitos quizá persisten porque haya coincidido que las verrugas desaparezcan después de haber usado alguno de estos remedios mágicos.

Lo peor que se puede hacer es tratar uno mismo de cortarse las verrugas. Además del peligro que supone usar instrumentos que no están esterilizados, se puede usted reinfectar con el virus que produce las verrugas y lograr que se multipliquen. En las farmacias se venden medicamentos que no requieren receta médica y que pueden resultar eficaces. Las verrugas que aparecen en las plantas de los pies necesitan ser tratadas por un médico.

¿Por qué salimos arrugados de la tina?

Un baño caliente y prolongado puede ser muy relajante, pero menoscaba uno de los principales atributos de la piel en condiciones normales: su impermeabilidad al agua. A esa propiedad se debe que no nos llenemos de agua como una esponja cada vez que nos metemos en la alberca o en la tina. La sustancia que impermeabiliza la piel es la queratina, una proteína formada por ciertas células de la epidermis. La queratina forma una barrera, no sólo contra el agua, sino también contra las bacterias y muchas sustancias irritantes.

Durante el baño, la queratina se ablanda y las células de la capa córnea de la piel absorben agua y se hinchan, formando las arrugas y los surcos que nos hacen salir de la tina con la piel como una pasa. En cuanto el agua se evapora, la piel recupera su forma original y desaparecen las arrugas.

¿Puede la ropa afectar a la piel?

Hay mucha gente que desarrolla alergias al contacto de las fibras con las que está hecha la ropa; la lana y el pelo de las pieles, por ejemplo; pero son menos conocidas las alergias al cuero. Las chamarras y las sandalias, sobre todo las de cuero crudo, pueden producir fuertes urticarias que hacen erupción repentinamente. Esto es más frecuente cuando el cuero ha sido curtido con sustancias extraídas de plantas de la familia de las anacardiáceas, a la que pertenecen el zumaque y la hiedra venenosa. Se sabe de erupciones del cuero cabelludo que se deben al contacto con las bandas de cuero que llevan por dentro los sombreros.

Estas reacciones no siempre se deben a las fibras de las telas o a las sustancias químicas con que han sido tratadas, sino a lo apretado de la ropa, que hace que el calor y la humedad se acumulen en ciertas zonas o que se exacerbe cualquier alergia previa. También pueden causar eccemas las fibras sintéticas con que se hacen la ropa interior y los pantalones elásticos.

¿Por qué se forman callos y ojos de gallo?

Los callos son zonas de la piel engrosadas y endurecidas que se forman como respuesta a la presión o a la fricción. Cuando se usan zapatos muy apretados o que rozan continuamente en un punto —por ejemplo, en la parte superior del talón—, se suelen formar callos; los de las manos generalmente se deben a trabajos manuales.

Los ojos de gallo se distinguen de los callos porque se forman principalmente en los dedos de los pies y tienen forma cónica. Al hacer presión el zapato sobre el ojo de gallo, éste se entierra en las capas más profundas de la piel, que son muy sensibles, causando un dolor lacerante. Hay dos tipos de ojos de gallo: los duros, que se forman sobre la parte superior de los dedos, y los blandos, que se producen entre los dedos.

Para evitar los callos y los ojos de gallo lo mejor es usar zapatos que ajusten bien. El engrosamiento se puede reducir frotando el callo con piedra pómez o una lima, de preferencia después del baño. En cambio, para quitar los ojos de gallo se necesita un especialista. Se puede evitar su recurrencia protegiendo la piel, especialmente en las articulaciones, con almohadillas de esponja.

¿Cómo cicatriza una excoriación?

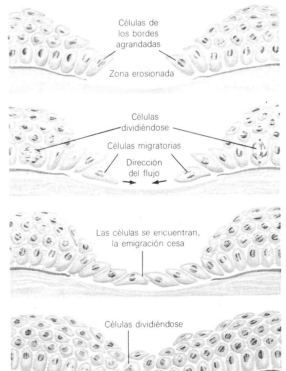

Al producirse un raspón, las células alrededor de la herida pierden contacto entre ellas y con las que están más abajo, y comienzan a crecer y a desplazarse.

Células de los bordes agrandadas

Zona erosionada

Mientras las células alteradas van emigrando hacia la herida, las células basales contiguas se multiplican rápidamente para poder reemplazarlas.

Células dividiéndose

Células migratorias

Dirección del flujo

Las células migratorias que fluyen de los bordes de la herida llegan por fin a encontrarse formando una capa continua. En cuanto cubren la herida, dejan de moverse.

Las células se encuentran, la emigración cesa

La abrasión continúa curándose por sí misma. Ahora las células epiteliales que la han cubierto se multiplican para restaurar el grosor normal de la piel.

Células dividiéndose

Quemaduras de sol y congelación

¿Por qué nos quemamos con el sol?

Entre las muchas radiaciones emitidas por el Sol se cuentan los rayos ultravioleta, que tienen una longitud de onda menor que la luz visible y por eso el ojo no los percibe. Los rayos ultravioleta nos ayudan, por ejemplo, a formar vitamina D; pero si se absorben en exceso, hacen que la piel envejezca prematuramente, causan quemaduras e incluso aumentan el riesgo de un cáncer de la piel. Afortunadamente, el organismo ha desarrollado un medio de defensa: la melanina, ese pigmento que oscurece la piel y que absorbe la radiación ultravioleta impidiendo que llegue a capas más profundas.

¿Por qué al quemarse con el sol la piel enrojece y se desprende antes de broncearse?

Los rayos ultravioleta, que son los que causan las quemaduras de sol, lesionan las células de la epidermis. Las células dañadas liberan sustancias que dilatan los vasos sanguíneos haciendo que la piel enrojezca. Si la quemadura es más grave, alcanza las células de la dermis y se forman ampollas. Cuando son muchas las células que se han destruido, el organismo inmediatamente trata de reparar el daño acelerando la producción de células nuevas. Se forman en tal número que se empujan unas a otras hacia la superficie obligando, literalmente, a las células muertas a desprenderse de la piel en una proporción mucho mayor que la descamación normal. El daño celular también estimula a los melanocitos a multiplicarse a una velocidad mayor de lo normal; esto aumenta la cantidad de melanina disponible para que la vayan recogiendo las células recién formadas que emigran hacia la superficie. El exceso de melanina es lo que da el color bronceado a la piel.

Aunque las cremas y lociones para el sol llegan a filtrar parte de la radiación ultravioleta y, por lo tanto, protegen la piel de una quemadura, lo mejor es tomar el sol en pequeñas dosis e ir aumentando paulatinamente el tiempo de exposición a medida que la piel se vaya bronceando. Si se trata de una persona de piel muy blanca, es preferible que tome el sol por la mañana temprano o al atardecer, cuando los rayos no son tan directos y gran parte de la luz ultravioleta llega filtrada.

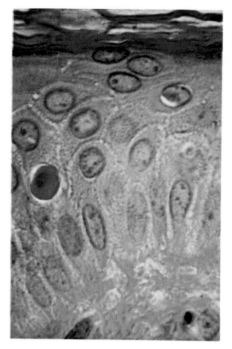

La capa superior de esta piel quemada por el sol está a punto de desprenderse. La célula teñida de anaranjado (izq.) ha sido dañada por la luz ultravioleta.

Tome en cuenta que se puede llegar a quemar aunque no esté directamente expuesto al sol, pues los rayos ultravioleta pasan a través de las nubes. Las amplias extensiones del mar y la arena reflejan los rayos solares y le llegan aunque esté protegido debajo de una palapa o una sombrilla.

¿Quema también el sol cuando hace frío?

El verano no es la única estación en la que el sol quema; estamos tan expuestos a una quemadura en el día más frío del invierno como en el más cálido del verano, lo mismo entre las nieves de las montañas que en una playa a nivel del mar. ¿Por qué? Porque no es el calor del Sol lo que quema, sino las radiaciones ultravioleta que emanan de él en cualquier estación del año. Además, la nieve refleja ese tipo de radiaciones, lo mismo que lo hace la arena, aumentando las probabilidades de una quemadura.

¿Por qué daña la piel el frío?

Para mantenerse en buen estado, la piel necesita estar húmeda, y el aire frío y seco del invierno arrastra consigo la capa de humedad que la protege dejándola reseca, escamosa y áspera e, incluso, llega a agrietarla. El jabón y el agua caliente la hacen aún más vulnerable en tiempo frío; el agua caliente ablanda la cubierta de queratina y el jabón disuelve las grasas y los aceites. Para proteger la piel, báñese con menos frecuencia en invierno y use agua tibia en lugar de caliente. También le ayudará usar cremas y lociones oleosas, porque la capa de aceite que forman encima de la piel evita que se evapore la humedad natural.

¿Por qué daña tanto la congelación?

Cuando el frío es tan intenso que congela la piel, se obturan totalmente los vasos sanguíneos de la zona afectada —generalmente los dedos de las manos o de los pies, los lóbulos de las orejas, las mejillas y cualquier otra parte de la cara que quede expuesta—. La falta de circulación hace que los tejidos mueran y se gangrenen si el flujo de sangre no se reanuda pronto.

Este peligro es grave, porque algunas veces la gente no se da cuenta de que se le está congelando un miembro sino hasta que es demasiado tarde. Puede sentir al principio cierto dolor y un hormigueo, pero cuando la zona se ha congelado se pierde completamente la sensibilidad.

La gravedad de un caso de congelación depende tanto de lo bajo de la temperatura como del tiempo que la víctima haya estado expuesta al frío. En casos leves, sólo se ve afectado el tejido epidérmico, pero si la persona ha estado mucho tiempo bajo un frío intenso puede congelársele la dermis y los tejidos subcutáneos y, en el peor de los casos, la lesión llega hasta el hueso.

En situaciones extremas, la única solución posible es la amputación, pero si el grado de la lesión es más superficial y no hay gangrena, la zona congelada responde bien a tratamientos menos drásticos. Se pueden descongelar los tejidos con calor húmedo; lo mejor es un baño caliente con el agua a una temperatura de alrededor de 40° porque hay que tratar de proporcionar calor lo antes posible y no poco a poco. Pruebe la temperatura del agua antes de sumergir la parte insensibilizada. Lo peor que se puede hacer es frotar con nieve la piel congelada.

¿Qué se debe hacer en casos de quemaduras?

Olvídese de ungüentos y pomadas, no sirven para nada. Meta la parte quemada bajo el chorro del agua fría o ponga encima de la quemadura un trapo limpio mojado en agua fría. Si la quemadura es muy extensa, recurra inmediatamente a un hospital o a un médico. Cuando la quemadura ha sido producida por sustancias corrosivas, es indispensable lavarla con agua para eliminar por completo el compuesto cáustico; lo mejor es hacerlo con agua corriente. En ese caso, deje la parte afectada bajo el chorro del agua de 5 a 15 minutos e inmediatamente después vaya a ver a un médico.

Si es posible, quítese los anillos, pulseras y otros objetos que opriman la zona lesionada, porque al quemarse la piel se inflama y puede resultar muy difícil sacarlos más tarde. Los médicos aseguran que, en lo que se refiere a primeros auxilios, cuanto menos se haga en caso de quemaduras, mejor.

¿Se cultiva piel en tubos de ensayo?

Los mejores injertos de piel son los que provienen del mismo paciente, pero cuando la quemadura es tan extensa que casi no queda de dónde sacar el injerto, los médicos recurren a otros sustitutos.

La piel de cerdo se parece lo suficiente a la humana para poder usarla en injertos temporales, lo mismo que la de cadáveres conservada en los bancos de tejidos. Pero en ambos casos se trata de medidas provisionales, porque el organismo termina por rechazar el injerto.

En los últimos años los investigadores han logrado injertos que son definitivos cultivando en el laboratorio piel del mismo paciente. Se extrae un pedacito muy pequeño de la piel del herido, se desmenuza y se deja proliferar en tubos de ensayo en una solución nutritiva que contiene sustancias que estimulan el crecimiento celular.

La piel que se obtiene carece de dermis y los investigadores aún no saben en qué medida puede afectar esto; el caso es que este procedimiento se ha empleado, aparentemente con éxito, para salvar la vida a dos niños que tenían quemaduras en el 97% del cuerpo. Los médicos lograron cultivar en el laboratorio casi 1 m^2 de piel para cada paciente.

Tipos de quemaduras y métodos de tratamiento

Las quemaduras se clasifican de acuerdo con la profundidad de las lesiones. Las de primer grado afectan únicamente la epidermis. Las de segundo grado son más dolorosas y llegan hasta la dermis; si se dañan los capilares, escapa de ellos el plasma formando ampollas. Las quemaduras de tercer grado interesan el tejido subcutáneo. Son peligrosas porque tardan mucho en sanar y, mientras tanto, la herida es muy vulnerable a las infecciones bacterianas. La pérdida de sangre puede impedir la circulación y causar una deshidratación.

Las quemaduras de primer grado sólo escaldan la epidermis y curan por sí mismas. Las alivia el agua fría.

Las quemaduras de segundo grado llegan a la dermis. Mientras no se rompan, las ampollas protegen la herida.

Las quemaduras de tercer grado afectan el tejido subcutáneo y deben ser atendidas por un médico cuanto antes.

Las quemaduras de tercer grado pueden requerir un injerto de piel, porque el tejido subcutáneo que queda expuesto no cicatriza con suficiente rapidez para evitar una infección general, y la pérdida de líquidos. Si la quemadura no ha sido muy extensa, puede quedar suficiente piel en las zonas no afectadas para sacar de ahí el injerto. Cuando la piel extraída no alcanza para cubrir enteramente la quemadura, se la puede cortar en tiritas e implantarla como una malla laxa. Otro método es desmenuzar el trozo de piel y dejar que crezca en una solución nutritiva. La piel artificial suele ser menos recomendable, porque el organismo la rechaza. Sin embargo, se ha conseguido ya obtener una nueva piel artificial extraordinaria (ver abajo) a base de una mezcla de compuestos, entre ellos cartílago de tiburón, que el organismo no rechaza.

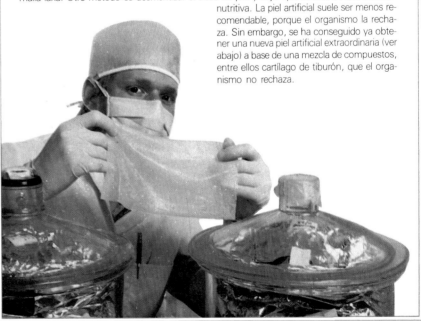

Problemas comunes de la piel

Desarrollo del acné

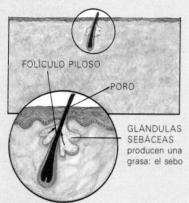

FOLÍCULO PILOSO

PORO

GLÁNDULAS SEBÁCEAS producen una grasa: el sebo

El poro del folículo piloso tiene en la base glándulas sebáceas. En la pubertad la secreción de sebo aumenta.

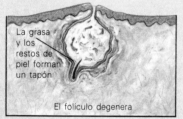

La grasa y los restos de piel forman un tapón

El folículo degenera

Las pápulas se desarrollan cuando se almacena mucha grasa, lo que distiende el conducto y tapona el poro.

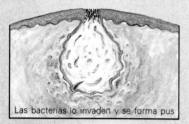

Las bacterias lo invaden y se forma pus

Las espinillas no son acúmulos de mugre; el color oscuro se debe a la melanina que produce la piel.

La piel se inflama y el acné se extiende

El absceso se forma cuando se rompen las paredes del folículo. Si se exprimen, puede extenderse la infección.

¿Cuál es la alteración más común de la piel?

La naturaleza no es muy considerada que digamos con los adolescentes. Justo a la edad en que la apariencia física y la atracción sexual es la principal preocupación, aparece el acné que, además de antiestético, es muy común, el más común de los trastornos de la piel. Las erupciones de acné suelen ser más aparatosas en los muchachos que en las chicas, porque el proceso que las desencadena es el incremento en la producción de hormonas masculinas. Los varones, naturalmente, segregan estas hormonas en mucha mayor cantidad, pero también las mujeres las producen. Al proceso inflamatorio contribuyen ciertas bacterias que normalmente habitan la piel de ambos sexos y que transforman las grasas cutáneas en compuestos irritantes.

Normalmente, las glándulas sebáceas de la dermis segregan una sustancia grasa, llamada sebo, que fluye a través de los folículos pilosos y lubrica la piel. Pero durante la adolescencia, las hormonas masculinas estimulan una sobreproducción de sebo que a menudo tapona los poros. En esas acumulaciones de grasa proliferan las bacterias que dan lugar al proceso inflamatorio. El resultado son esa serie de espinillas o comedones, granos sebáceos y pápulas que se concentran en la cara, el cuello y los hombros; lo que llamamos acné. En casos graves se forman grandes y profundos quistes y abscesos que son muy dolorosos.

¿Se puede curar el acné?

Muchos chicos que sufren acné, creyendo erróneamente que tiene que ver con la suciedad que se acumula en los poros, se refriegan enérgicamente la cara varias veces al día, con lo que no logran más que empeorar las cosas.

El acné no se cura más que con el tiempo; sin embargo, mucho puede hacerse para controlarlo mientras pasa la adolescencia. Una buena medida es lavarse suavemente la cara cada vez que la sientan grasosa, como también lo es tomar el sol con moderación. A los muchachos les agradará saber que no necesitan privarse del chocolate, los refrescos de cola y todos esos productos chatarra que tanto les gustan. Los médicos creían antes que favorecían el acné, pero se ha demostrado que no es así.

Lo que sí hay que evitar son: los jabones cáusticos; las cremas y lociones humectantes que pueden obstruir los poros y no dejar salir el sebo; y, aunque parezca mentira, las bandas en la frente, los suéteres o playeras de cuello de tortuga y cualquier otra prenda ajustada que no permita la libre transpiración. Si estas simples medidas no dan resultado, debe consultarse a un dermatólogo.

¿Cuál es la diferencia entre un ántrax y un forúnculo?

En otra época el ántrax podía ser fatal, ahora la penicilina y otros antibióticos acaban con él en poco tiempo, pero eso no quita que sea igual de doloroso mientras dura. Un ántrax es o un forúnculo muy grande o varios forúnculos conectados entre sí bajo la piel que afectan a varios folículos pilosos. La causa que lo produce es una infección por estafilococos que da lugar a un absceso lleno de pus. Los forúnculos suelen aparecer en las axilas, en la cara, en el cuello, en la espalda o en las nalgas. A medida que crecen duelen más, porque hacen presión sobre los nervios que hay bajo la piel. El tratamiento más sencillo es poner fomentos varias veces al día y dejarlos unos cuantos minutos cada vez. Eso no sólo alivia el dolor, sino que hace que maduren antes. Al madurar, se abren, fluye el pus y se curan rápidamente. El ántrax, en cambio, suele necesitar que lo abra un médico para que pueda drenarlo adecuadamente.

La mejor defensa contra los ántrax y los forúnculos es la higiene y la buena salud. Aunque todos hemos padecido estos abscesos alguna vez en la vida, las recurrencias frecuentes pueden atribuirse a la poca higiene, una mala alimentación y, ocasionalmente, a la diabetes.

¿De dónde viene el nombre de pie de atleta?

Es verdad que es más fácil contraer el pie de atleta en los suelos húmedos de los baños y vestidores de los campos deportivos y en los bordes encharcados de las albercas, pero no hay más relación que ésa entre esta infección y los deportes. Cualquiera, sea un atleta o no, puede pescarla prácticamente en cualquier parte.

El nombre científico del microorganismo que produce el pie de atleta es *Tinea pedis* y se trata de un hongo que ataca la piel entre y debajo de los dedos de los pies produciendo comezón, grietas, descamaciones y, ocasionalmente, ampollas. Como el hongo prospera en la humedad, los que conservan los pies secos rara vez padecen esta enfermedad.

Para prevenir y tratar la infección hay que asegurarse de que los zapatos permiten que el aire circule; los calcetines deben ser de algodón o de otra fibra natural que absorba el sudor y después de bañarse hay que secarse bien los pies, sobre todo entre los dedos, y ponerse talco, crema o loción antimicóticos.

¿Qué hay de extraño en la psoriasis?

La psoriasis es un padecimiento misterioso, no sólo porque no se puede predecir cuándo aparecerá y el curso que seguirá, sino también porque se desconoce su origen, aunque se sabe que la herencia tiene mucho que ver. Se trata de una erupción de placas rojas, realzadas, a menudo cubiertas de escamas blancas, que surgen con más frecuencia en las rodillas, los codos y la parte baja de la espalda.

Estos síntomas se deben a que las células de la piel se multiplican con demasiada rapidez, por lo que no pueden descamarse en la forma habitual. Algunas veces la erupción aparece después de una lesión en la piel, otras se desarrolla o se agrava cuando el paciente ha pasado por una situación particularmente angustiosa.

Como saben muy bien los que la padecen, es poco lo que se puede decir de la psoriasis, pero quizá estos datos les sirvan de consuelo. Esta alteración de la piel no afecta la salud general, a menos que se trate de niños muy pequeños o de ancianos, no es contagiosa y frecuentemente desaparece durante años. De 5 600 pacientes que se estudiaron en una ocasión, 29% afirmaron que los síntomas se les habían quitado sin necesidad de tratamiento y 39% habían pasado de 1 a 54 años sin volver a tener una erupción.

¿Cómo se trata la psoriasis?

Los tratamientos ayudan, por lo menos temporalmente, a todos los pacientes que sufren de psoriasis. Generalmente lo que se recomienda son baños de sol o de luz ultravioleta junto con una pomada hecha a base de brea de hulla. En casos rebeldes, los médicos prescriben esteroides, pero hay que tener cuidado porque tienen efectos colaterales peligrosos. Muchos enfermos han aprendido a reconocer las condiciones que empeoran sus síntomas y a regular su vida de acuerdo con ello.

¿Son todas las formas de cáncer de la piel igualmente graves?

Las dos formas más comunes de cáncer de la piel son el carcinoma de las células basales, que ataca las células de la capa más profunda de la epidermis, y el carcinoma de las células escamosas, que altera otras células epidérmicas. Afortunadamente son los dos procesos malignos que más alto índice de curación tienen; la mayoría de los casos responden bien al tratamiento.

El pronóstico no es tan optimista tratándose del tercer tipo de cáncer de la piel que, felizmente, es raro: el melanoma maligno. Se trata de un desarreglo de las células que producen la melanina y es peligroso porque tiene la tendencia a extenderse por todo el cuerpo. Para que las probabilidades de sobrevivir sean altas, es necesario diagnosticarlo y tratarlo en etapas tempranas de su desarrollo.

A pesar de sus diferencias, los tipos de cáncer no melanómicos tienen algo en común: es mucho más probable que se formen en la piel de aquellas regiones del cuerpo que están más expuestas al sol, y la incidencia es mayor en personas de piel muy clara que se queman fácilmente con el sol.

Remedios populares: pócimas, emplastos y ungüentos

En los tiempos en que la medicina estaba en pañales y poca gente sabía cómo funcionaba el cuerpo humano, abundaban los charlatanes que vendían remedios curalotodo. Si el paciente que estaba tomando cualquiera de estas pócimas sanaba, se atribuía el mérito a la medicina, aunque el enfermo podía haberse curado sin necesidad de ella. Algunos de estos remedios eran verdaderamente extravagantes: ceniza de piel de víbora para las heridas, semillas de ortiga para las mordeduras de perro o una araña viva metida en mantequilla para la ictericia. Cuando el carromato del curandero llegaba a un pueblo, la gente se agolpaba ansiosa de comprar las pociones maravillosas. Una medicina de patente prometía curar la escrofulosis, erisipela, tiña, eccemas, lepra, escorbuto, pústulas, úlceras, cáncer y cualquier otra enfermedad de la piel sin importar nombre o procedencia. La magia desempeñaba un papel fundamental en la medicina popular. Muchos de los males se atribuían a duendes y demonios, y se inventaban ritos y conjuros para contrarrestar su poder. Pero no todo era charlatanería en la medicina tradicional; los indios del Amazonas habían descubierto la quinina para aliviar los ataques de paludismo y ya se conocían muchos de los narcóticos que se emplean hoy día.

En los países con una medicina más avanzada también hacían su agosto los remedios curalotodo. Una marca estadounidense (der.) anunciaba un ungüento para todo tipo de heridas en hombres y bestias.

Cirugía reconstructiva y plástica

La urdimbre de la piel

El colágeno de la capa reticular, la más profunda de la dermis, está dispuesto en haces de fibras que surcan la piel siguiendo un patrón bien definido. Como se ve abajo, la dirección de las estrías varía de una parte del cuerpo a otra formando las llamadas líneas de Langer. Los cirujanos procuran, siempre que es posible, cortar la piel a lo largo de una de estas líneas para que la cicatriz, inevitable en toda cirugía, se confunda con las estrías.

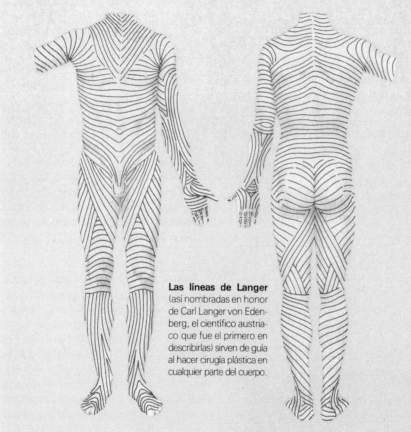

Las líneas de Langer (así nombradas en honor de Carl Langer von Edenberg, el científico austriaco que fue el primero en describirlas) sirven de guía al hacer cirugía plástica en cualquier parte del cuerpo.

¿Por qué la piel pierde elasticidad y se arruga al envejecer?

El envejecimiento de la piel se debe a los cambios que se producen en una sustancia llamada colágeno que constituye el 30% de todas las proteínas de nuestro cuerpo. El colágeno es el principal componente de la dermis, la capa más profunda de la piel, y forma parte importante del tejido conjuntivo de los huesos, cartílagos y tendones. Al paso del tiempo, el colágeno va perdiendo agua y sus moléculas se enlazan formando largas cadenas, proceso que se conoce como polimerización. Esto le resta flexibilidad y elasticidad, que son dos de sus virtudes fundamentales.

La disminución de la elasticidad propicia que la piel se arrugue, pero hay otro factor que contribuye aún más a ello. Con la edad viene una pérdida de grasa en el tejido subcutáneo que se encuentra inmediatamente por debajo de la piel y sirve de almohadilla a los órganos internos. Al reducirse la grasa, la piel pierde parte de la estructura que le da soporte y comienza a abolsarse cayendo en pliegues y arrugas. Es algo parecido a lo que pasa con la ropa después de haber bajado de peso.

Otro elemento que participa en el envejecimiento de la piel es la pérdida de humedad. Los tejidos de los niños contienen una proporción mucho mayor de agua que los de los adultos; con los años disminuye la actividad de las glándulas sebáceas y sudoríparas, que son las que suministran a la piel grasa y agua. Esto hace que la piel vaya resecándose paulatinamente, lo que marca y

Cirugía para estirar la piel del rostro

El cirujano comienza por cortar la piel a uno y otro lados de la cara desde la parte alta de la sien, por dentro del borde del nacimiento del pelo; baja por delante de la oreja, la rodea, y sigue por detrás de ella hasta llegar al cuero cabelludo. Después separa la piel del tejido subcutáneo hasta llegar a la barbilla y quita la grasa acumulada en la papada y en el cuello. Si el cuello se ha vuelto tendinoso por efecto de la edad, el cirujano puede hacer algunas modificaciones en los pequeños músculos a los que se debe esta tirantez. Luego vuelve a colocar la piel en su lugar y la va estirando sobre el tejido subcutáneo hasta que queda lisa y uniforme. Por último, corta la piel que sobra a cada lado y cose los bordes al cuero cabelludo.

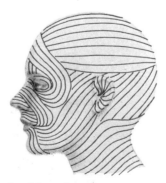

Los haces de colágeno de la cara sirven de guía al cirujano.

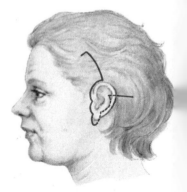

Como se ve, la primera incisión va más atrás de la línea del pelo.

profundiza las líneas de expresión, esas arrugas que se forman entre la nariz y la boca y en la frente y el entrecejo.

¿Se puede rejuvenecer la piel a base de ejercicios y masajes?

Es posible retardar los efectos de la edad sobre la piel, pero rejuvenecerla es imposible. El ejercicio y los masajes pueden ayudar a mantener el tono muscular, pero con ellos no se consigue evitar las arrugas ni la falta de elasticidad que son las que denotan el envejecimiento.

Fuera de la cirugía estética, la forma más eficaz de mejorar temporalmente la apariencia de la piel envejecida es usar regularmente alguna crema emoliente —de las que ablandan y humedecen la piel temporalmente—; pero no hay ninguna que pueda reponer la humedad que el paso de los años ha ido sustrayendo de la piel.

Hay factores externos que aceleran el proceso de envejecimiento. Cuanto más tiempo esté expuesta la piel a los rayos ultravioleta de la luz solar, más rápidamente se arrugará. Muchos especialistas aseguran que el sol hace más daño a la piel que el paso del tiempo.

Para comprobarlo, observe detenidamente las partes de su cuerpo que normalmente quedan cubiertas por la ropa. La piel de las regiones del tronco que tapa el traje de baño es mucho más suave, tersa, elástica y de apariencia juvenil que la de las partes expuestas al sol, a pesar de su espléndido color bronceado.

¿En qué casos se recurre a la cirugía plástica?

Muchas veces la cirugía plástica no tiene nada que ver con la vanidad. Las personas que han quedado desfiguradas por una enfermedad, un accidente o un defecto de nacimiento recurren a la cirugía para poder llevar una vida normal.

La cirugía reconstructiva cobró importancia y mejoró sus técnicas después de la Primera Guerra Mundial tratando de ayudar a tantos soldados que quedaron desfigurados por las minas y otros artefactos explosivos. Pero el campo de batalla no es el único lugar donde pueden producirse este tipo de heridas; las víctimas de accidentes automovilísticos y los que han sufrido operaciones de ciertos tipos de cáncer también necesitan con frecuencia cirugía reconstructiva. Los injertos de piel se han convertido en un tratamiento habitual para las personas que han quedado desfiguradas por quemaduras graves. Entre los defectos congénitos que ahora pueden corregirse con avanzadas técnicas quirúrgicas están los dedos supernumerarios, las membranas interdigitales, el paladar hendido y muchas anormalidades genitales.

¿Por qué no es recomendable operar la nariz a la gente muy joven?

Los adolescentes a menudo no están satisfechos con el tamaño y la forma de su nariz y quisieran operársela, pero los médicos no recomiendan la rinoplastia —nombre técnico de este tipo de cirugía— sino hasta que los huesos nasales hayan dejado de crecer y la nariz haya adoptado su forma definitiva. Esto quiere decir que deben esperar por lo menos a tener 15 ó 16 años, pero hay algunos casos en los que el crecimiento continúa hasta los 19 o los 20.

¿Los senos reconstruidos tienen una apariencia normal?

Los grandes avances técnicos en la cirugía de mama y el revolucionario cambio de actitud de la gente hacia este tipo de operación reconstructiva han sido acontecimientos paralelos. Lo que hace unos años se consideraba vanidad es aceptado ahora como algo de vital importancia psicológica para las pacientes que han sufrido la amputación de un seno a consecuencia del cáncer. Muchas compañías de seguros que antes se negaban a pagar la cirugía reconstructiva como parte del tratamiento, ahora la incluyen.

Desde luego que los cirujanos no pueden duplicar el pecho amputado, aunque usen la misma piel y músculos para rehacerlo. El contorno del busto y la forma se crean con una prótesis de plástico rellena de gelatina de silicón o de solución salina que generalmente resulta más redonda, plana y dura que el seno normal. Es mejor que la paciente sepa de antemano que una mama reconstruida no es una mama normal; sin embargo, a la mayoría no se les nota la diferencia cuando están en brassiere, en traje de baño o llevan un vestido escotado.

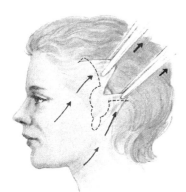

Se despega la piel, se estira desde el cuello y se recorta el sobrante.

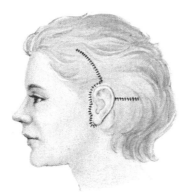

Se cosen los bordes. La herida cicatriza en unas semanas.

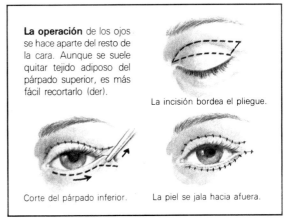

La operación de los ojos se hace aparte del resto de la cara. Aunque se suele quitar tejido adiposo del párpado superior, es más fácil recortarlo (der).

La incisión bordea el pliegue.

Corte del párpado inferior.

La piel se jala hacia afuera.

Cicatrices y tatuajes

¿Puede la cirugía eliminar arrugas y cicatrices?

El afán de tener la piel tersa no es, desde luego, algo nuevo. Hace unos 3 500 años, las mujeres egipcias se frotaban el rostro con una mezcla abrasiva hecha de polvo de alabastro, leche y miel, y la cosmetología moderna emplea técnicas similares para corregir los pequeños defectos de la piel. Una de ellas, la dermoabrasión, literalmente lija las capas superficiales de la piel. Aunque por este procedimiento no se logra borrar las cicatrices profundas como las que deja el acné, sí se consigue reducirlas y, además, ayuda a suavizar las estrías y las arrugas pequeñas.

Al desprender las capas superiores de la piel, la dermoabrasión también elimina gran parte de su pigmento y, por lo tanto, altera la coloración de la tez, incluso cuando ya se ha formado la piel nueva. Esto es mucho más notorio tratándose de personas de piel muy oscura.

Hay otro método que consiste en descamar la piel con sustancias químicas. Desde hace mucho tiempo, los médicos han usado compuestos cáusticos para quemar verrugas y otras excrecencias benignas de la piel; ese mismo procedimiento, llamado técnicamente quimiocirugía, se puede usar para borrar pequeñas arrugas, sobre todo las que se forman alrededor de la boca y de los ojos.

Por lo que al paciente se refiere, las molestias y los resultados de esta técnica son similares a los de la dermoabrasión; también en este caso se corre el peligro de que cambie el color de la piel. Por eso, algunos dermatólogos la recomiendan sólo para personas de tez clara, que además son en las que el método parece dar mejores resultados.

¿Por qué algunas heridas dejan cicatriz?

Las heridas que afectan sólo a la epidermis no dejan cicatriz al cerrarse, pero las que penetran hasta la dermis muchas veces forman tejido cicatricial. Esto se debe a que la dermis está constituida principalmente de colágeno, y cuando la lesión se extiende hasta ella, las células colágenas aceleran su actividad para poder restituir el tejido destruido. Si el nuevo colágeno se forma en cantidades suficientemente grandes, sobrepasa la dermis y emerge hasta las capas más superficiales de la piel, donde destaca entre las células epidérmicas por su diferente apariencia y textura; lo que llamamos una cicatriz.

¿Qué son las cicatrices queloides y cómo se forman?

Al tratar de reparar el daño causado por una herida, a veces el organismo produce más tejido nuevo del necesario. Esta exagerada proliferación celular forma cicatrices que quedan ligeramente realzadas. La mayoría se aplanan al poco tiempo, pero otras persisten abultadas, lisas y brillantes en comparación con el tejido normal que las rodea; ésas son las llamadas queloides. Incluso muchas veces cubren una zona mayor que la que fue afectada por la herida. Las cicatrices queloides son más frecuentes en las personas de piel olivácea o negra y generalmente se desarrollan cuando la lesión ha sido grave.

Los queloides, formados por una sobreproducción de colágeno, pueden causar irritación durante el proceso de cicatrización y resultan poco estéticos, pero son totalmente inofensivos. Generalmente es inútil intentar reducir un queloide quirúrgicamente porque suele volver a crecer; sin embargo, cuando empieza a formarse se puede tratar con hidrocortisona, y en etapas más tardías puede responder a la aplicación de rayos X.

¿Se puede borrar un tatuaje?

Es difícil borrar un tatuaje sin dejar cicatrices visibles, porque el pigmento que se usa para hacerlos se inyecta siempre en las capas profundas de la piel. Si se trata de un tatuaje pequeño, se puede quitar usando técnicas quirúrgicas perfeccionadas hace pocos años que dejan cicatrices mucho menos obvias que la dermoabrasión, método al que generalmente se recurría antes.

Para tratar tatuajes extensos, los procedimientos más comunes son la dermoabrasión superficial y el esmerilado con sal, que se basan en el mismo principio. En ambos casos se lija la piel para desprender una delgada capa y producir primero una irritación y luego inflamación. Aunque el esmerilado con sal parece una técnica sencilla, sólo debe ser practicada por un médico especializado. Muchos cirujanos plásticos prefieren ahora "rasurar" quirúrgicamente la zona tatuada y sustituir la piel extirpada por un injerto. Esto se hace sobre todo tratándose de tatuajes llamativos y complicados en los que el pigmento se ha inyectado profundamente en la piel.

Si se cuenta con el equipo necesario, también se puede emplear el rayo láser para borrar tatuajes. Al dirigir este intenso y potente rayo de luz sobre la zona tatuada, lo que se consigue es desintegrar las partículas de pigmento. Pero no hay que perder de vista que ninguno de los métodos de que se dispone hasta ahora garantiza que no quedarán cicatrices, y siempre queda la posibilidad de que se desarrolle una infección en la zona tratada.

LAS PALABRAS Y SU HISTORIA

Estar uno en el pellejo de otro es una frase familiar que implica estar en la situación de esa persona, participar de los mismos problemas. Pellejo viene del latín *pellicula*, diminutivo de *pellis* que significa piel. La importancia que se da a la piel se manifiesta en el empleo de la palabra como sinónimo de la vida: perder el pellejo, dar el pellejo por alguien, salvar el pellejo.

Padrastro. Pedacito de piel alrededor de las uñas de las manos que se levanta de la carne y causa mucho dolor y molestia. Obviamente el término es una analogía, ya que tradicionalmente también se considera penosa la relación de los hijos de matrimonios anteriores con el actual marido de la madre.

Piel cetrina. Se refiere a la que tiene un color verdoso amarillento. La palabra viene del latín *citrinus*, que deriva de *citrus*, limón. Por eso el adjetivo también se aplica a las personas de carácter adusto y melancólico.

La piel: un lienzo para el artista

Es evidente que la piel humana resulta irresistible para el pincel del artista. Generalmente se la decora para embellecerla, pero el adorno también puede significar una protección contra los malos espíritus (como los antiguos tatuajes iraníes), una señal de jerarquía (los dibujos faciales de los polinesios), un símbolo de casta, un anuncio del estado marital, una expresión de duelo, una representación de los dioses o una forma de espantar al enemigo. La ornamentación de la piel no se limita a la pintura, también abarca el grabado, como es el tatuaje. Para hacerlo se traza el dibujo, se aplica el pigmento y se introduce profundamente en la piel por medio de agujas, lo que exige mucho temple del que está siendo tatuado. Otro adorno que requiere valor, y probablemente mucha presión del clan, es la escarificación, que consiste en hacer incisiones que dejen cicatrices en la piel. Esta práctica, antes generalizada en África y el Pacífico, está desapareciendo.

Es probable que el maquillaje de los ojos tuviera en sus orígenes una utilidad práctica; el kohl (kéjel) o la pomada de malaquita que se untaban los antiguos egipcios alrededor de los ojos protegía contra el resplandor del sol. Pero ya en la época en que se pintó este fresco, hace más de 3 000 años, el elegante delineado de los ojos tenía una función puramente decorativa.

Este jefe de Nueva Guinea proclama su alta posición jerárquica por medio de la pintura de la cara y el cuerpo y otro tipo de adornos.

En Japón, el tatuaje, llamado *irezumi*, es todo un arte y se considera como un atuendo más. Uno de estos trajes, completo, suele tardar más de un año en hacerse y llega a costar miles de dólares.

Cómo y dónde crece el pelo

¿Tiene el pelo una función práctica?

Si un marciano viniera a la Tierra, al ver los complicados peinados de las mujeres seguramente llegaría a la conclusión de que el pelo desempeña una función primordial en las actividades humanas. Y así es, pero no en la forma que el marciano podría suponer. Una hermosa cabellera es indudablemente un atractivo romántico, pero esos peinados tan llamativos ocultan la verdadera utilidad del pelo. El pelo sirve como amortiguador de los golpes que se llegan a recibir en la cabeza, la aísla del calor excesivo del Sol y ayuda a filtrar los nocivos rayos ultravioleta.

Los vellos del cuerpo actúan a manera de antenas que registran el menor roce sobre la piel. Este reflejo es evidente cuando un insecto toca por casualidad las pestañas e instantáneamente los párpados se cierran.

Los diminutos pelos de los oídos y de las aberturas de la nariz interceptan y filtran las partículas irritantes de polvo que flotan en el aire. Incluso las cejas tienen su utilidad; funcionan como diminutas bandas para la frente que absorben el sudor y lo desvían hacia los lados para que no gotee sobre los ojos. Aunque el papel que desempeñan las cejas es importante, la gente que las ha perdido debido a una enfermedad o un accidente puede usar sustitutos como sombreros, bandas para la frente y otros aditamentos similares.

¿El pelo está vivo o muerto?

A pesar de los anuncios que prometen un cabello brillante y lleno de vitalidad si se usa tal o cual producto, la verdad es que el pelo está muerto y no puede revivir por más lociones que uno se aplique. Lo que llamamos pelo es una excrecencia de la piel que se origina en los folículos, estructuras de la dermis de las que hay alrededor de 5 millones en el cuerpo; sólo en el cuero cabelludo existen unos 100 000. Cuando el pelo emerge del folículo, situado en la parte profunda de la piel, y queda a la vista, lleva ya bastante tiempo muerto y sus células han perdido la capacidad de multiplicarse. Todos los días, al peinarnos o cepillarnos el pelo, se nos caen alrededor de 50 a 100 cabellos. Aunque está muerto, el cabello conserva su elasticidad: el pelo mojado puede estirarse alrededor de un 60% más de su longitud normal y recuperar sus dimensiones originales en cuanto se le suelta.

Si el pelo no está vivo, ¿cómo es que sigue creciendo?

Peluqueros y barberos se ganan la vida gracias a que el pelo crece a razón de 13 a 15 cm al año, pero eso no significa que el pelo, a la altura que ellos lo cortan, esté vivo. En la base de los folículos pilosos constantemente se están formando nuevas células que están vivas, pero que van muriendo a medida que pierden contacto con la raíz empujadas hacia la superficie por las células que las siguen. Por lo tanto, el pelo que emerge sólo contiene células muertas incapaces de multiplicarse; su crecimiento se debe a la proliferación de las células del folículo.

Este proceso continúa durante unos dos a seis años y entonces la raíz deja de produ-

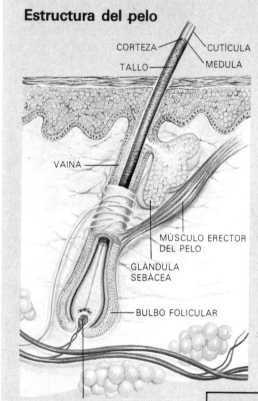

Estructura del pelo

CORTEZA
CUTÍCULA
TALLO
MEDULA

VAINA

MÚSCULO ERECTOR DEL PELO

GLÁNDULA SEBÁCEA

BULBO FOLICULAR

MELANOCITOS
(dan color al pelo)

Las únicas partes del cuerpo en las que no crece vello son las palmas de las manos, las plantas de los pies y los labios. Hay vellos tan finos que apenas se notan, como los del vientre o los de la cara interna de los brazos. Pero todo tipo de pelo, sin importar su ubicación y textura, tiene el mismo origen. Cada hebra de pelo nace en un folículo piloso nutrido en su base bulbosa por una papila. El crecimiento activo del pelo sólo se lleva a cabo en el bulbo o raíz. Inserto en el folículo hay un pequeño músculo llamado erector, que es el que hace que el pelo se erice. Al folículo se abren dos o más glándulas sebáceas cuya secreción oleosa lubrica el pelo haciéndolo flexible y dócil.

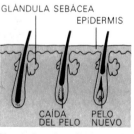

GLÁNDULA SEBÁCEA
EPIDERMIS

CAÍDA DEL PELO
PELO NUEVO

Una hebra de pelo dura varios años. Antes de producir otra, el folículo queda inactivo unos meses.

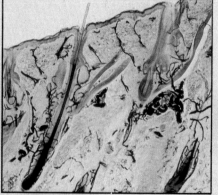

Esta micrografía de la piel muestra un pelo en crecimiento (izq.) y un folículo en reposo (der.).

cir células nuevas y el folículo entra en receso (en un momento determinado llega a haber 15% de los folículos en esta fase). Unos tres meses después, la raíz del pelo se desprende del folículo y cae al peinarse o cepillarse el cabello. Pasados otros tres meses, cuando el folículo ya se ha recuperado, forma una nueva raíz. Hay raíces que permanecen activas más tiempo del normal y el pelo que crece de ellas puede llegar a tener más de un metro de largo.

¿Realmente se nos puede parar de punta el pelo?

Un gato enojado o asustado con todo el pelo erizado es algo digno de verse; lo más parecido a esto en los seres humanos es la carne de gallina producida por la erección de los vellos de los brazos y de las piernas. La carne de gallina es provocada por el frío o por el miedo, que estimulan la contracción de los pequeños músculos, llamados erectores del pelo, que se encuentran unidos al folículo piloso. Esa contracción hace que el folículo se enderece y que el pelo que en él se desarrolla se erice, produciendo una sensación de hormigueo. Al enderezarse el folículo, forma en la piel unas pequeñas elevaciones, similares a las que quedan en las aves cuando se les arrancan las plumas, a las que debe su nombre este fenómeno. A pesar de lo que se dice, no hay prueba alguna de que el pelo del cuero cabelludo pueda erizarse así en ningún momento.

¿Cuántas clases de pelo hay?

En el embrión humano el pelo aparece a los tres o cuatro meses de la concepción; este tipo de pelo, llamado lanugo, cubre enteramente al feto hasta un mes antes del nacimiento, en que generalmente se cae dando lugar a una segunda capa de lanugo que se pierde alrededor del tercero o cuarto mes de vida.

Después aparece otro tipo de pelo, el vello, que persiste durante toda la vida. El vello suele ser fino, suave y corto, y la mayor parte de las veces ni siquiera llega a notarse; sin embargo, cubre toda la piel con excepción de unas cuantas regiones, como son las palmas de las manos y las plantas de los pies. Incluso una persona que se ha quedado calva tiene el cuero cabelludo cubierto de un vello fino.

Cambios en la textura y distribución del pelo

Cuando le da el sol, el pelo de un niño parece casi iridiscente; es de una textura muy distinta a la del adulto. Al comenzar la pubertad estimulada por las hormonas, todo el cuerpo cambia. Ambos sexos desarrollan vello en el pubis y en las axilas, pero la influencia hormonal es más marcada en los hombres. Lo más notorio en ellos es el crecimiento de la barba y el bigote, que cambian el aspecto aniñado del muchacho en el de un hombre. Los folículos que los forman están ahí desde el nacimiento, pero permanecen inactivos hasta la pubertad.

El cabello de este niño, cobrizo como lo fue el del padre, probablemente se oscurecerá con el tiempo.

El pelo más conspicuo porque es grueso, fuerte y largo, es el llamado pelo terminal que crece en el cuero cabelludo y forma las cejas, las pestañas y, si se trata de un hombre, la barba y el bigote.

¿Por qué el cabello es grueso o delgado?

La textura del cabello depende del diámetro y la forma del folículo piloso y del relativo grosor de las capas que lo envuelven.

Si el diámetro del folículo es pequeño, el pelo que en él se forma será delgado y dará lugar a ese tipo de cabello fino y sedoso que la más leve brisa agita. Lo lacio o rizado dependen de la forma en que se multiplican las células de la matriz germinativa. Si se multiplican homogéneamente, el pelo resulta lacio; si la proliferación es irregular, el pelo será rizado u ondulado.

La diferencia entre el pelo basto y el fino también depende de su estructura. Ambos tienen una cubierta formada por queratina dura y una médula central de queratina blanda. La cubierta abarca dos capas: la más externa, la cutícula, es áspera con células aplanadas y escamosas; por debajo está la corteza constituida de tejido fibroso. En el pelo basto y grueso la cutícula forma el 10%

de la cubierta y la corteza el 90% restante. En el pelo fino la relación es 40% de cutícula y 60% de corteza.

Las personas de pelo fino tienen el mismo número de cabellos en la cabeza que las de pelo grueso, pero en cambio las personas rubias suelen tener más que las morenas.

¿Qué causa la caspa?

La caspa es la descamación de las células epidérmicas del cuero cabelludo y, dentro de ciertos límites, es un proceso normal. Aunque la piel de la cabeza se descama con bastante rapidez, a la mayoría de las personas les basta lavarse regularmente la cabeza para eliminar las células muertas y evitar que se acumulen; pero hay casos en que, a pesar de todo, el problema persiste. La causa exacta no se conoce, pero se ha podido comprobar que no se debe a los restos de jabón que puedan quedar en el cabello ni al uso de atomizadores.

Hay un tipo de caspa que sí puede tratarse médicamente; es la dermatitis seborreica, caracterizada por una inflamación crónica del cuero cabelludo con una sobreproducción de tejido muerto. En estos casos el médico suele prescribir un champú que aminora la división celular.

Calvicie e hirsutismo

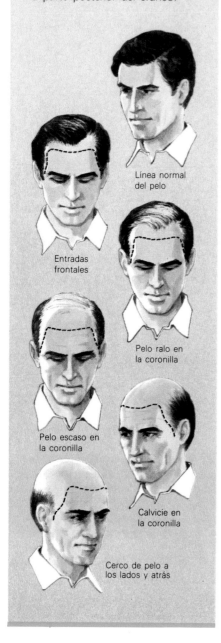
¿Qué es la calvicie?

A la mayoría de los hombres jóvenes que están empezando a perder el pelo esta pregunta les parecerá baladí; están tan preocupados por su calvicie que poco les importa el mecanismo que la produce. Aunque no se trata de un impedimento físico, algunos se sienten muy deprimidos porque consideran que perjudica su apariencia.

El nombre médico de la calvicie es alopecia y aparentemente está relacionada con unas hormonas masculinas, los andrógenos. Por lo que se ha visto, los andrógenos alteran la matriz germinativa de los folículos pilosos del cuero cabelludo, que en lugar de seguir produciendo el pelo grueso y fuerte llamado terminal, forman entonces un vello fino y suave. Tarde o temprano esto les ocurre a casi todos los hombres.

Generalmente la alopecia masculina va haciendo retroceder lentamente la línea del pelo, invadiendo la frente y la coronilla; pero hay otro tipo de calvicie que no depende de las hormonas y que aparece en zonas aisladas. Se trata de la alopecia areata que suele ser temporal, ya que en la mayoría de los casos el pelo vuelve a crecer.

La acción de los andrógenos no es lo único que puede producir calvicie; las quemaduras, las infecciones y el cepillarse o peinarse con demasiada energía también se cuentan entre las muchas causas de alopecia temporal o permanente.

¿Por qué hay más hombres que mujeres calvos?

Para empezar, hay muchas más mujeres calvas de lo que la mayoría suponemos. Generalmente los hombres se resisten a usar peluquines y su calvicie queda a la vista, en cambio las mujeres se sienten tan avergonzadas que casi siempre tratan de ocultarla con una peluca.

De todas maneras, es verdad que hay muchos más hombres que mujeres calvos; la principal razón es que el organismo femenino produce una cantidad muy escasa de andrógenos, las hormonas masculinas que precipitan la alopecia.

También hay que decir que la calvicie en las mujeres es menos obvia, ya que en lugar de dejar por completo al descubierto el cuero cabelludo, a ellas generalmente se les va raleando el pelo sin dejar ninguna zona totalmente desnuda. Si la alopecia se presenta en una mujer antes de los 40 años, se trata de una condición anormal; si ocurre después, sobre todo al entrar en la menopausia, puede considerarse un proceso normal de envejecimiento.

El embarazo o una tensión emocional muy fuerte pueden producir una calvicie temporal, como también pueden causarla, tanto en hombres como en mujeres, ciertas enfermedades (la psoriasis, por ejemplo) o tratamientos médicos (la quimioterapia contra el cáncer).

¿Puede curarse la calvicie?

Una forma segura de hacerse rico rápidamente sería descubrir una cura para la calvicie, pero obviamente no es cosa fácil, puesto que hasta ahora nadie lo ha logrado.

La solución más sencilla para los calvos es ponerse un peluquín o una peluca. Otra posibilidad, molesta pero muy efectiva, es recurrir a un trasplante de pelo. Para esto se toman trocitos de piel de la parte posterior del cuero cabelludo y se injertan en las zonas que han quedado desnudas. El pelo vuelve a crecer junto con la piel en los puntos de donde se han sacado los injertos, y la calvicie no recurre en las zonas en las que se han implantado, pero se necesitan alrededor de 250 mechones para cubrir una calva normal.

Para los hombres queda la alternativa, más teórica que práctica, de combatir los efectos destructivos de las hormonas masculinas sobre el pelo tomando dosis altas de hormonas femeninas (estrógenos). Desgraciadamente, esta drástica medida no sólo puede hacer crecer el pelo, sino que también feminiza al paciente.

¿Puede perderse el pelo de un día a otro?

Las dietas drásticas para adelgazar muy bajas en proteínas o en calorías, no sólo pueden dañar la salud, sino que también conducen a la pérdida del pelo, aunque volverá a crecer en cuanto se reanude la alimentación normal. Hay enfermedades, como el cáncer, la deficiencia tiroidea y, algunas veces, la diabetes, que dejan el pelo muy ralo. No es que se caigan más de 50 a 100 hebras al día, que es lo normal, sino que los folículos no pueden reemplazarlas a la misma velocidad que antes.

¿Qué causa el hirsutismo?

Generalmente, las personas de origen mediterráneo son más velludas que los escandinavos y los africanos, y éstos a su vez lo son más que los indios americanos y los individuos de ascendencia asiática. Estas diferencias en la cantidad de pelo son normales, pues rara vez el hirsutismo es tan pronunciado que pueda considerarse anormal. De ser así, lo más probable es que deba atribuirse a factores genéticos, uso de medicamentos a base de esteroides, irregularidades glandulares o menopausia.

¿Cómo puede eliminarse el vello superfluo?

A muchas mujeres les molesta tener bozo o vello visible en otras partes de la cara porque suponen que les resta femineidad. En general, el exceso de vello, el hirsutismo, mortifica más a las mujeres que a los hombres; para remediarlo se puede recurrir a taparlo con el maquillaje, suprimirlo temporalmente con una rasuradora o con depilatorios, o eliminarlo definitivamente por medio de la electrólisis, que destruye el folículo piloso; este último tratamiento debe hacerlo un especialista.

La peluca como símbolo jerárquico

La importancia de las pelucas ha sido cosa seria. Los antiguos egipcios se rasuraban la cabeza como medida higiénica, y probablemente también para aliviar el calor, pero luego se protegían del sol con una peluca que indicaba su posición social. En las culturas posteriores su uso se limitó a las mujeres hasta que en 1624 el rey de Francia, Luis XIII, impuso la moda de las grandes pelucas. La usanza arraigó en Europa y sus colonias hasta que la Revolución Francesa estigmatizó tales símbolos jerárquicos. Pero mientras una abundante cabellera siga siendo signo de juventud y vigor, se recurrirá a las pelucas, peluquines y trasplantes de pelo.

El duque de Marlborough, antepasado de Winston Churchill, usaba esta enorme peluca rizada para demostrar su importancia.

Desde principios del siglo XVIII, los jueces y abogados británicos usan peluca en los tribunales; es el emblema del oficio.

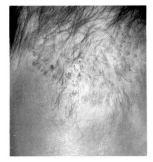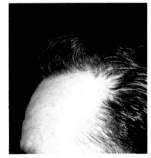

En la calva se injertan trozos de piel de la parte posterior de la cabeza (izq.). El nuevo pelo es escaso, pero permanente (der.).

Alteraciones del pelo

¿Puede el pelo volverse blanco de la noche a la mañana?

La amplia gama de colores del cabello humano, desde el negro azabache al rubio platino, se debe a un pigmento llamado melanina. Cuanta más melanina contenga, más oscuro será el pelo. Aunque el color está determinado genéticamente, suele cambiar algo a través de los años; los niños generalmente tienen el pelo más claro y se les va oscureciendo a medida que crecen. Al ir envejeciendo, disminuye la producción de melanina en el folículo piloso, y llega un momento en que las nuevas hebras de cabello carecen totalmente de pigmento y crecen blancas.

Seguramente todos hemos oído historias sobre personas que encanecieron de repente como consecuencia de alguna experiencia aterradora. De María Antonieta, la esposa de Luis XVI, rey de Francia, se dice que encaneció totalmente la noche anterior a su muerte en la guillotina durante la Revolución Francesa.

La verdad es que ninguna de estas anécdotas ha podido comprobarse y todas carecen de bases que las apoyen. Sin embargo, ciertas enfermedades —la alopecia difusa es una de ellas— pueden provocar la caída súbita del cabello pigmentado dejando incólumes las canas que estaban entreveradas y eran poco aparentes, lo que da la falsa impresión de que el paciente ha encanecido de pronto.

¿Qué es lo que vuelve gris al pelo?

El pelo gris no es más que una mezcla de cabellos en diverso grado de depigmentación que varía desde el color natural hasta el blanco. La mayor parte de la gente tiene ya algunas canas alrededor de los 35 años, y no es raro ver alguno encanecido prematuramente antes de los 20.

Pero a qué se deben las canas, qué es lo que hace que el folículo deje de producir melanina a medida que envejecemos es algo que ni siquiera los especialistas saben con seguridad. Se ha visto que en el interior de una cana, donde el pelo normal lleva la melanina, hay cientos de microscópicas burbujas de aire. Cuando la luz incide sobre el cabello oscuro, parte de ella se absorbe; cuando cae sobre una cana, es reflejada y refractada. Eso es lo que da el brillo y el tono plateado al cabello blanco. Algunos experimentos que se han llevado a cabo en animales demuestran que la falta de ciertas vitaminas en la dieta producen el encanecimiento.

¿Cómo funcionan los tintes para el pelo?

Hay tres tipos distintos de tintes para el pelo. Los *temporales* cubren simplemente la superficie del pelo; no pueden penetrar a través de la cubierta externa del cabello porque sus moléculas son demasiado grandes para poder filtrarse por los espacios que quedan entre las células imbricadas de la cutí-

El pelo bajo dos perspectivas

Cuando se observa el cabello con un microscopio de luz polarizada (en esta página) y con un microscopio electrónico de barrido (página siguiente), se notan claramente los efectos de ciertos peinados y productos para el pelo. Abajo se muestra la relación normal del grosor de las tres capas que forman el pelo; casi todo el volumen lo ocupa la capa intermedia, la corteza. Si se compara esta fotografía con las de la derecha, se verá cómo la presión mecánica y los tratamientos químicos comprimen, deforman y rompen el pelo. Aunque el cabello está muerto, es fuerte y elástico (una hebra de pelo es más resistente que un alambre de acero del mismo diámetro), pero los tintes, permanentes y peinados que dicta la moda dañan su estructura, alteran su textura y opacan su brillo. Sin embargo, mientras el folículo no se afecte, volverá a crecer cabello sano.

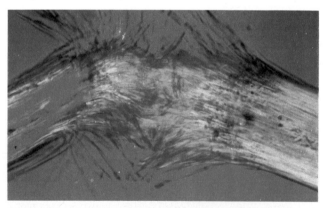

Las ligas, trenzas y sartas de cuentas fracturan el cabello.

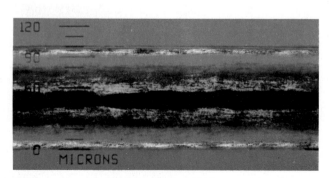

Pelo normal mostrando sus tres capas: médula, corteza y cutícula.

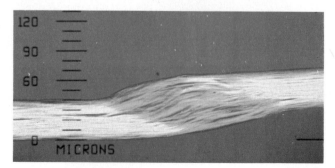

Los tintes y permanentes deforman el pelo y rompen la cutícula.

cula. Por lo tanto, estos tintes desaparecen tan pronto como uno se lava la cabeza.

Los tintes *semipermanentes* tienen moléculas un poco menores que llegan a penetrar algo en el pelo; por esa razón generalmente aguantan por lo menos cinco lavados de cabeza antes de que el color comience a desvanecerse en forma apreciable.

Desde luego, los tintes más efectivos y los más populares son los *permanentes* de efecto oxidante. Consisten en una combinación de tres líquidos: el primero es el colorante propiamente dicho; el segundo es simplemente agua oxigenada (peróxido de hidrógeno), y el tercero constituye un eslabón de enlace que une los otros dos. Los tres líquidos están formados por moléculas extremadamente pequeñas que rápidamente pasan a través de la cutícula del pelo y llegan a la corteza interna, donde se combinan para formar grandes moléculas que quedan atrapadas ahí dentro y que, por lo tanto, no pueden ser arrastradas por el agua y el champú por mucho que uno se lave la cabeza. Estos tintes persisten indefinidamente y sólo se

pueden eliminar dejándose crecer el cabello y cortando la parte teñida, ya que no se difunden al nuevo cabello que se va formando. Precisamente por eso no son los indicados para una persona a la que le gusta cambiar el color de su cabello varias veces al año.

Independientemente de cuán efectivo sea un tinte, el folículo piloso seguirá produciendo su propio pigmento y el pelo que va surgiendo del cuero cabelludo mostrará su color original, por lo que hay necesidad de retocar las "raíces" o volver a teñir todo el pelo cada tres o cuatro semanas.

¿Son inofensivos los tintes para el pelo?

La gente ha venido tiñéndose el pelo desde hace por lo menos 3 000 años, pero actualmente son tantas las personas, sobre todo mujeres, que se tiñen regularmente el cabello que la manufactura de los tintes se ha estandarizado considerablemente. Sin embargo, tanto los fabricantes como las autoridades sanitarias advierten reiteradamente

a los consumidores que sigan al pie de la letra las instrucciones que acompañan a estos productos. Como la mayoría de los tintes para el pelo contienen sustancias químicas que pueden resultar nocivas —entre ellas compuestos altamente irritantes para la piel y los ojos—, conviene seguir escrupulosamente esta recomendación.

¿El nadar puede dañar el pelo?

En contra de lo que antaño se afirmaba, el agua pura no daña en absoluto el cabello, pero no puede decirse lo mismo del agua clorada de las albercas. Los científicos han encontrado que el cloro llega a ablandar la cubierta externa que protege el cabello, su cutícula escamosa, haciendo que se ablande o se rasgue. Estas alteraciones se ven fácilmente con un microscopio electrónico. Bastan unas diez horas de exposición al cloro para lesionar la cutícula, por lo que se recomienda a los nadadores usar una gorra o lavarse el pelo en cuanto salgan de la alberca.

Las células imbricadas de la cutícula están asentadas y no se levantan normalmente al peinarse.

Si se usan tenazas para el pelo muy calientes o por mucho rato, se forman ampollas en la cutícula.

La laca recubre cada pelo con una gruesa capa que al secarse apelmaza y entiesa el cabello.

El crepé va en contra de la imbricación de las células de la cutícula, las levanta y desprende.

El pelo muy dañado por la decoloración y el crepé tiene un aspecto áspero y fosco.

El champú en seco elimina la suciedad del pelo, pero también deja residuos (partículas verdes).

Las uñas: cronistas de nuestra historia

Crecimiento de las uñas

Una uña tarda de tres a seis meses en crecer desde la base hasta la punta, y es el borde de piel que se curva sobre la base de la uña el que marca la dirección del crecimiento. Mientras no se destruya la raíz, las lesiones aceleran el crecimiento de la uña hasta que se recupera. A pesar de lo que se dice, el comer gelatina no influye ni en el crecimiento ni en la fortaleza de las uñas; para protegerlas, lo mejor es no tenerlas metidas mucho tiempo en agua.

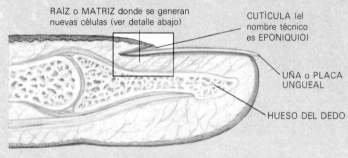

RAÍZ o MATRIZ donde se generan nuevas células (ver detalle abajo)

CUTÍCULA (el nombre técnico es EPONIQUIO)

UÑA o PLACA UNGUEAL

HUESO DEL DEDO

Una lesión en la raíz puede producir gibas o manchas que afean la uña, pero que no tienen importancia. La cutícula protege la zona de crecimiento, por lo tanto debe tratársela con cuidado. Lo mejor es no tocarla o sólo empujarla hacia atrás con un palito de naranjo.

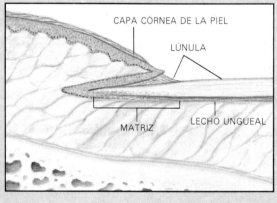

CAPA CÓRNEA DE LA PIEL

LÚNULA

MATRIZ

LECHO UNGUEAL

¿Las uñas están vivas o muertas?

Las uñas son fuertes y resistentes, sirven como escudos protectores a las puntas de los dedos que son muy sensibles, pero están formadas por tejido muerto. Lo que las convierte en tan eficaces armaduras es el material que satura sus células muertas, una proteína llamada queratina. Si al caminar descalzos tropezamos con una piedra o un tronco, las duras uñas de los pies, carentes de nervios, absorben parte del golpe y reducen el dolor que, de otra manera, sería muy intenso.

Las uñas de las manos nos prestan, además, otros servicios; gracias a ellas podemos realizar ciertos trabajos minuciosos, como deshacer los nudos de las agujetas, por ejemplo. Aunque la uña, propiamente dicho, no está inervada, funciona magníficamente como "antena" porque está embebida en un tejido sensitivo que registra el más leve roce de la uña con un objeto.

La parte visible de la uña, llamada cuerpo o placa ungueal, mide apenas medio milímetro de grosor y crece a expensas de la raíz o matriz germinativa que se encuentra oculta bajo la base de la uña. En la base precisamente se encuentra una marca blanquecina en forma de media luna, llamada por eso lúnula, que puede ser o no visible. El área situada por debajo del cuerpo de la uña se conoce como lecho ungueal.

¿Qué similitud hay entre las uñas y el pelo?

Las uñas y el pelo son ambos una forma modificada de la piel, están formados por tejido muerto y endurecido a base de queratina. En cuanto a las diferencias, la mayor parte son obvias, pero hay una menos aparente: el crecimiento de una hebra de pelo se interrumpe cada cierto número de años cuando el folículo descansa, en cambio las uñas crecen continuamente.

Sin embargo, las uñas crecen más lentamente que el cabello: las de las manos crecen alrededor de 4 cm al año, las de los pies la mitad o una tercera parte de esa longitud en el mismo periodo, y el pelo 13 cm e incluso más.

Aunque las uñas crecen ininterrumpidamente, lo hacen más aprisa en unas épocas que en otras. El crecimiento es más acelerado entre los 20 y los 40 años y más lento en la infancia y en la vejez. El clima cálido y el embarazo estimulan el crecimiento, en cambio la malnutrición y el hambre lo retrasan.

Más aún, en las personas diestras, la uña del pulgar derecho suele crecer con más celeridad que la del izquierdo; en los zurdos pasa lo contrario. La diferencia puede deberse a la mayor actividad de la mano que domina o al mayor flujo de sangre.

¿Es cierto que las uñas siguen creciendo después de que el individuo ha muerto?

Esta vieja creencia que tanto ha perdurado no es cierta, pero es fácil comprender en qué se basa. La piel de los muertos se encoge un poco y se retrae en la base de la uña, lo que hace que el borde distal sobresalga más dando la *apariencia* de que la uña es más larga de lo que era justo después de haber muerto su dueño.

¿Por qué se rompen las uñas?

Las uñas frágiles y quebradizas son una molestia y una verdadera desgracia para muchas mujeres que gastan bastante tiempo y dinero en manicures y cuidándose las manos. La causa principal de este problema es bastante prosaica; aparentemente se debe al agua común y corriente. Las uñas protegen las puntas de los dedos limitando la cantidad de agua que penetra en los tejidos que están por debajo, lo mismo que lo hace la capa córnea de la piel en otras regiones del cuerpo. Pero, curiosamente, estos dos tipos de tejidos impiden el paso del agua absorbiéndola en grandes cantidades. Las uñas son tan porosas que pueden retener cien veces más agua que la piel equivalente en peso. En cuanto salen del agua, las uñas van perdiendo por evaporación la que habían absorbido y recuperan su grosor normal. Sin embargo, el estar embebiendo agua y secándose varias veces al día durante meses llega a alterar la estructura de la uña y afecta su elasticidad y resistencia.

El agua no es lo único que hace quebradizas las uñas. Muchas mujeres usan esmaltes para uñas y se los quitan periódicamente con solventes. Tantos unos como otros pueden tener sustancias químicas irritantes disueltas en el líquido, que la uña absorbe con tanta facilidad como el agua. Si una persona se pinta las uñas para ocultar el daño causado por el agua, el problema se vuelve un círculo vicioso que no hace sino empeorar las cosas aumentando más la fragilidad de las uñas.

Hablando de esmaltes para uñas, hay algunos que pueden dañar la piel alrededor de la uña pintada, sobre todo los que contienen formaldehído, produciendo lo que se llama dermatitis por contacto.

¿Son las uñas un buen índice del estado de salud?

Antes de una intervención quirúrgica, a las mujeres se les suele pedir que se quiten el esmalte de las uñas, porque es en ellas y en los labios donde mejor se nota la cianosis, el color azul que toma la piel cuando falta oxígeno en la sangre. Como durante la operación el paciente tiene la cara cubierta por la mascarilla de la anestesia, el anestesista se basa en el color del lecho de las uñas para saber si está recibiendo suficiente oxígeno. Y hay otras muchas cosas que un médico avezado puede diagnosticar sólo examinando las uñas.

La formación de finos surcos a lo ancho de las uñas puede indicar que esa persona ha padecido una enfermedad hace apenas unos meses, porque la enfermedad suele retardar el crecimiento y producir engrosamientos en la raíz de la uña, que van apareciendo a medida que ésta crece. Las uñas deformes, dobladas hacia atrás, pueden ser signo de una anemia por deficiencia de hierro.

El color de las uñas también es muy significativo. Una uña opaca, de color blanco mortecino, puede en algunas ocasiones indicar una cirrosis hepática; las bandas blancas pueden deberse a un ligero envenenamiento con arsénico o a otras causas desconocidas. Pero sólo un médico puede interpretar con certeza estos signos, la autodiagnosis suele hacer que nos asustemos sin razón alguna. Por ejemplo, un golpe sin importancia en la base de la uña puede producir un coágulo negro de sangre muy impresionante.

¿Qué es un padrastro?

Los padrastros son tiritas de piel seca que se levantan de la carne a los lados de las uñas de las manos; pueden llegar a ser tan molestos y dolorosos que dificultan las tareas manuales cotidianas.

Los padrastros pueden deberse a la resequedad de la piel, una manicure mal hecha o una herida. Nunca hay que arrancarlos, sino cortarlos con unas tijeras y no demasiado cerca de la base para evitar una infección. Después hay que ponerse crema humectante alrededor de las uñas para suavizar la piel.

¿A qué se deben las uñas enterradas?

Las uñas enterradas o encarnadas aparecen principalmente en los dedos gordos de los pies y causan tanto dolor que llegan a inutilizar al que las padece. Generalmente se deben a que se ha cortado demasiado la uña, sobre todo en los extremos, de manera que cuando crece otra vez los bordes se incrustan en los sensibles tejidos que hay debajo, en lugar de pasar por encima como el resto de la uña. La causa también pueden ser los zapatos muy apretados. Si la uña encarnada se infecta, no trate de curarse usted mismo, vea a un médico.

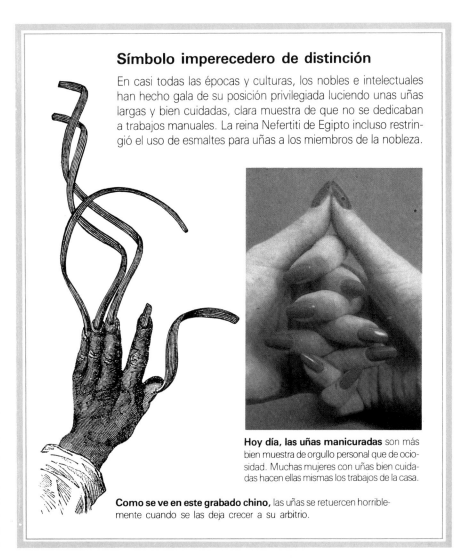

Símbolo imperecedero de distinción

En casi todas las épocas y culturas, los nobles e intelectuales han hecho gala de su posición privilegiada luciendo unas uñas largas y bien cuidadas, clara muestra de que no se dedicaban a trabajos manuales. La reina Nefertiti de Egipto incluso restringió el uso de esmaltes para uñas a los miembros de la nobleza.

Hoy día, las uñas manicuradas son más bien muestra de orgullo personal que de ociosidad. Muchas mujeres con uñas bien cuidadas hacen ellas mismas los trabajos de la casa.

Como se ve en este grabado chino, las uñas se retuercen horriblemente cuando se las deja crecer a su arbitrio.

Capítulo 7

HUESOS Y MÚSCULOS

Es bien sabido que la falta de ejercicio debilita los músculos, pero no todo el mundo está enterado de que también contribuye a que los huesos pierdan calcio.

¿Qué opinan los ingenieros sobre el cuerpo humano?

Desde el punto de vista de la ingeniería, el cuerpo humano resulta algo extraordinario, una verdadera obra maestra de resistencia y eficiencia. Los huesos de los muslos, por ejemplo, son más resistentes que un peso equivalente de concreto armado. Cuando caminamos apresuradamente, el fémur soporta a cada paso un promedio de 83.7 kg por centímetro cuadrado. Al mismo tiempo, los músculos están utilizando la energía con una eficiencia seis veces mayor que la del motor del automóvil más moderno.

Un ingeniero también podrá valorar el notable andamiaje que da soporte al cuerpo: el esqueleto, formado por 206 huesos que mantienen en pie una masa de músculos y órganos que puede llegar a pesar cinco veces más que ellos mismos. Lo que podría ser un armazón tosco y desproporcionado resulta, la mayor parte de las veces, un cuerpo grácil unido en las articulaciones por fuertes ligamentos y tendones y movido por potentes grupos de músculos.

¿Qué edad tienen nuestros huesos?

Si se toma una radiografía de un embrión de dos meses, se puede ver ya colocado en su lugar lo que aparentemente es el esqueleto, por lo que podría decirse que los huesos tienen, aproximadamente, la misma edad que el resto del cuerpo. Pero la verdad es que los huesos son mucho más jóvenes, porque el "esqueleto" de un embrión de dos meses no está formado por tejido óseo, sino por un tejido precursor de los huesos que sobre él se formarán posteriormente.

Este tejido precursor está constituido fundamentalmente de cartílago, un material blanquecino, resistente y flexible. La elasticidad del cartílago es la que permite que la cabeza del niño se comprima al pasar por el canal del parto sin que sufra daño alguno. A esa cualidad se debe que un bebé recién nacido pueda recibir golpes y choques sin que se resienta su esqueleto.

Parte del cartílago se transforma en hueso antes del nacimiento; el resto termina de consolidarse mucho después. Año tras año, se van depositando sobre el cartílago calcio, fósforo y otros minerales hasta convertirlo en hueso. Durante este proceso, llamado osificación, se almacenan en los huesos grandes cantidades de calcio —alrededor del 99%

de la provisión de este mineral con que cuenta el cuerpo. Si el nivel de calcio en la sangre baja por alguna razón, el organismo lo repone extrayéndolo de los huesos. El calcio es indispensable para el funcionamiento de los nervios que estimulan la contracción muscular y sin la cual no podríamos movernos.

Antes de que el nivel de calcio en los huesos llegue a su límite más alto y los endurezca totalmente pasan muchos años. En la adolescencia, aunque los jóvenes son fuertes y vigorosos, los huesos todavía conservan parte de su flexibilidad, por eso es menos frecuente que se rompan a pesar de los rudos e imprudentes juegos a que suelen dedicarse los muchachos y muchachas de esa edad. Alrededor de los 18 años en las mujeres y de los 20 en los hombres, los huesos ya han adquirido su dureza definitiva.

¿Tiene un bebé tantos huesos como un adulto?

Los niños nacen con 350 huesos blandos, casi 150 *más* de los que tiene un adulto, pero al pasar el tiempo muchos de los huesos del niño se fusionan. Por ejemplo, cinco de las vértebras originales se unen poco a poco para formar un solo hueso en la parte inferior de la columna vertebral, el llamado sacro.

Cuando ya se han fusionado todos los huesos que tienen que unirse, lo que generalmente ocurre entre los 20 y los 25 años, el esqueleto queda formado por 206 huesos permanentes. Sin embargo, no se trata de una regla invariable, ya que hay algunos adultos que cuentan con alguna vértebra o un par de costillas más de lo normal.

¿El consumo excesivo de alcohol afecta a los huesos?

Hace ya mucho tiempo que los médicos habían notado que los huesos de los alcohólicos eran más frágiles de lo normal y se les rompían con facilidad. Eso no quiere decir que el beber con exceso *cause* directamente las fracturas, sólo significa que puede haber alguna relación entre una cosa y la otra.

Recientemente se ha descubierto que el consumo excesivo de alcohol impide que ciertos compuestos químicos del organismo cumplan su función, que consiste en estimular el crecimiento de los huesos. Hasta ahora no se sabe por qué sucede esto.

¿Cómo aprendemos a caminar?

Para un bebé, aprender a caminar es una tarea ímproba que tiene que ir dominando lentamente a lo largo de muchos meses. Supera las primeras etapas dándose muchos golpes. De arrastrarse sobre el vientre, el niño pasa a gatear a cuatro patas, apoyándose en las manos y las rodillas; después se para con mucho trabajo, pero se cae con el menor desequilibrio. Sólo tras muchos intentos y fracasos logra dar los primeros pasos y aprende cómo hacer los movimientos correctos.

Aunque no se da cuenta, el niño esta aprendiendo una compleja serie de contracciones musculares destinadas a mantener su centro de gravedad en equilibrio sobre la pierna que soporta su peso a cada paso. Estas contracciones están regidas y concertadas por una parte del cerebro llamada cerebelo. Los brazos también contribuyen a mantener el cuerpo balanceado, sobre todo al caminar rápidamente o al correr.

¿Implica algún peligro el fisicoculturismo?

Como los músculos trabajan por pares, para que un fisicoculturista desarrolle una musculatura bien equilibrada necesita que su entrenamiento sea supervisado por un experto, de lo contrario corre el riesgo de que unos músculos se desarrollen más que otros, lo que impide que pueda hacer un buen uso de su musculatura. Un ejemplo de esta función coordinada son el bíceps, que se encuentra en la parte anterior del brazo, y el tríceps, que corre a lo largo de la parte posterior. Al levantar un martillo, pongamos por caso, el bíceps se contrae y se acorta, mientras que el tríceps se relaja y se alarga. Cuando se golpea un clavo con el martillo, el tríceps se tensa y el bíceps se relaja. Esto parece complicado, pero cuando este par de músculos están equilibradamente desarrollados trabajan en perfecta armonía.

Sin embargo, cuando una persona se ha dedicado a levantar pesas sin ejercitar los otros músculos del brazo y el bíceps se desarrolla más que el tríceps, aun estando con el cuerpo relajado, los brazos se mantienen doblados hacia dentro y le resulta difícil levantarlos hacia los lados. Este hércules rendirá poco como atleta y no tendrá una figura muy garbosa.

Antes, los fisicoculturistas se compraban unas pesas y se ponían a hacer ejercicio sin asesoría. El resultado era una musculatura impresionante, pero rígida y desequilibrada. Ahora los instructores procuran que el desarrollo de los músculos sea balanceado, lo que los hace más potentes y flexibles.

El armazón del cuerpo humano

¿Qué función desempeñan los huesos?

La estructura ósea de nuestro cuerpo pesa apenas unos 9 kg, cifra nada impresionante, pero lo extraordinario es precisamente que un armazón tan liviano pueda soportar el resto del cuerpo y nos permita caminar y movernos con agilidad. Además, los huesos protegen los órganos internos: el cráneo resguarda al cerebro de una manera muy eficaz y lo mismo hace la caja torácica con los pulmones y el corazón.

La médula del interior de ciertos huesos produce glóbulos rojos, las células sanguíneas que conducen oxígeno a los tejidos y recogen de ellos el bióxido de carbono; la médula de otros huesos forma glóbulos blancos, dedicados a destruir bacterias patógenas. Más aún, los huesos son capaces de restaurarse por sí mismos cuando sufren una lesión.

¿Cómo está formado un hueso?

Para darnos una idea de cómo está formado un hueso vivo, imaginémonos que estamos operando el hueso del muslo de un paciente. Lo primero con lo que nos encontramos es una delgada membrana blanquecina que cubre el hueso como una piel; es el periostio, que en latín significa alrededor del hueso. El periostio contiene una densa red de nervios y vasos sanguíneos que nutren a las células que componen el hueso compacto que está debajo de esa cubierta.

Al levantar el periostio nos encontramos con tejido óseo, duro y compacto, que forma una masa cilíndrica. El hueso compacto es tan sólido que no puede cortarse con cuchillo; hay que emplear una sierra.

A través del espesor del hueso compacto hay miles de diminutos orificios y túneles por los que corren nervios y vasos sanguíneos que proveen de oxígeno y nutrientes a las células óseas. Al abrir el hueso puede comprobarse que se trata de un cilindro que rodea y protege al tejido óseo esponjoso formado por una red de espículas y trabéculas, y a la médula central de aspecto gelatinoso. En esta médula se forman, según el hueso de que se trate, glóbulos blancos (que combaten las infecciones), glóbulos rojos (que transportan el oxígeno) o plaquetas (que ayudan a detener las hemorragias).

Estas tres capas —periostio, hueso compacto y médula— interactúan constantemente a través de la corriente sanguínea que fluye entre ellas y los impulsos nerviosos que van y vienen. Como se ve, el hueso no es un tejido muerto, sino una de las partes más vivas del cuerpo humano.

¿Se puede sentir dolor en los huesos?

La densa capa de tejido óseo compacto que soporta el peso del cuerpo está formada principalmente de calcio y otros minerales, por lo tanto no siente dolor. Pero el periostio que lo rodea contiene numerosas terminaciones nerviosas, lo que lo hace muy sensible al dolor. Cuando un hueso se rompe, las fibras nerviosas que corren a través de él mandan señales del daño al periostio, que las retransmite a los centros del dolor del cerebro. Si las astillas de la fractura rompen el periostio mismo, la sensación dolorosa es mucho más intensa.

¿Cómo se puede diferenciar un esqueleto masculino de uno femenino?

Si algún día llega usted a encontrarse un esqueleto en un armario, podrá saber si pertenecía a un hombre o a una mujer observando la pelvis. La pelvis femenina es más ancha que la de un hombre y tiene en el centro una amplia abertura circular que forma parte del canal del parto. La pelvis masculina también deja un espacio central, pero es más reducido y tiene forma de corazón. En cuanto a los otros huesos, los de un hombre suelen ser más grandes y pesados que los de una mujer.

El esternón femenino es más ancho y corto que el masculino, el cráneo forma una curva más delicada y los huesos de la muñeca son más finos. La mandíbula de una mujer suele ser más pequeña y es menos probable que tenga arcos superciliares muy pronunciados o una frente protuberante, cosa bastante frecuente en los hombres.

¿Pueden, de alguna manera, los huesos poner en peligro al organismo?

Los huesos son una de las más perfectas creaciones de la naturaleza. Cualquiera de ellos puede soportar cuatro veces más peso del que resiste una masa comparable de concreto armado y aproximadamente el mismo que aguantan el aluminio o el acero ligero. El secreto de la extraordinaria relación entre la resistencia y la ligereza del hueso reside en la forma en que se disponen los átomos de calcio y de fósforo al constituir estructuras cristalinas, regulares y compac-

---

Una antigua teoría: aplicación de la cirugía de cráneo

La trepanación se practicaba ya hacia el año 10 000 a.C. en Europa, Centro y Sudamérica y algunas regiones de África, y se hacía taladrando, raspando o cortando el cráneo. La regeneración del hueso en muchos de los restos encontrados indica que eran más los pacientes que sobrevivían que los que morían. Algunos estudiosos opinan que la trepanación se hacía sólo como un acto ritual, para liberar a los que estaban "poseídos por los demonios", pero otros suponen que se empleaba para curar jaquecas y ataques epilépticos. Un antropólogo que trabajó con tribus argelinas a principios de siglo informó que muchas mujeres pedían que se las trepanase, a lo que accedían encantados los curanderos. Al parecer, los pedazos de cráneos trepanados servían de talismán a los médicos.

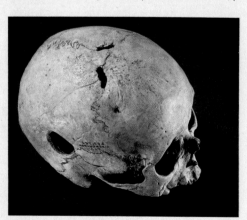

Este antiguo cráneo peruano presenta señales de varias trepanaciones. Otro espécimen de la misma región muestra siete orificios perfectamente cicatrizados.

El andamiaje interno del cuerpo

El cráneo, la columna vertebral y la caja torácica suman 80 de los 206 huesos del cuerpo, y forman el llamado esqueleto axial. El cráneo tiene 28 huesos, 8 de los cuales integran la caja que contiene el cerebro. En su base hay un amplio orificio que rodea la parte superior de la médula espinal. Las 24 costillas están unidas por pares a la columna vertebral y, junto con el esternón, forman el armazón que protege el corazón y los pulmones. El esqueleto apendicular comprende los huesos de ambos pares de extremidades, desde el hombro y la cadera hasta las falanges de los dedos. El hombro incluye la escápula u omóplato y la clavícula; la cadera comprende los huesos de la pelvis.

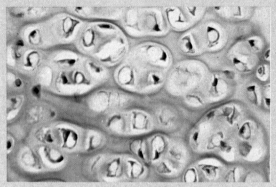

Corte transversal de un cartílago. De este tejido está formado el esqueleto del embrión; posteriormente el calcio lo osifica.

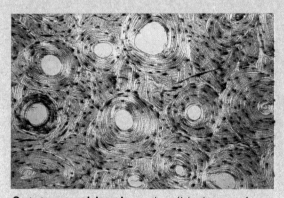

Corte transversal de un hueso. Las células óseas que forman el hueso son las estructuras circulares más oscuras.

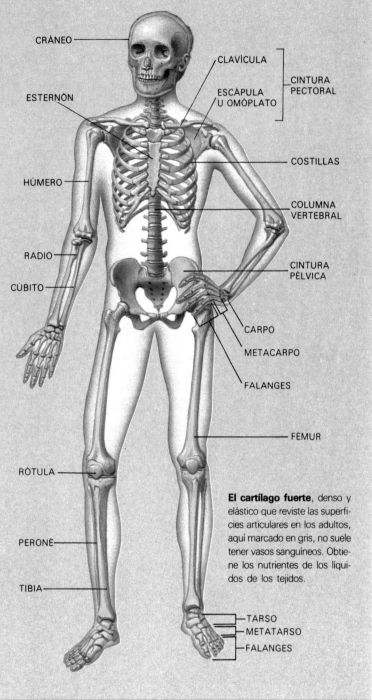

CRÁNEO

CLAVÍCULA

ESCÁPULA U OMÓPLATO

CINTURA PECTORAL

ESTERNÓN

COSTILLAS

HÚMERO

COLUMNA VERTEBRAL

RADIO

CINTURA PÉLVICA

CÚBITO

CARPO

METACARPO

FALANGES

FÉMUR

RÓTULA

El cartílago fuerte, denso y elástico que reviste las superficies articulares en los adultos, aquí marcado en gris, no suele tener vasos sanguíneos. Obtiene los nutrientes de los líquidos de los tejidos.

PERONÉ

TIBIA

TARSO

METATARSO

FALANGES

---

tas. El diamante, que es la sustancia más dura que se encuentra en la naturaleza, debe esta propiedad a estructuras cristalinas similares.

Lamentablemente, el modelo de cristalización del hueso no siempre es perfecto, y con frecuencia presenta fisuras y grietas semejantes a las dislocaciones cristalinas que producen el rompimiento de los metales cuando se "fatigan". Estas resquebrajadu-ras del hueso generalmente son pequeñas y sanan por sí mismas, pero en algunos casos se extienden y debilitan considerablemente el hueso, tanto que cualquier golpe seco puede producir en él el mismo efecto que logra el joyero al golpear un diamante para cortarlo a lo largo de sus líneas de fractura.

Otro peligro grave para el organismo es que el hueso llegue a acumular sustancias radiactivas, como el radio. Una vez que este elemento se ha introducido en el hueso, aunque sea en pequeñísimas cantidades, se convierte en un "saboteador" que va destruyendo la médula y el tejido óseos; puede llegar incluso a producir tumores de fatales consecuencias. Así, irónicamente, el fuerte y resistente armazón interno de nuestro cuerpo puede resultar uno de sus puntos más vulnerables.

El secreto de la actividad muscular

¿Por qué se dice que el cuerpo es como un mástil de los antiguos barcos de vela?

Los altos mástiles de los antiguos barcos de vela se mantenían en pie con bastante dificultad en cuanto encontraban vientos fuertes o un mar picado. Sin la compleja serie de cuerdas y cadenas que formaban sus aparejos, la arboladura de cualquiera de estos veleros se hubiera venido abajo o se hubiera roto.

Lo mismo nos ocurre a nosotros cuando tratamos de mantenernos en pie sin movernos. Nadie, ni el cadete mejor entrenado, puede permanecer inmóvil en posición de firmes por mucho tiempo. Al cabo de un rato empezará a oscilar, pero no se cae porque todo un conjunto de tendones y ligamentos de la espalda y las piernas entran en acción de inmediato, jalando en una dirección y otra para mantenerlo erguido.

El sistema muscular tiene otras funciones además de la de mantener el cuerpo erecto. Los músculos nos permiten llevar a cabo miles de complicados movimientos —como un salto de altura, unas asentadillas, bailar un zapateado o tocar el piano— en los que intervienen simultáneamente muchos de ellos, y que requieren una estricta coordinación.

Los principales músculos del cuerpo humano

Cuando echamos la cabeza hacia atrás para soltar una buena carcajada empleamos los músculos trapecios que unen la cabeza, el cuello y los hombros. Al levantar el brazo para parar un golpe se recurre al deltoides, que se extiende desde el brazo hasta la clavícula y el omóplato. El bíceps y el tríceps del brazo controlan la flexión y la extensión del antebrazo. Para toser y para dar a luz se usan los rectos y transversos abdominales, que se encuentran en la parte media del vientre. Los potentes glúteos mayores que forman las nalgas nos permiten mantenernos de pie, y los gastrocnemios de las pantorrillas caminar.

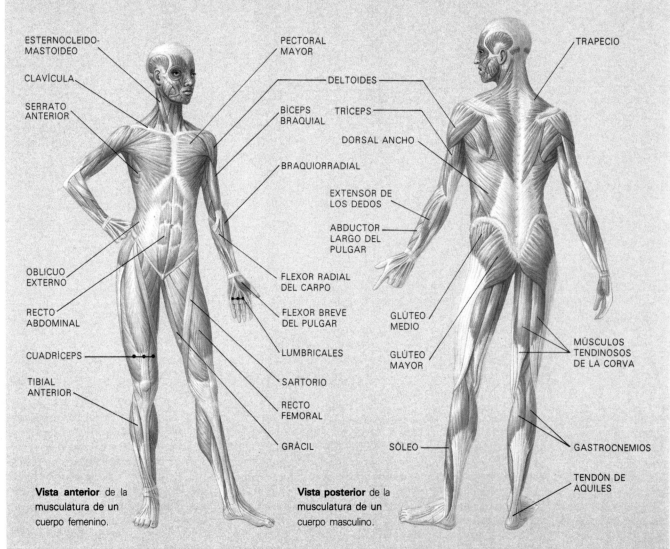

ESTERNOCLEIDO-MASTOIDEO
CLAVÍCULA
SERRATO ANTERIOR
OBLICUO EXTERNO
RECTO ABDOMINAL
CUADRÍCEPS
TIBIAL ANTERIOR

PECTORAL MAYOR
DELTOIDES
BÍCEPS BRAQUIAL
TRÍCEPS
DORSAL ANCHO
BRAQUIORRADIAL
EXTENSOR DE LOS DEDOS
ABDUCTOR LARGO DEL PULGAR
FLEXOR RADIAL DEL CARPO
FLEXOR BREVE DEL PULGAR
LUMBRICALES
SARTORIO
RECTO FEMORAL
GRÁCIL

TRAPECIO
GLÚTEO MEDIO
GLÚTEO MAYOR
SÓLEO
MÚSCULOS TENDINOSOS DE LA CORVA
GASTROCNEMIOS
TENDÓN DE AQUILES

Vista anterior de la musculatura de un cuerpo femenino.

Vista posterior de la musculatura de un cuerpo masculino.

¿Cuántas clases de músculos tenemos?

Al ver tal despliegue de protuberancias como las que aparecen bajo la piel de un fisicoculturista o de un levantador de pesas, se podría pensar que hay una enorme variedad de músculos en nuestro cuerpo, pero la verdad es que todos ellos se reducen a tres tipos básicos: el músculo estriado o voluntario que mueve las articulaciones; el músculo liso o involuntario que reviste los vasos sanguíneos, el tracto digestivo y otros órganos internos; y el músculo cardiaco que reúne características de uno y otro.

Los músculos estriados son capaces de contraerse enérgicamente bajo nuestro control. La musculatura lisa tiene a su cargo una importante función, pero como no está sujeta a acciones imprevistas, no se contrae con tanta energía. Sus movimientos son involuntarios, es decir, no los podemos controlar conscientemente.

El músculo cardiaco es estriado, pero sus estrías están más separadas que las de los músculos esqueléticos. La musculatura del corazón, sin embargo, es involuntaria; se contrae a su propio ritmo lo queramos o no.

¿Cómo está formado el interior de un músculo?

Si cortamos diagonalmente un músculo estriado típico veremos que se parece a un cable de teléfono formado por un haz de cables más delgados, y cada uno de éstos constituido por alambres todavía más finos.

El primer haz, el más grueso, está constituido por una serie de fibras musculares entre las que corren nervios, vasos sanguíneos y tejido conjuntivo. Cada fibra muscular está formada por otras más delgadas llamadas miofibrillas, y cada miofibrilla contiene filamentos entretejidos de dos tipos de proteínas: miosina y actina.

A medida que envejecemos, las elásticas fibras de los músculos estriados que mueven los huesos van siendo lentamente reemplazadas por tejido conjuntivo, proceso al que se llama fibrosis. Aunque este tejido conjuntivo recién formado es resistente, no es elástico y por lo tanto los músculos van perdiendo su tonicidad y ya no se pueden contraer con tanta energía. A esto se debe la pérdida de la fuerza y la mayor lentitud en la respuesta muscular de los ancianos.

Tipos básicos de músculos

Hay dos tipos de músculos estriados: los de contracción rápida que derrochan energía y los de contracción lenta que usan el oxígeno con mayor eficiencia. Los músculos lisos intervienen en las funciones inconscientes, como la digestión. El músculo cardiaco también es involuntario, aunque hay algunos yoguis que pueden influir en él cuando están en meditación profunda.

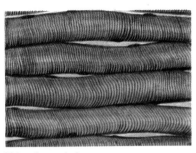
Músculo estriado

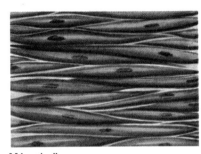
Músculo liso

Músculo cardiaco

¿Cómo funcionan los músculos?

Uno de los mayores logros de la ciencia del siglo XX ha sido descubrir cómo funcionan los músculos. El fenómeno de la contracción muscular abarca una serie de reacciones químicas y de impulsos nerviosos. Cuando el brazo cuelga a un lado del cuerpo, por ejemplo, el bíceps se encuentra relajado, con sus fibras largas y delgadas; pero si se aprieta el puño y se flexiona el brazo, el bíceps se contrae y sus fibras se acortan y se engruesan haciendo que el músculo sobresalga.

Hace apenas unas décadas que los científicos han descubierto lo que pasa cuando un músculo se contrae así. Imagínese la estructura muscular más sencilla capaz de contraerse, lo que se llama un sarcómero, como si fuera una pequeña habitación de paredes deslizables. En el centro está usted, que representa un filamento de miosina, y a su lado hay dos cuerdas —una atada a la pared del lado izquierdo y otra a la del lado derecho— que son los filamentos de actina. Durante la contracción, usted se verá estimulado a tomar las dos cuerdas y jalar de ellas acercando las paredes hacia el centro. La relajación se producirá cuando usted suelte las cuerdas y las paredes se deslicen a su posición original. Pero ¿qué es lo que hace que usted tome las cuerdas y jale de ellas? El factor principal son los impulsos nervio-

sos que desencadenan las reacciones químicas que intervienen en el proceso de la contracción.

El punto donde la fibra nerviosa que lleva el mensaje se une a la fibra muscular es lo que se llama placa motora terminal. Cuando el mensaje llega a la placa motora, ésta secreta un compuesto químico, la acetilcolina, que entra a la fibra muscular produciendo una onda de cargas eléctricas que ponen en acción el músculo.

¿A qué se debe la resistencia del músculo cardiaco?

La *resistencia* es la cualidad que mejor define al corazón, un órgano que no pocas veces ha estado latiendo durante más de 100 años sin parar. El corazón de una persona que ha llegado a los 100 años ha latido 400 000 millones de veces y ha bombeado alrededor de 545 000 toneladas métricas de sangre. Los fisiólogos afirman que esa resistencia se debe a que el músculo cardiaco combina la fuerza del músculo estriado y la imperturbable constancia del músculo liso; pero a diferencia de ellos, sus fibras están interconectadas formando un sistema conjunto de comunicación. Este sistema permite a las células del músculo cardiaco intercambiar señales eléctricas y, por lo tanto, actuar al unísono.

Grados de flexibilidad

¿Qué función desempeñan las articulaciones?

Tomando en cuenta que los huesos son rígidos, resulta sorprendente que el cuerpo sea tan flexible. Si nos podemos mover con tanta facilidad es gracias a que el esqueleto no está formado de una sola pieza, sino por una serie de unidades articuladas, lo que permite a los músculos hacer que el cuerpo adopte miles de posiciones distintas.

En el cuerpo hay varios tipos de articulaciones que tienen distinto grado de movilidad. Las articulaciones en bisagra, como la del codo y la rodilla, se mueven hacia atrás y hacia adelante precisamente como una puerta sobre sus bisagras. Las articulaciones esferoidales, como la del hombro y la cadera, permiten a uno de los huesos moverse en todas direcciones y al mismo tiempo seguir firmemente unido al otro.

¿A qué se debe que las articulaciones se muevan tan fácilmente?

Las articulaciones sanas son una obra maestra de ingeniería, tanto en lo que se refiere al ajuste como a la movilidad. Los extremos de los huesos que articulan están cubiertos por una capa de cartílago liso, y el espacio que queda entre ellos contiene una fina película de líquido lubricante que reduce la fricción llamado líquido sinovial (palabra que en griego significa clara de huevo, a la que se parece este lubricante por su viscosidad). En algunas articulaciones hay, además, discos planos de cartílago, los meniscos, que amortiguan los golpes. Todas estas estructuras se mantienen en posición mediante ligamentos, planos o de contorno circular.

¿Cuál es la articulación más vulnerable?

La articulación de la rodilla es la más voluminosa y la más pesada de todas y aparentemente está bien protegida. Se encuentra envuelta en un manguito fibroso lleno de líquido —la cápsula sinovial— y está sostenida por fuertes tendones y ligamentos y protegida por un grueso escudo óseo, la rótula. Además, entre las superficies articulares hay una almohadilla de cartílago, un menisco, que absorbe los golpes. Sin embargo, la rodilla es la articulación que más lesiones sufre.

Cuando la rodilla recibe un golpe o una torcedura y los ligamentos se rompen o se distienden mucho, la rótula llega a dislocarse y esto puede dañar el cartílago que está dentro de la articulación. En el futbol americano suelen producirse lesiones de este tipo muy impresionantes; hay jugadores a los que un golpe les ha volteado la rodilla hacia un lado.

¿Todas las articulaciones son móviles?

Generalmente asociamos la palabra *articulación* con la idea de movimiento, pero hay articulaciones que son fijas, como muchas de las del cráneo, donde los huesos están unidos por una capa densa y firme de tejido formando las llamadas suturas. Salvo casos excepcionales, los huesos del cráneo permanecen inmóviles formando una estructura rígida.

Hay otro tipo de articulaciones que tienen ligeros movimientos de deslizamiento, como son las que unen unas vértebras con otras. Cuando un bateador se impulsa para golpear la bola, el efecto acumulativo de los reducidos movimientos de las vértebras a lo largo de la columna le permiten un amplio giro de la espalda.

¿Qué es la articulación esferoidal?

Es un tipo de articulación en la que el cóndilo o cabeza redondeada de uno de los huesos entra en una oquedad que existe en el otro. Son articulaciones que se pueden mover casi en todas direcciones. Un estudiante de anatomía las descubriría como el punto de apoyo de una palanca en la que el hueso representa el brazo y los músculos la fuerza.

Para apreciar todo lo que una articulación de este tipo puede hacer, basta ver a una bailarina de ballet. Es sorprendente la variedad de movimientos que la articulación de la cadera permite. Esto se debe a que la cabeza hemisférica del fémur, el hueso del muslo, encaja perfectamente en una concavidad de contorno similar que hay en la pelvis. Una se puede mover dentro de la otra sin producir casi fricción gracias al líquido sinovial que actúa como lubricante. Este líquido está contenido por la cápsula articular forrada por una cubierta membranosa.

¿Por qué crujen las articulaciones?

A veces, al doblar con fuerza la rodilla se oye un crujido, el mismo ruido que producen los nudillos y otras articulaciones al jalar de ellas. Estos ruidos pueden deberse al sonoro estallido de las burbujas de aire que se han formado en el líquido sinovial que lubrica las articulaciones, o a las vibraciones y chasquidos que emiten los ligamentos, tensos como las cuerdas de una guitarra, cuando se deslizan de un punto a otro

¿SABÍA USTED QUE...?

- **Los músculos producen tal cantidad de calor** que, según se ha estimado, con esa energía podría hacerse hervir un litro de agua durante una hora. Precisamente el tiritar tiene ese propósito, ya que las contracciones involuntarias de los músculos liberan energía química que produce calor. Desde luego que el tiritar es sólo una medida de emergencia para calentarse.

- **Los ejercicios isométricos** consisten en esforzarse en mover objetos que son inamovibles. Cuando se trabaja con barras fijas o se hace presión contra el marco de una puerta, se están haciendo ejercicios isométricos. En cambio cuando se oponen los músculos a objetos que sí se mueven, el ejercicio es isotónico, como por ejemplo el levantar pesas. En ese caso se ejerce una "tensión constante" sobre la barra al irla levantando.

- **Cuando un niño se chupa el dedo**, los padres tratan de evitarlo por temor a que se le deforme la boca. Sin embargo, los dentistas afirman que esa costumbre rara vez influye en la maloclusión (posición defectuosa de los dientes).

- **Los ejercicios aeróbicos**, que aumentan la eficiencia del suministro de oxígeno al organismo, deben hacerse durante 20 minutos de 3 a 5 veces a la semana. Para determinar su nivel óptimo de esfuerzo, reste su edad a 220 y multiplique el resultado por 85%. Esto le indicará el máximo de latidos por minuto a que debe llegar su corazón. Tómese el pulso durante 15 segundos en cuanto termine los ejercicios.

Movimientos articulares

Hay tres tipos básicos de articulaciones: las inmóviles, como las suturas del cráneo; las que sólo permiten un ligero movimiento, como la que une los huesos púbicos de la pelvis, y las que se mueven ampliamente. Lo que determina el grado de movilidad es la forma de las superficies articulares de los huesos, la firmeza de los ligamentos que las rodean y la fuerza de los músculos que las mueven. Las articulaciones en silla de montar, en las que cada hueso es cóncavo en una dirección y convexo en otra, como la del carpo y el metacarpo del pulgar, permiten movimientos en dos direcciones opuestas. Las articulaciones entre los huesos del carpo y del tarso, en cambio, sólo pueden deslizarse. Los codos y las rodillas son articulaciones en bisagra, pero las rodillas son más flexibles y pueden efectuar cierta rotación. La articulación esferoidal de la cadera no resulta tan flexible como la del hombro, que es del mismo tipo, pero por ser más profunda es más difícil que se disloque.

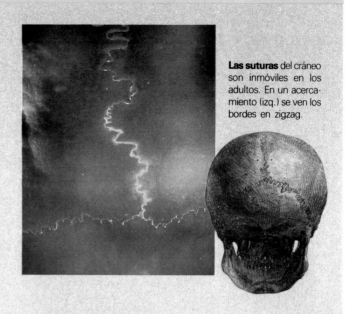

Las suturas del cráneo son inmóviles en los adultos. En un acercamiento (izq.) se ven los bordes en zigzag.

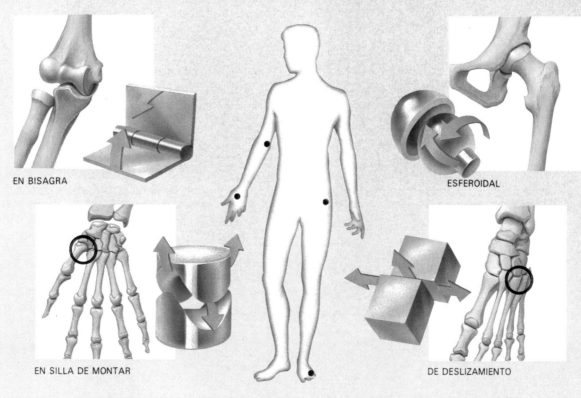

EN BISAGRA

ESFEROIDAL

EN SILLA DE MONTAR

DE DESLIZAMIENTO

sobre las superficies de los huesos al ponerse en movimiento la articulación. Ni en un caso ni en otro significan estos crujidos alguna anormalidad en la articulación.

¿Pueden realmente descoyuntarse los contorsionistas?

Hay muchas personas que pueden doblar los dedos hacia atrás, rodearse el cuello con las piernas y hacer otras notables contorsiones. La inmensa mayoría de la gente cree que estas personas logran tales retorcimientos porque son capaces de descoyuntarse, pero esto no es cierto; no hay quien pueda hacerlo normalmente. Las personas que tienen tan excepcional flexibilidad la deben simplemente a que pueden distender mucho los ligamentos que rodean las articulaciones y que son los que normalmente limitan los movimientos de los huesos. Muchos de los faquires y los contorsionistas de circo probablemente nacieron con ligamentos más laxos y mediante un riguroso entrenamiento han logrado hacerlos aún más flexibles, pero en ningún momento de sus actos más espectaculares llegan a desplazar los huesos fuera de las cápsulas articulares.

La caja que guarda al cerebro

¿Por qué es blando el cráneo de un bebé?

El cráneo de un recién nacido está formado por hueso blando y cartílago que se va osificando gradualmente en el transcurso de los 18 meses siguientes. De no ser así, no podría pasar por el canal del parto limitado por la cintura pélvica de la madre, debido a que suele ser más grande y tiene que comprimirse para poder salir. Por eso, los niños suelen nacer con la cabeza deformada, cosa que no tiene mayor importancia ya que a los pocos días recuperará su forma normal.

Por otro lado, el cerebro del recién nacido no está totalmente desarrollado y continúa creciendo rápidamente en los meses siguientes. El cráneo blando puede expandirse al mismo ritmo hasta que, alrededor del año y medio, el cerebro del niño ha alcanzado ya su tamaño definitivo y el cráneo termina de endurecerse.

¿Cuál es la función del cráneo?

Los 28 huesos de la cabeza, que al nacer están separados por zonas membranosas llamadas fontanelas, en el adulto ya están totalmente osificados y unidos por suturas formando una caja casi esférica y rígida que protege el cerebro, los ojos, la nariz y los oídos. El cráneo propiamente dicho, la parte abovedada y más extensa del esqueleto de la cabeza, está formado por ocho huesos

De este cráneo que tiene 27 000 años surgió el rostro de una joven.

La reconstrucción a partir de restos óseos: una mezcla de arte, ciencia y espíritu inquisitivo

Esta práctica comenzó en los años treinta cuando un joven científico soviético, Mijail Gerasimov, determinó por primera vez la proporción que hay entre los tejidos blandos y los huesos. A través del estudio de cientos de cadáveres, se dio cuenta de que el cráneo de una mujer suele ser más pequeño que el de un hombre y su mandíbula más delicada. También aprendió a calcular la edad a la que murió una persona por el estado de los dientes y el grado de osificación de los huesos. Los dientes pueden incluso ayudar a determinar la raza de su propietario (en los asiáticos, por ejemplo, no se suelen desarrollar las muelas del juicio). Los huesos proporcionan otras muchas pistas, como la forma de la nariz y el desarrollo de los músculos de las mejillas. Los antropólogos actuales han afinado los cálculos de Gerasimov estudiando por medio del ultrasonido la relación entre la musculatura y el esqueleto de personas vivas. Para reconstruir una cabeza, los especialistas comienzan por eliminar con sustancias químicas los restos de carne que puedan haber quedado y luego, a partir de la frente, modelan la musculatura con un plástico flexible. La prueba de que las determinaciones de Gerasimov eran correctas fue el notable parecido entre la reconstrucción que hizo de un artista de circo de Papúa Nueva Guinea muerto a finales del siglo XIX y una antigua fotografía de ese hombre con la que se comparó.

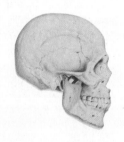  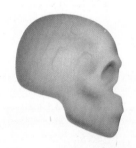 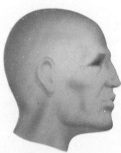

Los reconstructores se basan en las complejas relaciones matemáticas que existen entre unos huesos y otros, y de éstos con los músculos.

firmemente unidos que rodean el cerebro. La parte anterior de la cabeza incluye 14 huesos, entre ellos la mandíbula. Al nacer, la cabeza representa la cuarta parte de todo el esqueleto, en lo que a tamaño se refiere, pero esta proporción va variando y en la madurez corresponde sólo a la octava parte.

¿Qué pasa cuando uno se golpea la cabeza?

La estructura del cráneo le permite dar un poco de sí en la zona de las suturas, donde se unen los huesos, y por lo tanto absorber parcialmente los golpes. Además, el cerebro está protegido por tres capas de tejido membranoso que lo envuelven como un saco y flota en un mar de líquido cefalorraquídeo que le sirve de almohadilla. A pesar de toda esta protección, el cerebro está lejos de resultar invulnerable.

El cráneo responde a los golpes más o menos como lo hace una campana al impacto del badajo. La fuerza del golpe se extiende rápidamente como una onda de "resonancia" a través de los 28 huesos que lo forman, pero cada vez que pasa de uno a otro, las suturas absorben una pequeña parte de su fuerza. Por lo tanto, si el golpe no es muy fuerte, la onda del impacto pronto se disipa no dejando más que la sensación de una ligera reverberación en la cabeza. Pero cuando el golpe supera el límite de elasticidad del hueso, el cráneo sufre una fractura.

¿En qué casos resulta grave una fractura de cráneo?

Si la persona que ha recibido un golpe en la cabeza tiene suerte, el resultado puede ser simplemente una conmoción que dure unas cuantas horas, y es probable que la víctima se recupere totalmente después de sufrir algunas náuseas y mareos. El caso es más grave si se ha lesionado alguna arteria que produzca un derrame de sangre en el cerebro o alrededor de él. Si no se interviene quirúrgicamente para extirpar el coágulo, puede llegar a interferir funciones que son vitales para el organismo. Si el propio cerebro ha sido el que ha recibido la contusión, es probable que se presenten convulsiones. Cuando por la nariz, la boca o los oídos mana sangre y líquido cefalorraquídeo, que es incoloro, existe la posibilidad de que se haya fracturado la base del cráneo.

Un remate de cabeza es siempre espectacular, pero tiene sus riesgos. Los médicos aconsejan que se limiten estos golpes para evitar daños cerebrales.

Esta lesión puede ser muy grave; en algunos casos el paciente llega a sufrir daños cerebrales permanentes e incluso a morir.

¿Rematar de cabeza un balón de futbol puede causar daños al cerebro?

El futbol soccer se suele considerar "civilizado" comparado con el futbol americano, pero hay estudios que demuestran que los remates de cabeza, habituales en ese deporte y que consisten en detener en el aire y golpear el balón con la cabeza, pueden causar jaquecas, vértigos, pérdida de la memoria o daños aún más graves. A través de una carrera de 15 años, un futbolista probablemente haya golpeado el balón (que pesa 425 g) con la cabeza más de 5 000 veces. Un balón de cuero lanzado a más de 100 km/h se convierte en un temible proyectil, y más si está mojado. Los especialistas en medicina del deporte consideran que sería recomendable que los futbolistas usaran casco y que el balón fuera de plástico para que no absorbiera agua y resultara más liviano. También aconsejan que los jugadores se entrenen levantando pesas para que desarrollen una fuerte musculatura en el cuello que les sirva para absorber los golpes.

Lo que hay detrás de una sonrisa

¿Cuántos músculos hay en la cara?

En la reducida superficie que forma la cara hay varias docenas de músculos, lo que explica la enorme expresividad del rostro. Cuando fruncimos la frente, estamos usando un músculo que va desde la parte posterior del cuero cabelludo hasta la parte superior de las cejas; pero los músculos como éste son raros, ya que la mayoría están colocados por pares a uno y otro lados de la cara.

Alrededor de los ojos hay un músculo anular, un esfínter, que al contraerse cierra los párpados; pero es otra serie de músculos la que los eleva y otros más los que fruncen el entrecejo. Los movimientos del globo ocular, que son casi constantes, los producen y controlan seis pares de músculos.

Las aletas de la nariz se dilatan cuando estamos furiosos para permitir que entre más aire. Esta dilatación es producida por un par de músculos y hay otro par opuesto que las constriñe. Cuando arrugamos la nariz, notamos que la punta y el labio superior se mueven hacia arriba controlados por un par de músculos comunes que corren a lo largo de la nariz.

La boca es la zona de la cara que tiene mayor movilidad. Cuando proyectamos los labios hacia adelante para dar un beso o cuando los apretamos contra los dientes, estamos usando un esfínter que forma la mayor parte de los labios; pero además tenemos otros siete pares de músculos que mueven las comisuras hacia arriba, hacia abajo, hacia afuera o hacia adentro. Si sacamos hacia afuera el labio inferior, estamos utilizando además los músculos de la barbilla.

Los potentes músculos de la mandíbula, que pueden ejercer una presión de hasta 90 kg, y los de las mejillas, que usamos junto con los labios para chiflar, son los que más intervienen en la masticación y en el habla. Los distintos movimientos de la mandíbula están controlados por cuatro pares de músculos.

¿Hay expresiones que sean universales?

La mayor parte de la gente es capaz de mostrar una amplia gama de expresiones faciales que no son más que el reflejo de sus pensamientos y emociones internas. Aunque casi todas las sociedades tienen reglas que gobiernan la manifestación externa de los sentimientos, que señalan, por

Gesticulación vs. expresividad

Los gestos pueden tener distinto significado para unos y para otros; un tibetano saca la lengua cuando le da gusto ver a alguien y un búlgaro dice "sí" balanceando la cabeza de derecha a izquierda. Pero una prueba hecha en 13 países con muy distinto grado de desarrollo demostró que las expresiones faciales son las mismas en todo el mundo. Todas las personas a quienes se mostraron unos retratos coincidieron en señalar la emoción que reflejaban. Más aún, midiendo las descargas eléctricas de los músculos faciales se puede identificar la emoción que una persona está sintiendo aunque trate de disimularla.

La felicidad es una de las seis expresiones básicas, pero sólo incluye unos cuantos de los 7 000 movimientos posibles del rostro, identificados por los psicólogos conductistas Paul Ekman y Wallace Friesen. Aunque una sonrisa espontánea y otra forzada usan los mismos músculos de la boca y las mejillas, los estímulos vienen del cerebro por distinta vía neuronal.

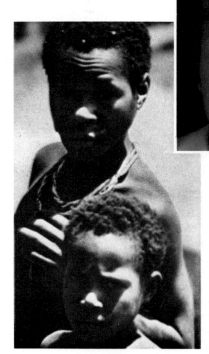

Como expresión facial, a veces es difícil distinguir la sorpresa del miedo, sobre todo entre los pueblos más primitivos. Los investigadores suponen que esto se debe a que en esas sociedades la sorpresa y el miedo van juntos. Pero no cabe duda que la boca abierta, los ojos desorbitados y las cejas alzadas que indican sorpresa se parecen mucho a la expresión del miedo.

ejemplo, cuándo es correcto sonreír o demostrar tristeza en público, en cuanto estamos desprevenidos todos usamos las mismas expresiones faciales para indicar sorpresa, enojo, miedo, tristeza y otras emociones básicas. Sin embargo, hay expresiones que son ambiguas: la mueca que distiende los labios lo mismo puede indicar alegría o diversión que expresar nerviosismo o aprensión. Hay ligeros movimientos del rostro que pueden ser muy elocuentes, por ejemplo, un minúsculo fruncimiento del entrecejo o una tirantez, casi imperceptible, de las comisuras de la boca.

A medida que envejecemos, las expresiones más habituales se van marcando en la cara, ya que las arrugas indican los músculos que usamos con más frecuencia.

¿Qué es el síndrome de la articulación temporomandibular?

El que tiene la costumbre de apretar o rechinar los dientes o tensar el músculo de la mandíbula cuando está nervioso, es probable que sufra alteraciones de la articulación temporomandibular. Además de la tensión emocional, estas alteraciones pueden ser producidas por una mandíbula mal alineada, la maloclusión de los dientes o una dentadura postiza que no ajuste bien. Los síntomas varían desde chasquidos y dolor al abrir la boca y debilidad en la mandíbula, hasta jaquecas recurrentes, vibraciones en los oídos y una sensación de presión en los ojos.

Cuando los dientes del maxilar superior y del inferior no encajan bien al morder, someten a la articulación de la mandíbula y a los músculos que la mueven a una tensión que llega a producir dolores muy fuertes. Lo mismo ocurre con tanta gente que suele reaccionar a las presiones de la vida, a la frustración y al nerviosismo apretando la mandíbula. Si ésta es la causa del síndrome, la solución a los dolores mandibulares es aprender a canalizar los problemas en otra forma. El tratamiento inmediato para aliviar los síntomas consiste en tomar tranquilizantes y analgésicos, aplicar calor húmedo o una bolsa de hielo en la zona adolorida, llevar una dieta blanda y limitar los movimientos de la mandíbula, incluyendo el hablar. Para un tratamiento a largo plazo los médicos suelen prescribir ejercicios especiales y aditamentos bucales.

Solución de un viejo misterio

Hasta hace relativamente poco tiempo nadie se había dado cuenta de que los dolores de la cara, cuello y hombros (generalmente de un solo lado); el dolor, tintineo y pérdida temporal del oído; la visión borrosa, y los rechinidos y el trismo de la mandíbula formaban parte del mismo síndrome causado por el espasmo de los músculos de la articulación temporomandibular que un bostezo, una mordida o una carcajada pueden desatar. ¿La cura? Relajar los músculos.

Así retrata Honoré Daumier, artista francés del siglo XIX, una jaqueca. Por la variedad de los dolores bien puede tratarse del síntoma de la articulación temporomandibular.

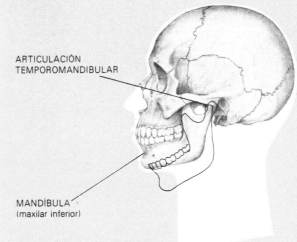

ARTICULACIÓN
TEMPOROMANDIBULAR

MANDÍBULA
(maxilar inferior)

Al abrir y cerrar la boca se ponen en acción cinco pares de músculos que están insertos en el maxilar inferior. La contracción prolongada de estos músculos ejerce fuerte presión sobre la articulación que une la mandíbula al cráneo. Los rechinidos articulares se deben al deslizamiento del cartílago sobre el hueso.

El desarrollo de los dientes

¿De qué están hechos los dientes?

La más dura de todas las sustancias que hay en nuestro organismo es el esmalte que forma parte de los dientes. Es tan dura que la fresa del dentista tiene que girar a una velocidad de medio millón de revoluciones por minuto para poder penetrarla. El esmalte cubre la corona de los dientes, que es la parte que vemos sobresalir de las encías. Las raíces están revestidas por un material óseo llamado cemento y encajadas en los alveolos de los maxilares, a los que quedan unidas por una membrana. Debajo del esmalte y del cemento hay una capa de marfil o dentina que limita la cavidad del diente donde se aloja la pulpa. La dentina es la más extensa de las envolturas de un diente. La pulpa es el centro vital; contiene nervios, vasos sanguíneos y linfáticos, todos ellos sostenidos por tejido conjuntivo. Cuando tenemos dolor de muelas, es la pulpa la que duele.

¿Son importantes los dientes de leche?

La idea de que los dientes de leche de un niño no importan porque de todas maneras se le van a caer es un error. Descuidar los dientes de los pequeños acarrea problemas dentales que pueden durar toda la vida. A medida que el niño madura, los dientes de leche guían el crecimiento de los maxilares y de los dientes definitivos. Si la primera dentición se pierde prematuramente, es probable que los maxilares no se desarrollen correctamente y que los nuevos dientes queden encimados o crezcan torcidos.

¿Cómo crecen los dientes?

Al nacer, los primordios de los dientes definitivos ya se encuentran en su lugar dentro de las encías, por debajo de las yemas de los dientes de leche o deciduos. Los dientes definitivos se desarrollan muy lentamente; cuando ya están totalmente formados se abren paso a través de las encías. Los molares permanentes brotan por detrás de los molares deciduos, en los espacios de ambos maxilares que en el niño están vacíos. Los ocho premolares del adulto desplazan a los ocho molares de leche, ya que en los pequeños no se forman premolares; en cambio, los incisivos y los caninos ocupan el lugar de sus homólogos de la primera dentición. Cuando los dientes deciduos se caen, las raíces son absorbidas por las encías.

Estructura y clasificación de los dientes

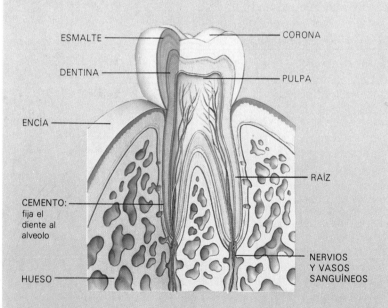

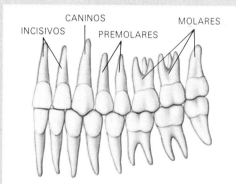

Los dientes permanentes comienzan a aparecer hacia los 6 años y a los 21 se suele contar ya con 32 piezas dentales, excepto aquellos casos en los que nunca emerge alguna de las 4 muelas del juicio.

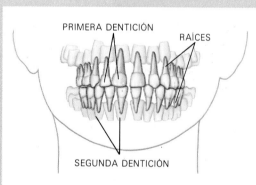

Las yemas de los dientes permanentes ya están en posición al brotar los dientes de leche. Aquí se muestra la dentadura de un niño de 3 a 5 años.

Cada diente consta de una corona que sobresale de la encía y una raíz implantada en el alveolo. La corona está cubierta de una capa de esmalte y otra de dentina que reviste la parte central ocupada por la pulpa, que contiene vasos sanguíneos y nervios. Sin contar las muelas del juicio, un adulto tiene 28 dientes permanentes clasificados en cuatro tipos según su forma y función: 8 incisivos, 4 caninos, 8 premolares y 8 molares. Al frente están los incisivos, provistos de un borde afilado que sirve para cortar y roer, y a su lado los caninos, que son puntiagudos y con ellos desgarramos los alimentos duros o fibrosos. A continuación se encuentran los premolares, cuya función es partir y desmenuzar, y por último los molares, más o menos planos, que trituran y machacan.

Los primeros dientes permanentes que aparecen son los molares de los seis años, que corresponden a los primeros molares. A la misma edad, aproximadamente, empiezan a caerse los dientes de leche, empezando por los incisivos centrales. Los caninos superiores son los últimos deciduos que se cambian. Alrededor de los 13 años, 28 de los dientes permanentes ya han salido, los cuatro restantes son las muelas del juicio que emergen muchos años más tarde o, a veces, nunca.

¿Por qué dan tantos problemas las muelas del juicio?

A mucha gente no le salen nunca las muelas del juicio; si usted se encuentra en ese caso, no se preocupe, quizá sea mejor así. Las muelas del juicio no tienen nada que ver con la cordura o la sensatez; se llaman así porque suelen salir alrededor de los 20 años, cuando una persona ha alcanzado ya la madurez física, pero no necesariamente la madurez emocional.

A la edad en que suelen brotar estos molares ya las otras 28 piezas dentales casi siempre se han adueñado del espacio disponible y, por lo tanto, es frecuente que alguna de las muelas del juicio quede embebida o incrustada en el alveolo causando una inflamación dolorosa. Si a pesar de todo llegan a emerger, muchas veces presionan y alteran a las otras piezas. Además, tienen tendencia a cariarse porque es difícil cepillarlas bien. Cualquiera que tenga problemas con estos molares debe acudir al dentista con toda oportunidad.

¿Afectan a la salud unos dientes mal alineados?

Una de las palabras favoritas de los dentistas es oclusión; con ella se refieren a la correspondencia de los dientes del maxilar superior y los del inferior cuando la boca está cerrada. Cuando hay una buena oclusión, los salientes y entrantes de las superficies de contacto de las piezas dentales de arriba y de abajo encajan perfectamente, de manera que los molares pueden triturar hasta las partículas de alimento más pequeñas. La maloclusión significa que por alguna razón los dientes están mal alineados; puede ser que estén muy separados, porque falte alguna pieza, o demasiado juntos, incluso con alguno torcido o montado sobre otro.

Los dientes que están hacinados resultan difíciles de limpiar y entre ellos se acumulan restos de alimentos, lo que favorece las caries y la gingivitis. Una maloclusión produce presión sobre los dientes y la articulación, lo que da lugar a que los dientes se aflojen y los músculos se cansen; esto se traduce en dificultades para articular las palabras y para masticar, que a su vez causa trastornos en la digestión.

¿Vale la pena que los adultos se sometan a una ortodoncia?

La ortodoncia, que consiste en corregir la alineación de los dientes, es más fácil en los niños porque los maxilares y los dientes están aún en desarrollo, pero también se puede hacer en los adultos. Con ella logran que los dientes les duren más y que la boca tenga mejor aspecto.

Para enderezar los dientes torcidos o para alinearlos, los ortodoncistas emplean frenos, pero además liman las superficies dentarias y recurren a poner nuevas coronas y puentes. Cuando se trata de problemas serios, como la retracción del maxilar, puede ser necesaria la cirugía.

Hoy día, someterse a una ortodoncia no significa llevar la boca llena de placas de metal y de alambres, ya que hay nuevos adhesivos y aleaciones metálicas que permiten muchas veces fijar los frenos a la parte posterior de los dientes y no hacerlo por delante.

¿Por qué se manchan los dientes?

Algunas manchas de los dientes son producidas por el tabaco, el café o el té, y pueden ser eliminadas por el dentista al hacer la limpieza periódica. Pero hay otras más profundas debidas al exceso de flúor, de antibióticos, a una terapia a base de hierro o, en el caso de un diente que ha muerto, al flujo de sangre hacia la dentina, que son difíciles, no sólo de quitar, sino incluso de ocultar. Los dentistas suelen recurrir en esos casos a sustancias blanqueadoras, cubren el esmalte con un sellador de color blanco o le ponen al diente una nueva corona de porcelana o de plástico.

¿Qué se puede hacer si se pierde un diente?

Si le tienen que sacar un diente, lo mejor es reemplazarlo lo antes posible, no sólo por cuestiones de estética, sino para impedir que las otras piezas se corran hacia el hueco alterando la buena oclusión.

Los sustitutos habituales son las dentaduras postizas hechas de metal o de plástico. Los puentes fijos pueden reemplazar de una a cuatro piezas siempre que a uno y otro lados del hueco haya dientes naturales a los que puedan fijarse. La implantación de dientes metálicos que se insertan en los maxilares o por debajo de las encías está aún en una etapa experimental.

¿Una columna flexible o rígida?

¿Cómo está estructurada la columna vertebral?

De los 33 huesos que integran la columna vertebral, 9 están fusionados formando el sacro y el cóccix; los 24 restantes se clasifican en tres grupos: 7 de ellos, que se encuentran en la región del cuello, son las llamadas vértebras cervicales; en el área del tórax hay 12 vértebras torácicas y, por debajo de la cintura, 5 vértebras lumbares. Las 5 vértebras que forman el sacro y las 4 que constituyen el cóccix, en la parte inferior de la columna, están integradas a la cintura pélvica. Además, la espina dorsal está reforzada por una intrincada red de fuertes músculos, tendones y ligamentos.

En toda su extensión, la columna es una maravilla de solidez, flexibilidad y eficiencia. De cada vértebra sobresalen espolones o salientes en los que se insertan los músculos y que limitan un agujero. Al superponerse los agujeros de todas las vértebras, forman un canal en el que está alojada la médula espinal, a la que llegan y de la que salen nervios a lo largo de su trayecto. Las vértebras están separadas por discos de cartílago flexible capaz de absorber golpes y que representan el 25% de la longitud de la columna. La forma de S de la espina dorsal, similar a un resorte, contribuye mucho a su fuerza y flexibilidad.

Unido a la base de la columna se proyecta curvándose hacia adentro el cóccix, que se va adelgazando hacia su extremo distal. Este hueso está formado por la fusión de cuatro vértebras vestigiales cuya función se desconoce. Generalmente ni nos damos cuenta de que está ahí hasta que por un accidente se lastima o se fractura.

¿Qué tan importante es una buena postura?

Si aparentemente se ha perdido el interés por la buena postura, la culpa puede achacarse a tantos padres y maestros bien intencionados, pero excesivamente rigurosos, de hace unas décadas que exigían a los jóvenes mantenerse tiesos como palos, con la barbilla salida y el vientre sumido como si fueran cadetes durante una revista. Ahora se acepta que mantener recta la espalda es antinatural. La columna vertebral del hombre no forma una línea recta y no puede conseguirse que así sea por muchos esfuerzos que se hagan. Se sabe incluso que las posturas exageradamente militares pueden comprimir los nervios del cuello y de la espalda.

Vista de perfil, la espina dorsal tiene la forma de una doble S. A partir del extremo superior se curva ligeramente hacia adentro, sobresale luego a la altura de los hombros para volver a proyectarse hacia adentro por detrás del estómago. En la base, la columna se curva otra vez hacia afuera y retrocede de nueva cuenta a la altura del cóccix.

Todas estas curvas tienen una función: hacen de la espina dorsal una especie de resorte capaz de absorber muchos de los golpes y tensiones que de otra manera se transmitirían directamente al cerebro, que es un órgano muy vulnerable.

Las teorías actuales sobre la buena postura se basan en el equilibrio: hay que procurar sostener la cabeza alta, pero no echarla hacia atrás, y mantener los hombros suficientemente rectos para poder respirar plena y libremente. Estando parado y con todo el peso del cuerpo asentado sobre la planta de los pies, trate de imaginarse una plomada que cuelga desde un lado de la oreja hasta el frente del hueso que sobresale en el tobillo.

¿Por qué son tan comunes los dolores de espalda?

Los dolores de espalda son tan comunes que mucha gente supone que son inevitables, sobre todo al llegar a la vejez. Sin em-

¿Hay quien nace con cuello de jirafa?

Tratar de "mejorar" las proporciones del cuerpo es un antiguo y generalizado impulso que va, desde la práctica china de vendar los pies a las niñas, hasta la costumbre maya de aplanar el cráneo a los pequeños con planchas de madera. En la tribu padaung de Birmania se consideraba hermoso un cuello largo, por lo que empezaban a estirárselo artificialmente a las niñas a la edad de cinco años. Se les ponía primero un aro de metal alrededor del cuello e iban añadiendo aros a medida que crecían, lo que hundía los hombros en el tronco haciendo que el cuello pareciera varias veces más largo de lo normal. A los ojos de la tribu esto no sólo aumentaba la belleza de una mujer, sino que los anillos metálicos eran prueba de la riqueza de la familia. Cuando una mujer cometía un delito grave, se le quitaban los aros acabando con su belleza y casi con su vida ya que, al no ser capaz de sostener la cabeza por sí misma, corría el peligro de desnucarse o asfixiarse a menos que alguien se la sujetara o le proporcionara un soporte.

Ésta es una de las pocas mujeres padaung que quedan con el cuello estirado, ya que esta costumbre está desapareciendo.

bargo, los médicos afirman que no es así; aunque los dolores de espalda algunas veces se deben a defectos congénitos o a los muchos años, en la mayoría de los casos hay que atribuirlos a la debilidad muscular que produce la vida sedentaria y a las tensiones de la vida moderna.

Cuando la tensión emocional hace que se contraigan los fláccidos músculos de la espalda que no están preparados para ese esfuerzo, es frecuente que sufran un espasmo. El dolor del espasmo es tan agudo que el paciente está convencido de que algo se le ha dislocado o fracturado en la columna. La verdad es que la dislocación de un disco intervertebral que presiona a los nervios es responsable sólo de un 5 a un 10% de los múltiples casos de dolor de espalda.

El más común de estos padecimientos es el dolor en la parte baja de la espalda y suele presentarse en las personas que ya han cumplido los 30 años. La mayoría de estos ataques se deben a un espasmo de los potentes músculos que corren a lo largo de la parte inferior de la espalda, lo que antes se llamaba lumbago. Las personas excedidas de peso y las que realizan trabajos en parte sedentarios y en parte extenuantes, como los camioneros y las ayudantes de enfermería, por ejemplo, son las que están más expuestas a estos espasmos. Para evitarlos hay que procurar que sean las piernas y no la espalda las que hagan el esfuerzo cuando se trata de levantar cargas pesadas; hay que agacharse doblando las piernas y no inclinando la espalda.

¿A qué se deben las jorobas?

Quasimodo, el personaje principal de la novela de Víctor Hugo *El jorobado de Nuestra Señora*, es quizá el más famoso caso de cifosis, nombre técnico de la joroba.

La convexidad anormal que caracteriza a la cifosis no es más que una exageración de la ligera curvatura que todos tenemos en la región torácica de la columna vertebral. El jorobado típico es achaparrado, camina inclinado hacia adelante y frecuentemente sufre alteraciones cardiacas e insuficiencia pulmonar como consecuencia de su deformidad. Los médicos se refieren a la cifosis como una condición idiopática, lo que quiere decir que no saben a qué se debe. Esta anomalía no debe confundirse con otras deformidades de la columna para las que existen tratamientos específicos.

La clave de la buena postura

Imagínese que su cuerpo está formado por una serie de ladrillos superpuestos sujetos por cientos de ligamentos, tendones y músculos. Cuando esos ladrillos están en perfecto equilibrio, apoyado cada uno firmemente en el que está debajo, el cuerpo puede relajarse y sin embargo mantenerse erguido. La clave es la alineación. Si usted se para con los hombros caídos, inclinados hacia adelante, las otras partes del cuerpo se acomodarán a esa postura: la pelvis y el vientre se proyectarán hacia adelante, las rodillas se doblarán y los músculos de la espalda estarán tensos. Una mala postura produce fatiga, tensión crónica y una sensación de inestabilidad. La buena postura, en cambio, da ligereza y permite emplear la energía con mayor eficiencia.

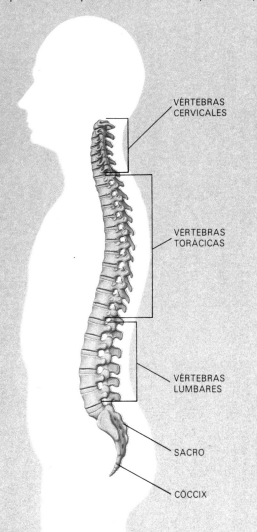

VÉRTEBRAS CERVICALES

VÉRTEBRAS TORÁCICAS

VÉRTEBRAS LUMBARES

SACRO

CÓCCIX

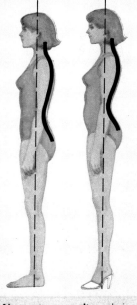

Al usar tacones altos, el eje del cuerpo se inclina hacia adelante lanzando el tronco en la misma dirección. Para contrarrestarlo, se doblan las rodillas y se pronuncia la curvatura lumbar de la columna.

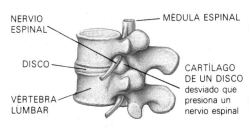

Los discos de cartílago que separan las vértebras les sirven de almohadilla y protegen la médula espinal y los nervios periféricos. La dislocación de un disco causa fuertes dolores. Con la edad, los cartílagos se adelgazan y endurecen.

NERVIO ESPINAL

MÉDULA ESPINAL

DISCO

VÉRTEBRA LUMBAR

CARTÍLAGO DE UN DISCO desviado que presiona un nervio espinal

Unidad funcional del brazo

¿Cómo trabajan el hombro y el brazo?

Si examinamos un esqueleto, nos daremos cuenta de que el hombro y el brazo forman una unidad independiente que cuelga del armazón óseo del tronco. El omóplato, también llamado escápula o paletilla, es un hueso ancho y de forma triangular que sobresale en la parte alta de la espalda y está unido al resto del esqueleto por la clavícula, que es larga y se curva a manera de una S. Acoplado al omóplato por una articulación esferoidal se encuentra el húmero, hueso largo y macizo que forma el esqueleto del brazo. En el antebrazo hay dos huesos, también largos, pero más delgados, que son el cúbito y el radio, articulados en la muñeca a la mano.

Desde la parte posterior del cuello hasta el hombro se extiende el músculo trapecio, que nos permite echar la cabeza y el cuello hacia atrás. Entre la clavícula y el húmero se encuentra el músculo deltoides, que desempeña un importantísimo papel en el levantamiento de pesas. Al levantar el brazo para cubrirnos de un golpe que viene de arriba usamos también este músculo.

Los pectorales, que cubren la parte superior del pecho, son los que dan fuerza al "abrazo del oso". El bíceps y el tríceps controlan los movimientos de flexión y extensión del antebrazo y son ellos los que forman la protuberancia muscular del brazo.

¿Es el hombro congelado una dolencia invernal?

A pesar de su nombre, el hombro congelado es un padecimiento que no tiene nada que ver con el invierno o el clima frío. Técnicamente se llama capsulitis adhesiva, y consiste en una fuerte inflamación de la cápsula de tejido fibroso que rodea y protege la articulación del hombro. Esta inflamación, más frecuente en las personas de edad madura y en los ancianos, inmoviliza el hombro porque cuando el paciente trata de moverlo le produce un dolor intenso y agudo. Esta dolencia puede tardar meses, e incluso años, en desaparecer, pero casi siempre cede con ayuda de medicamentos y siguiendo un plan de ejercicios prescrito por el médico.

¿Por qué se disloca tan fácilmente la articulación del hombro?

Efectivamente, es sorprendente la facilidad con que se disloca el hombro; hay personas a las que les pasa esto sólo con tratar de meter el brazo en la manga de un abrigo grueso o algo estrecho. Estos accidentes se deben a que la concavidad donde entra la cabeza del húmero es poco profunda y no cuesta mucho que el hueso se salga de ella. Las dislocaciones del hombro son más frecuentes en los adultos que ya han sufrido otra antes, porque al proyectarse el hueso fuera de la articulación distiende los ligamentos que la refuerzan y los afloja permanentemente.

Una dislocación se nota por el fuerte dolor que produce cualquier movimiento del brazo, el bulto que deforma la curva normal del hombro y la obvia diferencia de longitud entre el brazo normal y el que se ha dislocado.

En estos casos, nunca se debe pedir a otra persona que jale del brazo para tratar de volver a acomodarlo en su lugar. La operación no es tan sencilla como parece. La dislocación de un hueso es un accidente tan

---

El codo de tenista no sólo lo sufren estos deportistas

La lesión llamada codo de tenista (epicondilitis en términos médicos) consiste en la inflamación de los tendones de la región externa del codo. Es más común entre las personas que pasan de los 30 años y, a pesar de su nombre, no es exclusiva de los que juegan tenis. Se caracteriza por un dolor constante que frecuentemente irradia al antebrazo y la muñeca; además, la zona afectada resulta muy sensible al tacto. Tanto los tenistas consumados como los novatos pueden sufrir esta dolencia. Los novatos porque, con mucho entusiasmo, le pegan a la pelota con demasiada fuerza y aprietan mucho la raqueta. En el caso de los tenistas profesionales, según un experto, se debe al exceso de ejercicio: hay una correlación entre el tiempo que pasan jugando y la frecuencia de estas lesiones.

Al sacar, el brazo del tenista se mueve a una velocidad tremenda; con frecuencia alcanza más de 480 km por hora.

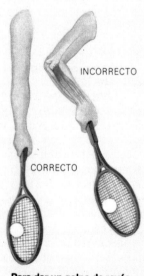

INCORRECTO

CORRECTO

Para dar un golpe de revés hay que emplear todo el brazo y no doblar el codo.

serio como una fractura y sólo un médico está capacitado para atenderla. Lo que él hará es meter con todo cuidado la cabeza del húmero en la articulación y probablemente entablillar el brazo para inmovilizarla y reforzar los ligamentos que la rodean. Generalmente el paciente tiene que llevar el brazo en cabestrillo hasta que los ligamentos distendidos sanen y recuperen sus dimensiones normales. La recuperación total suele tardar un mes.

¿Por qué duelen tanto los golpes en el codo?

Al dolor que produce un golpe en la parte del codo más cercana al cuerpo se le llama dolor de viudo porque, según las malas lenguas, el sufrimiento es grande, pero dura poco. El que los golpes en esta región duelan tanto se debe a que por debajo de la protuberancia del extremo inferior del húmero pasa, casi desprotegido, el nervio cubital. Para localizar el punto exacto, apoye el codo derecho sobre una mesa; por encima y a la izquierda de la punta del codo notará un saliente óseo: es el epicóndilo.

Cuando recibe un golpe, el impacto comprime el nervio contra el hueso; el estímulo es tan directo que uno se siente momentáneamente paralizado, como si un minúsculo rayo hubiera caído en el codo.

¿Qué es el codo de tenista?

Hay más casos de codo de tenista como consecuencia de estarle dando vueltas a un desarmador que por jugar al tenis. Esta dolorosa lesión se debe, cosa curiosa, a lo que normalmente es una cualidad de los huesos del antebrazo. Cuando tenemos el antebrazo recto y las palmas de las manos hacia arriba, el radio y el cúbito quedan paralelos, uno al lado del otro. Pero si giramos el antebrazo, sin mover el codo, hasta voltear la palma hacia abajo, el radio queda superpuesto al cúbito en ángulo agudo formando entre los dos una X larga y cerrada.

Esta capacidad de rotación es muy útil, pero si el movimiento es brusco o excesivo, los músculos se resienten y los tendones que los fijan al codo se inflaman, produciendo un dolor muy intenso que recorre el antebrazo desde el codo impidiendo el movi-

miento. Generalmente el dolor cede con descanso, pero en algunos casos el médico puede recetar un medicamento para aliviarlo.

¿Qué diferencia hay entre ligamentos y tendones?

Tanto unos como otros están hechos de tejido conjuntivo resistente y no muy elástico (los ligamentos generalmente se pueden estirar algo más que los tendones), pero su función es distinta. Un tendón es un fuerte cordón de tejido fibroso unido al extremo de un músculo que transmite su jalón al hueso haciendo que se mueva. En cambio los ligamentos, unos acordonados y otros anchos y planos, envuelven las articulaciones reforzándolas, para impedir que la tensión las disloque y distiendan o rompan la cápsula articular. Las lesiones de los tendones y de los ligamentos pueden ser dolorosas e incapacitantes.

Todas las articulaciones móviles tienen ligamentos, sobre todo las de la muñeca, tobillo, codo, rodilla, hombro y cadera. Las vértebras están unidas y alineadas con la ayuda de ligamentos en forma de bandas o de cordones.

Este golpe dado con el antebrazo encogido y rígido muestra la inexperiencia del jugador, que ha calculado mal la distancia y está demasiado cerca de la pelota. El movimiento, además de torpe, es penoso para los músculos del antebrazo y del codo.

Aquí se ve cómo un revés puede causar una lesión. El golpe dado con una sola mano, con el codo trabado, fuerza mucho los músculos del antebrazo. En general, el revés dado con las dos manos resulta menos peligroso.

La destreza de la mano humana

¿A qué se debe la flexibilidad de la mano?

La mano humana es tan hábil y delicada que puede ejecutar una cirugía de cerebro y tan fuerte que puede introducir un tornillo en la madera. Bajo la palma de la mano hay cinco huesos metacarpianos cilíndricos que se extienden desde los huesos de la muñeca hasta los nudillos; a ellos se articula

el esqueleto de los dedos, constituido por 14 falanges movibles. En total hay 27 huesos en cada mano. El puente de unión entre los metacarpianos y el esqueleto del antebrazo lo forman los 8 pequeños huesos de la muñeca, llamados en conjunto carpo, que encajan unos en otros como un empedrado y están sujetos por fuertes ligamentos que los envuelven como si se tratara de un guante.

El movimiento de los dedos es produci-

do, en primer término, por potentes músculos que tienen su origen en el antebrazo y se continúan en la mano con fuertes tendones. En la cara palmar, esos tendones se encuentran embebidos en vainas sinoviales que se extienden a lo largo de cada dedo. Al contraerse el músculo, jala del tendón y de su vaina y el dedo se flexiona. El pulgar contribuye mucho a la destreza de la mano porque se encuentra opuesto a los otros dedos, lo que permite agarrar objetos pequeños entre cualquier otro dedo y el pulgar.

¿Cómo se llama cada dedo de la mano?

El término médico para el dedo que nosotros conocemos como pulgar es pollex, palabra latina que significa fuerte. Al meñique se le llama minimus, que quiere decir pequeño. El anular recibe ese nombre porque en él se ponen los anillos. El tercero, naturalmente, es el medio, y el que sigue, que usamos para señalar o indicar, es el índice o index. A los huesos de los dedos se les llama falanges por las famosas formaciones militares griegas tan eficientes en batalla.

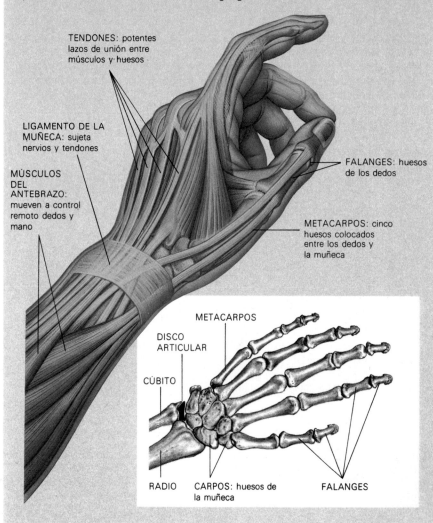

TENDONES: potentes lazos de unión entre músculos y huesos

LIGAMENTO DE LA MUÑECA: sujeta nervios y tendones

MÚSCULOS DEL ANTEBRAZO: mueven a control remoto dedos y mano

FALANGES: huesos de los dedos

METACARPOS: cinco huesos colocados entre los dedos y la muñeca

METACARPOS

DISCO ARTICULAR

CÚBITO

RADIO

CARPOS: huesos de la muñeca

FALANGES

¿Hay realmente una lesión llamada "dedo de beisbolista"?

Cualquier beisbolista de los que juegan en los baldíos sabe lo que le ocurre a un parador en corto novato cuando salta para agarrar una bola rápida sin guante. Si la pelota le pega en la punta de los dedos y flexiona violentamente la última falange mientras el tendón que corre por el dorso está jalándola para mantener el dedo extendido, el golpe puede romper el tendón.

Si se entablilla el dedo lesionado y se le inmoviliza unas seis semanas, sanará normalmente. Pero si no se le presta atención médica adecuada, al curar por sí mismo el tendón quedará más largo de lo que era antes, dejando la falange permanentemente flexionada a menos que se recurra a la cirugía. Esa lesión se llama también dedo en martillo y, aunque parezca mentira, no todos los que la sufren permiten que se les corrija la deformidad; hay muchos beisbolistas aficionados que muestran con evidente orgullo sus dedos torcidos.

¿Puede ser cosa seria una muñeca adolorida?

Muchas veces los deportistas no se dan cuenta de que la simple medida de vendarse la muñeca cuando la sienten adolorida y olvidarse de ella puede conducir a serias complicaciones. La razón es, como cualquier entrenador sabe muy bien, que lo que el atleta puede tomar por una torcedura resulta ser algo mucho más grave: una fractura, una dislocación o los primeros síntomas de una artritis.

La muñeca, llamada carpo, está formada por un vulnerable mosaico de frágiles huesecillos que mucho contribuyen a la ductilidad y flexibilidad de la mano. En mu-

Los trazos luminosos (estroboscópicos) demuestran que las manos son más rápidas que el ojo. El pianista practica este vertiginoso arpegio hasta que logra tocarlo sin que el cerebro tenga que dar instrucciones a las manos paso por paso.

chos deportes es cosa habitual sufrir fuertes caídas que frecuentemente se detienen con las palmas de las manos. La muñeca absorbe esos golpes que, por lo tanto, repercuten en los huesos del carpo. Si el dolor persiste después de uno de esos accidentes, es necesario consultar al médico, quien probablemente recomendará tomarse una radiografía.

¿Es peligroso tronarse los dedos?

Como la mayoría de los padres saben muy bien, una de las principales razones que tienen los chicos para tronarse los dedos es divertirse viendo cómo se alteran los adultos con el ruido. Generalmente, los chasquidos se deben al ruido que hacen al estallar las burbujas de aire que hay en el interior de la articulación de los nudillos. Para impedir la fricción entre los huesos, el espacio que los separa está lleno de un viscoso líquido lubricante, el líquido sinovial, incluido dentro de la cápsula articular. El líquido contiene numerosas burbujas de aire, tan pequeñas que no pueden verse a simple vista. Cuando los huesos están próximos, el líquido se encuentra sometido a presión y las burbujas conservan su pequeño tamaño habitual; pero si se cierra el puño o se

jala de los dedos, los huesos se separan, la presión disminuye y las burbujas se acercan unas a otras y se suman formando una más grande. Al volver los huesos a su posición original, la presión hace estallar esta gran burbuja produciendo un fuerte chasquido.

Los médicos no saben a ciencia cierta si el tronarse los dedos es dañino o no, pero algunos opinan que si se hace con frecuencia se pueden agrandar y deformar los nudillos.

¿Qué es el "dedo en gatillo"?

A pesar de su nombre, este padecimiento extremadamente doloroso no tiene nada que ver con el manejo de armas de fuego. Consiste en una lesión de uno de los tendones de un dedo, de manera que al doblarlo se queda rígido en esa posición exactamente como si acabara de apretar el gatillo de una pistola. Cuando el dedo se "descongela" y se puede extender, suele producir un chasquido audible, lo que probablemente también contribuya al nombre que se da a esta dolencia.

El origen del problema puede haber sido una herida, una infección o el exceso de trabajo que hacen que el tendón se inflame

o que la vaina tendinosa se constriña. En uno u otro caso, el tendón ya no puede desligarse dentro de su vaina y le es imposible moverse libremente en toda su extensión. Probablemente el médico recomiende, para empezar, la inmovilización del dedo y medicamentos para desinflamarlo, pero es frecuente que se requiera cirugía menor.

¿Qué es una fractura de Colles?

A la fractura de Colles le cabe el dudoso honor de ser la más común de todas las fracturas óseas. Suele ocurrir cuando una persona se cae hacia adelante y extiende los brazos para detener el golpe con las manos, con lo que recibe todo el impacto en las muñecas. Como el radio, el más delgado de los dos huesos del antebrazo, no puede soportar todo el peso del cuerpo, frecuentemente se rompe unos 2 ó 3 cm por encima de la articulación de la muñeca. El dolor de una fractura de Colles es tan intenso que generalmente se anestesia al paciente para que el médico pueda alinear de nuevo los fragmentos del hueso roto y enyesar el brazo. La recuperación total suele tardar unos tres meses y muchas veces se requiere que el paciente haga ejercicios de rehabilitación.

Los fuertes huesos y músculos largos

¿Cómo se articula el muslo a la cadera y a la rodilla?

Los huesos de la cadera y del muslo son mucho más fuertes y pesados que los del hombro y el brazo, y los músculos que los controlan mucho mayores. Las caderas están formadas por los dos grandes huesos ilíacos que se unen al sacro para constituir la pelvis, un anillo óseo en forma de cuenco que contiene y protege los órganos internos. En el extremo inferior de la pelvis hay, a cada lado, una profunda cavidad articular donde encaja la voluminosa cabeza de la parte superior del hueso del muslo, el fémur, que es el más largo y fuerte de todo el esqueleto. Por la parte inferior, el fémur se articula en la rodilla con el más grande de los dos huesos de la pierna, la tibia.

¿Qué es la "rodilla de lavandera"?

El nombre médico de este padecimiento es bursitis prerrotuliana y se refiere a la inflamación de la bolsa serosa localizada en la rodilla y cuyo líquido protege de los golpes a la articulación. A pesar de este acolchonamiento, la rodilla no está hecha para soportar horas y horas el peso del cuerpo apoyada sobre una superficie dura, como sucedía antes con las lavanderas que trabajaban de rodillas, y como hacen muchas amas de casa y sirvientas para limpiar y encerar los pisos.

Esta constante fricción contra la rótula irrita la bolsa serosa, que se inflama y aumenta su producción de líquido, lo que produce una presión muy dolorosa alrededor de la rodilla. Los nuevos métodos de limpieza han liberado a las mujeres del trabajo que antes se hacía de rodillas y este padecimiento es ahora raro. Sin embargo, cualquier oficio que exija presión prolongada sobre las rodillas, como la jardinería, por ejemplo, puede causar una bursitis.

¿Qué es el desgarro de un menisco?

Generalmente, el desgarro de un menisco se debe a una caída o a un golpe en la rodilla que desalinea ligeramente los huesos de la articulación rompiendo una de las almohadillas cartilaginosas, llamadas meniscos, que separan los huesos. Además de ser muy dolorosa, la lesión puede incapacitar al paciente si una pieza del cartílago roto se desliza impidiendo el movimiento de bisagra de la articulación.

Cuando el desgarro no es muy serio, el paciente puede seguir así aunque la rodilla se le trabe de vez en cuando y se le quede momentáneamente rígida o se doble bajo su peso en el momento menos pensado. Muchos, sobre todo los deportistas, se ponen una venda elástica bien apretada para evitar que el menisco se salga de su lugar. Si la lesión es grave y el dolor no cede, puede ser necesaria la cirugía. La magnitud del daño se puede determinar mediante un artrograma, que consiste en inyectar un colorante en la articulación para poder ver con rayos X el menisco lesionado. La artroscopía es otro procedimiento que permite al cirujano examinar el interior de la articulación para diagnosticar y, de ser posible, reparar la anomalía.

¿Se puede saber la estatura que tenía una persona a partir de uno de sus huesos?

Como los esqueletos antiguos se encuentran reducidos a polvo y, en el mejor de los casos, sólo quedan unos cuantos fragmentos óseos, los arqueólogos han tratado siempre de encontrar fórmulas para calcular la estatura de una persona a partir de huesos aislados. Vitruvio, un arquitecto romano, inventó un ingenioso método para lograrlo. Según él, la longitud de la mano equivale a la décima parte de la estatura, y la distancia que hay entre la punta de los dedos de una mano y los de la otra cuando se tienen los brazos estirados a la altura de los hombros equivale, más o menos, a la estatura.

Estos cálculos aproximativos funcionaban bastante bien, pero no eran lo suficientemente precisos para satisfacer a los científicos modernos. A principios de siglo, un investigador escocés ideó un sistema de cálculo más complejo pero más exacto con el que se puede deducir, por ejemplo, que si los huesos del dedo medio de la mano miden 11.5 cm, la estatura de esa persona debió de haber sido de 1.70 m. Por medio de fórmulas algebraicas los científicos pueden ahora calcular con bastante precisión la estatura a partir de los huesos largos, sobre todo cuando se cuenta con un hueso del muslo, un fémur, el más largo, fuerte y pesado de todo el esqueleto, o con la tibia, el mayor de los dos huesos que se encuentran en la pierna, que por eso mismo son los que más perduran.

LAS PALABRAS Y SU HISTORIA

Ser codo es una expresión despectiva que se aplica a las personas tacañas o mezquinas. Este calificativo probablemente haya surgido de la similitud fonética entre codo y codicioso, pero la etimología de los vocablos es muy distinta. El primero deriva del latín *cubitus*, el hueso que sobresale en esa articulación; el segundo de la palabra *cupidus*, que significa deseoso.

Levantarse con el pie izquierdo es sinónimo de empezar mal el día y el dicho se basa en una antigua superstición romana. Este pueblo consideraba de mal agüero entrar en una casa pisando primero con el pie izquierdo, tanto así que se ponía a un sirviente en la puerta para vigilar que nadie lo hiciera.

La palabra músculo tiene una curiosa etimología; se deriva del vocablo latino *musculus*, que quiere decir ratoncito. No se sabe si se deba a que el movimiento muscular parece el de un ratoncito que anduviera debajo de la piel.

A la mano izquierda no sólo se la consideraba incapaz y torpe, a pesar de que para muchas personas es la más hábil, la más diestra de las dos manos, sino que además se le han adjudicado los significados más aciagos. De la palabra latina *sinistra*, izquierda, proviene siniestro, término que se emplea también en el sentido de perverso, funesto, catastrófico.

Tibia, el nombre del más largo y fuerte de los huesos de la pierna, significa en latín flauta; quizá porque con estos huesos de distintos vertebrados se hacían los más primitivos instrumentos de este tipo.

Los pies: víctimas de la moda

Al principio la gente era sensata. Los hititas, que vivían en terrenos pedregosos, usaban una especie de botas con la punta hacia arriba para protegerse los pies. Los egipcios, griegos y babilonios se ponían frescas y cómodas sandalias. Los legionarios romanos calzaban fuertes cáligas claveteadas y los patricios usaban sandalias bordadas de tacón alto. Pero a mediados del siglo XIV empezaron las extravagancias: la clase acomodada usaba unos zapatos estrechos y en punta (supuestamente para alejar a las brujas) de casi un metro que tenían que atarse a la pantorrilla para poder caminar. En el siglo XV la moda consistía en zapatos de 30 cm de ancho; después vinieron los de suela de madera de más de medio metro que elevaban la estatura de las mujeres, pero les impedía caminar sin ayuda. Se dice que el calzado de Josefina, la primera esposa de Napoleón, era tan delicado que tenían que repararlo cada vez que lo usaba. Mientras tanto, la gente del pueblo iba descalza o se envolvía los pies con lo que encontraba más a mano: los españoles tejían abarcas de esparto y los alemanes usaban un trozo de piel con agujeros para atárselo. La primera contribución de América al calzado fueron los mocasines y los huaraches, y modernamente los tenis y las botas vaqueras.

Los diminutos pies de "loto" de esta joven china fueron creados a base de vendajes, práctica ya prohibida. La radiografía muestra uno con el talón forzado hacia adelante, los dedos curvados por debajo y el empeine alzado.

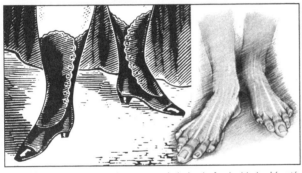

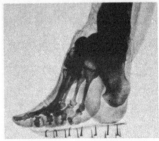

El pie menudo ha sido siempre un símbolo de femineidad; ahí está el ejemplo de la Cenicienta y su diminuta zapatilla de cristal. A la derecha aparece lo que, según un artista, tendrían que ser los pies de acuerdo con los zapatos que usamos.

Aunque los zapatos de tacón alto (izq.) siguen siendo populares, no son lo único que calzan las mujeres; ahora también usan tenis y zapatos deportivos que se equiparan en comodidad a los de los hombres.

Los resortes que nos mueven

¿Qué función tienen en común el pie, el tobillo y la pierna?

Cuando caminamos rápidamente o echamos a correr, nuestras extremidades inferiores soportan un peso cinco a seis veces superior al del cuerpo —en algunas ocasiones ese peso llega a ser casi de una tonelada— y los músculos de la pierna, que son de los más potentes que tenemos, deben absorber la mayor parte de ese impacto. Los huesos de la pierna son dos, la tibia y el peroné; los músculos más fuertes de esa región son los gastrocnemios o gemelos, que corren por la parte posterior formando la pantorrilla y terminan en el tendón de Aquiles, que se inserta en el hueso del talón.

La increíble fuerza del pie puede compararse con el mango del hacha de los antiguos romanos, la fasces, que estaba hecha de docenas de varas, cada una de las cuales podía doblarse o romperse con facilidad, pero todas unidas lograban tener una resistencia tremenda. Lo mismo sucede con los huesos del pie; son muy frágiles, pero unidos por recios tendones y ligamentos resultan considerablemente macizos. La elasticidad y flexibilidad del pie está acentuada por dos arcos que corren uno a lo largo y otro a lo ancho de la planta.

¿Cuál es el tendón de Aquiles?

Cuando Aquiles, el guerrero griego, era un niño, su madre quiso hacerlo inmortal sumergiéndolo en la laguna Estigia, pero como tuvo que sostenerlo por los talones, el agua no tocó esa parte de su cuerpo, que se convirtió en su único punto vulnerable. Años más tarde Aquiles murió en una batalla precisamente porque su adversario le clavó una flecha en el talón.

El tendón de Aquiles, que debe su nombre a esa leyenda mitológica, es el que une los músculos de la pantorrilla al hueso del talón, da elasticidad a nuestros pasos y nos permite ponernos de puntitas. A diferencia de otros tendones, el de Aquiles no tiene ninguna cubierta protectora, por lo que resulta muy vulnerable a las lesiones y a las infecciones. Unos zapatos que ajustan mal pueden rozar e inflamar el tendón causando un agudo dolor en el tobillo y en el talón; si llega a romperse por un movimiento violento, el paciente tendrá que pasar seis u ocho semanas enyesado. Hay casos en que no basta acomodar el tendón y dejar que cure solo, y se tiene que recurrir a la cirugía.

¿En qué consiste un pie zambo?

Pie zambo es un nombre genérico que se da a diversas deformidades congénitas del pie y que lo mantienen agarrotado, torcido y doblado hacia abajo, o hacia arriba y hacia atrás. Este defecto se presenta con mayor frecuencia en los hombres que en las mujeres.

Hoy día un pie zambo se puede corregir por diversos medios. En muchos casos enyesan el pie del niño en cuanto nace y se le va cambiando el yeso periódicamente hasta que se consigue colocar el pie en la posición normal. Otras veces se le ponen frenos o férulas y se manipula el pie cada vez que se le quitan para irlo acomodando. Este tratamiento suele durar un año, pero generalmente da muy buenos resultados. Sin embargo, en casos graves hay que operar para corregir la tirantez de los tendones y ligamentos a la que se debe la deformidad del pie.

¿A qué se deben los pies planos?

Todos nacemos con los pies planos. Los huesos de la parte media del pie no se levantan formando el arco sino hasta que el niño aprende a caminar y se le fortalecen los músculos y los ligamentos; es un proceso largo que termina por completo alrededor de los 16 años. Hay muchas personas, incluyendo a atletas olímpicos, que se quedan

---

El maratón: la carrera más famosa de todas

En el año 490 a.C., Filípides, un soldado griego, llevó a Atenas informes sobre la invasión persa a Maratón y que resultaron vitales para su defensa. La prueba llamada maratón, que se efectuó por primera vez en 1896 durante los juegos olímpicos de Atenas, conmemora su heroísmo. Aunque la distancia de Maratón a Atenas es de 35.5 km, la que recorren los participantes olímpicos abarca unos 42 km. Hoy día los maratones han proliferado y muchas de las grandes ciudades llevan a cabo el suyo con enorme éxito.

Los corredores de este vaso griego muestran estupenda condición física.

Los maratonistas de Nueva York inician su recorrido cruzando el puente Verrazano-Narrows.

toda la vida con los pies planos, lo que no les impide hacer perfectamente bien cualquier clase de trabajo o ejercicio.

Hay ocasiones en que el arco, que era perfectamente normal en la juventud, comienza en la madurez a deprimirse, alteración en la que aparentemente la herencia desempeña un papel importante. Esto, además de hacer que la persona camine desgarbadamente, causa intensos dolores. Al principio los dolores provienen de los músculos y de los ligamentos que se van distendiendo, pero más tarde son los huesos los que duelen al dar cada paso. La mejor forma de prevenirlo es adquirir la costumbre de caminar y usar siempre zapatos de la medida correcta.

¿Son hereditarios los juanetes?

Los juanetes son esas dolorosas y antiestéticas protuberancias que aparecen en la base de la articulación del dedo gordo del pie. Como suelen ocurrir con mucha frecuencia entre las personas de edad madura, hay gente que considera que es algo normal e inevitable, una dolencia de tipo hereditario con la que es necesario conformarse y aprender a vivir.

Efectivamente, parece ser que la tendencia a los juanetes es hereditaria. De hecho hay tres veces más mujeres que hombres con este padecimiento, pero también es cierto que las mujeres usan con más frecuencia zapatos apretados.

Incluso en un pie normal, la articulación de la base del dedo gordo suele sobresalir, por lo que la presión en esa zona puede causar una bursitis —una inflamación de la membrana sinovial que reviste la cápsula articular— dando lugar a que se forme en el hueso una especie de espolón calcificado, es decir, un juanete.

Para empeorar las cosas, en ese mismo lugar suelen desarrollarse ojos de gallo e infecciones de la cápsula articular. Más aún, si el dedo gordo comprime a los otros dedos, puede deformarlos o hacer que adopten posiciones anormales. Los dedos en martillo, curvados hacia abajo como garras, son otro resultado de la costumbre de usar zapatos demasiado apretados.

Si tiene juanetes, lo más sencillo es empezar a usar zapatos suficientemente anchos para que estas molestas protuberancias no sufran presión. Pero si son muy grandes y dolorosos, puede ser necesario recurrir a la cirugía.

¿Cómo funciona el pie?

El pie está formado por un conjunto de huesos frágiles que pueden soportar el peso del cuerpo porque están sostenidos firmemente por una red de acerados músculos y fuertes ligamentos que tienen una gran capacidad tensora. Esta combinación de huesos y amarres constituye una estructura extraordinariamente flexible y elástica. Los ligamentos anchos y planos que rodean la articulación del tobillo a manera de una banda actúan como los protectores que llevan los patinadores de hielo. Cuando nos ponemos de pie, el peso de nuestro cuerpo se distribuye entre los huesos del tarso y del metatarso, y el arco que forman atenúa el impacto y hace que rebote, por eso resulta tan fácil caminar.

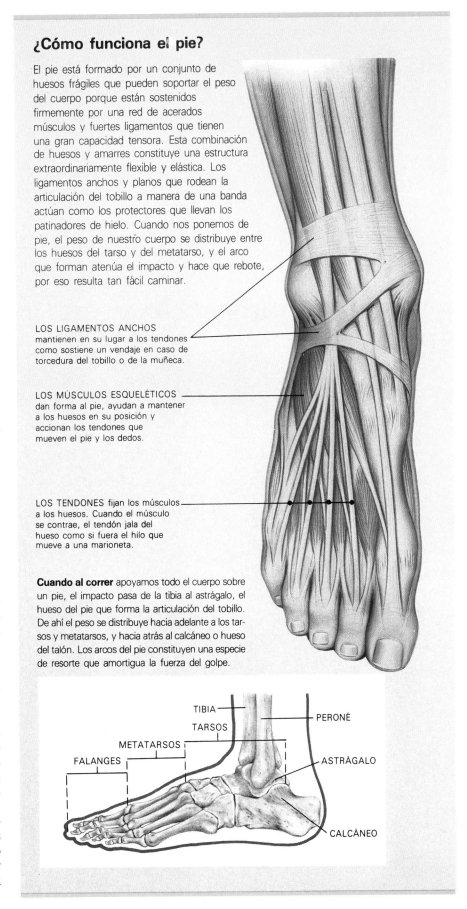

LOS LIGAMENTOS ANCHOS mantienen en su lugar a los tendones como sostiene un vendaje en caso de torcedura del tobillo o de la muñeca.

LOS MÚSCULOS ESQUELÉTICOS dan forma al pie, ayudan a mantener a los huesos en su posición y accionan los tendones que mueven el pie y los dedos.

LOS TENDONES fijan los músculos a los huesos. Cuando el músculo se contrae, el tendón jala del hueso como si fuera el hilo que mueve a una marioneta.

Cuando al correr apoyamos todo el cuerpo sobre un pie, el impacto pasa de la tibia al astrágalo, el hueso del pie que forma la articulación del tobillo. De ahí el peso se distribuye hacia adelante a los tarsos y metatarsos, y hacia atrás al calcáneo o hueso del talón. Los arcos del pie constituyen una especie de resorte que amortigua la fuerza del golpe.

TIBIA
PERONÉ
TARSOS
METATARSOS
FALANGES
ASTRÁGALO
CALCÁNEO

Uso y abuso de huesos y articulaciones

¿Es nocivo estar mucho tiempo encamado?

El pasar mucho tiempo en la cama, como sucede durante la convalecencia de una grave enfermedad, debilita los huesos. Después de estar varias semanas inactivos, los huesos de las piernas pierden una cantidad sustancial de su contenido de calcio. Lo mismo sucedía al principio a los astronautas, que tenían que permanecer mucho tiempo inmóviles en un ambiente sin gravedad. Ahora siguen un programa de ejercicios mientras están en el espacio y sus huesos se conservan mucho mejor. Todo esto confirma que la falta de actividad deteriora los huesos, en cambio está plenamente demostrado que el ejercicio hace que los huesos crezcan fuertes y tengan mayor capacidad para almacenar minerales y producir células sanguíneas.

¿Por qué pierden calcio los huesos?

El calcio es un mineral esencial, no sólo para dar solidez al esqueleto, sino también para la coagulación de la sangre, las funciones nerviosas y la actividad muscular. Si el nivel de calcio en la sangre desciende por debajo de su margen normal, el organismo comienza a tomarlo de la provisión con que cuentan los huesos.

A medida que envejecemos, el acopio de calcio del organismo comienza a disminuir y se va echando mano de las reservas almacenadas en los huesos. La merma del calcio en el organismo se debe a varios factores.

Primero, los ancianos suelen prestar muy poca atención a su régimen alimenticio y no comen suficientes productos ricos en calcio. Segundo, tienden a hacer mucho menos ejercicio que cuando eran jóvenes y ya se sabe, porque hay estudios que lo demuestran, que el ejercicio regular favorece el desarrollo de huesos más fuertes y densos. Además, las personas de edad salen poco y no reciben las radiaciones ultravioleta del sol indispensables para formar su propia vitamina D, que aumenta la capacidad de absorción del calcio; si a eso se añade que tampoco consumen alimentos que contengan esa vitamina, es comprensible que tengan los huesos frágiles. A todo lo anterior hay que añadir que después de la menopausia la mujer pierde el efecto protector de los estrógenos, y eso conduce a una rápida pérdida de calcio óseo.

Muchos expertos suponen que si las personas de edad madura consumen alimentos ricos en calcio, toman suplementos alimenticios que contengan vitamina D y hacen ejercicio pueden prevenir la deficiencia de calcio, la osteoporosis y otras dolencias derivadas del debilitamiento óseo.

¿Cuál es la mayor amenaza para las articulaciones?

Las lesiones traumáticas *no* son la causa principal del deterioro de las articulaciones; lo que más las afecta es una enfermedad degenerativa llamada osteoartritis. Este padecimiento doloroso y debilitante ataca fundamentalmente las articulaciones de la cadera, la columna vertebral y las rodillas porque son las que soportan la mayor parte del peso del cuerpo, y las de los dedos de las manos porque son las que más se usan. Los mecanismos de reparación del cartílago no pueden ajustarse al ritmo de desgaste de las articulaciones porque, a medida que el tejido se especializa más y se reduce su riego sanguíneo, se regenera más lentamente. Es común que los ancianos artríticos que han hecho toda su vida rudos trabajos manuales tengan las manos deformadas y con protuberantes excrecencias óseas. Probablemente la mayoría de los ancianos sufran en alguna medida de osteoartritis, pero en muchos casos los síntomas son tan leves que el paciente no los advierte.

¿Qué alteraciones produce la osteoartritis?

La osteoartritis se desarrolla en varias etapas. Primero, el cartílago de las articulaciones se desgasta y no puede regenerarse al mismo ritmo. Segundo, las superficies articulares de los huesos rozan una con otra porque ya no tienen la almohadilla de cartílago para amortiguar la fricción. Tercero, la fricción irrita el periostio, la delgada y sensible membrana que recubre los huesos. Por último, el periostio responde a la irritación estimulando el crecimiento de excrecencias óseas.

Hay otras enfermedades que presentan síntomas similares y que están relacionadas con la osteoartritis. Una de ellas es la gota, un padecimiento bien conocido desde antaño que produce un agobiante dolor en el dedo gordo del pie. La gota se debe a una excesiva producción de ácido úrico cuyos cristales se acumulan en las articulaciones, especialmente en las del dedo gordo, causando los dolores. La artritis reumatoide también está relacionada con la osteoartri-

La descalcificación de los huesos no se debe sólo a la edad

El hueso minado que se ve arriba ha perdido el calcio necesario para soportar la tensión y evitar fracturas. Esta alteración, conocida como osteoporosis, se presenta con mayor frecuencia en las mujeres posmenopáusicas, no sólo porque tienen los huesos más delgados y finos que los hombres, sino porque han dejado de producir estrógenos, las hormonas femeninas que desempeñan un importante papel en la formación de nuevo tejido óseo y en el buen mantenimiento del que ya está formado. El primer indicio de osteoporosis suele ser un hueso roto en condiciones que normalmente no habrían producido una fractura. Para prevenir este padecimiento se recomienda a las mujeres que ya han pasado la menopausia que tomen por lo menos unos 1 500 mg de calcio al día.

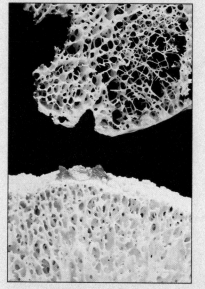

Un hueso con osteoporosis y otro sano.

tis. Empieza con una irritación e inflamación de la membrana sinovial, el tejido que rodea la articulación y contiene el líquido que la lubrica. Al inflamarse, la membrana libera enzimas que desintegran el cartílago articular, sustituyéndolo por tejido fibroso; éste se calcifica y forma prolongaciones óseas de los huesos que cierran la articulación restringiendo su movimiento. La causa de la artritis reumatoide sigue siendo un misterio, pero se supone que puede deberse a una alteración hereditaria del sistema inmunitario que deja el camino abierto a ciertos virus o permite que las defensas del organismo ataquen, por equivocación, a sus propios tejidos.

¿Son eficaces las prótesis articulares?

El hombre biónico, considerado hasta hace poco un simple producto de la imaginación de los guionistas de televisión, se está convirtiendo en una realidad. Ahora, cuando una articulación se rompe por un accidente o se desgasta debido a la artritis, se puede reemplazar por otra de metal y plástico hecha con tal precisión que puede efectuar todos los movimientos de la articulación original.

Pero el camino que ha llevado a los ortopedistas hasta este punto no ha sido fácil. Resultaba relativamente sencillo fabricar articulaciones que funcionaran bien en el laboratorio, pero al implantarlas en los pacientes surgía una serie de dificultades. El cuerpo rechazaba los materiales con que estaban hechas; los clavos que unían las prótesis a los huesos se aflojaban algunas veces y había que volver a operar; además, algunas de las articulaciones artificiales no funcionaban muy bien, sobre todo la de la rodilla. Al principio los diseñadores de las prótesis hacían articulaciones para la rodilla que se movían simplemente hacia adelante y hacia atrás como una bisagra, sin tomar en cuenta que la del cuerpo humano además rota y se balancea, movimientos que también debe tener la articulación artificial.

El problema del rechazo se resolvió usando materiales neutros que no irritaran, como vitalium, teflón, dacrón, titanio y silicón. Las técnicas se han perfeccionado tanto que hoy se implantan rodillas y caderas sin ningún problema, aliviando así los dolores de mucha gente.

Prótesis para los artríticos

Las articulaciones inflamadas que se van desintegrando significan una verdadera tortura para los millones y millones de artríticos que hay en el mundo, pero no para Rose Iacona (abajo), que gracias a ocho operaciones, y mucho valor, puede ahora sonreír. Sin las articulaciones de metal y plástico que le implantaron en los hombros, codos, caderas y rodillas tendría que haberse contentado con un tratamiento a base de esteroides, sales de oro e inmunosupresores que en casos graves, como el suyo, no alivian del todo el dolor y tienen efectos secundarios negativos. No todo el mundo es un buen candidato para este tipo de cirugía; el paciente tiene que estar sano y no ser obeso.

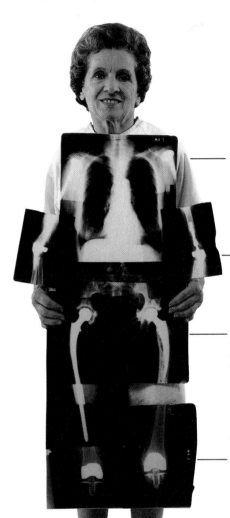

A ROSE IACONA se le puso una prótesis en el hombro derecho en octubre de 1978, cuando ya tenía las articulaciones de la cadera artificiales. El hombro izquierdo se le cambió poco después, en noviembre de 1978.

EL CODO DERECHO fue reemplazado en octubre de 1979 y el otro en mayo de 1982. Ahora los médicos diseñan articulaciones a la medida de cada paciente por medio de computadoras.

LA ARTICULACIÓN IZQUIERDA de la cadera se la implantaron en junio de 1976 y la derecha, junto con el cuerpo del fémur para fortalecer y estabilizar esa pierna, en agosto de 1976.

EN EL LAPSO TRANSCURRIDO entre las operaciones del codo derecho y el izquierdo le pusieron nuevas articulaciones en las rodillas: la derecha en febrero de 1981 y la izquierda en septiembre del mismo año.

Esguinces, luxaciones y fracturas

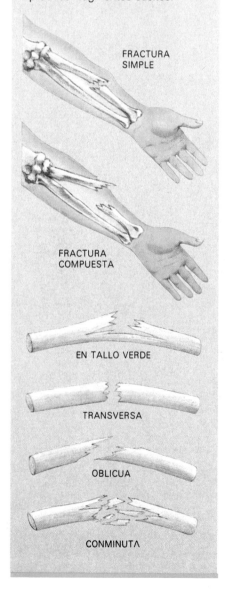

FRACTURA SIMPLE

FRACTURA COMPUESTA

EN TALLO VERDE

TRANSVERSA

OBLICUA

CONMINUTA

¿Qué lesiones pueden sufrir los huesos, ligamentos y tendones?

Los huesos, ligamentos y tendones, a pesar de ser tan fuertes y resistentes, están expuestos a sufrir lesiones tan dolorosas e incapacitantes como son las distensiones, los esguinces, las luxaciones y las fracturas. De todas ellas, la distensión es la menos grave; se trata de un daño menor que se produce en los músculos y sus tendones cuando se jalan, tuercen o estiran demasiado. Las distensiones más frecuentes son las de los músculos de la espalda.

El esguince es una lesión de los fuertes ligamentos que sostienen las articulaciones como si fueran cables, provocada por un jalón o una torcedura que los hace estirarse más allá de su límite. Los jugadores de futbol y de otros deportes violentos son los que sufren mayor número de esguinces en las articulaciones del tobillo, la muñeca y el hombro, pero también son frecuentes en los accidentes cotidianos, como puede ser una caída en las escaleras. Cuando una presión violenta disloca un hueso de su articulación, se dice que ha sufrido una luxación; pero si lo rompe, se trata de una fractura.

¿Cómo suelda un hueso roto?

Una fractura comienza a curarse por sí misma tan pronto como se produce; por esa razón un hueso roto debe reducirse lo antes posible. Al poco tiempo de haberse roto, el hueso empieza a formar una densa masa de tejido granular que une los extremos de la fractura. Este material, llamado callo, está constituido por una fuerte red de colágeno —una proteína que también forma parte de la piel, los tendones, los ligamentos y los cartílagos—, que sustituye al gran coágulo de sangre que se ha extendido por el lugar de la fractura. Es ahí donde las células generadoras del hueso, llamadas fibroblastos, comienzan a depositar colágeno formando un cartílago que acaba siendo sustituido por hueso.

¿Sueldan todos los huesos a la misma velocidad?

Cuanto más vieja es una persona, más tarda en soldarle un hueso roto; lo que en un niño significa estar unas semanas enyesado, en un anciano lleva varios meses. Pero, además, hay huesos que se curan antes que otros, independientemente de la edad. Un brazo roto tarda en soldar alrededor de un mes, en cambio una pierna demora hasta seis meses. Eso sí, una vez soldado, el lugar de la fractura resulta más fuerte que antes.

¿Qué función tiene la tracción?

Los aparatos de tracción que jalan de una extremidad donde se ha roto un hueso para mantenerlo alineado mientras suelda ya se usaban en la antigüedad; ésa era la función del potro hipocrático, un complejo conjunto de poleas, ruedas y engranes que hoy nadie sabe de bien a bien cómo se operaba. En el siglo XVIII se multiplicaron los mecanismos de tracción que aseguraban la correcta curación de los huesos.

Incluso ya reducida la fractura, es difícil mantener alineados los extremos del hueso roto, porque el peso del cuerpo y los músculos que tienden a contraerse en el lugar de la fractura llegan a veces a desviarlos. Al levantar la extremidad afectada y estirarla ligeramente a base de un sistema de pesas y poleas se evita que reciba peso y que los músculos se contraigan.

¿Puede ser nocivo el deporte para un niño?

Las fracturas por fatiga, minúsculas fisuras que se abren en los huesos y articulaciones debido a la sobrecarga que produce un movimiento repetitivo, suelen pasar inadvertidas, pero son bastante frecuentes en los atletas muy jóvenes. Lo peor es que pueden conducir a daños mayores que terminen prematuramente con la carrera deportiva de ese joven.

Cuando concluye la adolescencia y el organismo entra en la etapa de madurez física, la velocidad con que antes se generaba el tejido óseo disminuye y el ciclo de formación y reabsorción de los huesos se equilibra, equilibrio que teóricamente debería continuar durante toda la vida.

¿Por qué duele tanto un esguince?

Un severo esguince del tobillo puede resultar tan doloroso como una fractura. Los médicos suelen insistir en examinar los huesos con rayos X porque algunas veces los supuestos esguinces resultan ser efectivamen-

Peligros del ejercicio excesivo

Los atletas generalmente no prestan atención al dolor muscular, incluso muchos se enorgullecen de soportarlo aduciendo que así desarrollan una musculatura más fuerte y, desde cierto punto de vista, tienen razón. Muchas veces el dolor se debe a la acumulación de ácido láctico producido por el desdoblamiento de los azúcares para obtener energía, y el entrenamiento capacita al deportista para eliminar más rápidamente el ácido láctico de sus musculos. Pero el dolor también puede ser síntoma de una seria lesión de los tejidos: una inflamación, un desgaste mecánico o un daño del tejido conjuntivo que rodea a los músculos. Todo atleta debe aprender a darse cuenta de cuándo se está excediendo en el deporte.

El público de las olimpiadas de 1984 presenció horrorizado cómo Gabriella Andersen-Schiess llegaba casi arrastrándose y totalmente deshidratada a la meta del maratón femenino.

El exceso de celo deportivo puede dañar seriamente los huesos en desarrollo de los niños. Jugando beisbol corren el riesgo de romperse la protuberancia menor del codo, y en el futbol la rodilla.

te fracturas. Pero incluso un esguince común puede ser ya un serio problema. Esta lesión se produce cuando la red de fuertes y tensos ligamentos que mantienen alineados los huesos que forman la articulación del tobillo se distiende violentamente o se rompe. En la parte afectada se produce un derrame de sangre y de líquido sinovial que escapa de la cápsula articular que normalmente lo contiene. Todo esto da como resultado que el tobillo se inflame de una manera alarmante y que casi en seguida se ponga de un color negro azuloso. Además, los nervios lastimados producen un dolor intenso y punzante. Cosa curiosa, un esguince ligero en el que los ligamentos sólo se han distendido suele doler más e inflama más el tobillo que cuando se han desgarrado.

¿Son graves las lesiones cervicales por contragolpe?

Una súbita y fuerte sacudida puede proyectar violentamente la cabeza hacia adelante y luego lanzarla abruptamente hacia atrás como si diera un latigazo. Este efecto de contragolpe puede lastimar los músculos, las vértebras y los nervios del cuello causando fuertes dolores, jaquecas y, en algunos casos, incluso parálisis. Este tipo de lesiones son comunes sobre todo en los choques automovilísticos cuando se recibe el golpe por detrás y entre los jugadores de futbol americano cuando son "tacleados".

Si las radiografías demuestran que no hay fracturas ni daños mayores, el dolor puede aliviarse con descanso, masajes, una bolsa de agua caliente y aspirinas. También puede ser necesario usar una férula alrededor del cuello para restringir los movimientos que distienden los músculos.

El ejercicio nos mantiene en forma

¿Qué beneficios se obtienen haciendo ejercicio regularmente?

Los ejercicios que aceleran la respiración, como correr, montar en bicicleta o nadar, sirven para desarrollar los pulmones y ayudan a prevenir ataques cardiacos. En ningún caso se trata de seguir hasta quedar exhausto, sino aumentar significativamente el ritmo cardiaco. Estos ejercicios "aeróbicos" deben hacerse por lo menos durante 20 minutos, tres veces a la semana. Cualquiera que esté en malas condiciones físicas, que tenga más de 35 años o que sufra de alguna enfermedad crónica debe obtener el visto bueno de su médico antes de emprender cualquier programa de ejercicios.

Curiosamente, el efecto a largo plazo que produce el ejercicio sobre el corazón es disminuir el ritmo de sus latidos, pero a cambio aumentar su capacidad para bombear más sangre y oxígeno en cada contracción. Un atleta profesional llega a tener unas 40 pulsaciones por minuto, mientras que el promedio de la gente tiene entre 60 y 100. El ejercicio hace que se formen nuevos capilares y que se desarrollen los músculos, lo que significa una ventaja, ya que un músculo grande es más eficiente, produce más energía y es más flexible que uno de menores dimensiones.

Hay científicos que afirman que el ejercicio estimula la producción en el cerebro de endorfinas, los analgésicos naturales de nuestro organismo. Puede ser que a esto se deba la euforia que experimentan muchos corredores de larga distancia. Otros especialistas sostienen que el mayor flujo de sangre que pasa por las arterias al hacer ejercicio evita que se formen depósitos de grasa en esos conductos, que pueden causar ataques cardiacos. También es posible que los ejercicios aeróbicos hagan que la médula ósea produzca mayor número de glóbulos blancos, que son los que defienden al organismo de las infecciones. Pero es indudable que el ejercicio hace al cuerpo más eficiente.

¿Tiene uno que ser capaz de tocarse los dedos de los pies sin doblar las rodillas?

Para algunos expertos, la capacidad de tocarse los dedos de los pies sin doblar las rodillas indica que una persona está en forma, pero otros dicen que eso no significa nada —excepto que esa persona tiene la habilidad de doblarse hasta tocarse los dedos de los pies.

Los primeros aducen que ese tipo de ejercicio pone de manifiesto si una persona tiene el vientre fláccido o la columna rígida, pero sus oponentes insisten en que tocarse las puntas de los pies puede dañar el tendón de Aquiles, el de los músculos tendinosos de la corva, los mismos músculos y las vértebras. Más aún, como los músculos se hacen menos flexibles a medida que envejecemos, ese ejercicio es peligroso si el que lo practica ya no es muy joven. También es cierto que puede provocar que la rodilla se trabe y quede hiperextendida. No se debe

En 1902, estos oficinistas estadounidenses suspenden su trabajo para hacer ejercicio sin quitarse, ni arrugarse, el cuello duro, la corbata y el chaleco.

Hoy se reconoce que el ejercicio más eficaz es el que hace sudar en serio al que lo ejecuta.

Gimnasia: antes y ahora

Los modernos programas de ejercicios nacieron en Prusia en el siglo XIX como una forma de revivir el orgullo nacional tras las guerras napoleónicas. Las feministas los adoptaron para acabar con el mito de la fragilidad femenina. El término calistenia —del griego *kalos*, bello, y *sthenos*, fuerte— fue acuñado en 1831 por la directora de una escuela para señoritas.

hacer ningún ejercicio que produzca un roce entre los huesos del muslo y la pierna. Llegar o no a tocarse las puntas de los pies no tiene importancia, de lo que se trata es de seguir un programa que mantenga el cuerpo ágil y flexible.

¿Se debe siempre empezar los ejercicios con los de calentamiento?

La ventaja de los ejercicios de calentamiento es que elevan la temperatura de los músculos varios grados, haciendo que puedan emplear la energía con mayor eficiencia. Si se exige que de pronto los músculos den de sí todo lo que pueden, estirándolos y contrayéndolos al límite, hay peligro de que los ligamentos se tensen alrededor de las articulaciones, que los músculos se acalambren causando dolor e, incluso, en casos extremos, que se desgarren.

Los ejercicios de calentamiento habituales incluyen la rotación de la parte superior del cuerpo, extensión de los músculos posteriores del muslo, levantarse sobre las puntas de los pies y estirar el tendón de Aquiles.

Los estudios hechos por uno de los más importantes centros de medicina del deporte revelan que alrededor del 60% de las lesiones que sufren los deportistas se deben a métodos de entrenamiento incorrectos y a técnicas inadecuadas de calentamiento, y no a los riesgos del deporte mismo.

¿Cuál es el músculo más potente?

Es todo un espectáculo ver a un levantador de pesas erguido y sosteniendo con los brazos en alto más de 220 kg. Algo muy distinto, pero igual de sorprendente, es presenciar la carrera hasta el observatorio del Empire State de Nueva York situado en el piso 86; hay quien logra subir hasta allí en menos de 12 minutos.

Ninguna de estas proezas podría hacerse sin los glúteos mayores, los músculos más grandes y potentes de nuestro cuerpo y los que nos proporcionan un buen almohadón para sentarnos. Estos músculos no sólo son importantes para esos atletas prodigiosos; a la gente común y corriente también nos sirven para enderezarnos cuando estamos agachados, pararnos si estamos sentados y subir cuestas empinadas. Cuando los glúteos se contraen, jalan del músculo alineándolo con el tronco.

Los que hacen surfing manejan sus tablas balanceando el peso del cuerpo. Remontar la ola medio en cuclillas requiere un gran sentido del equilibrio.

¿Por qué los levantadores de pesas tienen un vientre prominente?

Muchos de los llamados "hombres fuertes" y levantadores de pesas de primera línea tienen el vientre tan abultado que difícilmente pueden verse la punta de los pies. Si en ellos la tendencia normal a "echar barriga" llega a la exageración es porque su cuerpo necesita mayor estabilidad para poder levantar tan tremendos pesos, y esa estabilidad se la proporciona la masa del vientre.

Es un error pensar que estos atletas están obesos o que no están en forma. En 1957, Paul Anderson levantó con la espalda un peso de 2 844 kg; si no hubiera tenido alrededor de la cintura y en el vientre una gruesa cubierta de apretados músculos y tejido adiposo, se le habrían saltado los órganos internos bajo la presión de tan descomunal esfuerzo. Por esa misma razón son tan gordos los luchadores japoneses de sumo; hay algunos que pesan más de 180 kg, y aun así son capaces de moverse con gran agilidad.

¿Qué tiene que ver el centro de gravedad del cuerpo con la postura?

La habilidad de un equilibrista consiste precisamente en mantener siempre su centro de gravedad exactamente encima del alambre. Estos acróbatas estremecen al público titubeando, tambaleándose en las alturas como si estuvieran a punto de caer,

pero si se les observa con cuidado, se verá que cada vez que se inclinan o se balancean a uno y otro lados del alambre contrapesan sus movimientos estirando la pierna contraria. Aunque estos bamboleos que tanto llaman la atención parecen accidentales, el equilibrista se cuida mucho de conservar en todo momento su centro de gravedad directamente sobre el alambre.

Lo que hace el acróbata no es algo excepcional, sino un vívido ejemplo de reglas que se aplican a todos nosotros. Nuestro centro de gravedad, como el del equilibrista, es un punto imaginario en el que nuestro peso queda equitativamente distribuido. El secreto del equilibrio y de la buena postura es poder sentir en todo momento dónde está el centro de gravedad y mantener la parte del cuerpo que nos está sustentando sobre su misma línea. Esto se aplica tanto al caminar simplemente por la calle como al hacer cualquier actividad que exija una habilidad especial.

Cuando se aprende a patinar en hielo, por ejemplo, se da uno cuenta de que puede doblar el tronco hasta que quede paralelo al hielo a condición de extender una pierna hacia atrás para mantener el centro de gravedad sobre el patín que sustenta el peso del cuerpo. Lo mismo ocurre con un clavadista olímpico que está girando en el aire durante un salto triple; su agudo sentido del equilibrio le permite saber en todo momento dónde está su centro de gravedad y así orientar su cuerpo para entrar limpiamente en el agua.

Capítulo 8

EL OJO

Los ojos son ventanas abiertas al exterior, un medio de aprendizaje, una fuente de placer. A diferencia de una cámara fotográfica, continuamente registran imágenes. Gracias al magnífico equipo que forman ojos y cerebro percibimos el mundo que nos rodea, lo interpretamos, leemos, comparamos, calculamos las distancias.

¿Hay zurdos y diestros oculares?

Así como habitualmente usamos una mano más que la otra, también inconscientemente empleamos más uno de los dos ojos. El ojo dominante es al que recurrimos cuando miramos por el ocular de una cámara o cuando enhebramos una aguja.

Para determinar cuál es su ojo dominante haga esta sencilla prueba. Forme con el índice y el pulgar de una mano un círculo y mire a través de él, con los dos ojos, un objeto pequeño que esté en el otro extremo de la habitación, digamos la manija de la puerta. Cierre ahora uno de los ojos y luego el otro sin cambiar la posición de los dedos. El ojo con el que pueda seguir viendo la manija dentro del círculo es el dominante.

¿A qué se deben las diferencias en el color de los ojos?

El iris es el que da el color a los ojos debido al pigmento que contiene llamado melanina. Cuando la cantidad de melanina es grande, el iris resulta de un color café oscuro o avellana; si tiene menos, da una coloración verde claro o azul. El color rojizo de los ojos de los albinos se debe a la falta total de melanina, lo que permite que a través del iris transparente se noten los vasos sanguíneos del interior del ojo.

Los padres de ojos oscuros generalmente tienen hijos de ojos también oscuros. Si los dos padres tienen los ojos azules, lo más probable es que sus hijos tengan los ojos del mismo color. Pero si uno de los padres tiene los ojos de color café y el otro azules, por lo común el color de los ojos de sus hijos será café. Esto se debe a que los ojos oscuros es un carácter hereditario dominante, razón por la cual en el mundo hay más gente de ojos oscuros que claros.

¿Qué es la miiodesopsia?

Se llama miiodesopsia (del griego *myia*, mosca, y *opsis*, vista) a las pequeñas manchas circulares o filamentosas que a veces se ven deslizarse por el campo visual como si flotaran y que desaparecen al tratar de enfocarlas.

Aunque son muy molestas, casi siempre son inocuas; se trata simplemente de las sombras que proyectan en la retina los desechos celulares que se acumulan en el humor vítreo, una de las partes transparentes del globo ocular. Generalmente aparecen en la edad adulta y están asociadas al proceso de envejecimiento.

Aunque rara vez necesitan tratamiento, conviene consultar al oculista cuando aparecen por primera vez para asegurarse de que efectivamente se trata sólo de estas sombras, y no de una alteración más seria.

¿Leer mucho debilita la vista?

Cuando pasamos muchas horas leyendo, viendo televisión o trabajando con poca luz, sentimos que se nos cansan los ojos, pero en realidad los que se fatigan son los músculos oculares. Tal como se produce el fenómeno de la visión, los ojos normales y sanos no se pueden cansar de ver. Si la sensación de tensión y cansancio en los ojos es muy frecuente, lo más probable es que exista un defecto estructural que requiera el uso de anteojos, ya que rara vez se trata de una condición más seria que necesite atención médica.

De todas maneras, una buena iluminación ayuda a evitar que se fatiguen los músculos. Al sentarse a leer o a trabajar procure que la luz esté detrás y a un lado de usted para que su cuerpo no haga sombra sobre lo que está mirando. Las madres se preocupan mucho cuando encuentran a sus hijos leyendo con una luz inadecuada, pero no deben temer que eso dañe realmente su vista.

¿Por qué enrojecen los ojos?

El polvo, el humo o cualquier partícula extraña que les haya entrado pueden hacer que los ojos se inyecten de sangre y se pongan rojos. Lo mismo sucede cuando se tiene un resfriado o una alergia, se está muy fatigado o se ha consumido alcohol en exceso. El enrojecimiento puede ser molesto, pero normalmente no indica nada serio.

Sin embargo, algunas veces puede ser síntoma de una infección tan contagiosa como la conjuntivitis, una inflamación de la membrana que recubre internamente los párpados y que suele ir acompañada de dolor o molestia y de una secreción viscosa. Si se sospecha que el enrojecimiento de los ojos puede deberse a una conjuntivitis, hay que consultar a un médico.

¿Puede el maquillaje producir una inflamación en los ojos?

Las sustancias que contienen los cosméticos algunas veces causan reacciones alérgicas. Aunque existen maquillajes especiales para las mujeres que tienen la piel muy sensible, hay algunas tan alérgicas que no pueden usar ninguna clase de productos.

A pesar de que la mayor parte de los cosméticos para los ojos llevan un conservador, con el tiempo pueden llegar a contaminarse con las bacterias de la piel que llevan los aplicadores, cepillos y pinceles. Por lo tanto, conviene deshacerse de las pinturas para los ojos que tienen mucho tiempo en uso, no prestar ni pedir prestados los aplicadores o las pinturas a otras personas, y no utilizar las que están de muestra en los departamentos de productos de belleza.

Si se le llegan a infectar los ojos, tire los cosméticos y los utensilios para aplicárselos que había estado usando, ya que así evitará el riesgo de reinfectarse. Recuerde que también las toallas, esponjas y zacates que use para lavarse pueden estar infectados; asegúrese de que ningún otro miembro de la familia los use.

¿Puede ser peligroso hacer el bizco?

Cuando un niño tiene alrededor de tres años, los músculos de los ojos son ya suficientemente fuertes para mantener la alineación que hayan desarrollado, cualquiera que ésta sea. Aunque el pequeño haga el bizco a propósito con mucha frecuencia, generalmente por divertirse o para llamar la atención de los padres, no corre el peligro de que los ojos se le queden así ni de que eso le afecte la vista.

En cada ojo hay un punto ciego en la zona de donde parte el nervio óptico hacia el cerebro. Para localizar el del ojo derecho, sostenga este libro con el brazo extendido, tápese el ojo izquierdo y con el derecho enfoque el pimiento rojo. Acerque el libro poco a poco hasta que deje de ver el pimiento amarillo. Para determinar el punto ciego del ojo izquierdo, tápese el derecho, concentre la vista en el pimiento amarillo y ajuste la distancia del libro hasta que el rojo desaparezca.

La función de los ojos

¿Por qué se compara al ojo con una cámara fotográfica?

El diafragma ajustable de una cámara fotográfica controla la cantidad de luz que entra en ella, lo mismo que hace el iris del ojo. Tanto en una como en otro, hay una lente que enfoca las imágenes sobre una superficie fotosensible que en la cámara es la película fotográfica y en el ojo la retina. La lente del ojo, el cristalino, junto con el iris producen una imagen nítida y bien definida, similar a la que se obtiene con el objetivo y el diafragma de la cámara, y en los dos casos la imagen se forma invertida.

Sin embargo, el ojo, a diferencia de la cámara, cuando estamos despiertos, está continuamente registrando imágenes y enviándolas al cerebro. Además de estar invertida, la imagen que capta cada ojo es ligeramente diferente a la del otro, pero el cerebro se encarga de enderezarlas y superponerlas para darnos la visión en tres dimensiones que la mayoría de nosotros percibimos. En el cerebro las imágenes se analizan, se almacenan en la memoria y se pueden recuperar cuando es necesario.

¿Qué ocurre cuando la luz llega al ojo?

La luz que llega al ojo entra a través de la córnea transparente que cubre la abertura central del iris, la pupila. Después pasa por la cámara interior del ojo llena de un fluido ligero llamado humor acuoso y llega al cristalino, una lente que la enfoca hacia la retina. En su trayecto hacia ella, atraviesa el humor vítreo, una sustancia transparente y gelatinosa que ocupa la parte central del globo ocular. En la retina, la luz estimula las células fotosensitivas conocidas como bastones y conos, de los cuales los últimos son receptores del color. Los impulsos producidos por conos y bastones llegan por fin al cerebro después de recorrer un intrincado camino a través de los nervios ópticos y otras vías cerebrales.

¿En qué consiste un examen de la vista?

Lo primero que hace el oculista al examinar a un paciente es probar su agudeza visual haciéndole leer un tablero con letras, números y figuras de diferente tamaño colocado a cierta distancia. Le examina el ojo por fuera y la zona que lo rodea por si encuentra algo anormal y le voltea los párpados para ver la superficie interna. Después determina si las pupilas reaccionan normalmente a la luz y a la presencia de un objeto cercano, y se verifica si los ojos trabajan normalmente al unísono.

El segundo paso consiste en taparle un ojo y luego el otro mientras el paciente mira fijamente una luz; si un ojo "brinca" cuando se le destapa, es señal de estrabismo, lo que comúnmente llamamos bizquera o desviación de los ojos. Luego el oculista estudia los tejidos internos y externos del ojo con una lámpara especial llamada de hendidura.

Por último, el médico mira el fondo del ojo con un oftalmoscopio, una serie de lentes unidas a una luz, para determinar el estado de la retina, de los vasos sanguíneos y del disco óptico y termina verificando la presión intraocular por si hay glaucoma.

¿Qué médicos se especializan en los ojos?

Los médicos que están calificados para diagnosticar las alteraciones y enfermedades de los ojos y prescribir el tratamiento médico o quirúrgico adecuado se llaman oftalmólogos, nombre derivado de una palabra griega que significa ojo. Son los que comúnmente se conocen como oculistas.

Los optometristas son técnicos capacitados para medir la visión y recetar anteojos correctivos; aunque también pueden descubrir enfermedades como el glaucoma, no están calificados para hacer un diagnóstico ni prescribir un tratamiento. La única función de un óptico es pulir las lentes de los anteojos de acuerdo con la receta escrita expedida por un oftalmólogo o un optometrista.

¿Por qué los oculistas ponen gotas en los ojos para examinarlos?

La pupila de los ojos se expande y se contrae de acuerdo con las variaciones de luz a que esté expuesta. Cuanta más luz haya, más se cierra la pupila. En la penumbra, la pupila se abre todo lo que puede para dejar entrar la mayor cantidad de luz posible. Si el oculista trata de ver el fondo del ojo de un paciente, la luz que proviene del oftalmoscopio hará que la pupila se contraiga y le impedirá llevar a cabo el examen.

Las gotas que el médico le pone en los ojos paralizan el iris con la pupila dilatada, dándole tiempo de examinar el interior con todo cuidado. El efecto de las gotas desaparece a las pocas horas, pero mientras tanto es impresionante cómo molesta la luz del Sol al salir del consultorio con el iris todavía paralizado, lo que nos permite valorar la extraordinaria función que normalmente desempeñan los músculos anulares del iris al abrir y cerrar la pupila regulando la cantidad de luz que entra al ojo.

¿SABÍA USTED QUE...?

- **Una visión perfecta de 20/20** no basta para pasar los exámenes que les hacen en el ejército a los pilotos aviadores. También se les exige una gran sensibilidad para los contrastes, lo que significa poder distinguir un gato blanco en la nieve.

- **Los ojos se pueden inyectar de sangre** como consecuencia de un estornudo. La sangre que se derrama bajo la conjuntiva, lo que se llama una hemorragia subconjuntival, tarda en absorberse alrededor de una semana y no se puede acelerar el proceso.

- **El hombre tiene una vista tan aguda** que los astronautas pueden ver desde sus naves que orbitan la Tierra las estelas que dejan los barcos en el mar.

- **Los moretones que se forman en el ojo** cuando se recibe un golpe están formados por una mezcla de colores rojo, amarillo y púrpura, resultado de los distintos grados de evolución de la hemorragia causada por la rotura de cientos de vasos capilares.

- **Todos los niños nacen con hipermetropía** y no pueden enfocar objetos cercanos hasta pasados de 3 a 6 meses. Además, tardan alrededor de un año en poder coordinar los dos ojos para que funcionen al unísono sin que de vez en cuando se desvíe uno.

¿Qué revelan las pupilas acerca de nuestro estado de ánimo?

Además de funcionar como reguladores de la luz que entra a la retina, las pupilas expresan claramente muchas emociones. Aquello de que los ojos son el espejo del alma es muy cierto. Aparentemente, el interés en una cosa se refleja en la abertura de las pupilas. Todos los comerciantes del mundo que se basan en el regateo miran a los ojos a sus probables clientes para saber si están ansiosos de comprar su mercancía o no; parece ser que la gente revela involunta-

riamente sus preferencias porque se les dilata la pupila. Hay una serie de estudios que indican, en términos generales, que la pupila se dilata cuando el ojo ve algo que le agrada y se contrae al estar viendo algo chocante o poco interesante.

También las pupilas dilatadas tienen una atracción para la gente que las ve, se dé cuenta de ello o no. Para demostrarlo se hicieron una serie de pruebas con un grupo de hombres a los que se les mostraron dos fotografías de la misma mujer, muy atractiva; una de las fotografías había sido retocada agrandándole las pupilas y la otra reduciéndose-

las. Al pedirles que compararan una y otra, ninguno pareció haber notado en qué consistía la diferencia, pero algunos encontraron que la mujer con las pupilas dilatadas resultaba más "tierna" o de aspecto más femenino.

El atractivo de las grandes pupilas se conoce desde la Edad Media. En ese entonces las mujeres se ponían belladona en los ojos para aumentar el tamaño de sus pupilas y por tanto su encanto, porque esa planta tiene la propiedad de relajar el esfínter muscular del iris. Las palabras *bella donna* significan en italiano precisamente "bella mujer".

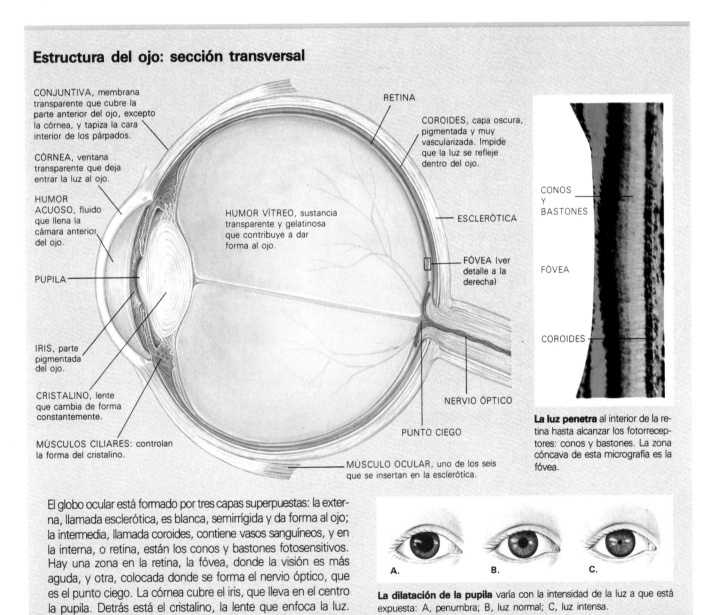

Estructura del ojo: sección transversal

CONJUNTIVA, membrana transparente que cubre la parte anterior del ojo, excepto la córnea, y tapiza la cara interior de los párpados.

CÓRNEA, ventana transparente que deja entrar la luz al ojo.

HUMOR ACUOSO, fluido que llena la cámara anterior del ojo.

PUPILA

IRIS, parte pigmentada del ojo.

CRISTALINO, lente que cambia de forma constantemente.

MÚSCULOS CILIARES: controlan la forma del cristalino.

HUMOR VÍTREO, sustancia transparente y gelatinosa que contribuye a dar forma al ojo.

RETINA

COROIDES, capa oscura, pigmentada y muy vascularizada. Impide que la luz se refleje dentro del ojo.

ESCLERÓTICA

FÓVEA (ver detalle a la derecha)

NERVIO ÓPTICO

PUNTO CIEGO

MÚSCULO OCULAR, uno de los seis que se insertan en la esclerótica.

CONOS Y BASTONES

FÓVEA

COROIDES

La luz penetra al interior de la retina hasta alcanzar los fotorreceptores: conos y bastones. La zona cóncava de esta micrografía es la fóvea.

El globo ocular está formado por tres capas superpuestas: la externa, llamada esclerótica, es blanca, semirrígida y da forma al ojo; la intermedia, llamada coroides, contiene vasos sanguíneos, y en la interna, o retina, están los conos y bastones fotosensitivos. Hay una zona en la retina, la fóvea, donde la visión es más aguda, y otra, colocada donde se forma el nervio óptico, que es el punto ciego. La córnea cubre el iris, que lleva en el centro la pupila. Detrás está el cristalino, la lente que enfoca la luz.

A.   B.   C.

La dilatación de la pupila varía con la intensidad de la luz a que está expuesta: A, penumbra; B, luz normal; C, luz intensa.

Cuando fluyen las lágrimas

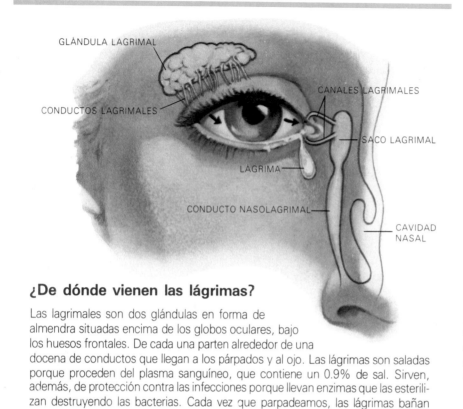

GLÁNDULA LAGRIMAL

CONDUCTOS LAGRIMALES

CANALES LAGRIMALES

SACO LAGRIMAL

LÁGRIMA

CONDUCTO NASOLAGRIMAL

CAVIDAD NASAL

¿De dónde vienen las lágrimas?

Las lagrimales son dos glándulas en forma de almendra situadas encima de los globos oculares, bajo los huesos frontales. De cada una parten alrededor de una docena de conductos que llegan a los párpados y al ojo. Las lágrimas son saladas porque proceden del plasma sanguíneo, que contiene un 0.9% de sal. Sirven, además, de protección contra las infecciones porque llevan enzimas que las esterilizan destruyendo las bacterias. Cada vez que parpadeamos, las lágrimas bañan el ojo manteniendo húmeda la córnea. El líquido fluye luego hacia el ángulo interno del ojo, pasa al saco lagrimal y de ahí al conducto nasolagrimal que termina en las fosas nasales. Cuando las lágrimas son copiosas, esta vía de drenaje no se da abasto y escurren por las mejillas y la nariz.

¿Por qué parpadeamos?

Los párpados protegen a los ojos de las lesiones. Su cara interna, así como la parte anterior del globo ocular, está revestida por una membrana mucosa transparente llamada conjuntiva. Esta membrana ayuda a mantener la superficie del ojo húmeda para que el globo se pueda mover libremente. Los párpados son los que esparcen las lágrimas sobre la conjuntiva, como si fueran limpiaparabrisas, evitando así que la superficie del ojo se seque.

En promedio, se parpadea automáticamente una vez cada seis segundos; este mecanismo reflejo sirve para lubricar regularmente el ojo. Al cerrar los párpados también se empuja a las lágrimas hacia la comisura interna del ojo, donde drenan a través de los conductos lagrimales hasta la nariz. Hay algunas personas, sobre todo las mujeres ancianas, que no producen lágrimas. Esta dolorosa alteración se puede remediar usando un colirio lubricante.

Se puede parpadear conscientemente, incluso cerrar sólo un ojo, pero resulta muy difícil evitar el reflejo del parpadeo por más de un minuto.

¿Cuántas clases de lágrimas hay?

La película de líquido que baña al ojo está formada por tres capas: una externa oleosa que es segregada por las glándulas de los párpados y que evita la evaporación; el líquido lagrimal segregado por las glándulas lagrimales, y una capa mucosa que se forma entre la córnea y el líquido lagrimal. Cualquier enfermedad que altere la composición de esta película puede afectar la visión.

Cuando una partícula extraña irrita el ojo o cuando lloramos de dolor, la composición de las lágrimas varía aumentando la proporción de líquido lagrimal. Hay un estudio que demuestra que las lágrimas de do-

lor tienen una composición química distinta a las otras; la razón de esto y sus consecuencias, si es que tiene alguna, están todavía por descubrirse.

¿Es bueno llorar?

Aparentemente, el llorar produce un alivio de las tensiones emocionales. Hasta hace pocos años, los científicos no se habían interesado en determinar quiénes lloran más y por qué. En una encuesta, tanto los hombres como las mujeres afirmaron que se sentían mucho mejor después de llorar en momentos de congoja y de dolor. Las mujeres lloran con una frecuencia cinco veces mayor que los hombres y hay más hombres que reprimen las lágrimas que mujeres.

Es difícil determinar cuáles son las bases fisiológicas del llanto porque se trata de una reacción fuertemente influida por normas culturales. En algunas partes del mundo no está mal visto que los hombres lloren; en otras, en cambio, se considera un signo de debilidad.

¿Por qué a veces lloramos al reírnos?

Psicológicamente, las lágrimas de risa pueden ser la respuesta a una intensa emoción, quizá a una enorme sensación de alivio. Fisiológicamente, la risa puede producir lágrimas cuando es violenta y convulsiva porque causa un espasmo de los músculos faciales, y no sólo eso, contrae los músculos del abdomen y el diafragma, quita el aliento y la capacidad de hablar, aumenta el ritmo cardiaco y estimula el sistema endocrino. La risa puede compararse a una botella de champaña que se descorcha dejando salir toda la presión interna.

¿Puede causar mucho daño una partícula extraña que ha entrado en el ojo?

Cuando cualquier partícula extraña se incrusta en el globo ocular o está erosionando la córnea, hay que acudir al médico de inmediato porque puede causar una lesión muy seria. Incluso debe extraerse aunque sólo esté dentro del párpado, porque también en este caso puede llegar a producir rasguños en la córnea.

Evolución de los anteojos

La primera noticia que se tiene del uso del cristal o del cuarzo para amplificar los objetos se remonta al año 2500 a.C. Las primeras lentes se sostenían en la mano o se colocaban sobre el objeto que se quería examinar. El invento de los espejuelos de dos lentes se debe a los venecianos del siglo XIII, pero su empleo no se generalizó sino hasta mediados del siglo XV al extenderse el uso de la imprenta. En las tiendas y en los comercios callejeros se vendían anteojos de diversa graduación y el comprador se los iba probando hasta encontrar unos que le convinieran. Benjamín Franklin, harto de tener que estarse cambiando los anteojos para ver de cerca o de lejos ya que era miope y présbita al mismo tiempo, inventó los primeros bifocales cortando dos pares de lentes y uniendo la mitad de cada uno de ellos.

Los primeros anteojos, usados principalmente por los clérigos y los mercaderes, se sostenían prensados sobre el puente de la nariz. En esta pintura flamenca del siglo XVI, los lleva puestos un prestamista, un "usurero".

Los espejuelos con aro de cuero debían ser comunes en la Italia del siglo XVI, pues unos buzos en 1967 sacaron un cajón lleno de ellos de la bodega de un barco veneciano que se hundió en el mar Adriático.

Los lentes de contacto se usan dentro del ojo, sobre la córnea. Los de tipo blando, como éste, que son flexibles, resultan más cómodos que los primeros de tipo rígido, creados en Suiza a principios del siglo XX.

Anteojos antiguos. Desde abajo, en el sentido del reloj: con aros de madera (China, 1700), impertinentes (1900), con patas (1850), con aros de carey (1800), monóculo de mano (1900). Al centro: pince-nez.

Para enfocar el mundo

¿En qué consiste una visión normal?

Si una persona puede leer a una distancia de 6 m todas las letras de un tablero de optotipos, se considera que tiene una visión normal o de 20/20. Pero esta prueba sólo mide la agudeza visual, es decir, la capacidad de ver claramente objetos pequeños a distancia, y una buena vista depende también de otros factores.

Un aspecto importante de la visión normal es la capacidad de acomodación, la habilidad refleja del ojo para ajustar su foco según se trate de objetos cercanos o lejanos. El poder enfocar los dos ojos adecuadamente requiere otra facultad refleja, la convergencia. Otro factor que influye en la buena visión es la sensibilidad del ojo para notar las diferencias de intensidad y de color de la luz. También influyen, y mucho, las conexiones nerviosas entre el ojo y el cerebro, y el cerebro mismo. Sólo cuando todas estas funciones se llevan a cabo bien y coordinadamente, se puede decir que la visión es óptima.

Es posible tener una visión de 20/20 y necesitar anteojos. Los jóvenes que son hipermétropes, por ejemplo, pueden pasar bien un examen simple de la vista porque sus potentes músculos ciliares al enfocar objetos cercanos pueden corregir los defectos de refracción. Sin embargo, el uso constante de estos músculos cansa la vista y tarde o temprano tendrán que recurrir a los anteojos para que les ayuden a corregir su defecto y los músculos descansen.

¿Cuál es el defecto visual más común?

Los defectos en la curvatura del globo ocular o del cristalino causan errores de refracción, es decir, la luz no se desvía como debe hacerlo para que la imagen visual quede perfectamente enfocada en la retina. Los errores de refracción más comunes se deben a la miopía, la hipermetropía y el astigmatismo.

¿Pueden afectar al ojo unos lentes que no sean los adecuados?

La única función de los lentes es enfocar los rayos luminosos sobre la retina, de ma-

Lentes que corrigen los errores visuales

Los cortos de vista, los miopes, tienen el diámetro anteroposterior del globo ocular demasiado largo. Pueden ver claramente lo que está cerca, pero los rayos de luz que proceden de objetos lejanos alcanzan su punto focal antes de llegar a la retina, lo que hace que los vean borrosos. Los anteojos de lentes cóncavas corrigen el error porque alejan el punto focal de objetos lejanos, produciendo una imagen nítida en la retina.

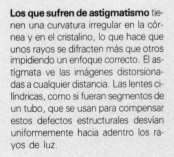

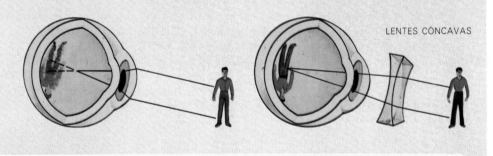

LENTES CÓNCAVAS

Los hipermétropes tienen el diámetro anteroposterior del globo ocular demasiado corto, por eso ven bien lo que está lejos pero les es imposible enfocar claramente objetos cercanos, porque en este caso el punto focal se forma detrás de la retina. Para corregir ese error de refracción se usan lentes convexas que aumentan la desviación de los rayos de luz, lo que permite que converjan correctamente sobre la retina.

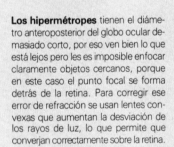

LENTES CONVEXAS

Los que sufren de astigmatismo tienen una curvatura irregular en la córnea y en el cristalino, lo que hace que unos rayos se difracten más que otros impidiendo un enfoque correcto. El astígmata ve las imágenes distorsionadas a cualquier distancia. Las lentes cilíndricas, como si fueran segmentos de un tubo, que se usan para compensar estos defectos estructurales desvían uniformemente hacia adentro los rayos de luz.

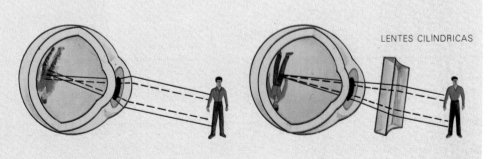

LENTES CILÍNDRICAS

nera que no pueden alterar en nada la estructura del ojo aunque sean totalmente inadecuados; lo que sí pueden hacer es irritar los ojos, producir una visión borrosa mientras se tienen puestos y causar jaqueca y náuseas. Fuera de esto, no hay peligro alguno de que unos anteojos mal graduados puedan arruinar la vista.

¿Qué tipos de lentes de contacto hay en el mercado?

Los lentes de contacto *rígidos* son los que proporcionan mejor corrección visual, especialmente cuando se trata de astigmatismo; duran muchos años, son más baratos y requieren menos cuidados que cualquiera de los demás. Pero tienen la desventaja de que se requiere de una semana a un mes para adaptarse a ellos y hay que usarlos regularmente, porque basta que pasen unos cuantos días sin ponérselos para que el ojo se desacostumbre a llevarlos y haya que pasar otra vez por el periodo de adaptación.

Los lentes *blandos* están hechos de polímeros sintéticos que absorben agua, y generalmente son más cómodos que los rígidos y resulta más fácil adaptarse a ellos. Pero, a cambio, no proporcionan la máxima agudeza visual, se estropean con facilidad y hay que desinfectarlos meticulosamente todos los días.

Los lentes de contacto *permeables a los gases* permiten que la córnea "respire", ya que dejan pasar el oxígeno y el bióxido de carbono. Estos lentes se suelen recomendar a las personas que no toleran los de tipo rígido.

Los *bifocales* de contacto son caros y es difícil ajustarlos. Mientras se perfeccionan, mucha gente prefiere seguir la técnica de la visión monocular, que consiste en llevar lentes distintos en cada ojo, uno para ver de cerca y otro para ver de lejos. Inconscientemente el que los usa se acostumbra a mirar con un solo ojo cuando lo requiere.

¿Son los lentes de contacto mejores que los anteojos?

Para los que no les gusta usar anteojos, los lentes de contacto representan una gran solución. Proporcionan una excelente visión periférica, permiten una visión casi normal a los que han sido operados de cataratas, y resultan muy útiles para los deportistas porque no se rompen, como puede pasar con los anteojos.

Lentes para sol en el Ártico

Ante un fuerte resplandor, nuestro primer impulso es entrecerrar los ojos para reducir la cantidad de luz que incide en la retina. En el Ártico, durante el verano, cuando el Sol brilla y la nieve refleja su luz, el resplandor llega a ser tan intenso que puede causar ceguera temporal, lo que se llama ceguera de la nieve. Los esquimales, para los que esta incapacidad representa un serio peligro, han resuelto el problema inventando unos visores de hueso que sólo dejan una pequeña rendija para ver a través de ella. El efecto que obtienen es muy parecido al de unos anteojos para sol.

Pero tienen sus desventajas. Se tarda cierto tiempo en acostumbrarse a llevarlos, de vez en cuando se desprenden del ojo sin razón aparente y es difícil encontrarlos cuando caen al suelo. Además, no sirven para personas alérgicas, para las que trabajan en lugares donde hay mucho polvo, ni para las que necesitan bifocales.

¿Pueden los lentes de contacto dañar los ojos?

Si están bien graduados y ajustados y se usan adecuadamente, los lentes de contacto no representan ningún peligro. El riesgo más serio pudiera ser una infección que conduzca a una ulceración de la córnea e incluso a la ceguera, pero eso se puede evitar limpiando los lentes todos los días y empleando una solución estéril para ponérselos, y no la saliva que está llena de bacterias.

Para evitar lesiones en la córnea, hay que ponerse y quitarse los lentes con cuidado y quitárselos si se llega a meter por debajo alguna partícula de polvo.

Sólo los lentes de uso continuo, que están hechos especialmente para llevarlos ininterrumpidamente durante varias semanas, pueden dejarse puestos por la noche. Si se usan lentes comunes y corrientes, hay que quitárselos para dormir porque si no, privan al ojo de oxígeno e interfieren con la circulación de los líquidos que lo mantienen húmedo. Algunos especialistas consideran que incluso los lentes de uso continuo pueden dañar los ojos si se usan mucho tiempo sin vigilancia del oculista.

¿Realmente sirven los lentes para sol?

Los lentes oscuros que filtran los rayos ultravioleta reducen los efectos dañinos que puede causar la intensa luz solar. Unos buenos lentes para sol resultan muy útiles en la playa porque disminuyen el fulgor de la arena y permiten ver claramente cuando se maneja o se esquía en la nieve.

¿Por qué al envejecer se necesitan anteojos para ver de cerca?

Alrededor de los 40 años, el cristalino va perdiendo elasticidad y con ella la capacidad de enfocar objetos muy cercanos o distantes; sobre todo le cuesta adoptar la forma esférica que se necesita para ver de cerca y poco a poco va quedando permanentemente enfocado a una distancia más o menos constante, alteración que se llama presbicia. Un présbita tiene que usar anteojos correctivos para poder ver de cerca, pero con frecuencia lo que necesita son lentes bifocales, porque también le cuesta trabajo ver de lejos. Los miopes, en cambio, se van dando cuenta de que al envejecer requieren cada vez menor aumento en sus anteojos, hasta que llegan a poder leer sin ellos.

Ilusiones ópticas de todos los días

¿Vemos efectivamente todo cabeza abajo?

Aunque percibimos las cosas al derecho y nunca vemos, por ejemplo, a la gente caminando cabeza abajo, las propiedades particulares del cristalino en relación con la forma y el tamaño del ojo hacen que la imagen que enfoca sobre la retina esté invertida, y así se transmite a través del nervio óptico hasta los centros visuales del cerebro. Lo que sucede es que el cerebro endereza esa imagen que recibe para que concuerde con lo que la experiencia le dice que debe ser lo que se está viendo.

Se han hecho experimentos científicos para demostrar que es el cerebro el que efectúa ese cambio. A un grupo de personas se les pusieron anteojos especiales que invierten las imágenes; al principio, lo veían todo cabeza abajo, pero al cabo de unos cuantos días empezaron a verlo todo otra vez al derecho a pesar de que seguían usando los anteojos distorsionantes. Cuando se los quitaron, volvieron a ver las cosas invertidas por un corto tiempo, pero en seguida el cerebro se ajustó al cambio y enderezó las imágenes.

El maravilloso equipo que forman ojos y cerebro se manifiesta en otros muchos aspectos de la vida cotidiana. Cuando miramos un objeto que está en parte bajo la luz del Sol y en parte oculto por una densa sombra, no tenemos ninguna dificultad para completar el perfil de ese objeto, digamos, un automóvil. El ojo y el cerebro se basan en los más insignificantes indicios para llegar a hacerse cargo de la situación. Así, por ejemplo, nos basta darnos cuenta de cómo incide la luz del Sol sobre el piso de una habitación para saber qué hora del día es. La verdad es que habitualmente percibimos muchas más cosas de las que realmente vemos.

¿Cómo es que vemos las cosas en tres dimensiones?

El mundo en que vivimos es tridimensional; sin embargo, la retina recibe una imagen en dos dimensiones. Si nos basáramos sólo en esas imágenes, el mundo para nosotros sería plano. La sensación de profundidad nos la da el cerebro; es su interpretación de lo que realmente vemos.

El tener dos ojos separados por la nariz nos da un amplio campo visual. La capacidad de ver una sola escena a pesar de que las imágenes que reciben los ojos son ligeramente diferentes, se llama visión binocular. Basado en la experiencia acumulada, el cerebro unifica las dos imágenes ópticas que se superponen y nos proporciona una sola imagen con la adecuada sensación de profundidad y distancia; una imagen tridimensional. Los que no pueden superponer las dos imágenes ópticas tienen una visión doble.

Cuando hace mucho calor, solemos ver en la carretera charcos que desaparecen al acercarnos: son espejismos. La capa de aire caliente que queda debajo de otra de aire frío refleja el cielo, dando la impresión de que el pavimento está mojado.

¿Cómo ven el mundo los bizcos o los que tienen los ojos extraviados?

Para poder ver bien se necesita que los dos ojos se muevan coordinadamente. Si se mira un objeto que está enfrente, los dos ojos deben estar paralelos y enfocar hacia adelante; si el objeto está a la derecha, los dos ojos tienen que girar hacia la derecha. Cuando una persona no puede coordinar el movimiento de los dos ojos, ve dos imágenes muy distintas que el cerebro no puede unificar; es lo que se llama visión doble. En algunos casos, el cerebro suprime una de las imágenes ópticas para evitar la visión doble, pero se pierde el sentido de la profundidad. En los niños estrábicos (bizcos), la supresión de una de las imágenes hace que ese ojo se vuelva perezoso, produciendo una ambliopía o falta de agudeza visual. Esta alteración es reversible si se trata a tiempo.

¿Es posible obtener la sensación de profundidad con un solo ojo?

Hay varias formas de determinar las distancias con un solo ojo. Si miramos un automóvil estacionado cerca de un edificio que parece más pequeño que el auto, inmediatamente concluimos que el edificio está más lejos que el auto. Las sombras que proyectan los objetos ayudan también a juzgar la distancia que hay entre ellos, lo mismo que contribuyen a darnos una sensación de profundidad las diferencias en el brillo y la nitidez de las imágenes: cuanto más cerca esté un objeto, más nítido y brillante lo veremos.

¿Cómo se mueven las imágenes del cine?

Cuando vamos al cine, la mitad del tiempo nos la pasamos viendo una pantalla en blanco, ya que una película cinematográfica no es más que una rápida sucesión de fotos fijas, cada una ligeramente distinta de la precedente, que pasan a una velocidad hasta de 72 cuadros por segundo. El cine, lo mismo que la televisión, se basa en la persistencia de las imágenes en la retina. El tiempo que pasa entre que el ojo recibe la imagen y la transmite al cerebro es suficiente para que los cuadros no se vean como fotos separadas, sino que se traslapen unos con otros dando la ilusión de un movimiento continuo.

La foto del bebé (der.) parece estar impresa en colores continuos, pero al amplificar una parte de ella (arriba) vemos que está formada por miles de puntos coloreados. Como el ojo no puede llegar a ver objetos tan pequeños, los superpone fundiéndolos en una imagen continua.

¿Realmente un bateador nunca pierde de vista la bola?

En el beisbol, una bola rápida puede alcanzar una velocidad de 145 a 161 km/h; es más rápida que la vista. Por medio de unos anteojos que miden el movimiento de los ojos, A. Terry Bahill, profesor de la Universidad de Illinois, demostró que un bateador sigue con la vista la bola desde que sale de la mano del lanzador hasta que llega a metro y medio de su bat y luego los ojos brincan, como lo hacemos al leer, hacia el punto donde él supone que va a llegar. En cuanto la localiza, la sigue con la vista el resto de la trayectoria. Pero, los beisbolistas profesionales, ¿qué piensan de esta teoría? La toman con mucho escepticismo porque están completamente seguros de que nunca pierden de vista la bola.

Trucos y juegos visuales

Más (y menos) de lo que capta el ojo

Las ilusiones ópticas son, esencialmente, imágenes que proporcionan al cerebro información contradictoria. Unas veces, porque los indicios visuales, como son las perspectivas, no concuerdan; otras, porque la yuxtaposición de los objetos es tan inesperada que le hacen llegar a conclusiones equivocadas en cuanto al tamaño, la forma e incluso la existencia misma de los objetos.

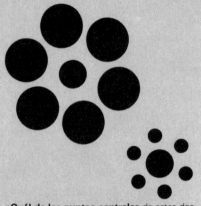

¿**Cuál de los puntos centrales** de estas dos figuras es mayor? Aunque no lo parezca, los dos son idénticos.

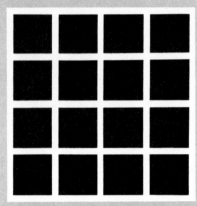

Los persistentes puntos grises que ve usted en las intersecciones de los cuadros no existen más que en su mente.

Las líneas de estas espiguillas parecen ser irregulares, pero ponga una regla sobre el dibujo y comprobará que todas ellas, verticales, horizontales y diagonales, son rectas.

¿Puede el cerebro llegar a una conclusión equivocada respecto a lo que percibe?

Las ilusiones ópticas se basan en lo inesperado, en ciertos patrones de luz que llegan a la retina y que el cerebro no sabe exactamente cómo interpretarlos. Sin estar conscientes de ello, siempre esperamos hallar determinada perspectiva en lo que vemos. El cerebro trata de definir las imágenes oculares que recibe de acuerdo con sus experiencias anteriores, y a veces sus expectativas le hacen llegar a conclusiones erróneas.

Supongamos que tenemos dos recipientes tapados, uno mayor que el otro; el pequeño está lleno de arena hasta el borde, pero contiene la misma cantidad que el grande. Al sopesar uno en cada mano, la mayoría de la gente dirá que el pequeño pesa más simplemente porque, viéndolo de menor tamaño, espera que pese poco y se sorprende de sentirlo tan pesado, lo que hace que automáticamente sobrestime su peso.

¿Por qué algunas ilusiones ópticas parecen saltar hacia atrás y hacia adelante?

Cuando recibe información contradictoria o ambigua, el cerebro no puede decidirse sólo por una de las posibles interpretaciones y "salta" de una a otra. Si usted mira con cuidado la copa blanca de la ilustración de la página opuesta, verá también dos perfiles, uno frente al otro. Una vez que ha quedado manifiesto el doble aspecto del dibujo, el cerebro tiende a seguir confirmando la información que recibe resaltando primero una figura y luego la otra, quedando en unos casos el fondo azul y en otros blanco.

¿Tienen las ilusiones ópticas algún uso práctico?

Cuando los científicos comenzaron a estudiar las ilusiones ópticas hace unos 150 años, no lo hicieron por mera curiosidad ni por amor al arte. En el siglo xix los físicos y los astrónomos obtenían la mayor parte de su información acerca del universo observándolo a través de potentes instrumentos ópticos. Cuando se dieron cuenta de que inevitablemente el hombre está expuesto a ciertos errores de percepción, comenzaron

En la parte superior de esta figura se ven tres púas, pero una desaparece al bajar la vista. Ponga un dedo sobre el dibujo para descubrir el engaño.

En este dibujo surrealista, "Relatividad", Maurits Escher juega con las perspectivas. Nuestra mente puede aceptar aisladamente cada una de las partes del dibujo, pero no admite situaciones para ella imposibles, como que dos personas suban o bajen por ambas caras de la misma escalera.

a preocuparse de que las conclusiones, supuestamente científicas, a que habían llegado pudieran estar equivocadas. Este interés práctico fue una de las principales razones que lanzaron a los científicos al estudio de las ilusiones ópticas.

Hoy día, los físicos y los astrónomos cuentan con fotografías de alta calidad para comprobar la exactitud de las observaciones visuales que han hecho. Sin embargo, las ilusiones ópticas siguen teniendo importancia práctica en el campo de los transportes, porque pueden causar accidentes en las carreteras y en las pistas de aterrizaje.

¿Cómo podemos "ver" más de lo que es visible?

La respuesta no sólo es sorprendente, sino que también tiene mucho de enigmático. Ver no es simplemente cuestión de registrar en la retina una imagen plana e invertida del mundo a la manera de una cámara fotográfica; en realidad no nos enteramos de lo que vemos sino hasta que el cerebro nos proporciona su propia interpretación de la

imagen retiniana que recibe. El cerebro utiliza esa imagen sólo como una estructura básica sobre la que él construye una imagen mental más completa y más útil de la realidad.

El cerebro conserva en la memoria un vasto archivo donde guarda datos visuales precisos sobre el mundo que nos rodea, datos de los que echa mano cuando la imagen retiniana resulta ambigua o incompleta y necesita explicación.

Supongamos que un soldado en el campo de batalla examina el terreno que tiene por delante y su imagen retiniana sólo registra unos matorrales, un objeto redondeado que sobresale del follaje y otro similar a ras de tierra. Rápidamente, el cerebro del soldado busca entre los datos que tiene almacenados en la memoria y analiza todas las hipótesis razonables. En unos cuantos segundos fabrica una vívida imagen mental de un tanque enemigo camuflado por el follaje y del que sólo se puede ver la punta del cañón de la torreta y parte de la oruga que lo mueve. El soldado está "viendo", no sólo con los ojos, sino también con el cerebro.

En esta ilusión óptica, las figuras reversibles parecen moverse hacia atrás y hacia adelante, porque se tiene la tendencia a ver en segundo plano el color oscuro como el fondo sobre el que destaca la copa blanca. Cuando se perciben los perfiles, éstos pasan al primer plano y el blanco se interpreta como un fondo.

El sorprendente mundo del color

¿Cómo percibe el ojo los colores?

En la retina, en la parte posterior del globo ocular, hay dos tipos de fotorreceptores: los conos y los bastones. Los conos tienen un pigmento que es sensible al color y se especializan en la percepción de diferentes longitudes de onda: unos registran la luz roja, otros la azul y otros la verde. Los estímulos combinados de diversos conos producen todos los colores que vemos. Se calcula que la mayoría de la gente puede diferenciar de 120 a 150 matices, pero el número es aún mayor si se consideran diversos grados de brillo y saturación.

¿Todos vemos el cielo del mismo azul?

Supuestamente, todos los que tienen una visión normal perciben un color determinado de la misma forma, pero no se puede estar completamente seguro de ello porque el color es algo subjetivo; es la interpretación que el cerebro hace de las señales luminosas que recibe la retina. Además, no hay forma de saber con precisión si el color que una persona ve es tan brillante como el que está viendo otra.

¿Afecta el color el estado de ánimo?

Recientemente se han hecho experimentos que demuestran que una habitación pintada de color rosa chicle tiene un efecto tranquilizante sobre los niños inquietos. Aunque muchos psicólogos se muestran escépticos acerca de la influencia sedante de los colores, en Estados Unidos hay alrededor de 1 500 hospitales y correccionales que cuentan por lo menos con una habitación pintada de "rosa pasivo" para sosegar a los chicos más revoltosos. A pesar de que algunos científicos no aceptan la fotobiología —la terapia basada en los colores— como una ciencia, la publicidad toma los colores muy en serio y los emplea en los anuncios y en los empaques para atraer la atención del público y crear el estado de ánimo propicio. Los detergentes, por ejemplo, generalmente se empacan en cajas de colores básicos brillantes; para los perfumes, en cambio, se usan colores originales y caprichosos.

Los decoradores de interiores suelen usar los colores como elementos anímicos; así, consideran "frío" un diseño a base de azules y blancos, y "cálida" la mezcla de naranja, café y beige. Algunos dueños de restaurantes dicen que las paredes pintadas de rojo parecen estimular el apetito de su clientela.

La cultura influye mucho en las reacciones que producen los colores, como se ve en los que usa la gente en momentos significativos de su vida en distintas partes del mundo: el blanco, considerado por unos adecuado para una boda, es para otros señal de luto.

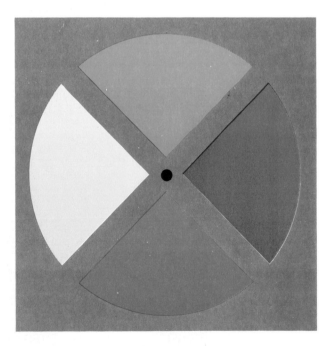 

Imagen residual negativa en colores complementarios

Si mira fijamente durante un rato el punto negro del centro del disco de colores que está a la izquierda y luego mira al centro del cuadro gris de la derecha, verá una imagen residual más tenue que la original y con los colores cambiados. El azul aparece como amarillo, el rojo como verde, el verde como rojo y el amarillo como azul. Esta relación entre los colores que se llaman complementarios se debe a que, aparentemente, los conos de la retina se sensibilizan por pares. Cuando unos dejan de recibir estímulos, los complementarios se activan por unos instantes. Este efecto es muy notable cuando se ha estado largo tiempo pintando algo de colores brillantes.

¿Qué colores prefieren los bebés?

Como los bebés no pueden responder a nuestras preguntas, hay que deducir sus preferencias por la conducta que adoptan. El interés sobre este tema se remonta a principios de este siglo cuando un psicólogo observó que su hija de nueve meses mostraba una marcada preferencia por un juguete rojo en lugar de otro verde.

Posteriormente se hizo un experimento con bebés de cuatro meses a los que se les fueron mostrando durante 15 segundos diversos colores; todos ellos dedicaron más tiempo a contemplar el rojo y el azul que los demás colores. Cuando se les presentó al mismo tiempo un color puro y otro formado por una mezcla de colores, la mayoría mostró más interés por los colores puros.

¿Por qué a veces seguimos viendo luz al cerrar los ojos?

Mire usted el cielo brillantemente iluminado a través de una ventana en el punto donde se unen las hojas durante unos cuantos segundos y después cierre los ojos; verá una imagen que persiste de 5 a 10 segundos; es la imagen residual, que en este caso se llama positiva porque aparece casi con la misma brillantez, color y patrón de luces y sombras que el objeto original.

En cambio, si mira intensamente durante 10 segundos un pequeño objeto coloreado (un botón, por ejemplo) colocado sobre un fondo claro y luego mira una hoja de papel en blanco, lo que verá es una imagen residual negativa en colores complementarios más pálidos que durará de 10 a 15 segundos. En esta imagen residual los puntos más claros del patrón original aparecerán más oscuros y los que eran más oscuros los verá más claros, como el negativo de una fotografía.

Las imágenes residuales son algo parecido a impresiones fotográficas que se producen en la retina; si mueve los ojos, la imagen se moverá con ellos. Posiblemente las imágenes residuales positivas se deben a que la luz intensa tiene un efecto persistente sobre los fotorreceptores, que siguen mandando estímulos a las células nerviosas que producen la imagen visual aun cuando la luz ya no llega a la retina. El origen de las imágenes residuales negativas es más complejo; en su formación desempeña un papel importante la interacción entre fotorreceptores adyacentes.

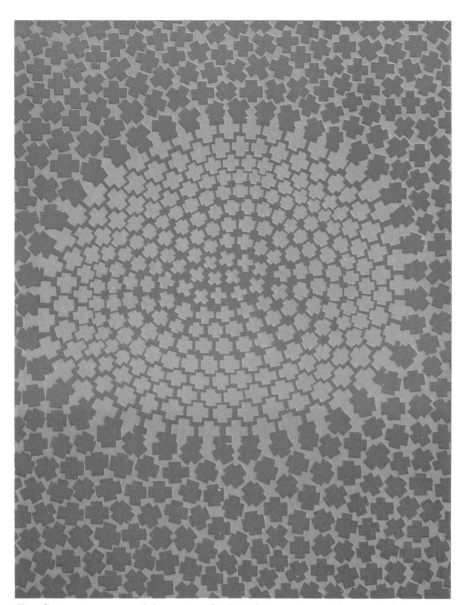

Esta figura parece que palpita porque el rojo y el turquesa son colores complementarios; donde se unen, el ojo ve imágenes residuales que cambian.

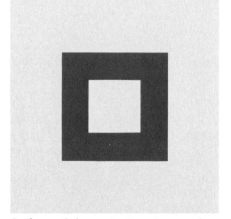 

La fuerza de los contrastes es tan grande que el cuadro azul sobre el fondo amarillo parece mucho más brillante que el que está sobre el fondo púrpura, aunque son iguales; el color oscuro atenúa su brillo dándole un tono pastel.

Limitaciones de la visión

Prueba de la ceguera a los colores

La prueba de Ishihara para determinar la más común de las cegueras a los colores, la ceguera al rojo y al verde, fue creada en Japón, pero ahora se usa en todo el mundo. En el círculo de la extrema derecha todos los que tienen una visión normal de los colores distinguen claramente el número 74, pero los daltónicos leen 21. En el otro círculo una persona normal difícilmente notará algún número, en cambio los daltónicos ven claramente un 2. Tome en cuenta que el daltonismo sólo puede ser diagnosticado por un oculista.

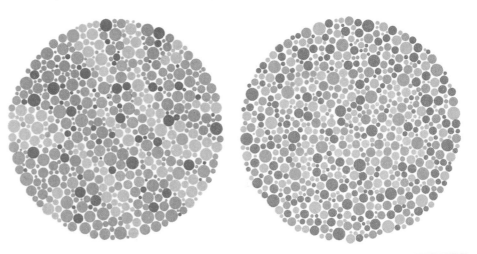

¿Por qué suele estar mal aplicado el término de ceguera a los colores?

La visión normal de los colores depende de tres tipos de conos; por lo tanto, la carencia de uno de estos tipos da por resultado la ceguera sólo al color que corresponde a esos conos. Son sumamente raros los casos de ceguera total a los colores, afección que reduce al que la padece a ver el mundo en tonos de gris. La ceguera al rojo y al verde, lo que se llama daltonismo, afecta a alrededor del 8% de la población masculina y es muy raro que se presente en las mujeres.

Los defectos en la visión de los colores pueden ser resultado de enfermedades o lesiones de la retina o del nervio óptico, pero es mucho más frecuente que se deban a un gene defectuoso y tengan por lo tanto un carácter hereditario. La hija de un daltónico no padecerá la alteración, pero llevará el gene anómalo que puede transmitir a alguno de sus hijos; si ese hijo es varón, nacerá daltónico.

Aunque el daltonismo congénito es irreversible, no afecta la agudeza visual y puede considerarse como una incapacidad menor. Una persona con ceguera al rojo y al verde puede perfectamente manejar un automóvil, porque sabe que la luz roja está en la parte de arriba del semáforo y la verde abajo.

¿Puede corregirse el daltonismo?

Como la ceguera a los colores congénita es un carácter hereditario, no tiene cura posible, pero hace poco se han producido unos lentes de contacto que ayudan a los daltónicos a distinguir el rojo del verde. Los lentes, llamados X-Chrom (por el cromosoma X que lleva el gene defectuoso), se usan sólo en un ojo y están coloreados de rojo, lo que aumenta el brillo de ese color creando un contraste con el verde que aparece con un tono más oscuro. Sin embargo, estos lentes no restituyen la visión normal de los colores.

¿Cómo se adaptan los ojos a la luz brillante y a la oscuridad?

Cuando entramos a un cine a oscuras después de pasar por el vestíbulo brillantemente iluminado nos cuesta trabajo distinguir los pasillos y los asientos hasta que los ojos se acostumbran a la oscuridad; ese periodo de adaptación requiere a veces hasta una hora o más; en cambio, los ojos se adaptan al paso de la oscuridad a la luz en unos cuantos minutos.

Estos cambios adaptativos se llevan a cabo en los fotorreceptores de la retina llamados conos y bastones. Ambos contienen compuestos químicos fotosensitivos que se modifican al estar expuestos a la luz y envían señales visuales al cerebro a través del sistema nervioso. Los conos aguzan la visión diurna porque nos permiten ver los detalles y los colores de los objetos; los bastones intervienen en la visión nocturna; a través de ellos podemos percibir los contornos de los objetos, pero sin detalles ni colores. Cuando pasamos de la luz a la oscuridad, aumenta la sensibilidad de los bastones y disminuye al volver otra vez a la luz.

¿A qué se debe la ceguera nocturna?

Se dice que una persona sufre de ceguera nocturna cuando no puede ver claramente las imágenes o no distingue los distintos tonos de gris estando en la penumbra. Esta alteración generalmente se debe a una deficiencia de vitamina A, sustancia que es indispensable para el buen funcionamiento de los bastones, un tipo de fotorreceptores que hay en la retina. Afortunadamente, la mayoría de los casos de ceguera nocturna pueden curarse tomando suplementos de vitamina A y alimentos que la contengan.

¿Puede prevenirse la ceguera?

La ceguera se define como una falta total o parcial de la visión. La ceguera total no es muy común: generalmente la mayoría de los ciegos pueden ver por lo menos algo de luz. Se suele considerar ciega a una persona que con el ojo que está en mejores condiciones *no* alcanza a distinguir, ni con anteojos correctivos, a una distancia de 6 m las mismas letras de un tablero de optotipos que una persona con visión normal puede leer a 60 m. *Si* puede hacerlo, se dice que tiene una visión mínima o de 20/200, y desde el punto de vista técnico no se la considera ciega.

La ceguera puede deberse a un defecto congénito del ojo, del nervio óptico o del cerebro; también puede ser el resultado de una enfermedad o de una lesión en cualquiera de ellos.

La diabetes no controlada suele ser una de las principales causas de ceguera; el diagnóstico y tratamiento oportuno de la enfermedad y sus complicaciones puede evitar las alteraciones de la visión. Otra enfermedad que causa ceguera es el glaucoma, porque cuando la presión intraocular debida al fluido que llena la cámara anterior del ojo colocada entre la córnea y el cristalino se eleva mucho llega a dañar el nervio óptico de manera irreversible. Esto puede evitarse haciéndose regularmente pruebas que miden la presión interna del ojo, ya que el glaucoma puede controlarse si se detecta a tiempo y se empieza a tratar en seguida.

Para evitar las heridas que pueden conducir a la ceguera, enseñe a sus hijos a manejar siempre los lápices, las tijeras y cualquier objeto puntiagudo con el extremo o borde cortante hacia abajo. Adviértales que nunca corran llevando palos o cosas punzantes en las manos, porque si se caen pueden clavárselos en un ojo, y prohíbales que golpeen o lancen a sus compañeros de juegos algo que pueda lastimarlos. Los adultos deben usar visores para protegerse los ojos cuando trabajen con herramientas que lanzan virutas.

¿Se les agudizan a los ciegos los otros sentidos?

No hay ninguna evidencia de que el sentido del oído, del olfato o del tacto sea en los ciegos básicamente distinto que en las personas que ven; lo que sí es un hecho es que muchos ciegos hacen mejor uso de ellos, y de la memoria de esos sentidos, que nosotros. Un ciego que trabaja y tiene que usar todos los días transportes públicos va concentrado en lo que hace, aguzando sus otros sentidos, y resulta tan hábil que rara vez necesita ayuda, como no sea que encuentre su camino obstruido.

¿Afectan la vista las bebidas alcohólicas?

La visión borrosa o doble es uno de los clásicos síntomas del consumo excesivo de alcohol; esto se debe a que el alcohol interfiere con los reflejos oculares e impide que se enfoquen bien las imágenes. En algunos casos, el uso excesivo de bebidas alcohólicas y tabaco llega a dañar los nervios ópticos.

La luz diurna activa los conos de la retina, sensibles al color, lo que permite a una persona con vista normal ver todo claramente y con distintos matices.

Como la visión en la penumbra corre a cargo de los bastones que no perciben el color ni los detalles, la misma escena se convierte en una silueta grisácea.

En la retina del ojo hay millones de estos bastones alargados, fotosensibles, que responden a la tenue luz de la penumbra. Aunque se diga lo contrario, no hay nadie que pueda ver en la total oscuridad; se necesita siempre que haya un mínimo de luz. A los bastones también se debe la visión periférica, el poder ver con el rabo del ojo.

Problemas oculares y soluciones

¿A qué se deben las cataratas?

La catarata es una opacidad progresiva del cristalino del ojo que normalmente es transparente; esa turbidez afecta la vista porque impide que la luz llegue a la retina. Aunque las cataratas se pueden desarrollar en la gente joven por diversas razones, lo más común es que se produzcan como resultado del proceso de envejecimiento. Las cataratas seniles son la principal causa de ceguera en los ancianos debido a la degeneración gradual del cristalino.

Las cataratas, que se van formando sin causar dolor y lentamente a través de los años, afectan generalmente a los dos ojos. En algunos casos, la pérdida de la visión es tan insignificante que no se recomienda ningún tratamiento. Cuando el proceso va muy avanzado, llega a dejar la pupila blanca; a esto se le llama una catarata madura. Antes, los oftalmólogos solían recomendar a los pacientes que esperaran hasta que la catarata madurara por completo para intervenir quirúrgicamente, pero ahora, con las nuevas técnicas, se pueden operar mucho antes.

Las operaciones de cataratas son indoloras y tienen éxito en alrededor del 90% de los casos. Consisten en extraer el cristalino del ojo y restaurar la visión del paciente por medio de unos anteojos, lentes de contacto o la implantación de una prótesis permanente conocida como lente intraocular.

¿Puede predecirse el resultado de una operación de cataratas?

Quitar el cristalino que las cataratas han vuelto opaco es la más común de las operaciones de los ojos. Desgraciadamente, alrededor del 10% de los operados no mejoran con ello su visión. Durante mucho tiempo, fue para los oftalmólogos un verdadero problema determinar si la cirugía ayudaría o no a un paciente, debido a que algunas veces resulta difícil saber si los problemas visuales se deben sólo a la catarata o hay también una alteración de la retina, la membrana fotosensitiva del fondo del ojo.

Ahora los cirujanos cuentan con un nuevo instrumento, un medidor de la agudeza visual potencial, que lanza un fino haz de luz sobre la retina a través del punto más transparente que tenga el cristalino y proyecta sobre ella la imagen de un tablero de optotipos que el paciente puede leer casi como si no existiera la catarata. De la precisión de esa lectura el médico puede concluir si el problema visual se debe sólo a la catarata o si hay además una lesión retiniana. Este procedimiento no sólo sirve para descartar las operaciones que resultarían infructuosas, sino también para mostrarle al paciente cómo verá después de la intervención quirúrgica.

¿Cómo se trata actualmente el glaucoma?

Los dos principales tipos de este grave problema ocular, el glaucoma crónico y el agudo, se deben al estrechamiento o la obstrucción del conducto situado en el borde interno del iris que drena el humor acuoso —fluido que llena la cámara anterior del ojo colocada entre la córnea y el cristalino. El líquido que se acumula ejerce una excesiva presión sobre la retina y el nervio óptico llegando a producir una ceguera que es irreversible.

El glaucoma crónico es una enfermedad progresiva asociada al proceso de envejecimiento que generalmente se presenta después de los 40 años y es más frecuente en las personas que tienen antecedentes familiares de ese padecimiento. Al principio no presenta síntomas, pero el paciente puede notar una reducción de la visión periférica. Nueve de cada diez casos de glaucoma son de tipo crónico, que normalmente puede controlarse mediante gotas para los ojos y otros medicamentos que reducen la presión intraocular.

El glaucoma agudo ataca súbitamente, y puede causar ceguera en unos pocos días si no se trata de inmediato. El paciente siente un intenso dolor en el ojo y comienza a ver los objetos borrosos y halos de luz. Esta forma de glaucoma es bastante rara y puede tratarse quirúrgicamente.

¿Cómo se puede volver a fijar una retina que se ha desprendido?

Podremos imaginarnos más fácilmente en qué consiste un desprendimiento de retina si consideramos el globo ocular como una habitación y la retina como el papel tapiz que recubre sus paredes. Igual que el papel se separa del muro cuando se humedece, así se levanta la retina cuando tiene alguna perforación por la que se filtra el humor vítreo. Al desprenderse, la retina pierde contacto con la capa pigmentada que está debajo, la coroides, que es la que le suministra oxí-

---

Remedios populares: contra el mal de ojo

En otros tiempos fue casi universal la creencia de que el ojo humano tenía el poder de hacer daño o destruir al enemigo. Esta idea puede haber surgido del terror del hombre primitivo a ser acechado por las fieras, por guerreros de tribus hostiles, por los malos espíritus o por los dioses celosos de sus conquistas. Abundaban entonces los remedios para contrarrestar el mal de ojo, desde tratar de aplacar al hombre al que se atribuían tales poderes con cerveza y tabaco, como en el Congo, hasta amarrar listones rojos en la cola del ganado, como en Escocia. Durante los siglos XVI y XVII, cuando se creía que las brujas podían matar a sus víctimas haciéndoles mal de ojo, cientos de mujeres fueron ejecutadas simplemente porque habían mirado con enojo a alguien que luego había muerto. Sus propios jueces temían ser embrujados por ellas al dictar sentencia, por lo que no era raro que se les obligara a estar de espaldas durante el juicio.

Esta pequeña barca portuguesa muestra una moderna versión del ojo que antaño se pintaba en los barcos de pesca del Mediterráneo para contrarrestar el mal de ojo.

¿Cómo ve el mundo el que tiene un defecto visual?

Visión normal. Lo que un paseante con buena vista ve desde el extremo de un parque, por ejemplo, es lo que capta la cámara fotográfica. Puede contemplar claramente todo lo que tiene delante y a ambos lados.

Glaucoma. La presión interna del ojo que causa este padecimiento daña el nervio óptico e impide la visión periférica. Gran parte del paisaje se pierde porque el ojo manda al cerebro una imagen muy reducida.

Retinitis pigmentaria (visión en túnel). Esta enfermedad progresiva hereditaria va atrofiando los vasos sanguíneos que nutren la retina y sustituyéndolos por tejido cicatricial, lo que reduce la visión.

Degeneración macular. Es una afección común entre los viejos, que produce un punto ciego en el centro del campo visual. Se debe a una disminución del riego sanguíneo de la mácula, una zona de la retina.

Cataratas. Se trata de una opacidad del cristalino que filtra la luz que llega a la retina, con lo que se pierde la claridad fotográfica de la visión normal. El mundo se ve a través de un vidrio escarchado.

Desprendimiento de retina. Comienza por una perforación por la que se filtra el humor vítreo, que levanta la retina como si fuera un papel tapiz húmedo. Esto proyecta una sombra sobre el campo visual.

---

geno y nutrientes; por lo tanto, si no se recurre a la cirugía puede terminar causando ceguera.

El cirujano oculista puede fijar de nuevo la retina uniéndola a la coroides mediante pequeños puntos de tejido cicatricial. Para hacerlo, aplica en varios puntos durante una fracción de segundo un fino cauterio de calor o de frío que "funde" las dos capas juntas. A menudo se usa un aparato de rayos láser que lanza sobre cada punto un haz muy fino de luz intensa. Si la cirugía se lleva a cabo

a tiempo, un 85% de los pacientes con desprendimiento de retina recuperan la vista.

¿En qué consiste un trasplante de córnea?

Cuando una persona ha sufrido una lesión en la córnea como consecuencia de un accidente o una enfermedad, se le puede quitar la parte dañada y sustituirla por un trozo de córnea extraída de otra persona que

haya muerto poco antes. Esta operación, el primer tipo de trasplantes de tejidos que se practicó ampliamente, es una de las que tienen mayores probabilidades de éxito a largo plazo. Sin embargo, no a todos los que tienen un defecto en la córnea se les puede hacer un trasplante. Las mayores limitaciones son la escasez de donadores y la necesidad de hacer el trasplante poco después de haber muerto el donador, de preferencia antes de 48 horas.

Capítulo 9

OÍDOS, NARIZ Y GARGANTA

Ésta es una región donde confluyen varios aparatos, una especie de centro sensorial que recibe sonidos, olores y sustento, y emite palabras y canciones.

¿Por qué se relacionan médicamente el oído, la nariz y la garganta?

Una mañana se levanta usted con la garganta irritada; probablemente por la noche ya le esté fluyendo la nariz, y al día siguiente es obvio que tiene catarro. Se encuentra con la nariz tapada, todo lo que come le resulta insípido, no oye muy bien y quizá le duelan los oídos.

Toda esta secuencia de malestares indica que los oídos, la nariz y la garganta están íntimamente relacionados funcional, estructural y neurológicamente. En consecuencia, se ven afectados por los mismos irritantes y gérmenes. Las molestias que se sienten en cualquier órgano de este sistema tripartito pueden tener su origen en alguno de los otros, y las infecciones que atacan a uno rápidamente se extienden al resto del sistema. Por eso la atención de estos tres órganos corre a cargo de una sola rama de la medicina, una especialidad que se conoce con el nombre de otorrinolaringología.

¿Puede uno mismo hacerse una prueba auditiva?

No existe ninguna prueba que pueda hacerse uno mismo para determinar el grado de agudeza auditiva, pero hay ciertos indicios que pueden ponerlo sobre aviso. Si, por ejemplo, usted oye mejor por teléfono que cuando tiene a su interlocutor delante, o si necesita subir el volumen del televisor cuando los demás lo estaban oyendo perfectamente, es aconsejable que consulte con un especialista. Lo mismo puede decirse si no oye una llave que gotea o si no entiende las palabras cuando no puede ver la cara del que habla.

¿Oímos nuestra voz como la oyen los demás?

Probablemente la primera vez que usted oyó su voz grabada en una cinta no pudo reconocerla; le debió de parecer mucho más aguda y desagradable que la que está acostumbrado a oír y le echó la culpa a la grabadora. Sin embargo, lo más seguro es que los demás la perciban tal como la estaba usted oyendo en la grabación, porque normalmente oímos nuestra propia voz de una manera distinta a como la oyen los otros.

esta insensibilidad no es permanente, pues basta que salgan de vacaciones para que al regreso deban acostumbrarse de nuevo al olor, que otra vez les resulta desagradable.

Por otra parte, el concepto de lo que huele bien y lo que huele mal varía mucho de unas personas a otras y no procede de preferencias innatas sino de la experiencia y de las asociaciones que se establezcan. En África hay tribus que se perfuman el cabello con aceite rancio, y en muchos países hay gente a la que se le hace agua la boca con sólo oler un queso Camembert bien maduro, mientras que otros consideran ese olor verdaderamente repulsivo.

¿Por qué hay algunas personas que se marean con el movimiento?

Hoy día, los barcos cuentan con estabilizadores para impedir que se bamboleen, y los aviones vuelan a suficiente altura para evitar las turbulencias, de manera que hay mucha menos gente que se marea cuando viaja en ellos. Sin embargo, hay algunas personas que se marean, no sólo cuando viajan en barco o en avión, sino también cuando lo hacen en automóvil, en tren o en autobús, e incluso cuando bailan polka o se suben a los caballitos de la feria.

El mareo producido por el movimiento se debe a una sobreestimulación del órgano del equilibrio, situado en el oído interno. La linfa fluye por los tres canales semicirculares al mismo tiempo, haciendo que éstos manden al cerebro impulsos nerviosos contradictorios que no sabe cómo interpretar y lo confunden. Es probable que la ansiedad reduzca la resistencia al mareo en algunas personas y las haga más sensibles a cualquier variación del movimiento. A medida que pasan los años y se acostumbran a viajar, muchos vencen este molesto padecimiento.

Los síntomas clásicos del mareo abarcan fatiga, sudores, vértigo, náuseas y vómito. Varios medicamentos han demostrado su eficacia para contrarrestar estas molestias, pero como algunos de ellos contienen productos que causan somnolencia, no deben tomarlos las personas que vayan a manejar. Se pueden reducir las posibilidades de marearse adoptando estas simples medidas: descansar bien antes de emprender un viaje, comer ligeramente antes del trayecto y durante el mismo, respirar aire fresco siempre que sea posible y no tomar bebidas alcohólicas.

La falta de gravedad hace que estos astronautas floten en el aire. En estas condiciones no sólo pierden la sensación de lo que es arriba y abajo, sino que cuatro de cada diez se marean. El oído interno y los músculos, que se basan en la fuerza de gravedad para orientarse, reciben señales contradictorias.

Nuestra voz nos llega al oído interno por dos vías: cuando penetra por el oído externo, las ondas sonoras viajan a través del aire; cuando llega a través de la mandíbula, el medio de transmisión es el hueso. A las demás personas nuestra voz les llega exclusivamente a través del aire, por lo cual es imposible que podamos oír nuestra voz como la oyen los demás, excepto con la ayuda de una grabadora.

¿Tienen las mujeres mejor olfato que los hombres?

En las pruebas que se han hecho, por lo general las mujeres han demostrado mayor facilidad que los hombres para identificar olores. Sin embargo, eso no indica que ellas tengan un mejor olfato innato; según los científicos, la diferencia debe atribuirse a que las mujeres están más conscientes de los olo-res que las rodean, y éstos tienen mayor importancia para ellas.

¿Se acostumbra el olfato a los olores?

A los que gustan del chocolate les parecerá increíble, pero quienes trabajan con él aseguran que al cabo de un tiempo ya no perciben su aroma. Aunque todavía se discuta si el sentido del olfato realmente se llega a fatigar o no, la verdad es que mucha gente se acostumbra a ciertos olores y deja de notarlos.

La familiaridad tiende a debilitar la percepción tanto de los olores agradables como de los desagradables. Los que trabajan en las fábricas de aceites y manteca, por ejemplo, adquieren pronto una tolerancia al olor de la grasa rancia, que a la mayoría de la gente le parece insoportable. Sin embargo,

El oído: un milagro de miniaturización

Estructura del oído

El oído comprende dos órganos en uno: el de la audición y el del equilibrio. Aunque parezca mentira, el oído interno, que apenas alcanza el tamaño de una avellana, contiene tantos circuitos como el sistema telefónico de una ciudad de buen tamaño. Las trompas de Eustaquio comunican el oído medio con la faringe, lo que permite que entre el aire y se equilibren las presiones a ambos lados del tímpano. En los niños las trompas tienen menor inclinación que en los adultos, y la leche puede entrar con facilidad al oído e irritarlo; por ello sufren dolores de oídos con más frecuencia

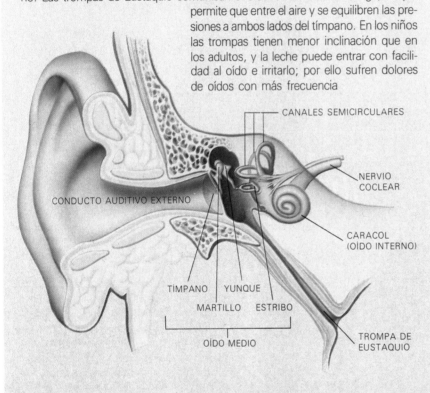

CANALES SEMICIRCULARES

NERVIO COCLEAR

CONDUCTO AUDITIVO EXTERNO

CARACOL (OÍDO INTERNO)

TÍMPANO   YUNQUE

MARTILLO   ESTRIBO

OÍDO MEDIO

TROMPA DE EUSTAQUIO

¿Cuál es la función del oído externo?

A pesar de la extraordinaria eficiencia del oído humano, hay una parte de él que no resulta imprescindible: se trata del oído externo. Si una persona pierde una oreja en un accidente, como ocurre algunas veces, el problema será más bien de tipo estético, porque podrá oír tan bien como siempre y tampoco verá afectado su sentido del equilibrio. El oído externo funciona exclusivamente como un embudo que capta y conduce las ondas sonoras hacia las regiones más internas donde reside el sentido del oído. Además, nuestras orejas no cumplen, ni con mucho, su función tan bien como las de un caballo o un conejo, que las pueden mover hacia donde viene el sonido.

El oído externo está formado por la oreja, pabellón cartilaginoso que rodea la abertura externa del conducto auditivo, y por este último, de forma irregular y de unos 2.5 cm de largo. El conducto se inclina ligeramente hacia arriba y termina en el tímpano, una membrana tensa que separa el oído externo y el oído medio. El conducto auditivo está tapizado de finos vellos y contiene alrededor de 4 000 glándulas que producen cerumen o cerilla, la sustancia oleosa encargada de retener el polvo, los insectos o cualquier partícula extraña que pueda introducirse. Otra función del conducto es re-

El caracol: órgano que envía las sensaciones sonoras al cerebro

El caracol o cóclea que aparece en estas micrografías es el de un cobayo, pero su estructura es prácticamente igual a la del hombre. Se ha quitado la cubierta ósea para dejar al descubierto las hileras de células ciliadas que siguen las espirales del conducto coclear. Estos cilios se mueven al pasar sobre ellos las vibraciones sonoras transmitidas al líquido que los rodea; como son muy frágiles, los ruidos fuertes y frecuentes pueden dañarlos y causar una sordera permanente. En esta serie de fotografías se ve el caracol cada vez con mayor acercamiento; las dos últimas muestran el contraste entre las células normales y otras con los cilios destrozados.

El interior del caracol forma una espiral.

Filas de células ciliadas siguen la espiral.

gular la humedad y la temperatura del aire que llega al tímpano, para que se mantengan más o menos constantes, independientemente de las condiciones externas.

¿Cómo funciona el oído medio?

En el oído, como en los aparatos electrónicos, se conjugan la eficiencia y la miniaturización: la cavidad aérea que aloja el oído medio es tan pequeña que se llenaría con cinco o seis gotas de agua, y contiene un sistema de amplificación sonora formado por tres huesecillos que no ocupan más espacio que una tachuela de las empleadas por los tapiceros. Sin embargo, estos huesos desempeñan un papel fundamental en la transmisión mecánica de las ondas sonoras. Debido a su forma reciben el nombre de martillo, yunque y estribo; este último es el más pequeño de todos los huesos del cuerpo humano.

El proceso auditivo comienza cuando las ondas sonoras chocan contra el tenso y resonante tímpano y lo hacen vibrar. Cada vibración de esta membrana se transmite al martillo, que oscila al mismo ritmo y difunde el mensaje al yunque mediante una acción de palanca. El yunque, a su vez, transmite las vibraciones al estribo, que encaja en una abertura de la pared interna del oído medio cubierta por una membrana, la ventana oval, a través de la cual pasan las vibraciones al oído interno.

A medida que las vibraciones se desplazan a través de los huesecillos, desde el tímpano, relativamente grande, hasta la diminuta ventana oval, su energía se va concentrando más y más. El aire que hay en el oído medio se mantiene a la misma presión que la atmósfera, ya que la cavidad se comunica con la parte superior de la garganta a través de la trompa de Eustaquio.

¿Cuál es la función del oído interno?

En el oído interno hay un órgano que puede compararse al teclado de un piano; en él reside el sentido auditivo, y no se trata de la única estructura curiosa de esta región del oído; aquí se localizan también los peculiares órganos del equilibrio. Dada la complejidad del oído interno y la importancia del doble papel que desempeña, se explica por qué es una de las partes mejor resguardadas del organismo. No sólo se encuentra excavado en el hueso temporal del cráneo, sino que además está protegido por una masa de líquido que lo rodea.

La estructura fundamental del sentido del oído, donde las ondas sonoras son transformadas en impulsos nerviosos, es el caracol o cóclea, pequeño conducto óseo enrollado en una espiral de dos vueltas y media que semeja la concha de un caracol; de ahí su nombre. El caracol funciona como el teclado de un piano, pero en lugar de tener sólo 88 teclas, como éste, tiene alrededor de 20 000, constituidas por células sensoriales ciliadas (provistas de cilios o filamentos) dispuestas no en un plano horizontal, como las del piano, sino en espiral a lo largo de la membrana que reviste el caracol.

Las ondas sonoras transmitidas por el estribo a la ventana oval pasan al líquido que llena el caracol y se desplazan a través de la espiral. Según su tono las ondas producen un efecto mayor en diferentes regiones del "teclado" formado por las células sensoriales. Los sonidos de más baja frecuencia activan las células más anchas y flexibles del vértice de la espiral, mientras que las de frecuencia más alta causan su máximo efecto sobre las células delgadas y rígidas de la base de la espiral, que están más cerca de la ventana oval.

Cuando las células sensoriales vibran, generan impulsos nerviosos que son captados por el nervio auditivo y transmitidos al cerebro. Estas señales son interpretadas allí como sonidos determinados: una voz, música, el canto de un pájaro o cualquier otro que la experiencia nos haya enseñado a asociar con ese particular conjunto de señales.

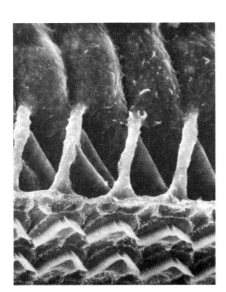

Arriba se ven las filas en un acercamiento.

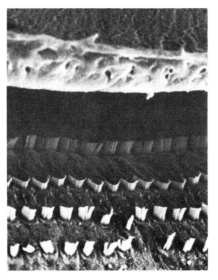

La cóclea sana tiene pocos cilios rotos.

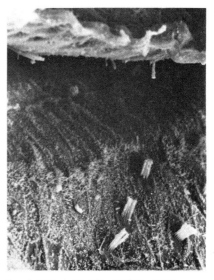

La pérdida de los cilios produce sordera.

El mundo sonoro que nos rodea

¿Qué es el sonido?

Cuando las cuerdas de un violín, las cuerdas vocales, un diapasón o cualquier otro objeto vibra, moviéndose rápidamente de un lado a otro, se produce una perturbación en el aire a ambos lados del objeto que está vibrando. Estas perturbaciones son lo que llamamos sonidos. Los movimientos oscilatorios crean a su alrededor ondas alternas de aire comprimido —en el que las moléculas que lo forman se aglomeran, empujadas por la alta presión— y de aire enrarecido —en el que las moléculas quedan ampliamente separadas por efecto de la baja presión— que pueden compararse a las crestas y depresiones de las olas del mar.

Las ondas sonoras se producen en una amplia gama de frecuencias o ciclos por segundo: la nota más baja del piano, por ejemplo, genera 27 vibraciones por segundo, mientras que la más alta produce 4 000. Experimentalmente, los científicos han logrado crear ondas sonoras que vibran 70 000 millones de veces por segundo. Para nosotros, sin embargo, estas ondas de presión sólo se convierten en "sonido" cuando, debido a su frecuencia, pueden ser captadas por el tímpano y enviadas a través del aparato auditivo al cerebro, para que éste las analice.

¿Cuáles son las principales características del sonido?

Un solo sonido produce efectos múltiples en el oído: podemos notar su tono, su volumen y su timbre. El tono corresponde al número de vibraciones o de ondas sonoras que se producen por segundo. Un tono bajo está dado por ondas de presión que se mueven lentamente; quizá no nos lleguen más de 20 ó 30 de ellas por segundo. Los tonos altos, en cambio, son creados por ondas que se desplazan a mayor velocidad.

Cada nota de la escala musical tiene un tono determinado. Al escuchar una nota aislada, una persona con la excepcional capa-

Grados de intensidad sonora: de un susurro al estruendo de un jet

El volumen o intensidad del sonido se mide en decibeles. A un ruido apenas audible corresponden 10 decibeles; la corriente rápida de un río produce 50, y una podadora de motor, 105. Cada vez que un ruido aumenta 10 decibeles, se multiplica por 10 su volumen; así, un sonido de 40 decibeles es 10 veces mayor que uno de 30. Si se prolongan, los ruidos de 80 decibeles o más pueden causar sordera permanente. Esto se debe, dicen los especialistas, a que las células ciliadas del oído interno no están hechas para soportar el estruendo de la vida moderna. Según se estima, en el mundo occidental la maquinaria está aumentando el nivel del ruido un decibel al año.

Más que el ruido del taladro neumático, lo que daña el oído es la larga exposición al martilleo.

Los sonidos llegan lejos en el campo porque hay poco ruido ambiental.

SONIDO	DECIBELES						
	0	20	50	70	100	120	150
Silencio absoluto							
Tictac del reloj							
Ruidos del campo							
Conversación normal							
Claxon cercano							
Taladro neumático							
Un jet que despega							

El volumen del sonido varía con la distancia; éstos son valores promedio.

cidad del oído absoluto puede decir exactamente de cuál se trata; la mayoría de nosotros sólo podemos determinar si una nota es más baja, igual o más alta que la precedente.

El volumen o intensidad del sonido es el grado de presión que ejercen las ondas sonoras sobre las células sensoriales del oído interno, y varía con la distancia. Esa presión está determinada por la amplitud de las ondas, es decir, la altura de sus crestas y valles, y generalmente se mide en decibeles. El oído puede adaptarse a una amplia gama de intensidades: la más baja que resulta audible representa aproximadamente la billonésima parte de la más alta que llega a soportarse.

Se llama timbre o calidad tonal al sonido característico de una voz, un instrumento musical o cualquier otra fuente sonora. Un piano, una trompeta y un violonchelo, por ejemplo, pueden tocar la misma nota al mismo volumen y, sin embargo, suenan de distinta manera. Esto se debe a que cada instrumento produce no sólo el tono puro, fundamental, de la nota que el músico ha tocado, sino también, y al mismo tiempo, ciertos tonos más altos que varían de un instrumento a otro y que se amalgaman con el tono puro para producir un sonido especial.

¿Podemos oír todos los sonidos?

Los silbatos "silenciosos" que usan los entrenadores de perros no son, desde luego, silenciosos; los perros pueden oírlos aunque no los oigan sus entrenadores. La mayoría de los seres humanos podemos percibir sonidos que oscilan entre 16 y 20 000 ciclos o vibraciones por segundo, lo que abarca alrededor de 10 octavas; pero no oímos las frecuencias verdaderamente altas que son audibles para algunos animales. Los gatos, por ejemplo, tienen una gran capacidad auditiva para las altas frecuencias; por eso localizan tan fácilmente a los ratones, pues éstos emiten chillidos en un tono tan agudo que para nosotros resultan inaudibles, pero que los felinos perciben claramente.

Podemos lamentar o no nuestra incapacidad para oír los agudos chillidos de los ratones, pero lo que sí debemos agradecer es no poder oír frecuencias por debajo de los 16 ciclos. Si pudiéramos captarlas, no tendríamos ni un segundo de silencio; estaríamos oyendo continuamente el ruido que

hacen las moléculas del aire al chocar unas con otras.

¿Qué ventajas representa el tener dos oídos?

Excepto en el caso de que la fuente de sonido esté a igual distancia de los dos oídos, el sonido nos llega a un oído antes que al otro, y suena más fuerte en uno de ellos. Podría suponerse que esto debe confundirnos, pero no es así; por el contrario, el tener dos oídos aumenta considerablemente nuestra capacidad para localizar e interpretar los sonidos que nos rodean.

Mediante un extraordinario proceso que los especialistas llaman suma biaural, el cerebro puede notar las sutiles diferencias que hay entre el sonido que llega a un oído y el que llega al otro, y con ellas, automáticamente, efectúa ciertos cálculos que le permiten determinar de dónde viene el sonido. Las personas sordas de un oído no tienen elementos para realizar esta comparación y por ello les resulta muy difícil localizar la fuente de donde provienen los sonidos.

¿Pueden los ciegos "ver" con los oídos?

Los ciegos generalmente son más sensibles a las variaciones del sonido que los demás, no porque tengan un sentido del oído distinto del nuestro o más agudo, sino porque prestan mayor atención a lo que oyen y se han acostumbrado a distinguir e interpretar las más leves diferencias del mundo sonoro que los rodea. Esa sensibilidad que han ido adquiriendo les ha servido siempre para poder ubicar los objetos que emiten sonidos, pero ahora los científicos están aprovechándola para crear un aparato que permita a los ciegos localizar también los objetos que no hacen ruido.

Este aparato se basa en el mismo principio que el sonar, empleado en la navegación para localizar submarinos y otros cuerpos sumergidos. Está integrado al armazón de unos anteojos y emite ondas ultrasónicas que al chocar con los objetos que hay alrededor se reflejan como un eco. Este nuevo sonar para ciegos capta los ecos y los transforma en sonidos de diferentes tonos que puede oír a través de unos audífonos el que lleva los anteojos. Ahora los ciegos podrán "ver" con los oídos.

Localización del sonido

La ligera diferencia con que un sonido llega antes a un oído y al otro nos indica la dirección de donde viene. Esta audición biaural da al sonido una cualidad tridimensional.

CADA OÍDO está a la misma distancia de la fuente sonora

LA FUENTE SONORA está justo detrás (o enfrente)

Si la fuente sonora es equidistante, los sonidos coinciden en ambos oídos.

AL VOLTEAR LA CABEZA varía la relación del sonido con cada oído

Al voltear la cabeza, el sonido llega antes a un oído, indicando su origen.

EL OÍDO DERECHO queda más cerca de la fuente sonora que el izquierdo

Cuando el sonido llega lateralmente, la cabeza hace sombra a las ondas.

Grados de sordera

¿Cómo se mide la capacidad auditiva?

Un especialista puede darse cuenta del grado de agudeza auditiva de un paciente con sólo hablarle en voz muy baja, pero es mucho más preciso medirla con un audiómetro, aparato que emite tonos similares a los que se obtienen con un diapasón. Se introduce al paciente en una cabina a prueba de ruidos y se le proporcionan unos audífonos que conducen una serie de sonidos de diferente tono, primero a un oído y luego al otro. Cada tono es producido por ondas de la misma frecuencia; se empieza por frecuencias muy bajas que son inaudibles y se va subiendo progresivamente el tono hasta que el paciente indica que lo oye. Esta fase del examen sirve para determinar el grado de sordera de conducción, es decir, la incapacidad para oír sonidos conducidos a través del aire.

La segunda parte de la prueba está destinada al diagnóstico de la sordera perceptiva, debida a una lesión del nervio auditivo, que se manifiesta por la incapacidad para oír los sonidos conducidos a través del hueso. Para ello se usan audífonos que transmiten las vibraciones a los huesos del cráneo.

¿A qué se debe la sordera?

Los fisiólogos consideran que hay dos tipos básicos de sordera: la sordera de conducción y la nerviosa. Hay personas que nacen sordas y otras que se vuelven duras de oído posteriormente.

La sordera de conducción es el resultado de una interferencia en la transmisión mecánica de las ondas sonoras al oído interno. La causa puede ser algo tan simple como la acumulación de cerilla en el conducto auditivo externo o una infección que ha hecho que se inflame, pero también puede deberse a una lesión del tímpano, acumulación de líquido en el oído medio u otoesclerosis (endurecimiento de los tejidos del oído).

La sordera nerviosa, a veces también llamada pérdida de la percepción auditiva, es consecuencia de una lesión de las fibras nerviosas que conducen los impulsos a las células del caracol o al cerebro. Este tipo de sordera puede ser congénita, quizá debido a que la madre tuvo rubeola en los primeros tres meses de embarazo o a que el bebé sufrió una lesión en la cabeza como resultado de un parto difícil; pero también puede adquirirse más tarde a causa de una encefalitis, un tumor o un síndrome de Ménière; incluso puede ser causada por ciertos medicamentos o una exposición continua a ruidos muy fuertes. La mayor parte de la gente desarrolla cierto grado de sordera nerviosa a medida que envejece, porque el nervio auditivo va degenerando. En esos casos disminuye la capacidad para oír los tonos agudos, pero los graves se oyen con toda claridad.

Muchas veces se puede deducir el tipo de sordera que padece una persona por la forma en que habla. Los que tienen dificultades de conducción generalmente hablan a un volumen de voz normal porque oyen perfectamente su propia voz amplificada por los huesos del cráneo; en cambio los que padecen de sordera nerviosa hablan muy alto porque su misma voz les suena lejana.

¿Puede la música dañar el oído?

"¡Baja el volumen de esa cosa!" es lo que con más frecuencia se oye gritar a los padres de chicos adolescentes hartos de la música de rock que hace estremecer la casa. Qué más quisieran esos padres que poderles asegurar a los muchachos que se van a

---

Un compositor que no podía oír su propia música

Ludwig van Beethoven, el gran compositor alemán, empezó a notar que se estaba quedando sordo cuando tenía alrededor de 30 años. Es probable que haya escrito todas sus sinfonías padeciendo ya cierto grado de sordera y, desgraciadamente, cuando terminó la que se considera la más grande de todas, la Novena, había perdido casi la totalidad del oído. Al morir, en 1827, llevaba ya tiempo viviendo como un recluso debido al aislamiento que le imponía su sordera.

La primera presentación de la Novena sinfonía de Beethoven en 1824 recibió un estruendoso aplauso que el compositor no pudo oír debido a su sordera. Uno de los músicos le hizo que se diera vuelta y agradeciera la ovación.

Los médicos de hoy suponen que Beethoven sufría una otoesclerosis, padecimiento que no podía aliviarse en aquella época. Ahora podría habérsele corregido con cirugía o un aparato para la sordera.

---

quedar sordos si siguen oyendo la música a ese volumen, pero desgraciadamente para los nervios de los adultos y la armonía familiar, las pruebas que hay al respecto no son concluyentes.

La mayor parte de los grupos de rock tocan a un volumen mucho mayor que el de una orquesta sinfónica; un estudio que se hizo hace poco en Noruega indica que la música de rock produce una presión sonora de 120 a 130 decibeles sobre el oído de una persona que la está escuchando a 1 m de distancia de un bafle de potencia de salida media. También se ha encontrado que algunos, no todos, de los que escuchan rock sufren por lo menos una sordera temporal. Sin embargo, parece ser que los intermedios entre unos números y otros permiten que el oído se recupere.

De todas maneras, los grupos que tocan música a alto volumen y los encargados de poner los discos en las estaciones de radio y en las discotecas corren un riesgo mayor que los escuchas comunes y corrientes. Según un estudio, una tercera parte de 70 personas examinadas que trabajaban en discotecas padecían un grado significativo de sordera. Todos ellos eran jóvenes que no llegaban a los 30 años; a esa edad normalmente se presenta menos del 1% de casos de incapacidad auditiva.

¿Hay personas más sensibles al ruido que otras?

Las personas que se dedican a actividades que afectan el oído generalmente toleran niveles de ruido que a los demás les resultan molestos. Esta tolerancia puede deberse, no tanto a la costumbre, sino a que han desarrollado cierto grado de sordera.

El oír música a todo volumen, sobre todo si se usan audífonos para hacerlo, aumenta las probabilidades de sufrir un trauma acústico; pero corren más peligro de quedarse sordos los que trabajan en lugares ruidosos: en minas, en la industria de la construcción o en determinado tipo de fábricas y talleres.

En las grandes ciudades, sobre todo de los países industrializados, la mayoría de las personas que tienen más de 40 años adolecen de algún grado de sordera, especialmente sordera a las frecuencias altas. Sin embargo, los estudios que se han hecho en los pueblos y aldeas más primitivos demuestran que la gente que no está constantemente expuesta a ruidos fuertes no sufre esta pérdida del oído que se considera asociada a la edad.

Los audífonos tienen muchas ventajas: puede uno llevar su propia música de fondo consigo o escuchar un curso de idiomas mientras camina, pero también se corre el peligro de sufrir un accidente por no atender al tráfico o de dañarse el oído si se pone el volumen demasiado alto.

¿Qué es la sordera tonal?

La habilidad para diferenciar los distintos tonos, que permite oír una nota y poderla cantar afinadamente o apreciar con sensibilidad diferentes tipos de música, tiene muy poco o nada que ver con las características físicas del oído. Por lo tanto, la sordera tonal no es un defecto innato, sino más bien una deficiencia educativa o del ambiente cultural. Si a una persona no se le ha enseñado o no se le ha alentado desde pequeña a notar las sutilezas del sonido, es muy probable que tenga serias dificultades más tarde si trata de adquirir la capacidad necesaria para dedicarse a la música o simplemente para gozarla en toda su riqueza y plenitud.

¿Puede el ruido afectar la eficiencia o la salud?

Está demostrado que el exceso de ruido desencadena diversas reacciones bioquímicas, entre ellas una alta presión arterial, aceleración del ritmo cardiaco, alteración de la función glandular, respiración superficial y reducción del flujo de sangre al feto si se trata de una mujer embarazada. Se ha visto que entre las personas que viven en ambientes ruidosos se presentan muchos más casos de tensión emocional, problemas de aprendizaje, alteraciones del sueño y susceptibilidad a sufrir accidentes. Además, se ha comprobado que el ruido hace que los trabajadores produzcan menos de lo que producirían en condiciones normales. De acuerdo con un estudio, los mecanógrafos de una oficina ruidosa gastan el 20% de su energía en contrarrestar los efectos negativos del ruido; tratándose de ejecutivos esa cifra asciende al 30 por ciento.

¿Cuál sentido es más importante, la vista o el oído?

No cabe duda que la sordera es una grave incapacidad para el que la sufre —probablemente 1 de cada 2 000 personas en el mundo— por el aislamiento que implica, pero obviamente no se puede decir que el oído sea más importante que la vista aunque Helen Keller, que se quedó sorda y ciega en su infancia, consideraba la sordera como una desgracia mayor que la ceguera.

Los que nacen sordos están en mayor desventaja que los que pierden el oído más tarde porque los niños aprenden a hablar imitando los sonidos que oyen. Si la sordera es congénita, necesitan un adiestramiento especial para aprender a comunicarse con los demás y poder lograr un desarrollo intelectual normal.

Problemas del oído y soluciones

¿Cuál es la causa más común del dolor de oídos?

Un objeto extraño que se ha introducido en el oído externo, la ruptura del tímpano o la compresión de una muela del juicio pueden producir dolor de oídos, pero la causa más común es una infección del oído medio como consecuencia secundaria de una infección de nariz o garganta.

El dolor de oídos generalmente deriva de un catarro, gripe, paperas, fiebre escarlatina, sarampión o anginas. Los virus o las bacterias que producen estas enfermedades suelen infiltrarse a través de las trompas de Eustaquio hasta la cavidad del oído medio donde se alojan y proliferan irritando la mucosa que la reviste, lo que hace que responda produciendo mayor cantidad de líquido para defenderse. Como las trompas de Eustaquio también están inflamadas, el líquido no puede drenar como debiera y presiona las paredes de la cavidad causando un dolor intenso en esta muy sensible región.

Entre el 80 y el 90% de las infecciones del oído medio se presentan en niños menores de 12 años y representan un grave riesgo porque los gérmenes pueden propagarse y provocar una mastoiditis, una meningitis e incluso un absceso cerebral. Afortunadamente, con los medicamentos actuales es muy raro que se presenten estas complicaciones. Sin embargo, si la fiebre es muy alta, debe consultarse al médico en seguida.

¿Son cosa seria los zumbidos en los oídos?

Casi todos hemos sufrido alguna vez zumbidos, pitidos, tintineos, chirridos o ronroneos inexplicables en uno o en ambos oídos, que duran un rato más o menos largo. Estas molestias casi siempre pueden atribuirse al abuso del alcohol o de medicamentos como la aspirina, la cafeína o la quinina, o al hecho de haber estado expuestos a ruidos muy fuertes. En estos casos, los síntomas generalmente desaparecen en cuanto se elimina la causa que los produjo.

Pero hay mucha gente que vive perpetuamente con este tipo de ruidos internos en mayor o menor grado, y no son pocos los que se ven tan gravemente afectados que no pueden llevar una vida normal. Uno de ellos describe su dolencia como un constante chirrido semejante al ruido que pueden hacer 5 000 chicharras cantando al unísono.

La mayor parte de las veces no se puede determinar la causa de esta alteración que se llama tinnitus, pero es más frecuente en las personas que están envejeciendo y cuyo oído ha comenzado a deteriorarse. Entre las causas conocidas la más común es el ruido laboral fuerte y continuo, pero se ha visto que también pueden desencadenar una tinnitus la otoesclerosis —un tipo de degeneración de los huesecillos del oído medio—, la anemia, alergias, diabetes, heridas en la cabeza y el cuello, alta presión arterial, tumores y tensión emocional. Si usted siente un zumbido persistente en los oídos, por leve que sea, le conviene consultar con un especialista porque podría tratarse del primer aviso de una afección auditiva mucho más grave.

¿Qué se puede hacer en casos de sordera?

Si Beethoven viviera hoy día, probablemente le hubieran podido curar la sordera con una operación, ya que se supone que padecía una otoesclerosis, tipo de sordera muy común debida a la inmovilización de uno de los pequeños huesecillos del oído, el estribo, que transmite las vibraciones sonoras.

Muchos otros casos de incapacidad auditiva no pueden curarse con cirugía, pero se pueden remediar con un aparato para la sordera. Los antiguos aparatos muchas veces resultaban más molestos que útiles para el que los usaba porque amplificaban todos los sonidos indiscriminadamente. Llevar uno de ellos era como subirle el volumen al radio sin molestarse antes en sintonizar bien la estación; el sonido era más fuerte, pero no mejoraba la claridad. Ahora, los expertos pueden determinar exactamente cuáles son los sonidos que el paciente no oye y fabricar un aparato electrónico que amplifique únicamente esos sonidos.

Un buen complemento de los aparatos para la sordera es poder leer los labios, que en realidad significa leer el rostro porque se requiere poner atención a todos los movimientos de la cara. Incluso la gente que oye bien recurre inconscientemente a esta técnica cuando está en un lugar donde hay mucho ruido. Resulta muy útil la ayuda de un profesional para aprender a leer los labios, pero también puede aprender mucho uno mismo tratando de seguir un programa de televisión sin prender el sonido, siempre que no esté doblado, naturalmente.

Mitos populares: las orejas como expresión del carácter

A lo largo del tiempo los oídos han sido objeto de diversas supersticiones. Los griegos y otros antiguos pueblos creían que en las orejas radicaba la inteligencia. Las orejas pequeñas se consideraban señal de tacañería o de refinamiento. En contraposición, las orejas grandes indicaban, según el caso, generosidad o rudeza. Si a una persona le zumbaban, le picaban o le ardían las orejas, podía estar segura de que en alguna parte se estaba hablando de ella; mal, si sentía esa desazón en el oído izquierdo, según unos, o en el derecho, según otros; bien, si la sensación procedía del oído opuesto. De todos los mitos, el más sugestivo es el que supone que el oído puede percibir el ruido del mar en un caracol cuando en realidad sólo le sirve de caja de resonancia. Un estudio reciente demuestra que la forma de las orejas es única en cada persona y podría constituir un buen medio de identificación porque no varía en todo el transcurso de la vida.

Por su forma espiral y la tersura de su cara interna, una concha de caracol capta e intensifica las vibraciones más leves, incluso el pulso de la sien.

Aparatos para la sordera

El más antiguo de los aparatos para la sordera, que aún seguimos empleando, es la mano curvada alrededor de la oreja. Tiene la ventaja de que podemos orientarla en dirección del sonido para captar mejor, por ejemplo, las palabras de nuestro interlocutor por encima del barullo de un restaurante abarrotado. Claro que a un verdadero sordo esto no le sirve de nada.

En el siglo XVII aparecieron varios tipos de trompetas que canalizaban las ondas sonoras hacia el conducto auditivo, pero tenían una utilidad limitada. El problema de los sordos no pudo resolverse sino hasta el siglo XX cuando se inventaron los aparatos electrónicos que amplifican los sonidos. Constan de un micrófono que recoge los sonidos y los convierte en una corriente eléctrica que es amplificada y transmitida a los audífonos, donde se transforma otra vez en sonidos de mayor intensidad. Los ingenieros están trabajando ahora en un aparato que se implanta en el caracol, pero estas prótesis están todavía en etapa experimental.

Este "tubo para hablar", inventado alrededor de 1650 por el científico alemán Athanasius Kircher, amplificaba la voz, pero resultaba muy incómodo.

Como lo demuestra esta litografía del siglo XIX, las trompetas para sordos exigían un gran esfuerzo y total concentración por parte del que hablaba y del que trataba de oír. La utilidad de estos primitivos aparatos era cuestión de suerte; a algunos sordos no les servían de nada y, en el mejor de los casos, resultaban exasperantes.

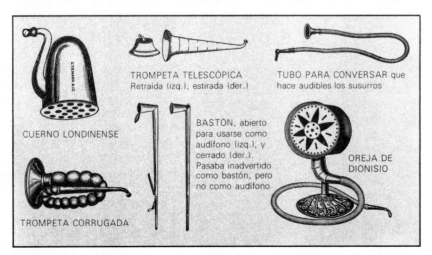

CUERNO LONDINENSE

TROMPETA CORRUGADA

TROMPETA TELESCÓPICA
Retraída (izq.), estirada (der.)

BASTÓN, abierto para usarse como audífono (izq.), y cerrado (der.). Pasaba inadvertido como bastón, pero no como audífono

TUBO PARA CONVERSAR que hace audibles los susurros

OREJA DE DIONISIO

Hacia 1890 había trompetas y tubos para sordos, de todas formas y tamaños.

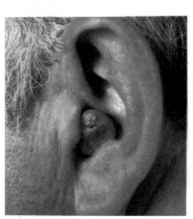

Los actuales aparatos electrónicos para la sordera se parecen muy poco a los antiguos modelos con baterías y cables; se introducen en el canal auditivo y casi no se notan.

Para mantener el equilibrio

Una gimnasta no sólo entrena para mantener el equilibrio, sino para recobrarlo rápidamente.

El equilibrio y el oído interno

Un niño que está aprendiendo a caminar se bambolea de un lado a otro, estira un brazo, se inclina, se le van los hombros hacia atrás y por fin cae sentado. Sin embargo, con ayuda del oído interno —y mucha práctica— logrará mantener el equilibrio.

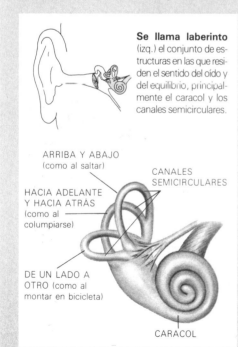

Se llama laberinto (izq.) el conjunto de estructuras en las que residen el sentido del oído y del equilibrio, principalmente el caracol y los canales semicirculares.

ARRIBA Y ABAJO (como al saltar)

HACIA ADELANTE Y HACIA ATRÁS (como al columpiarse)

CANALES SEMICIRCULARES

DE UN LADO A OTRO (como al montar en bicicleta)

CARACOL

La sensación de la postura del cuerpo en movimiento corre a cargo de tres canales semicirculares que forman entre sí ángulos rectos y ocupan la parte superior del oído interno. Estos conductos llenos de líquido tienen unas células ciliadas que actúan como sensores. Al mover la cabeza, el líquido se desplaza sobre los cilios y los arquea; ese estímulo produce impulsos nerviosos que se transmiten al cerebro indicándole el cambio de posición. La parte inferior del oído interno, el caracol, mantiene el equilibrio estático. Sus células sensoriales funcionan de una manera algo distinta; tienen sobre sus cilios pequeñas partículas llamadas otolitos que los presionan cuando reciben el flujo del líquido. Todo cambio de los cilios o de los otolitos se envía al cerebro, que se encarga de corregir la postura.

¿Cómo se mantiene el equilibrio?

Sostenerse sobre un solo pie con los ojos cerrados es algo difícil de conseguir porque cuesta trabajo mantener el equilibrio cuando no se puede ver dónde están las cosas en relación con el propio cuerpo. Sin embargo, la visión no es el único factor que afecta el equilibrio; en esta función desempeña un papel mucho más importante una estructura del oído interno que se llama el laberinto. Los principales elementos del laberinto son los canales semicirculares, tres conductos en forma de asa, llenos de líquido, que se disponen en tres planos distintos de manera que cada uno queda en ángulo recto respecto a los otros dos. Los canales están tapizados de cilios sensoriales conectados a la parte del cerebro que controla la musculatura esquelética.

Cuando movemos la cabeza, el líquido de uno o varios de los canales se desplaza aumentando la presión sobre ciertas zonas ciliadas y disminuyéndola en otras. Los cilios responden a este estímulo mandando impulsos nerviosos al cerebro. Cuando el cerebro percibe que el cuerpo está perdiendo el equilibrio, automáticamente ordena la contracción de unos músculos y la relajación de otros hasta que se recupera la estabilidad.

¿Qué es el síndrome de Ménière?

La presión arterial anormalmente alta, la anemia, la depresión, la ansiedad, el exceso de alcohol o cualquier otra condición que reduce el aporte de oxígeno al cerebro producen muchas veces la sensación de que no se tienen los pies firmemente apoyados en el piso; pero si esa sensación se hace crítica y va acompañada de vértigos que le dan al paciente la impresión de que todo gira a su alrededor, la causa puede ser el síndrome de Ménière. Además del vértigo, este síndrome puede conllevar tinnitus, fluctuaciones de la capacidad auditiva y una sensación de presión interna en el oído afectado. Esta dolencia se debe al exceso de líquido en el oído interno, y suele afectar principalmente a los varones de más de 40 años. Se trata de una enfermedad sumamente variable e impredecible: puede presentarse súbita o gradualmente, ser grave o leve, afectar uno o ambos oídos y durar desde unos minutos hasta meses y aun años, con recaídas más o menos frecuentes. A veces el vértigo es tan violento que el paciente no puede llevar a cabo sus actividades habituales: se bambolea, se cae e incluso llega a perder el conocimiento.

La causa de que se produzca un exceso de líquido en el oído interno es un misterio, por lo cual no existe un tratamiento específico. Muchos pacientes toman diuréticos para reducir la cantidad de líquidos corporales, pero para los que quedan seriamente incapacitados no existe más solución que la cirugía, aunque se trata de una intervención muy delicada porque el cirujano tiene que trabajar a unos milímetros del cerebro. Sin embargo, el resultado de estas operaciones es sorprendente; Alan B. Shepard, el primer astronauta estadounidense que hizo un vuelo al espacio, se vio condenado a permanecer en tierra durante 8 años debido al síndrome de Ménière, pero gracias a una intervención quirúrgica pudo comandar en 1971 el viaje a la Luna.

¿Por qué se nos tapan los oídos cuando volamos?

La función de las trompas de Eustaquio que comunican el oído medio con la garganta es mantener equilibrada la presión del aire a ambos lados del tímpano. Cuando el avión en que volamos asciende, la presión atmosférica desciende rápidamente y el aire contenido en el oído medio sale por la trompa de Eustaquio; cuando el avión baja, la presión aumenta y el aire entra por el conducto. Esos rápidos movimientos del aire en una u otra dirección los oímos como un chasquido seco.

Sin embargo, las trompas de Eustaquio a veces no pueden mantener el equilibrio ante cambios de presión tan bruscos, sobre todo si están obstruidas debido a un catarro, una alergia o una sinusitis, y el aire, al no pasar a suficiente velocidad, crea una diferencia de presiones entre el oído medio y el exterior que empuja el tímpano hacia afuera o hacia adentro, según el caso. Se trata de un barotrauma leve que lastima el tímpano causando una sensación de presión en el oído medio, dolor y ligera sordera; síntomas que pueden durar varias horas. El tragar, bostezar o masticar chicle resuelve a veces el problema porque obliga a que se abra la válvula que comunica las trompas de Eustaquio con la garganta y permita la entrada o salida del aire.

Generalmente los oídos se tapan al subir o bajar en los elevadores de los grandes rascacielos. Resolver ese problema será la labor de los arquitectos de las superestructuras del futuro.

Sin embargo, es mejor que retrase un viaje si tiene un catarro o cualquier otra enfermedad similar o que tome, antes de despegar, el medicamento que su médico le aconseje.

También se puede sufrir un barotrauma de este tipo al bucear en aguas profundas o al deslizarse velozmente en esquís por una cuesta pronunciada.

¿La sordera en uno solo de los oídos puede indicar algo grave?

A cualquier edad puede presentarse una sordera súbita o gradual en un solo oído, muchas veces por causas desconocidas. Entre las causas que sí pueden determinarse se encuentran problemas vasculares, como puede ser un coágulo en los pequeños vasos sanguíneos del oído, una infección o una lesión traumática. Ocasional-

mente, la sordera unilateral puede deberse a un neuroma acústico, tumor en el trayecto que recorre el nervio auditivo hasta llegar al cerebro. Estos tumores no son cancerosos, pero si no se extirpan pronto pueden crecer y destruir permanentemente el oído o lo que es peor, causar un daño irreparable en zonas vitales del cerebro. Afortunadamente, en la mayor parte de los casos se puede evitar la muerte por un neuroma acústico.

Una de las características distintivas de estos tumores es que suelen desarrollarse en un oído nada más, por lo que es importante que recurra al especialista si nota una sordera unilateral. Otros síntomas precoces de un neuroma son tintineo en el oído, dolor intermitente o insensibilidad en un lado de la cara o en uno de los conductos auditivos externos, una sensación de ardor en la lengua, dolores de cabeza o jaquecas recurrentes, y vértigos o vahídos.

Nuestro sistema de "aire acondicionado"

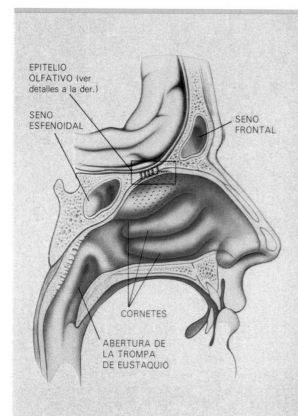

EPITELIO OLFATIVO (ver detalles a la der.)

SENO ESFENOIDAL

SENO FRONTAL

CORNETES

ABERTURA DE LA TROMPA DE EUSTAQUIO

¿Qué funciones desempeña la nariz?

Además de su importante papel como órgano olfativo que nos permite oler el humo y evitar un incendio, por ejemplo, o percibir los aromas de la cocina que tanto contribuyen a despertar el apetito, la nariz funciona como el sistema de aire acondicionado del aparato respiratorio. Por ella pasan todos los días unos 14 m^3 de aire, la cantidad que encierra una habitación pequeña, y ella se encarga de purificarlo filtrando el polvo y atrapando las bacterias al mismo tiempo que lo calienta y humedece. La nariz tiene también otras funciones quizá menos conocidas, entre ellas dar resonancia a la voz añadiéndole riqueza tonal.

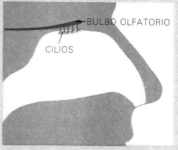

BULBO OLFATORIO

CILIOS

A través de la lámina ósea del techo de las fosas nasales, los receptores del olfato entran en contacto con los bulbos olfatorios que conducen al cerebro.

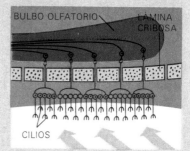

BULBO OLFATORIO

LÁMINA CRIBOSA

CILIOS

Las células ciliadas del epitelio olfativo, que en conjunto ocupa menos espacio que una estampilla postal, envían sus impulsos hacia arriba.

¿Qué aspecto tiene el interior de la nariz?

Desde el punto de vista arquitectónico, la nariz está admirablemente diseñada. Su forma externa resulta muy práctica porque se proyecta por delante de la cara facilitando su función principal: inhalar y expulsar el aire. Además, está estratégicamente colocada por encima de la boca, lugar perfecto para que el sentido del olfato pueda percibir los olores de los alimentos y complementar la información que proporcionan las papilas gustativas de la lengua.

También internamente la nariz es un modelo de eficiencia. La aberturas nasales dan fácil acceso a dos amplias cavidades separadas por un tabique delgado de hueso y cartílago y sostenidas por otras láminas, algo más gruesas y fuertes, de hueso y cartílago que forman el puente y las aletas de la nariz.

Debajo de la membrana mucosa que reviste las cavidades nasales hay una densa red de vasos sanguíneos que transmiten el calor del cuerpo al aire que entra. Para favorecer este proceso de calentamiento se proyectan horizontalmente hacia adentro a ambos lados de la nariz tres huesos curvos llamados cornetes que aumentan la superficie cálida sobre la que tiene que pasar el aire frío del exterior. Por otra parte, una serie de pequeños orificios comunican internamente la nariz con los ojos (a través de los conductos lagrimales), con los oídos (a través de las trompas de Eustaquio) y con los senos nasales, cavidades aéreas revestidas de mucosa que se encuentran situadas en la parte anterior y a los lados del cráneo.

¿Cómo filtra el aire la nariz?

El aire que penetra en la nariz tiene que pasar por una serie de filtros. Justo a la entrada de las aberturas nasales se encuentra una barrera de vellos gruesos, cortos y rígidos que detienen a los granos de polen o de polvo, las arenillas, la pelusa o cualquier otra partícula de gran tamaño. Las impurezas que logran eludir esta primera línea de defensa se encuentran con una oposición formidable. Si llegan a irritar tanto la nariz como para provocar un estornudo, son expulsadas violentamente sin mayores preámbulos. De no ser así, se verán envueltas en moco. La membrana mucosa que reviste las vías respiratorias segrega una sustancia viscosa llamada moco que no sólo atrapa mecánicamente las partículas de pequeño tamaño, sino que además contiene una sustancia, la lisozima, que destruye químicamente a las bacterias.

Cada 20 minutos, aproximadamente, la nariz produce una nueva provisión de moco de tal manera que al cabo de un día, en condiciones normales, segrega casi un litro. Para deshacerse de la secreción mucosa cargada de bacterias e impurezas, la nariz cuenta con miles de millones de diminutos cilios que se mueven continuamente e impulsan el moco hacia el esófago y el estómago, donde los jugos digestivos destruyen la mayor parte de las bacterias atrapadas que sobrevivieron al efecto de la lisozima.

En un adulto sano, la secreción mucosa se desplaza a razón de unos 6 mm por minuto, pero esta operación de limpieza se retarda en las personas que fuman o beben mucho, en los que están deshidratados o tienen mala salud y con ello se reduce la eficiencia de los mecanismos de defensa de la nariz contra las bacterias y otros agresores.

¿Por qué se recomienda respirar por la nariz y no por la boca?

La boca está destinada fundamentalmente a dar paso al agua y a los alimentos; por lo tanto, proporciona menos defensas contra los gérmenes que pueda contener el aire que respiramos y resulta menos eficaz para calentarlo y humedecerlo que la nariz. Si respiramos por la boca nos estamos privando de los insuperables "servicios" que nos proporciona la nariz. Claro está que cuando tenemos las narices tapadas por un resfriado o una alergia no nos queda más remedio que respirar por la boca y demos gracias a la naturaleza por habernos provisto de otra vía para llevar aire a los pulmones, aunque tenga sus inconvenientes.

¿Hay que aprender a sonarse?

Aparentemente, sonarse la nariz es un acto tan natural que no se piensa que haya necesidad de aprender a hacerlo, pero la verdad es que la mayoría de la gente se suena con demasiada energía y corre el peligro de lesionarse el tímpano o esparcir gérmenes patógenos al oído o a los senos nasales.

Los especialistas recomiendan este método para sonarse: despeje primero una cavidad nasal y luego la otra apretándose ligeramente una de las aletas de la nariz mientras expulsa el moco por la otra abertura. Si tiene la nariz congestionada, suénese frecuentemente, antes de que se acumule el moco. Use un pañuelo desechable suave y tírelo donde no haya posibilidad de que otra persona llegue a tocarlo. Úntese un poco de vaselina en las aberturas nasales si se le irritan o se le agrietan.

Los niños muy pequeños tienen dificultad para aprender a sonarse; mientras dominan la técnica recomendada por los especialistas, puede despejarles la nariz usando una pequeña perilla de hule.

Si el pequeño tiene la nariz congestionada, le puede ayudar mucho a que se le despeje un humidificador o un vaporizador que humedezcan el aire de la habitación y con ello faciliten la eliminación del moco. Esto es útil sobre todo en invierno cuando el aire está más seco, pero hay que seguir al pic de la letra las indicaciones señaladas por el fabricante. Si los humidificadores no se limpian y esterilizan regularmente,

pueden ser un campo propicio para la multiplicación y propagación de gérmenes patógenos.

¿Por qué algunos medicamentos se administran por la nariz?

Debido al gran número de pequeños vasos sanguíneos que se concentran en la nariz, la mucosa que reviste las cavidades nasales absorbe las sustancias químicas rápidamente. Hay medicamentos que llegan al torrente sanguíneo en 3 ó 4 minutos si se administran por vía nasal; por eso algunos médicos han comenzado a prescribir a sus pacientes insulina y vacunas contra la gripe en forma de aspersiones o gotas que se aplican en la nariz.

Los expertos farmacéuticos han predicho que cada vez serán más los medicamentos que se suministren por esta vía, ya que las inyecciones son más o menos dolorosas, los supositorios molestos o poco prácticos, y las medicinas tomadas por vía oral tardan mucho en llegar al aparato circulatorio y pierden gran parte de su efecto al pasar por el tracto digestivo.

¿Qué consecuencias tiene un tabique desviado?

Cuando el tabique cartilaginoso que separa las dos cavidades nasales se desvía de la línea media, altera la forma y el tamaño

de esas vías respiratorias dejando una más estrecha que la otra. Si la diferencia es leve, puede pasar inadvertida, excepto quizá cuando se tiene un catarro y la cavidad más reducida se congestiona con más facilidad y frecuencia que la otra. Esto es realmente un problema insignificante que no merece intervención alguna; pero si la desviación del tabique impide que se respire bien, probablemente convendría someterse a una intervención quirúrgica que lo enderece.

¿Con qué propósito se hacen las operaciones plásticas de la nariz?

La cirugía plástica de la nariz, rinoplastia, se lleva a cabo por razones médicas o estéticas. Algunas de estas operaciones se hacen para corregir deformidades de la estructura de la nariz que impiden a quien las sufre respirar bien, como puede ser el caso de un niño que nace con el paladar hendido; pero es mucho más frecuente que los motivos sean puramente estéticos y se trate sólo de cambiar la forma externa de la nariz para satisfacer la idea de belleza que tiene su dueño. Si el puente de la nariz es muy ancho o tiene alguna protuberancia, puede corregirse quitando o añadiendo trozos de hueso y cartílago.

Aunque la rinoplastia requiere buena mano por parte del cirujano, implica poco riesgo. El paciente estará hinchado y tendrá moretones durante dos semanas o más, pero a los pocos meses la nariz habrá cicatrizado totalmente.

¿SABÍA USTED QUE...?

- **Esa nariz bulbosa**, enrojecida y desfigurada por gruesas venas que se atribuye al gusto desmesurado por los vinos y licores no se sabe en realidad a qué obedece. Aparentemente esta alteración empeora con las comidas picantes o muy condimentadas; el café y el té calientes; el frío, el viento y el calor excesivos, y, sólo como un agravante más entre otros muchos, con el alcohol.

- **Las orejas de coliflor** no son sólo el resultado de contusiones, sino que también pueden deberse a la congelación o a una infección severa. En cualquiera de estos casos, los capilares sanguíneos se rompen formando bajo la piel un hematoma sobre el cual se organiza tejido fibroso que llega a constituir densas masas protuberantes a las que debe la oreja el aspecto de coliflor. Antes, este tipo de orejas eran características de los boxeadores; ahora se puede evitar que se deformen extrayendo con una aguja la sangre del hematoma antes de que se coagule.

- **El sentido del olfato** puede ser muy útil a los médicos. Según se comenta en un artículo que apareció en una prestigiada revista médica británica, hay enfermedades que producen olores característicos. Un paciente que huele a pan integral, por ejemplo, puede tener tifoidea. La gangrena huele a manzanas podridas.

La relación entre el gusto y el olfato

Cómo percibe los olores la nariz

Si quiere identificar mejor un olor, inhale profundamente. Esto crea remolinos de aire que suben hasta el techo de las fosas nasales donde se encuentran los receptores del olfato. Los olores entran a la nariz en estado gaseoso o como partículas sólidas que las secreciones mucosas se encargan de disolver, ya que sólo producen estímulos en estado líquido. Cuando las moléculas aromáticas tocan los cilios microscópicos de las células sensoriales, provocan una serie de estímulos que se van intensificando hasta alcanzar las fibras nerviosas. Se ha descubierto que basta una molécula aromática para generar un impulso. Las fibras nerviosas pasan a través de las diminutas perforaciones de la lámina ósea que forma el techo de las fosas nasales y llegan a los bulbos olfatorios (ver diagrama, pág. 218). Se comprende así por qué los medicamentos inhalados por la nariz actúan tan rápidamente.

En la parte inferior de esta micrografía del epitelio olfatorio se ven los cilios.

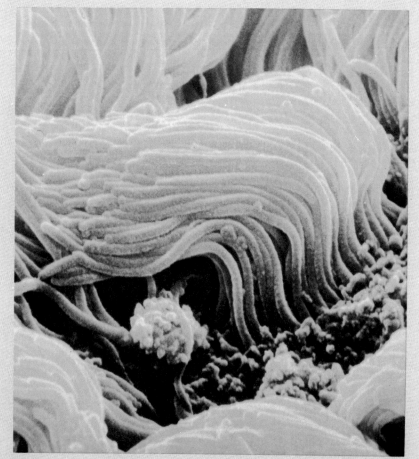

En este acercamiento se nota la ondulación y cantidad de los cilios olfatorios.

¿Qué es el olfato?

La mayor parte de los animales distinguen los olores mejor que los seres humanos; un buen ejemplo de ello son los machos de las mariposas del gusano de seda, que pueden oler a las hembras a más de 3 km de distancia. Como el hombre no depende del olfato para encontrar ni el alimento ni la pareja, puede decirse que no necesita mayor capacidad olfativa de la que tiene, e incluso algunas veces preferiría que no fuera tanta, pues las personas con olfato muy fino aseguran que son muchos más los olores desagradables que los agradables.

El gusto y el olfato son sentidos químicos porque su estímulo proviene de las reacciones que en ellos producen las moléculas de los diversos elementos y compuestos. En cambio, se dice que la vista y el oído son sentidos físicos porque responden a estímulos de esa naturaleza: las ondas luminosas y sonoras.

Los sentidos del gusto y el olfato están íntimamente relacionados, pero se considera que este último es unas 10 000 veces más sensible que el primero. En cierta forma hay sabores que se perciben más con el olfato que con el gusto; cuando tenemos la nariz tapada a consecuencia de un catarro, perdemos alrededor del 80% de nuestra capacidad para distinguir sabores. Si no pudiéramos oler, una manzana y una papa cruda nos sabrían casi lo mismo, y un helado de chocolate no nos sabría prácticamente a nada.

¿Dónde se localiza el sentido del olfato?

Todos los sentidos primarios dependen de la compleja interacción de diversas estructuras especializadas. Para poder oler, necesitamos células sensoriales capaces de recibir los estímulos de las sustancias aromáticas, un par de nervios olfatorios que transmitan los estímulos al cerebro, y células neuronales en los lóbulos temporales del cerebro que interpreten esos estímulos.

Los receptores se localizan en dos pequeñas zonas de la parte alta de las fosas nasales y ocupan menos espacio que una estampilla postal. Forman una membrana, llamada epitelio olfatorio, de color café amarillento, y cubierta de moco a través del cual se proyectan millones de cilios que son los que entran en contacto con el aire que pasa hacia la tráquea y los pulmones.

Generalmente, sólo una pequeña parte del aire que inhalamos llega a estos receptores, por eso cuando queremos percibir mejor un olor —el aroma de un buen vino, quizá, o el del gas que se está escapando— tenemos que aspirar profundamente para que el aire altere su ruta normal y lleguen más moléculas aromáticas hasta el techo de las cavidades nasales donde se encuentran los receptores olfatorios.

Si le interesa saber por qué los perros tienen mejor olfato que nosotros, una razón es que sus receptores están situados en la zona del paso del aire; otra, que su epitelio olfatorio es 100 veces mayor que el nuestro.

¿Por qué es tan difícil percibir los sabores cuando se está acatarrado?

Cuando está acatarrada, la gente se queja de que ha perdido el sentido del gusto, pero no es así. Las pruebas hechas en el laboratorio demuestran que las papilas gustativas de una persona resfriada funcionan normalmente. ¿Por qué entonces todo lo que comen les resulta insípido?

El gusto y el olfato están tan estrechamente relacionados que muchas veces tomamos por sabores lo que en realidad son olores. Cuando tenemos el alimento en la boca, su aroma asciende por la nasofaringe (la vía de comunicación entre la nariz y la boca) hasta los receptores olfatorios, que son mil veces más sensibles a los olores que las papilas gustativas a los sabores. Por eso al estar bloqueado el olfato por un catarro nos *parece* que hemos perdido el sentido del gusto; lo que verdaderamente hemos perdido es el *olor* de lo que estamos comiendo, que es muy importante.

¿Hay olores primarios así como hay colores primarios?

A los científicos, y lo mismo puede decirse de todos nosotros, les gusta ordenar las cosas reduciéndolas a sus elementos fundamentales. Se ha demostrado experimentalmente que todos los colores se derivan de tres tonos básicos: rojo, amarillo y azul; los científicos también han encontrado que son cuatro los sabores con los que se componen todos los demás: dulce, salado, agrio y amargo. Pero al llegar al mundo de los olores todos sus esfuerzos para clasificarlos han sido inútiles.

Una antigua teoría: aires malos y alientos letales

Hasta hace relativamente poco tiempo, mucha gente atribuía ciertas enfermedades a los miasmas, vapores fétidos que emanan de la vegetación que se pudre en los pantanos. La misma palabra *malaria*, como también se conoce al paludismo, significa en italiano mal aire. Aunque la malaria es transmitida por los mosquitos y no por el aire, las condiciones atmosféricas pueden desencadenar una epidemia, dado que estos insectos proliferan cuando aumentan el calor y la humedad. La idea de que el aliento de un enfermo puede resultar letal debió de surgir durante las epidemias de peste y no sin razón, ya que, además de la forma que transmiten las pulgas, hay otro tipo de peste, la pulmonar, que resulta muy virulenta. La peor epidemia de peste bubónica que ha habido, la muerte negra del siglo XIV, mató a una tercera parte de la población de Europa. Para combatirla se usaron incluso vapores pestilentes.

Los médicos alemanes del siglo XVII atendían a los enfermos de peste forrados de cuero de la cabeza a los pies. La careta contenía perfumes y especias.

Por un lado hay expertos que clasifican sólo siete olores como primarios: floral, mentolado, etéreo (como el del éter), almizclado, alcanforado, picante y pútrido. En el otro extremo se cuentan los que afirman que *todos* los olores deben considerarse primarios; y también hay científicos con una posición intermedia que opinan que probablemente haya 50 o más sensaciones olfatorias básicas. Un especialista en este campo ha puesto el dedo en la llaga al decir que lo que a los investigadores les falta es demostrar que los olores clasificados en diferentes categorías son funcionalmente distintos.

¿Cuántos olores podemos distinguir?

La agudeza sensorial varía mucho de una persona a otra, sobre todo en lo que se refiere al olfato. Se ha calculado que una persona promedio puede distinguir alrededor de 4 000 olores diferentes, pero los que tienen un olfato particularmente sensible llegan a reconocer hasta 10 000.

Existen, desde luego, varias formas de evaluar la sensibilidad olfativa. Si nos tapan los ojos y nos presentan dos olores, puede ser que no nos cueste trabajo decir si son iguales o distintos, pero resulta mucho más difícil identificar la sustancia de que se trata sólo por el olor.

Hasta hace poco tiempo, los psicólogos experimentales afirmaban que la mayoría de la gente no podía reconocer más de 16 sustancias basándose exclusivamente en el olor, pero las investigaciones que se han hecho recientemente demuestran que en realidad las personas podrían nombrar muchos más olores si encontraran las palabras precisas para describirlos.

Los voluntarios que se prestaron a una serie de estudios hechos en la Universidad de Yale, al principio sólo pudieron reconocer por el olfato, en promedio, 36 de las 80 sustancias comunes que se les presentaron, entre ellas sardinas, paté, grasa de zapatos y crayones. Muchas veces el olor les parecía familiar, pero no recordaban el nombre de la sustancia que lo producía. Después de unas cuantas prácticas en las que se les indicaba el nombre de las sustancias, el promedio de aciertos se elevó a 75.

Los cuatro pares de senos nasales

¿Dónde se localizan los senos nasales y qué función tienen?

Los ocho senos nasales, o paranasales, no son más que cavidades aéreas que se encuentran en el espesor de ciertos huesos del cráneo aligerando su peso; además, los senos aumentan la resonancia de la voz. A ellos, más que a las cuerdas vocales, suele deberse la hermosa voz de los cantantes.

El primer par de senos nasales se localizan justo encima de las cejas; el segundo a los lados del puente de la nariz; el tercero detrás de la nariz en la profundidad del cráneo; el cuarto par, el más grande, a la altura de los pómulos. Todos ellos están revestidos por una membrana mucosa que se continúa con la que tapiza la nariz y la garganta. Cuando la nariz no puede producir suficiente moco, los senos proveen el que hace falta.

Normalmente, el moco segregado por los senos drena hacia la cavidad nasal a través de pequeños conductos, pero cuando la membrana mucosa de los senos se inflama, esta salida se obstruye. En ese caso el líquido se acumula, la presión interna aumenta y comprime los sensibles nervios de estas regiones produciendo fuertes dolores de cabeza. La situación empeora si en alguno de los senos se produce una infección bacteriana secundaria, lo que se llama una sinusitis.

¿Cómo se identifica una sinusitis y cuál es el tratamiento indicado?

La infección aguda de los senos nasales casi siempre es precedida por un catarro, una gripe, un ataque de fiebre del heno (rinitis alérgica) o el desarrollo de alguna excrecencia que obstruye los conductos de drenaje. Los síntomas son parecidos a los de un catarro, pero más severos. También se puede presentar fiebre, irritación de garganta, tos, dolor al tacto en la cara y alrededor de los ojos, y una secreción mucosa anormalmente espesa de color verde amarillento que contiene restos de las células de la membrana mucosa que han sido destruidas durante el combate contra la infección.

Si la infección es leve, probablemente se curará por sí misma, aunque puede durar semanas y aun meses. Los casos más serios requieren atención médica, no sólo porque las molestias son grandes, sino porque se corre el riesgo de que la infección se extien-

da. Cuando se trata de una sinusitis crónica, lo mejor es atacar las causas fundamentales que la producen. Si se sospecha que puede deberse a una alergia, es aconsejable hacerse las pruebas correspondientes. Los síntomas pueden aliviarse con gotas para la nariz que encojan la mucosa y faciliten el drenaje; vaporizadores que atenúen las molestias, y antibióticos que combatan la infección. Algunas veces se prescribe un lavado de los senos nasales.

¿Qué es la rinitis alérgica?

El nombre de *fiebre del heno* que se da a ciertas reacciones alérgicas es doble-

mente erróneo porque ni son causadas por el heno ni producen fiebre. El término correcto de esta dolencia que presenta síntomas parecidos a los del catarro es rinitis alérgica.

La rinitis alérgica estacional suele ser provocada por el polen de diversos árboles, hierbas y otras plantas; la que persiste a lo largo de todo el año generalmente es causada por el polvo de la casa o las descamaciones de la piel de los animales.

Los alergenos, es decir, las sustancias a las que el paciente es hipersensible, que arrastra el aire hacen que la membrana nasal libere un compuesto químico llamado histamina. Esta sustancia irrita e inflama

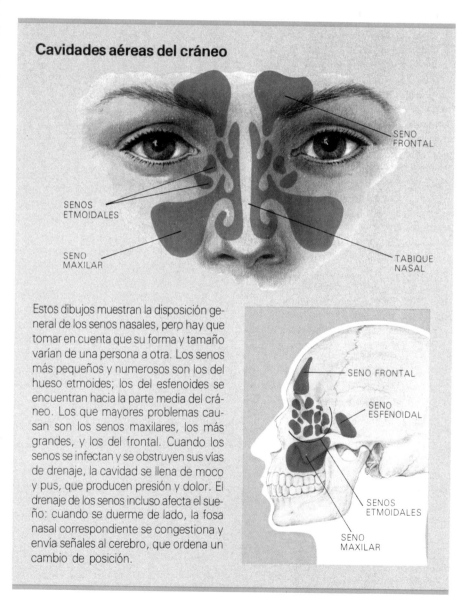

Cavidades aéreas del cráneo

SENO FRONTAL

SENOS ETMOIDALES

SENO MAXILAR

TABIQUE NASAL

SENO FRONTAL

SENO ESFENOIDAL

SENOS ETMOIDALES

SENO MAXILAR

Estos dibujos muestran la disposición general de los senos nasales, pero hay que tomar en cuenta que su forma y tamaño varían de una persona a otra. Los senos más pequeños y numerosos son los del hueso etmoides; los del esfenoides se encuentran hacia la parte media del cráneo. Los que mayores problemas causan son los senos maxilares, los más grandes, y los del frontal. Cuando los senos se infectan y se obstruyen sus vías de drenaje, la cavidad se llena de moco y pus, que producen presión y dolor. El drenaje de los senos incluso afecta el sueño: cuando se duerme de lado, la fosa nasal correspondiente se congestiona y envía señales al cerebro, que ordena un cambio de posición.

la nariz, los senos nasales y los ojos, causando hinchazón, prurito y una excesiva secreción.

Este padecimiento, que no pone en peligro la vida pero que resulta muy molesto, es consecuencia de un defecto genético del sistema inmunitario y frecuentemente se presenta en varios miembros de una familia, aunque no necesariamente como respuesta al mismo alergeno. No es raro que las tensiones intervengan en el desencadenamiento de las reacciones alérgicas.

¿Se puede curar la rinitis alérgica?

La mejor forma de evitar la rinitis alérgica, o fiebre del heno, es alejarse del alergeno que la produce; esto es fácil decirlo, pero no siempre hacerlo. Lo primero que se necesita es someterse a una serie de pruebas para determinar las sustancias que producen la alergia. Las pruebas consisten en hacer unos rasguños en la piel y aplicar en ellos, uno tras otro, los alergenos más comunes. Los rasguños que enrojezcan y se inflamen indican hipersensibilidad a la sustancia aplicada. Ahora hay un nuevo método para averiguar a qué es alérgica una persona mediante un análisis de sangre.

Si el alergeno es el polen de un árbol o de otra planta, lo que puede hacer el paciente es irse de vacaciones durante la época de floración a un lugar donde no haya esa especie. Si no le es posible, por lo menos le queda el consuelo de que la temporada es corta, sólo de unas cuantas semanas, y que después desaparecerán las molestias hasta la misma estación del siguiente año. La solución no es tan sencilla si el alergeno es el polvo de la casa, las descamaciones de la piel de los animales o cualquier otra sustancia que abunda en el aire todo el año. Se pueden tomar antihistamínicos para contrarrestar las irritantes histaminas que el organismo produce, pero estos medicamentos causan somnolencia y pueden provocar efectos adversos a los que tienen la presión alta, glaucoma o hipertrofia de la próstata.

Otra alternativa es recurrir a la inmunoterapia, llamada antes desensibilización, que consiste en poner al paciente una serie de inyecciones del alergeno que le afecta en dosis cada vez más altas hasta que su organismo se acostumbre a tolerar grandes cantidades de esa sustancia. Antes se dudaba de la eficacia de este procedimiento, pero se ha visto que funciona en casos de alergia al polen

Olores evocativos

Desde hace tiempo se sabe que en la conducta de los insectos influyen unas sustancias aromáticas, llamadas feromonas, que segregan para indicar interés sexual, peligro y cosas similares. Algunos investigadores suponen que debe de haber feromonas humanas que intervienen en nuestra atracción sexual, pero hasta ahora no se ha identificado ninguna. Lo que es indudable es el poder sugestivo de los olores; hay aromas culinarios que nos recuerdan la infancia, perfumes que nos hacen evocar a una persona querida, y otros que nos traen asociaciones negativas y nos resultan repulsivos. Estas preferencias y aversiones no son innatas, están influidas por la experiencia personal y la cultura.

El uso ritual de resinas aromáticas, como las que arden en este santuario de Tokio, es tradicional en muchas culturas y ha sido objeto de intenso comercio desde la antigüedad. Entre los regalos de los Reyes Magos a Jesús había de dos tipos: incienso y mirra.

Por su fuerte olor, el hisopo (planta de la familia de la menta) se usa como sal aromática. Los herbolarios emplean las plantas de olor penetrante para tratar diversas enfermedades.

y al polvo de la casa. Lo malo es que sirve para todos los tipos de alergia e implica una tediosa rutina de inyecciones semanales durante tres o cuatro años.

¿Qué son las adenoides?

Se llaman adenoides unas masas de tejido linfático situadas donde confluyen las cavidades nasales y la garganta. Se trata de glándulas que funcionan, como los ganglios linfáticos o las amígdalas, filtrando y destruyendo las bacterias, sobre todo las que causan infección de las vías respiratorias.

Normalmente, las adenoides crecen hasta los 5 ó 6 años, pero a partir de los 9 ó 10, hasta llegar a la pubertad, comienzan a reducirse hasta casi desaparecer. La ver-

dad es que pasan inadvertidas a menos que se infecten, porque entonces se inflaman, duelen y algunas veces interfieren con el sentido del olfato. En ocasiones, las adenoides se quedan hipertrofiadas impidiendo el libre paso del aire de la nariz a la garganta u obstruyendo la abertura de las trompas de Eustaquio.

Las adenoiditis ocasionales suelen tratarse con antibióticos. Antes era frecuente extirpar las adenoides infectadas junto con las amígdalas; pero ahora, a menos que el niño padezca insistentemente de adenoiditis o amigdalitis y los demás tratamientos no den resultado, los médicos prefieren no operar, dado que las adenoides tienden por sí mismas a reducirse antes de la adolescencia y ayudan a proteger las vías respiratorias de las invasiones bacterianas.

Cambio de vía para respirar o tragar

¿Cómo está formada la garganta?

La garganta, técnicamente llamada faringe, es un tubo muscular, revestido por una membrana mucosa, que mide aproximadamente 13 cm de largo y se extiende desde la parte posterior de las fosas nasales hasta el esófago. La faringe forma parte de dos aparatos distintos: el respiratorio y el digestivo. A través de ella pasan tanto el aire como los alimentos y es increíble que lo hagan sin confusiones ni contratiempos.

En la faringe se distinguen tres regiones. La más alta, la que queda situada detrás de las fosas nasales, se llama nasofaringe; aquí es donde el aire y las secreciones de la nariz y de los senos nasales comienzan su descenso. La región media, la bucofaringe, es la más ancha; está justo detrás del paladar blando y es la parte donde converge el paso del aire y de la comida. En la laringofaringe, que es la porción inferior de la garganta, se separan las vías respiratoria y digestiva; como al bifurcarse se cruzan, podría esperarse que el agua o los alimentos se fueran por el camino equivocado con más frecuencia de lo que lo hacen. El trayecto del aire se desvía hacia adelante para alcanzar la laringe, donde se encuentran las cuerdas vocales, y de ahí continúa a la tráquea y los bronquios hasta llegar a los pulmones. Paralelo a la tráquea, por detrás de ella, corre el esófago, que termina en el estómago.

¿Qué es lo que impide que los alimentos entren a la tráquea?

Al final de la faringe se encuentran la laringe, que forma parte de las vías respiratorias, y el esófago, una de las regiones del tubo digestivo. Si estos dos conductos estuvieran abiertos cuando tragamos, el alimento podría introducirse a la tráquea y de ahí a los pulmones, y el aire podría llenar el estómago. Afortunadamente, la laringe queda herméticamente cerrada cuando deglutimos.

Una parte importante del mecanismo que cierra la laringe es la epiglotis, una pequeña lengüeta cartilaginosa que sube o baja a manera de una válvula sobre la abertura superior de la laringe. Al momento de tragar, la epiglotis tapa la laringe y ésta se desplaza hacia arriba y hacia adelante, impidiendo totalmente el paso de los líquidos o los sólidos a la tráquea. Después de cada deglución, la epiglotis se levanta y la laringe vuelve a su posición original reanudándose el flujo normal del aire hacia los pulmones.

De vez en cuando, este mecanismo no funciona con la precisión acostumbrada y alguna partícula sólida llega a irse por el conducto equivocado obstruyendo las vías respiratorias. Generalmente, la tos refleja que provoca el accidente basta para arrojar el trozo de alimento que ha entrado a la laringe o a la tráquea, pero si no es así, se necesita de inmediato ayuda calificada para impedir que la víctima se asfixie (ver técnica de Heimlich en la pág. 125).

¿Por qué los abatelenguas que usan los médicos nos producen náuseas?

Las náuseas son reflejos sumamente desagradables, pero pueden salvarnos la vida cuando nos tragamos por accidente algo que puede quedarse atorado en la garganta y asfixiarnos. Este reflejo inevitable es una respuesta automática del organismo ante cualquier cuerpo extraño de suficiente tamaño para estimular las terminaciones nerviosas embebidas en el arco que forma el límite entre la boca y la bucofaringe.

Los abatelenguas de madera que usan los médicos para examinar la garganta son para nuestro organismo cuerpos extraños que al tocar las terminaciones nerviosas desencadenan las náuseas. Normalmente, este acto reflejo empuja hacia la boca la masa sólida que está a punto de ser tragada y podemos escupirla. Claro está que no es ése el caso tratándose de un abatelenguas, pero las náuseas nos demuestran que este reflejo vital está trabajando bien.

¿Qué función tiene la campanilla?

La campanilla, técnicamente llamada úvula (palabra que en latín significa uva pequeña), es efectivamente una pequeña masa de tejido muscular y conjuntivo revestida por una membrana mucosa que cuelga del borde libre del paladar blando. Cuando el médico nos hace decir "a" al examinarnos la garganta, la campanilla sube; si en lugar de desplazarse hacia arriba lo hace hacia un lado, indica que tiene alguna alteración.

Es verdad que, cuando tragamos, la campanilla se proyecta hacia arriba y hacia atrás contribuyendo a cerrar las vías nasales, pero esta función aparentemente no es muy importante, ya que los que no tienen campanilla no se quejan de que les entre el alimento en las fosas nasales

---

LAS PALABRAS Y SU HISTORIA

Anginas llaman algunos, erróneamente, a las amígdalas, palabra griega que quiere decir almendra. Angina viene del latín *angere*, sofocar, y se aplica a la inflamación de las amígdalas o de la faringe.

Traer a alguien agarrado de las narices implica tenerlo dominado, manejarlo uno a su antojo. Esta expresión se basa en la costumbre de poner a los animales un anillo en la nariz para poder manejarlos mejor. Hay muchas frases familiares que se centran en ese notorio órgano: no ver más allá de las narices, quedarse con un palmo de narices, meter las narices.

Tímpano viene del griego *tympanon*, que significa tambor. Efectivamente, no es otra cosa esa membrana tensa del oído medio que percuten las ondas sonoras.

Gula es una palabra que procede del latín *gula*, garganta. Con ese mismo significado se usó durante mucho tiempo en nuestra lengua; de ahí deriva, entre otros muchos, el vocablo guloso, equivalente a tragón, que luego se transformó en goloso. La palabra gula dejó de usarse en su acepción original, pero se conservó aplicada al exceso en el comer y el beber, vicio considerado tan reprobable que ha merecido ser incluido entre los siete pecados capitales.

cuando lo degluten. Los que dibujan las caricaturas animadas suelen presentar la campanilla como un badajo que vibra cuando sus personajes cantan o gritan, pero esta estructura no tiene nada que ver con la voz.

¿Qué pasa cuando se siente un "nudo en la garganta"?

Esa molesta sensación de que algo nos oprime la faringe, lo que comúnmente llamamos "tener un nudo en la garganta", rara vez se debe a un tumor o a cualquier otra obstrucción física, ya que casi siempre se trata de un síntoma de ansiedad nerviosa.

La sensación es producida por la excitación del noveno par de nervios craneales y el espasmo de los músculos del esófago cuando una persona se encuentra emocionalmente alterada. Esta anomalía, que los médicos llaman *globo* o *bola histérica*, es generalmente un síntoma pasajero asociado a una situación profundamente perturbadora. Sin embargo, en los raros casos en que la sensación persista, conviene consultar al médico. Algunas veces este síntoma se debe a un goteo de la parte posterior de las fosas nasales o a una excesiva secreción de ácidos estomacales.

¿Qué significa tener la lengua trabada?

Aunque la expresión "tener la lengua trabada" o decir que a alguien "se le traba la lengua" suele usarse sólo en sentido figurado, algunas veces sí corresponde a un hecho real. La lengua de un bebé tiene mucha menos movilidad que la de un adulto porque el repliegue de la membrana mucosa que fija la cara inferior de la lengua al piso de la boca, lo que se llama frenillo, al principio se extiende casi a toda la longitud de la lengua, dejando sólo la punta libre.

Durante el primer año de vida, la punta de la lengua crece mucho y por lo tanto el frenillo "traba" cada vez una parte comparativamente menor de la lengua. Sin embargo, en algunos casos el frenillo sigue impidiendo el libre movimiento de la lengua y el niño tiene dificultad para comer y hablar. Probablemente el médico recomendará una sencilla operación para recortar el frenillo.

Las múltiples funciones de la faringe

Cuando al tragar se va un trozo de comida por la vía equivocada, quedan interrumpidas cuatro funciones: comer, hablar, inhalar el aire y exhalarlo. Esto demuestra la importancia de la faringe, lo que comúnmente llamamos garganta, como vía de paso. Al comer, el alimento baja por la faringe hacia el esófago. Por la faringe también pasa el aire que inhalamos por la nariz en dirección a la laringe y la tráquea, y el que exhalamos en camino inverso.

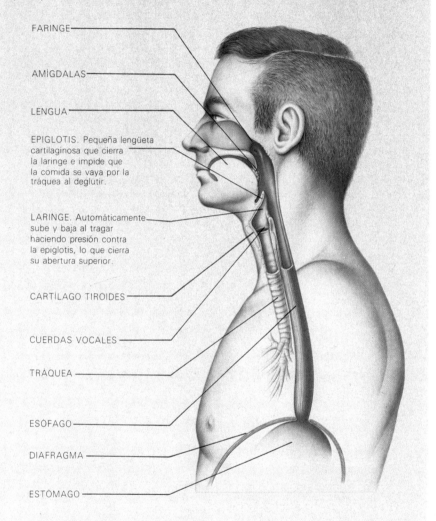

FARINGE

AMÍGDALAS

LENGUA

EPIGLOTIS. Pequeña lengüeta cartilaginosa que cierra la laringe e impide que la comida se vaya por la tráquea al deglutir.

LARINGE. Automáticamente sube y baja al tragar haciendo presión contra la epiglotis, lo que cierra su abertura superior.

CARTÍLAGO TIROIDES

CUERDAS VOCALES

TRÁQUEA

ESÓFAGO

DIAFRAGMA

ESTÓMAGO

¿Se puede prevenir el atragantarse?

Puede ser peligroso que una persona coma cuando se le han pasado las copas, porque el exceso de alcohol paraliza el mecanismo que cierra la laringe en el momento de tragar y el alimento puede irse por la tráquea en lugar de hacerlo por el esófago. Sin embargo, la mayor parte de estos accidentes se deben simplemente a eso, a un accidente que puede prevenirse si se evita hablar o reírse con la boca llena o meterse en ella bocados demasiado grandes.

En raros casos el atragantamiento tiene su origen en una antigua dificultad para tragar, que incluso puede haber pasado inadvertida para el que la sufre hasta que se encuentra a punto de asfixiarse con un bocado. El problema puede provenir de una malformación congénita de la garganta o haber surgido más tarde como consecuencia de un tumor o de una anomalía muscular o neuronal. Si usted nota que se atraganta con mucha frecuencia, acuda al médico para que le examine la garganta minuciosamente. Esta medida puede revelar una alteración que, corregida a tiempo, le salve la vida.

Molestias de la nariz y la garganta

Las causas de un dolor de cabeza son diversas, entre ellas un catarro que congestiona los senos nasales. Los que tienen hipersensibles los nervios de la bucofaringe no sienten allí el dolor cuando toman un helado o cualquier otra cosa fría, sino "referido" a los oídos y las sienes.

y una tercera dosis del medicamento sin dejar pasar el tiempo prescrito, lo que a la larga llega a causar el efecto contrario, es decir, una rinitis medicamentosa. El exceso de descongestivos irrita la membrana mucosa de la nariz y esa irritación produce una congestión. A veces, el daño provocado en la mucosa es permanente. Estos medicamentos son peligrosos sobre todo para las personas que tienen la presión alta, glaucoma, diabetes, hipertiroidismo, enfermedades cardiacas y una amplia gama de perturbaciones emocionales o alteraciones de la conducta.

¿Qué son los pólipos nasales y qué daño causan?

Si la nariz se irrita con frecuencia debido a infecciones recurrentes o a una alergia, pueden desarrollarse prolongaciones blandas y húmedas de la membrana mucosa que la reviste, llamadas pólipos, que se proyectan hacia las cavidades nasales. Por su naturaleza, los pólipos son inofensivos, pero si crecen mucho pueden obstruir el paso del aire, presionar las sensibles terminaciones nerviosas que hay en esa región causando dolor y jaquecas, o impedir que los olores lleguen hasta el epitelio olfativo, lo que reduce mucho el sentido del olfato. Si los pólipos llegan a producir molestias habrá que extirparlos, pero eso es algo que debe hacerse sólo mediante una intervención quirúrgica.

¿A qué se deben las hemorragias nasales?

Aunque la causa más frecuente de una hemorragia nasal es un golpe en la nariz que rompe alguno de los vasos sanguíneos, muchas veces puede deberse a una excesiva resequedad de la mucosa que produce fragilidad vascular. Esto suele ocurrir durante el invierno cuando el aire está muy seco, sobre todo dentro de las casas donde se tiene prendida la calefacción. El sonarse con frecuencia y violentamente o la mala costumbre de meterse los dedos en la nariz también pueden provocar una hemorragia; en cambio es raro que se deba a la presión arterial alta de tipo patológico o causada por la tensión emocional.

Para detener la hemorragia, presiónese las aletas de la nariz justo por debajo de la parte ósea e incline la cabeza hacia adelante

¿Qué es el escurrimiento posnasal?

Como su nombre lo indica, el escurrimiento posnasal es el flujo de las secreciones de las fosas nasales hacia la garganta. Es un fenómeno normal que nos ocurre a todos y que generalmente no notamos, pero algunas veces la secreción se acelera y se hace más copiosa —o por lo menos nos da esa impresión— y tenemos que estar tosiendo y carraspeando para despejarnos la garganta.

Frecuentemente, el excesivo escurrimiento posnasal es síntoma de una sinusitis, una infección crónica de las vías respiratorias altas, una alergia o una hiperactividad de las glándulas mucosas de la nariz y de la garganta. En esos casos, se necesita identificar y tratar el padecimiento que lo origina. Pero muchas veces el flujo de moco no es realmente excesivo y se trata de una mera apren-

sión; de todas maneras conviene consultar al médico para que lo convenza de que no hay ningún problema y se acostumbre a no prestar atención al escurrimiento.

¿Pueden resultar nocivos los descongestivos nasales?

La mayoría de los descongestivos nasales contienen potentes sustancias del tipo de los medicamentos llamados simpatomiméticos, que reducen la congestión porque reducen la luz de los capilares sanguíneos que se encuentran bajo la membrana nasal que secreta el moco. Al disminuir la inflamación, la nariz se destapa, resulta más fácil el paso del aire, mejora el drenaje y se alivia el dolor.

Pero algunas veces, la descongestión dura poco y el enfermo se aplica una segunda sobre un recipiente. Manténgase así unos 10 minutos para dar tiempo a que se forme un coágulo y suéltese la nariz para ver si la hemorragia ha parado. Si no es así, repita la operación. Evite sonarse durante un día o dos.

No trate de impedir que le escurra la sangre hacia afuera echando la cabeza para atrás, porque entonces entrará a la garganta y se la tragará. Tampoco pierda el tiempo poniéndose una llave, un hielo o cualquier otra cosa fría en la nuca porque no le servirá de nada.

Si la sangre sigue fluyéndole de la nariz durante más de 20 minutos, si estos accesos son frecuentes o si, además, tiene hemorragia en los oídos o en otra parte del cuerpo, debe buscar ayuda médica. Probablemente el médico le pondrá un tapón de gasa en la nariz o le cauterizará el vaso que se le ha roto y lo examinará para descubrir el origen de la hemorragia; puede ser una alteración de la sangre o del aparato circulatorio y, en el peor de los casos, fractura de cráneo.

¿Es una enfermedad la inflamación de la garganta?

La inflamación de la garganta rara vez se presenta aislada; suele ser más bien un síntoma de otra afección que una enfermedad en sí misma. Sin embargo, no debe pasarla por alto porque puede ser síntoma tanto de enfermedades leves como graves. Si la inflamación persiste durante más de cinco días o si es severa, conviene consultar a un médico.

La causa más frecuente de la inflamación de la garganta es un catarro. Si además va acompañada de fiebre, dolor de cabeza, dolor muscular y tos seca, lo más probable es que se trate de una gripe. Cuando los otros síntomas incluyen tos productiva, fiebre moderada, dolor en el pecho y dificultad para respirar, el conjunto indica una bronquitis. Sin embargo, es probable que la irritación e inflamación de la garganta no se deban directamente a esas bacterias o virus, sino al abundante moco que escurre por la faringe. Las alergias, la hipersensibilidad a los medicamentos, el tabaco, el respirar por la boca, el tener que hablar demasiado o cantar, la comida muy condimentada o la contaminación ambiental también pueden causar faringitis leves.

Para aliviar la inflamación común de la garganta, chupe una pastilla para la tos o un dulce macizo, haga gárgaras con agua de sal tibia y ponga un vaporizador en la habitación si el ambiente está seco. Si es necesario, tome una aspirina o su equivalente y procure no hablar demasiado hasta que la garganta mejore.

¿Qué es la faringitis estreptocóccica y por qué resulta peligrosa?

Se trata de una infección de la garganta producida por el *Streptococcus bacterium*, que se encuentra normalmente en el aire y aprovecha la ocasión para invadir las vías respiratorias altas cuando nuestras defensas bajan debido a un catarro o a cualquier otra enfermedad. Además de una *fuerte* inflamación, los estreptococos suelen producir placas blancas o amarillas en la faringe, dolores de cabeza y abdominales, fiebre y náuseas; pero el diagnóstico requiere un cultivo del exudado faríngeo.

Esta infección es peligrosa porque puede extenderse a las amígdalas y los oídos, e incluso causar fiebre reumática o escarlatina. Afortunadamente, el uso de antibióticos suele evitar estas complicaciones.

¿Tienen también las mujeres manzana de Adán?

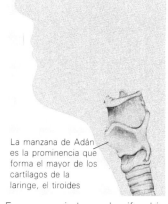

La manzana de Adán es la prominencia que forma el mayor de los cartílagos de la laringe, el tiroides

Tanto los hombres como las mujeres tenemos nuez, manzana de Adán o, para decirlo técnicamente, cartílago tiroides, que es el más grande de los nueve que forman la laringe. En los hombres esta estructura es más notable porque tienen la laringe más ancha, lo mismo que tienen las cuerdas vocales más largas. Además, acumulan en el cuello menos grasa que oculte esta prominencia. El nombre de manzana de Adán proviene de la historia bíblica que relata cómo Eva, aconsejada por Lucifer, hizo que Adán probara el fruto que les estaba vedado. Supuestamente, este visible saliente de la laringe masculina es un estigma vergonzoso, es el bocado prohibido que ha quedado para siempre atorado en la garganta de los descendientes de Adán para recordarles su desobediencia.

Eva toma la manzana con la que se atragantó Adán. Tiziano, hacia 1570.

La maravillosa voz humana

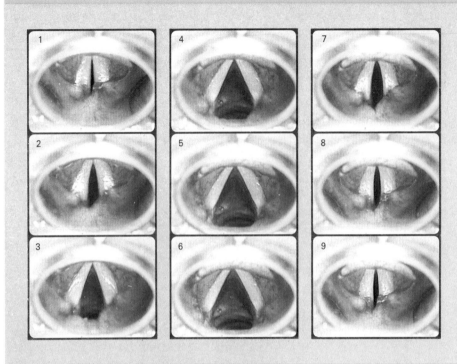

Las cuerdas vocales producen los sonidos del habla

Estas fotografías muestran cómo trabajan las cuerdas vocales. La abertura que queda entre ellas es la glotis, que cambia de forma y de tamaño de acuerdo con la actividad que se realiza. Al respirar, las cuerdas se separan dejando paso libre al aire que entra o sale de los pulmones; al hablar o cantar, se aproximan. Los sonidos del habla se producen al exhalar el aire. La corriente que pasa por las cuerdas vocales las hace vibrar generando ondas sonoras. La tensión de las cuerdas determina el tono del sonido.

Cambios de las cuerdas vocales en una secuencia que dura un segundo. En las fotos del 1 al 6 se ve cómo se abre gradualmente la glotis al dejar de hablar. En las tres últimas se ha reanudado el habla.

¿Qué es el habla y cómo aprendemos a comunicarnos a través de ella?

A lo largo del tiempo se han desarrollado muchos idiomas que han seguido líneas independientes pero paralelas. El órgano del habla puede producir una enorme variedad de sonidos distintos llamados fonemas, pero cada lengua emplea sólo algunos de ellos. La tonalidad de cada idioma depende mucho de los sonidos que utiliza: hay lenguas que tienen una cadencia musical, otras se caracterizan por sus sonidos guturales y no faltan las que son notables por la cantidad de fonemas nasales o labiales que incluyen.

Puede decirse que el ser humano comienza a aprender a hablar desde que nace. Los bebés oyen los fonemas y las palabras que pronuncia la gente que los rodea y empiezan moviéndose rítmicamente de acuerdo con ellos; después van formando asociaciones mentales entre los sonidos que oyen con más frecuencia y los objetos o situaciones que ya les resultan familiares. Al principio los pequeños sólo emiten balbuceos al azar, pero pronto comienzan a tratar de imitar los fonemas que oyen con más frecuencia; así van aprendiendo a controlar los músculos que producen los sonidos. Primero do-

minan los sonidos más sencillos, las vocales, después consiguen pronunciar algunas consonantes, que son sonidos más difíciles de emitir porque requieren mayor control del aparato vocal. Poco a poco, los sonidos que el niño produce se van pareciendo más y más al lenguaje de sus mayores y van teniendo un significado. Si los adultos responden con interés a estos esfuerzos y le animan a que hable más, el pequeño dominará esta habilidad mucho antes.

¿Cómo se produce el habla?

Para hablar se necesita poder emitir sonidos y darles forma de vocales y consonantes integradas en palabras. Los sonidos puros se producen en la laringe u órgano de la voz al hacer vibrar el aire que procede de los pulmones mediante un par de cuerdas vocales elásticas. Luego la boca transforma esos sonidos en fonemas y éstos en palabras empleando los dientes, la lengua, el paladar, los labios y los músculos faciales.

La laringe, que es una parte de las vías respiratorias altas, tiene la forma de un prisma triangular de unos 4 cm de largo y está constituida por nueve cartílagos unidos por músculos y ligamentos. El más grande de

esos cartílagos es el tiroides, llamado comúnmente nuez o manzana de Adán.

A uno y otro lados de la glotis (la abertura superior de la laringe que se encuentra por debajo y por detrás de la lengua) hay dos pliegues de tejido fibroso que forman las cuerdas vocales. Las cuerdas están unidas por delante al cartílago tiroides y por detrás a un par de cartílagos más pequeños. Cuando hablamos o cantamos, el aire pasa por las cuerdas vocales y las hace vibrar. El tono del sonido emitido depende de la frecuencia de las vibraciones, que podemos variar estirando o contrayendo más o menos las cuerdas mediante un grupo de músculos que mueven los pequeños cartílagos de la parte posterior.

La mayor parte de la gente habla y canta sin preocuparse de cómo produce determinado sonido, pero los cantantes profesionales y los actores están perfectamente conscientes de cómo tienen que contraer o relajar unos músculos y otros para lograr el efecto vocal que desean. Saben, por ejemplo, que acortando y tensando las cuerdas se emiten sonidos de más alta frecuencia, más agudos; en cambio al relajarlas las alargan y producen vibraciones de más baja frecuencia, más graves. Además, cuando el aire pasa por ellas más rápidamente y con más fuerza, mayor es el volumen del sonido.

¿Por qué cambia la voz en la adolescencia?

Si usted pasa por una escuela a la hora de la salida o junto a un grupo de chicos que juegan en la calle o en un parque, probablemente se sentirá aturdido por las voces chillonas de los más pequeños. Sus risas y gritos agudos y penetrantes se deben más a su anatomía que al ímpetu juvenil. Los niños tienen las cuerdas vocales muy cortas e inevitablemente emiten sonidos agudos. Al acercarse a la adolescencia, la laringe de los chicos de ambos sexos comienza a ensancharse y las cuerdas vocales se hacen más largas y gruesas y quedan más separadas, por eso producen sonidos más graves. Estos cambios son más pronunciados en los varones y es más notable la alteración que sufre su voz; llegará un momento en el que ya no puedan alcanzar las notas altas. Sin embargo, hay una etapa en que la voz del muchacho pasa repentinamente de los tonos graves a los agudos provocando esos "gallos" que les hacen sentirse tan avergonzados. Eso se debe a que toma tiempo acostumbrarse a emplear una laringe más grande; los adolescentes tienen que aprender a manejar los músculos que controlan la tensión de las cuerdas vocales, que ahora son más largas.

¿A qué se debe la laringitis?

Sabemos cuándo tenemos una laringitis porque la voz se nos hace más ronca, más apagada o la perdemos por completo. Generalmente, también sabemos a qué se debe: tenemos un catarro, hemos fumado mucho, no paramos de hablar en la reunión de anoche o nos entusiasmamos demasiado echando porras a nuestro equipo durante el juego de futbol.

Pero hay otras muchas causas que pueden producir una inflamación de la laringe. Si la laringitis es crónica, puede deberse a la contaminación ambiental, a la irritación que provoca el consumo excesivo de alcohol o a una tuberculosis. También es posible que se trate de un tumor, benigno o canceroso, de las cuerdas vocales. En las de los cantantes, por ejemplo, aparecen algunas veces callosidades, llamadas nódulos vocales, que son benignas.

Una laringitis aguda generalmente se cura por sí misma si se deja de hablar unos días. Si persiste durante más de 10 días o si va acompañada de tos y de flemas sanguinolentas o purulentas, hay que consultar a un médico.

Si se trata de callosidades, lo más probable es que las cuerdas vocales se restablezcan si se descansa un largo tiempo y se deja de abusar de la voz. Los tumores algunas veces pueden ser destruidos mediante radioterapia, pero si son grandes tienen que ser extirpados quirúrgicamente. En casos graves es necesario hacer una laringectomía, operación que consiste en quitar la laringe y fijar la tráquea al cuello, en el que se abre un orificio para que entre el aire y el paciente pueda respirar.

¿Qué pasa cuando se habla en voz baja?

Al hablar en voz muy baja, lo que se llama susurrar o cuchichear, no empleamos las cuerdas vocales, sino directamente el aire que sale suavemente de los pulmones transformándolo en palabras con ayuda de la lengua, los dientes, el paladar y los labios como lo hacemos al hablar normalmente. Para que las cuerdas vocales no vibren, las mantenemos rígidas; el mismo efecto causa la inflamación de una laringitis que nos deja roncos o sin voz.

Habilidad que comparten los bebés y los cantantes de ópera

Para cantar ópera se necesita un buen volumen de aire. Los cantantes profesionales aprenden a llenar al máximo los pulmones expandiendo las costillas inferiores y bajando el diafragma (la pared muscular que separa el tórax del abdomen). Cuando exhalan ese aire transformado en notas, la voz surge potente, abundante, sin esfuerzo aparente. En cambio cuando el aire proviene de una inhalación superficial, la voz carece de resonancia y control y puede causar ronquera. Los bebés cuando lloran usan el diafragma como los cantantes de ópera, pero esa habilidad se pierde en la niñez y los que se van a dedicar al canto tienen que volver a adquirirla.

El llanto de un bebé va precedido de un momento de silencio, que es cuando aspira profundamente aire bajando el diafragma; a eso se debe su resistencia.

Cómo superar los defectos del oído y del habla

¿A qué se deben los defectos del habla?

Entre los defectos más comunes del habla se encuentra el ceceo, es decir, la sustitución del sonido de la letra "s" por el de la "c" o la "z". Esto se debe en gran medida a que mucha gente encuentra gracioso el ceceo, que es frecuente en los niños cuando empiezan a hablar, e involuntariamente los animan a seguir haciéndolo festejándoles la equivocación o imitando su mala pronunciación. Para el pequeño, esta manera de hablar se convierte en un problema cuando entra a la escuela y es objeto de burla entre sus compañeros. En el 90% de los casos los niños dejan de cecear antes de los ocho años.

El ceceo y la sustitución de otros fonemas, como el de la "r" por el de la "d" o la "s" por una "t", se deben principalmente a la falta de control sobre los músculos de la lengua y de los labios. Si después de los ocho años el pequeño sigue hablando mal, conviene mandarlo con un terapeuta del lenguaje porque en casa será muy difícil corregirlo, ya que a esa edad se habrá acostumbrado tanto a ese defecto que ya no lo oye.

A la falta de control muscular se debe también el farfulleo, esa forma de hablar rápida y atropelladamente comiéndose letras, sílabas y aun palabras completas. Como el ceceo, el farfulleo es muy difícil de corregir porque implica hábitos físicos y mentales muy arraigados.

Cómo hace hablar a sus muñecos un ventrílocuo

La palabra *ventrílocuo* se forma con dos vocablos latinos: *venter*, que quiere decir vientre, y *loqui*, hablar; pero realmente estos artistas producen los sonidos retrayendo la lengua y moviendo sólo la punta. Eso eleva y constriñe la laringe, estrecha la glotis y ejerce presión sobre las cuerdas vocales, lo que a su vez disfraza y difunde la voz de manera que parece provenir de otro lado. Cuando el ventrílocuo habla, va dejando salir lentamente el aire por la boca, que mantiene ligeramente abierta y casi inmóvil mientras distrae al público moviendo el muñeco y haciendo que abra y cierre la boca en sincronía con las palabras. La ventriloquía se remonta al antiguo Egipto, donde era practicada por los sumos sacerdotes para simular que sus voces cavernosas procedían de piedras o estatuas. Hoy esta habilidad se emplea sólo para divertir al público.

El **ventrílocuo** transmite a sus muñecos una voz muy distinta a la suya para recalcar la diferencia.

La **habilidad del artista** no sólo consiste en proyectar la voz hacia el muñeco, sino en hacer que sus personajes parezcan verosímiles creándoles una voz y una personalidad propias.

¿Por qué hay gente que tartamudea?

El tartamudo repite involuntariamente los primeros fonemas o sílabas de las palabras o de las frases que pronuncia. Esto puede deberse a un espasmo de los músculos de la garganta o de la boca que dificulta la articulación del habla. Los esfuerzos que los tartamudos hacen para vencer esta rigidez muscular se traducen muchas veces en muecas y visajes angustiosos que hacen más notorio el defecto.

Los especialistas no se han puesto de acuerdo sobre la causa de la tartamudez. Para unos es simplemente un mal hábito, otros tratan de encontrar en ello una base fisiológica y hay algunos que la consideran como una respuesta neurótica a tensiones y conflictos emocionales.

El tratamiento abarca desde la psicoterapia hasta los medicamentos, con resultados variables. Sin embargo, no hay método que no haya ayudado, por lo menos a algunos tartamudos, a mejorar su forma de hablar e incluso a superar totalmente su defecto.

¿Se puede hacer algo para que logren hablar los sordomudos?

Los niños que nacen sordos o que se quedan sordos poco después de nacer no pueden aprender a hablar, por lo menos de la manera como lo hacen los demás. Aunque no tienen ninguna anomalía en los órganos que emiten y articulan los sonidos ni en las vías neuronales que controlan el habla, no pueden aprender imitando el lenguaje de la gente que los rodea porque no lo oyen.

Durante mucho tiempo los sordomudos

Espectrografía de la voz

Cada fonema, la unidad del lenguaje oral, marca en un espectrógrafo una impresión distinta. Estos registros revelan no sólo la cadencia del habla, sino también las variaciones de la pronunciación. El sonido de los fonemas está influido por múltiples factores, entre ellos, las dimensiones de las cuerdas vocales; la forma de la garganta, la boca y las fosas nasales; un catarro o una faringitis, y el estado emocional. Los científicos utilizan estas impresiones para analizar los defectos del lenguaje, registrar acentos regionales, estudiar cómo adquieren los niños el idioma o diseñar nuevos equipos de comunicación.

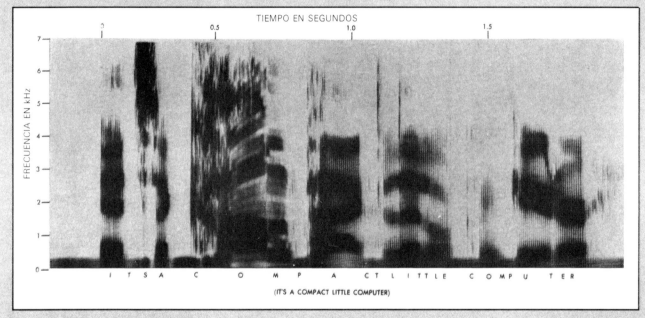

Espectrografía de una frase en inglés registrada por especialistas de una universidad estadounidense.

se vieron obligados a vivir en el aislamiento, hasta que en el siglo XVII se creó para ellos un lenguaje a base de señas. Hoy día los sordomudos pueden aprender a hablar mediante un método especial. Primero se consigue que se familiaricen con las vibraciones que producen las palabras haciendo que pongan los dedos sobre la laringe del maestro mientras habla, y después se los alienta a que traten de reproducir esas vibraciones. También se les pide que observen y luego imiten con la mayor precisión posible, ante un espejo, los movimientos de la boca y de los labios que hace el maestro. La mayoría de los sordomudos consiguen hablar en mayor o menor grado; es verdad que su voz resulta monótona y su pronunciación es algo peculiar, pero generalmente se comprende lo que dicen.

¿Cómo se sabe si un bebé puede oír?

Un bebé que se porta excepcionalmente "bien", que permanece quieto y callado la mayor parte del tiempo es porque probablemente no oye los sonidos que hacen otros niños al balbucear de alegría o llorar como protesta. El que un pequeño no se sobresalte cuando se da una palmada fuerte puede deberse a que está sordo.

A los bebés, desde luego, no se les puede hacer una prueba auditiva convencional pidiéndoles que levanten una mano cuando lleguen a oír un sonido, así que los especialistas han ideado pruebas especiales para ellos basándose en que los ruidos inesperados atraen la atención de los niños y los hacen reaccionar de una manera visible.

Una de las pruebas consiste en observar si el bebé voltea la cabeza en la dirección de un sonido. En caso de que el pequeño no respondiera porque, simplemente, el ruido no le interesa lo suficiente, se le ofrece un juguete sonoro —un osito que toca el tambor, por ejemplo— como recompensa por voltear la cabeza. Otras veces se ponen en la cuna sensores que registran los ruidos que hace el bebé al moverse. Cuando ya se ha establecido el patrón de sus movimientos, se hace sonar una bocina intermitente-

mente; si esto no hace que varíen sus movimientos, puede sospecharse que el niño es sordo. También se emplean electrodos que se fijan a la cabeza del bebé para registrar los "potenciales evocados", que son ondas cerebrales especiales que sólo se producen si oye los sonidos de la prueba.

¿Pierde la capacidad de hablar una persona si le quitan la laringe?

La pérdida de la laringe no implica una incapacidad permanente para hablar, pero hay que aprender una nueva forma de hacerlo. Las personas que han sufrido una laringectomía (extirpación de la laringe) pueden aprender a hablar con el esófago a base de tragar aire y luego expelerlo lentamente e ir articulando las palabras, o pueden ser adiestradas por un terapeuta del lenguaje especializado en estos casos. Hace poco se inventó una válvula especial, llamada prótesis vocal, que se inserta quirúrgicamente en la garganta y que ha permitido volver a hablar a muchos pacientes que habían perdido la laringe.

Capítulo 10

EL APARATO DIGESTIVO

Lo más admirable del aparato digestivo, ese laboratorio automático que se renueva a sí mismo, es cómo extrae energía y materiales para formar nuevos tejidos de las sustancias más diversas.

¿Qué produce el hambre?

El sentir hambre no depende del estómago; las personas a las que se les ha extirpado totalmente este órgano siguen sintiendo periódicamente esa necesidad de comer, eso que llamamos hambre. Cuando el cerebro —que constantemente está tomando nota de la cantidad de glucosa, aminoácidos, grasas y otras sustancias que hay en la sangre— advierte que están bajando las reservas nutritivas del organismo, manda avisos para indicarnos que es hora de comer. El primer síntoma de hambre es un ligero desasosiego seguido, quizá, por cierta irritabilidad o nerviosismo que termina convirtiéndose en una sensación de vacío y ardor en el estómago: los retortijones del hambre.

La temperatura ambiente influye mucho en el hambre. Cuando hace calor disminuye el apetito porque el organismo necesita mucho menos combustible para mantener la temperatura interna a su nivel normal; por la razón inversa, el frío estimula el apetito.

Generalmente experimentamos la sensación de hambre cuando nuestro organismo tiene la necesidad física de alimento, pero no siempre es así. Los enfermos que, lógicamente, requieren mayor cantidad de nutrientes para reponerse, pierden muchas veces el interés en la comida. En cambio hay personas que tienen reservas de sobra pero que calman sus tensiones comiendo, o lo hacen simplemente por hábito. La mayoría estamos condicionados para comer a ciertas horas, y nuestro organismo responde sistemáticamente a ese horario con una sensación de hambre.

¿A qué se debe la sensación de sed?

Hay actividades, padecimientos y condiciones ambientales que nos dejan con la boca seca: el ejercicio físico que nos hace sudar, el hablar mucho, el calor, la fiebre, algunos medicamentos, la diabetes no controlada o el haber comido platillos muy dulces o muy salados. Pero no es necesario nada de esto para que sintamos sed, ya que, normalmente, siempre estamos perdiendo agua a través de la piel, los pulmones y la función renal.

Una persona sana, automáticamente ajusta su consumo de agua a la pérdida de líquidos, y lo hace con bastante precisión. Cuando es necesario, su organismo le pide agua para complementar los líquidos que ha ingerido en los alimentos y bebidas. El cerebro recibe de la sangre la señal de que el organismo necesita agua porque esa insuficiencia reduce el volumen de plasma, lo que se traduce en una baja de la presión arterial. A medida que disminuye el nivel del agua en la sangre, se van concentrando las sustancias que hay disueltas en ella y la parte del cerebro que es sensible a esos cambios nos hace sentirlos como sed.

¿Por qué hace ruidos el estómago?

Borborigmo se llama a los gorgoteos, rechinidos y otros ruidos que hace el vientre en los momentos más inoportunos. Generalmente damos por sentado que es el estómago el que está rechinando de hambre pero la mayoría de las veces se trata de un movimiento de gases y no en el estómago, sino en los intestinos.

¿Tiene importancia la hora del día en que se hace la comida principal?

Se dice que para adelgazar lo mejor es hacer del desayuno la comida principal y comer ligeramente en la noche. Esta idea está respaldada por algunas pruebas, pero no son concluyentes. También hay muchos que afirman que se baja más de peso comiendo poco cinco veces al día. Esta opinión se basa en investigaciones que demuestran que cuando se come mucho de una sola vez, el páncreas secreta una cantidad extra de insulina, la hormona que participa en el almacenamiento de calorías en forma de grasa. Queda mucho por saber acerca de la relación entre la dieta y el peso, y ésta es una de las tantas preguntas que aún no tienen respuesta.

¿Se cura el mal aliento con enjuagues bucales?

Los enjuagues bucales no eliminan la causa del mal aliento, lo único que pueden hacer es encubrirlo. El mal aliento, la halitosis, tiene diversas causas, entre ellas caries en los dientes, partículas de alimentos que quedan en la boca, infecciones de las fosas nasales o de los pulmones, y diabetes no controlada. Sin embargo, es más frecuente que se deba a razones mucho más simples, como haber comido ajo o cebolla. Los aceites aromáticos de estos alimentos pasan a la

sangre y de ahí a los pulmones, de donde emana el olor al aliento.

¿Afecta al sentido del gusto el lavarse los dientes?

Si el jugo de naranja del desayuno le sabe demasiado agrio o amargo, puede deberse a que se ha lavado los dientes antes. Este curioso efecto es producido por un detergente, el sulfolaurilato de sodio (SLS), que contienen muchas pastas dentales y cuyos residuos reaccionan en la boca con el ácido que contiene el jugo de naranja haciendo que sepa más agrio o más amargo, y el azúcar de la fruta menos dulce que de costumbre.

El SLS no es la única sustancia conocida que altera el sabor; la *Gymnema sylvestra*, planta que crece en la India y en África Occidental, también inhibe la percepción de lo dulce. En 1847, un inglés que vivía en

Como la miel de abeja tiene tan larga tradición como edulcorante, mucha gente supone que resulta más sana que otros azúcares. La verdad es que viene a ser lo mismo; la única diferencia es su aroma floral.

la India pudo comprobar que después de masticar las hojas de esta planta ya no notaba el azúcar en el té. Casi un siglo más tarde, un explorador estadounidense halló en África Occidental un fruto que, al contrario, incrementa la percepción de lo dulce. Se trata de las bayas de un arbusto, *Synsepalum dulcificum*, a las que los nativos llaman fruto milagroso. Después de comerlas, hasta el limón y el ruibarbo saben deliciosamente dulces.

¿Necesitan los deportistas comer muchas proteínas?

Comer mucha carne o tomar suplementos proteínicos no es la mejor manera de obtener energía o lograr resistencia, y tampoco contribuye a que un atleta pueda ganar en una competencia deportiva. Para resistir una intensa actividad física no se necesita comer más proteínas de lo normal; al contrario, el exceso de proteínas produce una mayor cantidad de desechos que se tienen que eliminar por la orina. Como consecuencia, se pierde un mayor volumen de agua y eso sí puede afectar desfavorablemente la condición del atleta. El mejor régimen alimenticio para los deportistas es básicamente el mismo que se recomienda para todos los demás: una dieta balanceada.

¿Hace daño el azúcar?

Si toma usted un refresco embotellado de 355 ml todos los días, estará ingiriendo 8 cucharaditas de azúcar, que se traducen en un aumento de peso de unos 5½ kg al año. Al beberse un refresco o comerse un dulce, el nivel de azúcar en la sangre aumenta bruscamente y estimula la secreción de insulina, lo que trae como consecuencia que esas calorías extra se almacenen en forma de grasa.

Además de contener muchas calorías, el azúcar refinada, la sucrosa, puede producir caries y no resulta especialmente nutritiva. Es mejor satisfacer la necesidad de dulce comiendo fruta que, además, contiene diversos nutrientes.

Más saludables que el azúcar refinada son también los carbohidratos complejos, como los de las pastas, los cereales y las papas, que mediante el proceso de la digestión se transforman lentamente en glucosa, un tipo de azúcar que sirve de combustible al sistema nervioso y muscular.

Etapas de la digestión

¿Qué sucede con lo que comemos?

El aparato digestivo funciona como una línea de ensamblaje a la inversa; empieza con los alimentos completos y los desdobla mediante los jugos digestivos en sus componentes químicos, pequeñas moléculas de nutrientes que pueden ser absorbidas por la sangre y transformadas en la energía que se necesita para mantener los procesos vitales y las actividades diarias, y en materiales para formar nuevas células que reemplacen a las que se van muriendo.

De una comida bien balanceada a base de carne o pescado, verduras, pan con mantequilla y fruta, el aparato digestivo podrá extraer todos los nutrientes que el organismo necesita: proteínas de la carne o el pescado fundamentalmente; carbohidratos del pan, las verduras y la fruta; vitaminas y minerales de las verduras y la fruta; grasas de la carne o el pescado y de la mantequilla.

¿Qué función desempeña la boca?

La boca constituye una vía alternativa del aparato respiratorio y articula los sonidos que forman el lenguaje, pero, sobre todo, es el órgano donde comienza la digestión, la primera parada de un largo camino de más de 9 m que conduce a través del aparato digestivo. En la boca los alimentos son triturados por los dientes, calentados a una temperatura que favorece la digestión y, con ayuda de la lengua, mezclados con la saliva, que comienza a transformarlos en nutrientes que puedan ser absorbidos en el intestino.

La boca está limitada por los labios y las mejillas, y tiene el paladar duro y el blando como techo y la lengua como piso. La parte de la boca que queda comprendida entre los labios, parte de las mejillas y los dientes se llama vestíbulo; el resto, es decir, el espacio incluido desde los dientes hasta la faringe, constituye la cavidad bucal. El paladar duro, situado en la parte anterior del techo de la boca, está formado en su mayor parte por hueso; el paladar blando es tejido muscular y conjuntivo.

¿Qué importancia tiene la saliva?

Para darse una idea de la función que desempeña la saliva, llévese a la boca un trozo de pan y fíjese bien en su sabor. Cuando empiece a notarlo dulce será porque la saliva ha comenzado a desdoblar las moléculas complejas del almidón en una mezcla de azúcares simples: glucosa y maltosa. Este proceso lo lleva a cabo una enzima digestiva conocida como amilasa salival o ptialina.

Pero la saliva hace más que desdoblar los almidones en azúcares; sin ella nos costaría mucho trabajo tragar. Se adhiere a los alimentos y los humedece para que podamos masticarlos y mezclarlos formando una masa que se desliza fácilmente por la faringe y el esófago.

Otra importante función de la saliva es mantener la boca limpia y sana, ya que actúa como un germicida suave que destruye las bacterias, sobre todo las que causan las caries dentales, y arrastra consigo bacterias y restos de alimentos.

¿Dónde se forma la saliva?

La saliva se forma en tres pares de glándulas, que en conjunto segregan alrededor de 1.5 litros de ese líquido al día, y llega a la boca a través de un sistema de conductos. Aunque no sepa su nombre, es probable que en la infancia haya tenido problemas con las más grandes de ellas, las glándulas parótidas, porque son las que se inflaman cuando se tienen paperas. El par de glándulas submaxilares (o submandibulares) no son tan grandes como las parótidas, tienen más o menos el tamaño de una nuez; las más pequeñas son las sublinguales.

¿Qué es lo que incrementa la producción de saliva?

Basta el aroma del pan recién horneado, e incluso sólo pensar en él, para que se nos haga agua la boca. Esto se debe a que el cerebro, estimulado por los sentidos o por impulsos de tipo psicológico, envía órdenes a las glándulas salivales para que aumenten su secreción. Según sea el estímulo, la saliva producida puede ser un líquido acuoso rico en amilasa o una secreción más espesa y con mayor proporción de moco. Se comprende así que la salivación se incremente cuando vemos u olemos la comida, sobre todo platillos que nos gustan mucho.

Una vez que empezamos a comer, la masticación estimula un flujo aún mayor de saliva, más cuando los alimentos son blandos y ácidos que cuando son fibrosos. También se activa la salivación en respuesta a una irritación del estómago o de la primera parte del intestino, porque el tragar más saliva ayuda a neutralizar o diluir los irritantes.

¿SABÍA USTED QUE...?

- **La vieja costumbre de beber un vaso de leche** antes de irse a la cama para poder conciliar el sueño tiene una base científica descubierta hace relativamente poco tiempo. Al parecer, los aminoácidos que contiene la leche mandan al cerebro impulsos que le hacen liberar una sustancia que actúa como tranquilizante.

- **En los países industrializados,** una persona consume alrededor de 36 toneladas de alimentos a lo largo de su vida. Desde luego, se trata sólo de un cálculo aproximado, ya que la gente varía mucho en talla, grado de actividad y apetito.

- **Cuando una pastilla se "atora en la garganta"** lo más probable es que quede alojada en el receso piriforme, una pequeña bolsa que se forma entre la parte superior de la faringe y la laringe. Para evitar este problema tome las pastillas, sobre todo las aspirinas o las que sean muy ácidas, con un vaso completo de agua.

- **Después de haber comido** conviene esperar una hora o más antes de nadar, especialmente en aguas frías. Tanto la digestión como la musculatura exigen un gran aporte de sangre, de manera que si se nada después de comer, los músculos del abdomen pueden sufrir un déficit de sangre y acalambrarse.

- **Según demuestran ciertos estudios,** las aversiones a determinados alimentos suelen adquirirse en la niñez por influencia de las actitudes que tienen hacia ellos los padres o hermanos. Una vez que el niño decide que no le gusta el brócoli o los betabeles, es difícil que cambie de opinión, porque o no los vuelve a comer o lo hace ya con mucha prevención.

¿Cómo desciende el alimento hasta el estómago?

Al deglutir, la presión del bolo alimenticio hace que se relaje y se abra el esfínter que hay en la parte superior del esófago, para dejar paso libre a los alimentos. Una vez que han entrado al esófago, el esfínter vuelve a cerrarse y los músculos del esófago comienzan a contraerse y relajarse alternativamente por encima y por debajo del bolo, empujándolo hacia el estómago con movimientos rítmicos llamados peristálticos. Cuando el bolo llega al extremo inferior del esófago, se abre otro esfínter, el cardias, que rodea la abertura de acceso al estómago.

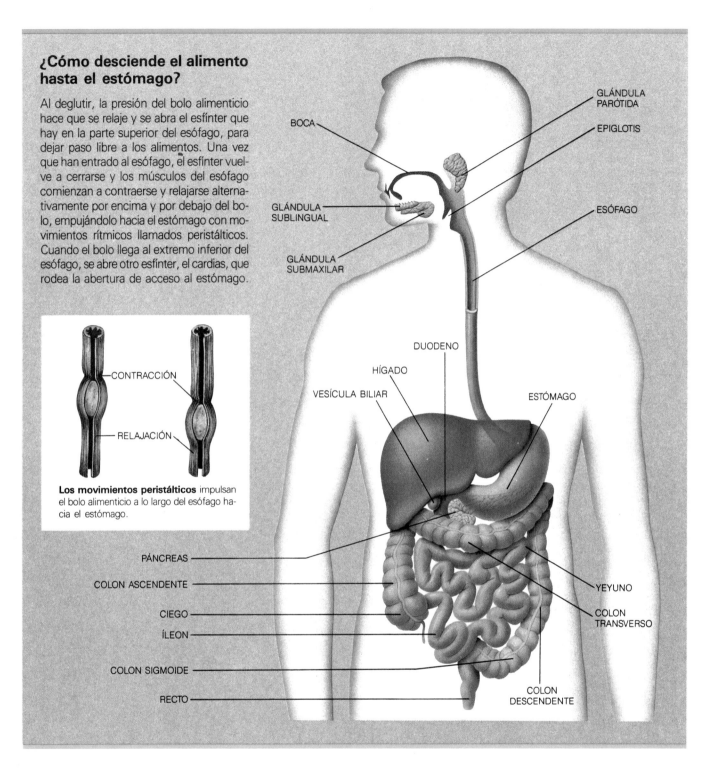

Los movimientos peristálticos impulsan el bolo alimenticio a lo largo del esófago hacia el estómago.

CONTRACCIÓN

RELAJACIÓN

BOCA

GLÁNDULA PARÓTIDA

EPIGLOTIS

GLÁNDULA SUBLINGUAL

ESÓFAGO

GLÁNDULA SUBMAXILAR

DUODENO

HÍGADO

VESÍCULA BILIAR

ESTÓMAGO

PÁNCREAS

COLON ASCENDENTE

CIEGO

ÍLEON

COLON SIGMOIDE

RECTO

YEYUNO

COLON TRANSVERSO

COLON DESCENDENTE

¿Cuánto tardan los alimentos en recorrer todo el tracto digestivo?

El aparato digestivo suele tardar 24 horas o más en eliminar los restos de una comida, e incluso entonces suelen quedar en el intestino algunos residuos que se mezclarán con los desechos de las siguientes comidas.

Aunque la musculatura del intestino grueso permanece inactiva la mayor parte del tiempo y las contracciones y dilataciones que baten y amasan el contenido del colon son lentas, bastan para que al cabo de 12 ó 14 horas toda la masa fecal se haya mezclado y entrado en contacto con las paredes intestinales, que absorben el exceso de líquido. Además de estos movimientos locales, tres o cuatro veces al día se producen ondas peristálticas generales que impulsan los desechos hacia el recto, vacío casi todo el tiempo. La mayoría de la gente experimenta esos movimientos después de desayunar. Cuando las heces llegan al recto y lo distienden, el esfínter anal interno se abre. Eso nos hace sentir una urgente necesidad de defecar, pero como hemos aprendido a controlar el esfínter anal externo, podemos posponer esa urgencia hasta el momento más conveniente.

Cómo saboreamos los alimentos

¿Qué funciones desempeña la lengua?

La lengua es uno de los órganos más polifacéticos que tenemos. Además de desempeñar un papel muy importante en la articulación de las palabras y en la formación del bolo alimenticio, tiene receptores gustativos y táctiles que nos permiten disfrutar de la comida y prevenir ciertos peligros, ya que nos indican por medio del dolor si el bocado que nos hemos llevado a la boca está demasiado caliente, o responden con asco si los alimentos están descompuestos. La lengua introduce la comida en la boca y la empuja hacia los dientes para que sea masticada, luego moldea las partículas trituradas y humedecidas para formar el bolo, y por último se desplaza hacia arriba y hacia atrás haciendo presión contra el paladar duro para impulsar el bolo hacia la parte posterior de la boca y que sea deglutido.

¿Qué aspecto tiene una lengua sana?

La lengua está formada en su mayor parte por músculos y cubierta por una membrana mucosa que es más gruesa en la cara superior donde sobresalen miles de pequeñas protuberancias, llamadas papilas, que contienen terminaciones nerviosas y receptores sensoriales gustativos y táctiles. Las papilas de una lengua sana son aterciopeladas y de un color blanco rosado; entre ellas aparecen surcos o fisuras que dejan al descubierto el rojo de la mucosa que hay debajo.

¿Cómo saboreamos lo que comemos?

El primer requisito para degustar los alimentos es que estén húmedos. Los órganos gustativos sólo pueden percibir las sustancias sápidas si están disueltas en la saliva; si tuviéramos la boca seca no podríamos saborear nada.

Las estructuras que registran los sabores son los botones gustativos o receptores del gusto, que se concentran en la lengua pero que también están dispersos en el resto de la boca y en la garganta. Cada botón está formado por varias células receptoras de las que sobresalen finas prolongaciones llamadas pelos gustativos. Cada célula está unida a una red de nervios sensoriales que transmiten las sensaciones producidas por los sabores a los centros especializados del cerebro, localizados principalmente en el tálamo y en la corteza. Al mismo tiempo, otros nervios envían al cerebro las sensaciones de temperatura, textura y dolor que también experimenta la lengua y las que registra el órgano del olfato. El cerebro reúne todos esos datos y los interpreta como una sola sensación de sabor.

¿Cuáles son los sabores primarios?

Se supone que sólo hay cuatro sabores primarios: dulce, salado, ácido y amargo, que se combinan entre sí y con los olores para darnos la enorme variedad de lo que comúnmente llamamos sabores. Estos sabores primarios proceden de los compuestos químicos que hay en los alimentos o en cualquier otra sustancia que nos llevemos a la boca. Las distintas partes de la lengua tienen receptores gustativos especialmente sensibles a uno de estos sabores básicos. Lo dulce y lo salado se perciben principalmen-

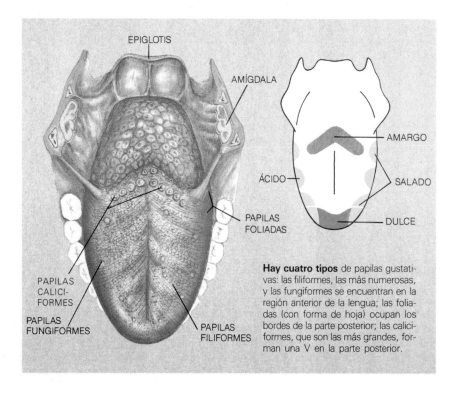

Hay cuatro tipos de papilas gustativas: las filiformes, las más numerosas, y las fungiformes se encuentran en la región anterior de la lengua; las foliadas (con forma de hoja) ocupan los bordes de la parte posterior; las caliciformes, que son las más grandes, forman una V en la parte posterior.

En la punta de la lengua

La mejor forma de disfrutar un helado es lamerlo, ya que las papilas gustativas que transmiten al cerebro la sensación de lo dulce están en la punta de la lengua. En el placer de comer, además del gusto, intervienen el olfato, las necesidades nutritivas y las experiencias previas. Mucho de lo que llamamos sabores son en realidad olores, ya que las células sensoriales del epitelio olfativo reaccionan mucho más intensamente al olor de la comida que las papilas gustativas al sabor. Además, las moléculas aromáticas que estimulan el sentido del olfato producen salivación, condición indispensable para poder saborear la comida. Las necesidades nutricionales también son importantes: se ha visto que los animales inyectados con insulina escogen alimentos más dulces para compensar el déficit de glucosa. Por último, reaccionamos ante la comida según nuestros recuerdos. Si después de comer algo nos sentimos enfermos, es probable que en adelante rechacemos ese platillo.

te en la punta de la lengua, lo ácido en los bordes laterales y lo amargo en la parte de atrás. La región media de la lengua casi no registra los sabores. Hay sustancias que saben dulces al tocar la parte anterior de la lengua y amargas cuando llegan atrás; una de ellas es la sacarina.

De los cuatro sabores primarios, el que se distingue más fácilmente es el amargo; esto constituye un mecanismo defensivo, ya que la mayoría de las toxinas letales son amargas. Generalmente, al sentir ese inconfundible y desagradable sabor escupimos el bocado que lo produjo evitando así males mayores.

¿Puede un receptor gustativo percibir todos los sabores?

Cada receptor gustativo de los que tenemos en la boca es sensible fundamentalmente a sólo uno de los sabores primarios. Sin embargo, hay investigaciones que demuestran que algunos de ellos pueden ser estimulados, por lo menos hasta cierto grado, por uno o más de los otros sabores.

¿Le sabe igual a todo el mundo un mismo platillo?

El sentido del gusto es algo muy personal; con eso no sólo queremos decir que a cada uno nos gustan platillos distintos, sino que el mismo platillo puede producir en cada uno sensaciones gustativas distintas. Estas particularidades del gusto se deben en parte a la herencia; los genes de algunas personas hacen que sus receptores de lo amargo, por ejemplo, sean especialmente sensibles, por lo que sienten el sabor de la sacarina mucho más amargo que dulce.

También el sabor de la saliva varía de unos a otros y eso a su vez afecta el sabor de los alimentos. Una saliva con un bajo contenido de sodio, pongamos por caso, hace que cualquier bocado parezca mucho más salado que cuando la saliva tiene un mayor porcentaje de sodio. La composición de la saliva está influida por factores tan diversos como el ejercicio, la deshidratación y la enfermedad.

La preferencia por determinados alimentos se debe no sólo a las sensaciones gustativas que esos alimentos producen, sino también a la cultura y la experiencia personal.

La mayoría de la gente prefiere los platillos que está acostumbrada a comer, sobre todo los que asocia con días de fiesta o alegres comidas familiares. También se ha demostrado que algunas veces se nos antojan, e incluso sentimos avidez, por aquellos alimentos que proporcionan los nutrientes que nuestro organismo necesita.

¿Es más agudo el sentido del gusto en los niños que en los adultos?

Los bebés tienen muchos más receptores del gusto que el promedio de los adultos y además los tienen distribuidos en casi toda la boca, incluyendo las mejillas. Aparentemente esta enorme sensibilidad va disminuyendo con la madurez.

Sin embargo, los adultos han adquirido por experiencia el gusto a una mayor variedad de sabores y disfrutan más de la comida que los niños, a los que les suelen desagradar los sabores amargos y prefieren los alimentos poco condimentados. Los prejuicios de los niños van desapareciendo poco a poco; muchos adultos todavía recuerdan cuando detestaban el café o las alcachofas.

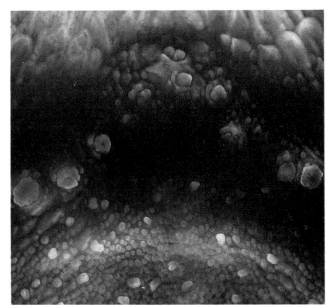

Cuando algo muy amargo estimula las papilas de la parte posterior de la lengua, se producen náuseas como reflejo defensivo.

Las papilas gustativas (aquí muy aumentadas) contienen receptores que envían los estímulos al cerebro.

Cuidado de los dientes y las encías

¿Por qué se pican los dientes?

Al comer, se adhiere a la superficie de los dientes una delgada película transparente y pegajosa formada por moco, partículas de alimentos y bacterias que se llama placa bacteriana. Si se consumen muchos azúcares y carbohidratos se aumenta el riesgo de que los dientes se piquen, porque las bacterias actúan sobre los restos de estos compuestos formando un ácido que corroe el esmalte dental. El esmalte es la sustancia más dura de nuestro organismo y las bacterias normalmente no pueden penetrarlo, pero una vez que el ácido lo perfora, las bacterias atacan la capa que hay debajo, la dentina, que es más blanda. Si no se recurre pronto al dentista para que cure y tape la caries, la infección continuará hasta llegar a la pulpa.

La placa que se adhiere a los dientes (arriba, muy aumentada) contiene una densa red de bacterias muy difícil de eliminar.

Bajo el microscopio se ven claramente las rugosidades de la superficie de una muela (izq.), donde se suelen alojar restos de alimentos.

¿A qué se debe el dolor de muelas?

Aunque los antiguos egipcios estaban convencidos de que los dolores de muelas se debían al enojo de los dioses, los especialistas modernos los atribuyen a razones mucho más prosaicas. Según ellos, la causa es una presión que se ejerce sobre el nervio de la pulpa. Cuando un diente o una muela están muy cariados, afluye a la pulpa una gran cantidad de glóbulos blancos para combatir la infección, lo que dilata los vasos sanguíneos de esa región que a su vez hacen presión sobre el nervio.

¿Puede prevenirse la caries dental?

Se sabe que los fluoruros que contienen algunas pastas dentales o que se añaden al agua potable en algunos países fortalecen el esmalte de los dientes y los hacen más resistentes a los ácidos, pero lamentablemente todavía no se ha encontrado la forma de erradicar por completo la caries dental. Sin embargo, se pueden adoptar personalmente ciertas medidas que ayudan a proteger los dientes.

Primero, evite comer productos que contengan azúcar refinada o limite su consumo, porque basta una cantidad mínima para que comience a formarse una placa bacteriana. Si tiene necesidad de comer dulces, hágalo sólo una vez al día y lávese los dientes inmediatamente después. El estar todo el día comiendo caramelos, chocolates o cualquier otra clase de dulces somete a los dientes a repetidos ataques de los ácidos.

Segundo, cepíllese los dientes después de cada comida para eliminar todo resto de alimentos y desprender la placa bacteriana antes de que llegue a endurecerse. Si no le es posible, por lo menos enjuáguese bien la boca y cepíllese los dientes lo antes posible, ya que las bacterias convierten el azúcar en ácido en cuanto entran en contacto con ella. Pídale a su dentista que le enseñe la forma más eficaz de cepillarse los dientes y usar el hilo dental.

Tercero, haga que el dentista le examine los dientes periódicamente, digamos cada seis meses, para que pueda descubrir y tratar las caries cuando todavía son pequeñas, para que le quite el sarro y atienda cualquier alteración de las encías.

¿Cómo actúan los fluoruros?

La medida más eficaz y barata de prevenir la caries dental es el flúor. Si los niños reciben un tratamiento a base de fluoruros, usan pastas dentales o toman suplementos que los contienen, tendrán toda su vida una gran ventaja porque el flúor se combina con el calcio de los dientes en formación y se convierte en parte de su estructura. Eso fortalece el esmalte haciéndolo tres veces más resistente al ataque de los ácidos de lo que lo es normalmente.

El flúor también protege los dientes ya formados. El primer efecto que tienen los ácidos sobre los dientes es el de debilitar el esmalte, haciendo que pierda calcio y fósforo. Como los fluoruros aceleran la fijación de estos minerales en los dientes, facilitan que el esmalte recupere su fortaleza rápidamente. Además, el flúor disminuye la capacidad de las bacterias para formar ácidos. Más aún, parece ser que los fluoruros no sólo protegen el esmalte, sino también el cemento que reviste las raíces de los dientes y son, por lo tanto, recomendables para los adultos a los que se les han retraído las encías dejando al descubierto las raíces dentales.

¿Pueden ser peligrosos los fluoruros?

Con los fluoruros se ha logrado reducir la incidencia de caries dental de una manera asombrosa. Sin embargo, a los niños que tienen todavía los dientes en formación el exceso de flúor puede hacer que se les manche el esmalte o causar un daño mayor a los dientes e incluso a los huesos, por lo que deben seguirse al pie de la letra las indicaciones del dentista. Sólo estos profesionales están capacitados para aplicar un tratamiento a base de fluoruros o prescribir suplementos en las dosis adecuadas para cada persona. Cepillarse los dientes con una pasta fluorada no implica riesgo alguno, aunque se haga más de tres veces al día.

En los países en que el agua potable está fluorada, los dentistas recomiendan que no se dé a los niños ningún otro suplemento, y que los menores de cinco años se laven los dientes con pastas fluoradas sólo una vez al día previendo la que puedan tragarse. Los enfermos del riñón no deben usar agua fluorada para las diálisis porque eso los expondría a una dosis de 50 a 100 veces mayor de fluoruros que lo que el resto de la población consume.

¿A qué se debe que un dolor de muelas desaparezca por sí mismo?

Cuando un dolor de muelas desaparece solo, quiere decir que las fibras nerviosas de la pulpa han muerto; pero la infección que originó el dolor sigue allí y puede producir un absceso alrededor de la raíz. La infección puede incluso propagarse a la mandíbula o maxilar y llegar a causar una septicemia.

¿Puede salvarse un diente muerto?

Una pieza dental que ha muerto no resulta necesariamente inútil; mediante una canalización se la puede mantener en su sitio durante años. La técnica de la canalización consiste en extraer la pulpa del diente y rellenar con una amalgama el espacio que ocupaba.

¿Cuál es el mayor problema dental en los adultos?

Si se tiene una caries en un diente o una muela, generalmente el dentista puede curarla y salvar la pieza; pero si se padece una enfermedad de las encías que destruye los tejidos que sostienen el diente, no hay tratamiento que pueda mantener la pieza en su lugar mucho tiempo; lo más probable es que se pierda aunque no tenga una sola caries.

Las alteraciones de las encías son la causa principal de que pierdan los dientes los adultos de edad madura. Empiezan con una gingivitis, inflamación de las encías, que generalmente no produce dolor. Esta enfermedad se detecta porque las encías ya no están tan firmes y rosadas como antes; se vuelven rojas y esponjosas con un tinte azulado, no se adhieren tan estrechamente a los dientes y sangran fácilmente. La gingivitis puede conducir a una periodontitis, inflamación de los tejidos que rodean la pieza dental, que abre espacios entre esa pieza y las encías en los que proliferan bacterias que atacan el hueso y los tejidos que sostienen el diente.

Una periodontitis puede deberse o agravarse por falta de higiene bucal, el tabaco, un trabajo dental mal hecho, la maloclusión o el hábito de apretar o rechinar los dientes.

¿Cómo se trata la periodontitis?

El mejor tratamiento contra la periodontitis es cepillarse bien y con frecuencia los dientes dando masaje a las encías, y usar hilo dental todos los días para limpiar las zonas donde el cepillo no llega. Es probable que el paciente necesite además que el dentista le haga periódicamente un raspado profundo bajo las encías para extraer el sarro y el tejido infectado. Este tratamiento generalmente produce una gran mejoría, pero si no es así, habrá que recurrir a un periodoncista para que recorte las encías y así pueda llegar y limpiar los tejidos infectados que están tan profundamente situados que no se alcanzan con un raspado normal. Luego, el periodoncista moldea las encías para que se adhieran más estrechamente a los dientes.

Por qué y cómo se debe usar el hilo dental

Conviene usar hilo dental por lo menos una vez al día porque así se limpian las superficies laterales de los dientes, se eliminan las partículas de alimentos y se evita que se forme la placa bacteriana, principal responsable de la gingivitis. Corte un trozo de hilo dental (simple o encerado) de unos 50 cm de largo, enrrólleselo en los dedos medios de ambas manos y guíelo con los pulgares y los índices. Introduzca el hilo entre los incisivos medios superiores y deslícelo suave pero firmemente a lo largo de la cara lateral de uno y otro y por el borde de las encías. Repita la operación en los demás dientes. Para disponer siempre de una zona del hilo limpia y fuerte, vaya soltándolo de uno de los dedos medios y enrollándoselo en el otro. Al terminar, haga lo mismo con los dientes de abajo. Después, enjuáguese la boca haciendo que el agua pase entre los dientes.

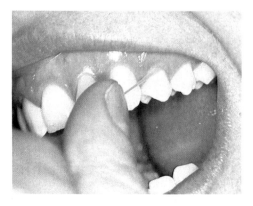

Al principio, cuesta trabajo y tiempo lograr una buena higiene dental, pero pronto se convierte en una sencilla rutina.

Para llenar el estómago

Licuefacción y almacenamiento de los alimentos

Tanto la abertura superior del estómago, que comunica con el esófago, como la inferior, que da paso al duodeno, están protegidas por un esfínter, músculo anular que las abre y las cierra. El bolo alimenticio entra primero a la tuberosidad mayor del estómago y empuja el bolo que llegó antes hacia abajo; así se van llenando la tuberosidad mayor y el cuerpo del estómago, donde quedan almacenados los alimentos mientras llega el momento de que pasen al antro pilórico y al duodeno. Las paredes del tubo digestivo están formadas por varias capas: la más interna es una membrana mucosa que lubrica el conducto; le sigue una capa de vasos sanguíneos que irrigan la pared, y de nervios que activan las glándulas y los músculos; después están los músculos que van empujando a los alimentos, los amasan y los mezclan con los jugos digestivos; la última es una cubierta protectora.

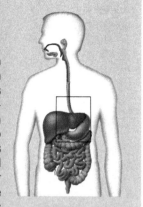

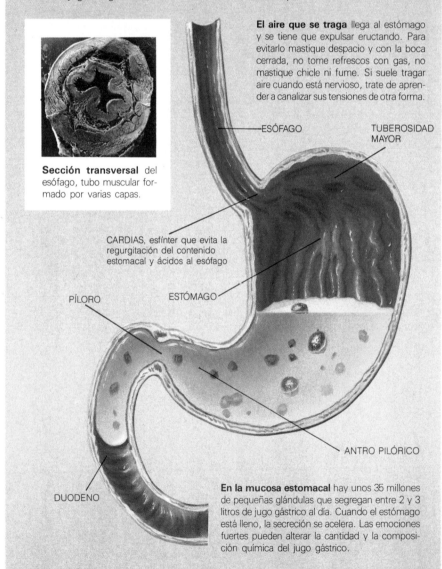

Sección transversal del esófago, tubo muscular formado por varias capas.

El aire que se traga llega al estómago y se tiene que expulsar eructando. Para evitarlo mastique despacio y con la boca cerrada, no tome refrescos con gas, no mastique chicle ni fume. Si suele tragar aire cuando está nervioso, trate de aprender a canalizar sus tensiones de otra forma.

ESÓFAGO

TUBEROSIDAD MAYOR

CARDIAS, esfínter que evita la regurgitación del contenido estomacal y ácidos al esófago

PÍLORO

ESTÓMAGO

DUODENO

ANTRO PILÓRICO

En la mucosa estomacal hay unos 35 millones de pequeñas glándulas que segregan entre 2 y 3 litros de jugo gástrico al día. Cuando el estómago está lleno, la secreción se acelera. Las emociones fuertes pueden alterar la cantidad y la composición química del jugo gástrico.

¿Por qué es tan importante masticar bien los alimentos?

El principal propósito de la masticación es dividir cada bocado en fragmentos que puedan mezclarse bien con la saliva y tragarse fácilmente. La trituración y el humedecimiento de los alimentos en la boca facilita su paso por el tracto digestivo y simplifica la función del estómago, que tiene que macerarlos y licuarlos. Además, la masticación estimula los sentidos del gusto, del tacto y del olfato; cuanto más mastiquemos un bocado, más placer obtendremos de lo que estamos comiendo. Aunque la digestión comienza en la boca, no son muchos los cambios químicos que sufren ahí los alimentos, ya que la saliva sólo *empieza* a desdoblar los carbohidratos complejos.

¿Cómo se produce la deglución?

La primera fase de la deglución es la única de todo el proceso digestivo que está controlada por la voluntad: es el momento en que la lengua empuja el bolo hacia la faringe; una vez que llega ahí ya no se puede echar marcha atrás porque desde ese punto la deglución se convierte en un acto reflejo. Para evitar que los sólidos o los líquidos se vayan hacia la nariz (lo que puede ocurrir si nos reímos o tratamos de hablar en el momento de tragar), el paladar blando se desplaza y cierra las cavidades nasales, y la faringe sube y se ensancha para dar paso al bolo alimenticio. Al mismo tiempo, la abertura de la laringe queda obturada por la epiglotis y las cuerdas vocales se cierran. Eso evita que el alimento pueda entrar a la tráquea y a los pulmones, pero durante los pocos segundos que demora este acto reflejo no podemos hablar ni respirar. El esfínter del esófago, que normalmente se encuentra cerrado para impedir el paso del aire, se abre ahora y los músculos de la faringe empujan el bolo hacia el esófago.

¿Tiene algo que ver la gravedad en la deglución?

Generalmente comemos sentados y la fuerza de gravedad facilita la deglución de los alimentos, pero la verdad es que podemos tragarlos sin ninguna ayuda de este tipo; el esófago por sí solo puede impulsar el bolo alimenticio de la boca hasta el estómago cuando es necesario. Los astronautas, por ejemplo, pueden comer aunque la ingravidez del espacio los tenga cabeza abajo.

¿Puede ser cosa grave la acidez estomacal?

Llamamos acidez estomacal a esa dolorosa sensación de ardor que se produce en la región donde se unen el esófago y el estómago por detrás del esternón. En realidad no se trata de un aumento de la acidez, normalmente alta, del contenido del estómago, sino del reflujo de los jugos gástricos hacia el esófago debido a que la presión del estómago sobrecargado abre el esfínter muscular, llamado cardias, que pone en comunicación estos dos órganos.

Es más probable que se sienta ese ardor cuando se está inclinado hacia adelante o acostado, y generalmente es producido por excesos en el comer, trastornos emocionales, ropa muy apretada, el tabaco o el consumo de café, chocolate, ajo, cebolla o alcohol. Algunas veces, la acidez estomacal crónica puede ser síntoma de una afección grave, pero en la gran mayoría de los casos es sólo un malestar pasajero.

¿Por qué se confunde con tanta frecuencia el diagnóstico de una hernia hiatal?

Los mismos médicos llegan a confundir una hernia hiatal con una úlcera o una cardiopatía porque los síntomas son muy parecidos. De lo que más se queja el paciente es de una sensación de ardor en la región cardiaca y de un dolor que algunas veces irradia al brazo.

El diafragma, ese músculo respiratorio que separa el tórax del abdomen, tiene una abertura, un hiato, a través de la cual pasa el esófago justo antes de desembocar en el estómago. Algunas veces, una parte del estómago se introduce en el hiato formando una hernia que permite la regurgitación de los ácidos estomacales hacia el esófago. El resultado son esos dolores que generalmente llamamos ardor de estómago o acidez estomacal y que atribuimos a una dispepsia. Si las molestias no ceden con un tratamiento medicamentoso, hay que reducir la hernia quirúrgicamente.

Laboratorio viviente para estudiar la digestión

En 1822, un trampero canadiense llamado Alexis St. Martin recibió accidentalmente un tiro a quemarropa que le abrió un agujero en el costado. El médico que lo atendió, William Beaumont, creyó que St. Martin moriría, pero el fuerte muchacho de 18 años se recuperó, aunque con un agujero de 6.5 cm de diámetro en el estómago. Beaumont vio que esto le daba la oportunidad de estudiar en vivo la digestión estomacal y durante ocho años usó a St. Martin como conejillo de Indias sacándole a intervalos jugo gástrico e introduciéndole muestras de alimentos para ir registrando el proceso digestivo.

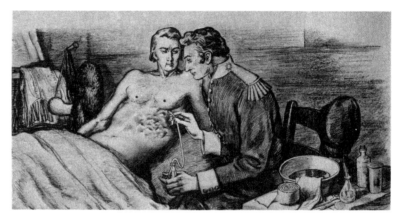

Gracias a St. Martin se descubrió el ácido clorhídrico en el jugo gástrico. Entre una prueba y otra, St. Martin se cubría la herida con una gasa y hacía "talachas".

¿Cuál es la más frecuente equivocación acerca del estómago?

Mucha gente cree que el estómago está colocado a la altura del ombligo, por eso se queja de dolor de estómago cuando le duele el intestino. En realidad el estómago está bastante más arriba, debajo del diafragma, hacia el lado izquierdo del abdomen, justo detrás de las últimas costillas; su extremo superior está bastante cerca de la punta del corazón.

¿Qué hace el estómago con los alimentos?

Los alimentos no se pueden asimilar en la forma que tienen al comerlos; la estructura química de los carbohidratos, las grasas y las proteínas es demasiado compleja para que el organismo pueda utilizarlos sin que hayan sido digeridos y desdoblados en compuestos más sencillos.

Parte de ese proceso se lleva a cabo en el estómago. Ahí, el bolo alimenticio es transformado en una papilla semilíquida a medio digerir llamada quimo, que luego pasa al duodeno. Para formar el quimo, el estómago amasa, agita, revuelve y bate el bolo alimenticio mezclándolo bien con el jugo gástrico, que se encarga de la simplificación química de una parte de sus compuestos.

La pared del estómago tiene tres capas de músculos que comienzan a contraerse rítmicamente en cuanto entra el alimento. Las contracciones son débiles en la parte superior del estómago —las más lentas llegan a tres por minuto— pero se van intensificando hacia la región inferior. Son ellas las que convierten el bolo en una papilla, lo mezclan con el jugo gástrico y lo van empujando hacia el intestino delgado.

¿A qué se debe la indigestión?

La indigestión es un malestar muy común, pero generalmente de poca importancia, caracterizado por los síntomas más diversos: náuseas, flatulencia, gases, distensión abdominal, ardor o acidez estomacal, retortijones y, algunas veces, diarrea o estreñimiento. Suele deberse a que se ha comido mucho o muy rápidamente, sobre todo alimentos pesados o con mucha grasa, o a la tensión y a la ansiedad.

La verdadera función del estómago

¿Cuánto tiempo permanecen los alimentos en el estómago?

Una comida tarda de 3 a 6 horas en ser convertida en quimo en el estómago. La velocidad a la que se desplazan los alimentos a través de este órgano depende fundamentalmente del duodeno, ya que esta parte del intestino delgado libera hormonas que controlan los movimientos peristálticos del estómago y, por lo tanto, regulan el ritmo de la digestión. Como resultado, el duodeno recibe el quimo gradualmente y en la cantidad precisa para que se termine la digestión y se absorban los nutrientes en forma óptima. También el estómago ejerce cierto control sobre el tiempo que permanecen en él los alimentos; cuando está demasiado lleno, por ejemplo, segrega una hormona, la gastrina, que acelera el proceso digestivo.

Los líquidos pasan rápidamente por el estómago, en cambio los alimentos sólidos necesitan más tiempo para ser desintegrados; los trozos grandes más que los que llegan bien masticados. Otros factores que retardan la digestión en el estómago son la baja temperatura de los alimentos, como los helados, o el ejercicio extenuante si se hace después de comer, ya que desvía la sangre del abdomen hacia el corazón y los músculos. Las tensiones emocionales también alteran el ritmo de la digestión, ya sea retardándola o acelerándola.

¿Por qué el estómago no se digiere a sí mismo?

El ácido clorhídrico que segrega el estómago es tan corrosivo que puede disolver una navaja de rasurar o destruir cualquier célula viva y, efectivamente, algunas veces llega a digerir la pared del estómago produciendo una úlcera. Sin embargo, este órgano suele resistir bien el ataque de su propio ácido.

Primero, porque sus paredes están cubiertas de moco, que forma una barrera entre ellas y el ácido. Este moco es ligeramente alcalino y neutraliza parte de la acidez. Además, los alimentos contribuyen a diluir el ácido haciéndolo menos corrosivo. Por otro lado, la mucosa que reviste el estómago se descama a razón de medio millón de células por minuto y las reemplaza tan rápidamente que, sumadas, equivalen a una nueva cubierta cada tres días. Por lo tanto, aunque el ácido clorhídrico llegue a dañar la mucosa, el estómago automáticamente la regenera impidiendo que la lesión se ahonde.

¿Cuánto alimento cabe en el estómago?

El estómago puede expandirse como si fuera un morral de tejido elástico. Cuando está vacío, tiene la forma de una J mayúscula, en cambio al llenarse parece un guante de box. En promedio, el estómago tiene una capacidad de 1.2 litros.

¿Qué función tiene el jugo gástrico?

Podríamos comer y digerir los alimentos aunque no tuviéramos estómago, ya que la mayor parte del proceso digestivo ocurre en el intestino. Sin embargo, la digestión no sería tan fácil ni completa, puesto que el estómago también tiene su función en esta empresa y el jugo gástrico desempeña un papel importante en ella.

Además de ácido clorhídrico, el jugo gástrico contiene moco, pepsina, gastrina y un compuesto llamado factor intrínseco que permite la absorción de vitamina B_{12}, indispensable para formar células sanguíneas normales y para el buen funcionamiento del sistema nervioso. El ácido clorhídrico destruye las bacterias que hay en los alimentos dejando el contenido estomacal prácticamente estéril; además, ablanda las proteínas y favorece la secreción y la actividad de la pepsina, la enzima que desdobla las proteínas. El moco regula la acidez y lubrica el quimo, mientras que la gastrina, una hormona, estimula la secreción de jugo gástrico.

¿En qué consiste el vómito?

El vómito es un mecanismo destinado a expulsar el contenido del estómago que no se puede digerir. Pueden desencadenarlo algún alimento en mal estado, el mareo o una alteración emocional, pero generalmente la causa es mucho más trivial: el haber comido o bebido mucho.

Cuando vomitamos, los músculos del estómago, del esófago y del cardias —el esfínter que cierra la comunicación entre esos dos órganos— se relajan, mientras que los del abdomen y el diafragma se contraen violenta y espasmódicamente comprimiendo el estómago hasta hacerle arrojar con fuerza su contenido. A veces también se abre el píloro y se expulsa el contenido del duodeno.

LAS PALABRAS Y SU HISTORIA

"Comamos y bebamos que mañana moriremos" es una expresión que aparece en la Biblia (Isaías 22:13) recordándonos lo breve de esta vida. Los egipcios empleaban palabras similares en los banquetes y además exponían un esqueleto para enfatizarlas. "Comamos, bebamos y *gocemos*" es su equivalente moderno.

Los sandwiches deben su nombre al conde de Sandwich (1718-1792), jugador tan empedernido que era imposible hacer que dejara la mesa de juego para sentarse a la del comedor. Generalmente pedía al mesero que le trajera un trozo de jamón entre dos pedazos de pan para poder comérselo allí mismo. Seguramente se sentiría muy a gusto en el siglo XX, donde esta práctica es ya cosa corriente.

Las expresiones "echar los hígados", para indicar un esfuerzo máximo que puede incluso costar la vida, o "querer comerle a alguien los hígados", en el sentido de querer destrozarlo o matarlo, se remontan a los días en que el hígado era considerado como el asiento de la vida. En la antigua Mesopotamia, los sacerdotes examinaban el hígado de los animales sacrificados para predecir el futuro. Se han encontrado representaciones de hígados de carnero con inscripciones que indicaban cómo se debían interpretar sus principales rasgos.

Gourmet es una palabra que tomamos prestada del francés para referirnos a una persona que conoce y sabe apreciar la comida, pero originalmente ese vocablo no tenía relación con los alimentos, ya que en realidad significa catador de vinos. En nuestro idioma tenemos para definir a ese tipo de personas la palabra gastrónomo, que significa literalmente "el que está gobernado por el estómago".

La paradoja de la sal

Gran parte de la historia escrita nos muestra la sal como un producto codiciado y escaso. En la antigua Abisinia los panes de sal de roca se usaban como moneda; las caravanas recorrían largas distancias cargadas de sal que muchas veces se cambiaba por su peso en oro. La sal es, efectivamente, indispensable para la vida: son los iones de sodio que proporciona la sal (cloruro de sodio) los que transmiten los impulsos nerviosos a lo largo de las neuronas. Su falta produce debilidad, pérdida de peso, calambres musculares e incluso la muerte. Es, además, un conservador eficaz y un buen antiséptico. Tan apreciada ha sido, que a los soldados romanos se les pagaba en parte con sal —de ahí viene la palabra *salario*—. Durante la Edad Media, derramarla accidentalmente era una señal ominosa. Hoy se puede extraer de los vastos yacimientos subterráneos o de las grandes salinas; por otra parte, ya no es el principal medio para conservar los alimentos. Hoy día el problema es su abundancia y el abuso que de ella se hace y que la convierte en un riesgo para la salud.

El mar Muerto (arriba) está tan saturado de sal que todo lo que sobresale de su superficie queda cubierto por una costra en cuanto se evapora el agua. Antes de que hubiera refrigeración, la sal era uno de los pocos medios con que se contaba para conservar los alimentos. En los tiempos bíblicos, constituyó el símbolo de la alianza de Dios con el pueblo judío. La mujer de Lot quedó convertida en estatua de sal (der.) por mirar hacia atrás al salir de Sodoma, en contra del mandato divino.

En muchos países industrializados, el consumo diario de sal *per capita* es de 10 g, tres veces más de lo que se necesita. En una región de Japón, se llega incluso a ingerir 30 g al día.

El socavón de esta mina de sal de Cleveland, a más de 600 m de profundidad, está sostenido por pilares de sal.

El hígado: una eficiente industria química

¿Es cierto que el hígado desempeña 500 funciones distintas?

A pesar de lo necesarias que son las vitaminas, es posible que podamos pasar un año o dos sin tomar vitamina A y unos cuatro meses sin consumir vitaminas B$_{12}$ o D, sin presentar ningún síntoma de deficiencia siempre que estemos bien nutridos y el hígado nos funcione normalmente, ya que este órgano almacena estas y otras vitaminas cuando nuestro organismo ha absorbido más de las que necesita, y las va liberando en el torrente sanguíneo a medida que hacen falta.

Ésta es una de las 500 funciones distintas que desempeña el hígado, entre las que también se cuentan la manufactura de glucógeno, la estabilización del nivel de glucosa en la sangre, la eliminación de sustancias tóxicas y la inactivación de medicamentos. Además, fabrica enzimas, procesa las proteínas y las grasas ya digeridas, elimina de la sangre productos de desecho, produce bilis y colesterol y constituye una buena fuente de calor. No es de extrañar, por lo tanto, que a este órgano que desempeña tantas y tan variadas funciones se le compare muchas veces con alguna planta donde se procesen derivados químicos.

El hígado: un órgano singular que se regenera

El hígado, que pesa casi 1.5 kg, es el órgano más voluminoso del cuerpo. Se encuentra en la región superior derecha del abdomen, protegido por la parte baja de la caja torácica. El lóbulo izquierdo cubre la zona del estómago en que éste se une al esófago; el lóbulo derecho, mucho mayor, está subdividido. El hígado puede funcionar aunque se haya extirpado el 90% de su masa e, incluso, puede volver a regenerarla; pero no se puede salvar a un paciente cuando la totalidad del órgano ha sido destruida, a menos que se le haga un trasplante. Debido a las múltiples funciones que desempeña el hígado, los científicos no creen que pueda sustituirlo ningún aparato.

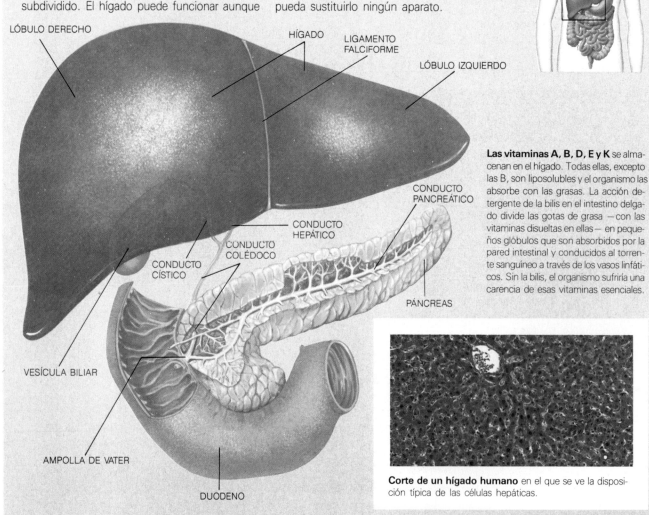

LÓBULO DERECHO

HÍGADO

LIGAMENTO FALCIFORME

LÓBULO IZQUIERDO

CONDUCTO PANCREÁTICO

CONDUCTO HEPÁTICO

CONDUCTO COLÉDOCO

CONDUCTO CÍSTICO

PÁNCREAS

VESÍCULA BILIAR

AMPOLLA DE VATER

DUODENO

Las vitaminas A, B, D, E y K se almacenan en el hígado. Todas ellas, excepto las B, son liposolubles y el organismo las absorbe con las grasas. La acción detergente de la bilis en el intestino delgado divide las gotas de grasa —con las vitaminas disueltas en ellas— en pequeños glóbulos que son absorbidos por la pared intestinal y conducidos al torrente sanguíneo a través de los vasos linfáticos. Sin la bilis, el organismo sufriría una carencia de esas vitaminas esenciales.

Corte de un hígado humano en el que se ve la disposición típica de las células hepáticas.

¿Cuál es el papel del hígado en la digestión?

El hígado fabrica diariamente de medio a un litro de una sustancia amarga llamada bilis. Este líquido alcalino, viscoso, de color amarillo verdoso, se almacena en la vesícula biliar y luego pasa al duodeno, la primera parte del intestino delgado, donde interviene en la digestión de las grasas.

Más del 97% de la bilis es agua, pero además contiene sales biliares, importantes compuestos que en el intestino delgado actúan como detergentes emulsionando las grasas, es decir, dividiendo los glóbulos de grasa para que la superficie expuesta a la acción de las enzimas que las desdoblan sea mucho mayor, y preparando las grasas ya digeridas para que puedan ser absorbidas por la sangre. Como la bilis es alcalina, ayuda a neutralizar la acidez del quimo que viene del estómago.

¿Qué tienen de extraordinario las células hepáticas?

Casi todas las funciones vitales del hígado, desde almacenar nutrientes hasta eliminar productos de desecho, corren a cargo de unas microscópicas y multifacéticas estructuras, las células hepáticas, de las que existen en ese órgano unos 300 000 millones. Ellas mismas se regeneran a medida que mueren las más viejas.

A simple vista, la superficie del hígado es lisa y homogénea, pero el tejido hepático está realmente formado por 50 000 a 100 000 lobulillos que tienen una vena central; alrededor de ella se disponen radialmente cientos de células hepáticas embebidas en una red de conductos hepáticos microscópicos y vasos capilares. Estos últimos, que se llaman sinusoides, son los encargados de mantener las células hepáticas en un baño de sangre cargada de oxígeno y nutrientes.

¿Cuánta sangre filtra el hígado al cabo de un año?

Cuando el organismo necesita sangre, recurre a la que llena el hígado. Es impresionante la cantidad de sangre que fluye a ese órgano; en él cabe una cuarta parte del total con que cuenta nuestro cuerpo, y filtra alrededor de 1.2 litros por minuto cuan-

¿Es el alcoholismo la única causa de cirrosis hepática?

La cirrosis destruye las células hepáticas, que son sustituidas por tejido cicatricial. Al principio, el hígado se agranda; a medida que avanza esta inflamación crónica, la piel del enfermo adquiere el tinte amarillento que caracteriza a la ictericia, se le acumulan los líquidos en las piernas y con frecuencia también en el abdomen; en la etapa final, el hígado se enjuta y ya no puede trabajar eficientemente, y el daño es ahora irreversible. Entre otras complicaciones, aumenta la vulnerabilidad

a las infecciones. Aunque el alcoholismo está considerado como una de las principales causas de cirrosis, aún no se comprende bien la relación entre ambos; también puede contribuir la mala nutrición, sobre todo la escasez de proteínas. La cirrosis ataca principalmente a hombres entre los 40 y los 60 años de edad y se puede presentar en personas que nunca beben, como secuela de una hepatitis viral, un ataque cardiaco congestivo, una inflamación de los conductos biliares o la absorción de toxinas como los hidrocarburos clorados que se usan en el lavado en seco.

"El ajenjo" de Degas. El título alude a una bebida proscrita por su toxicidad.

do estamos en reposo. Al cabo de un año, eso significa una cantidad tan enorme de sangre que con ella se podrían llenar 23 pipas.

El hígado es el único órgano que recibe sangre de dos fuentes. Primero, de la arteria hepática, una rama de la aorta que se encarga de proveer a las células hepáticas de sangre oxigenada. Segundo, de la vena porta, que conduce sangre cargada de nutrientes procedente del estómago y del intestino delgado. Las células hepáticas filtran la sangre del sistema porta, extraen de ella los nutrientes, los procesan y los almacenan, y luego la regresan a la circulación general a través de la vena cava inferior.

Además de todo esto, el hígado contribuye a regular la composición química de la sangre, ayuda al bazo a desintegrar los glóbulos rojos envejecidos y metaboliza parte de la molécula de hemoglobina de esos glóbulos convirtiéndola en una forma de bilirrubina soluble en agua, que se excreta en la bilis como producto de desecho. Las células de Kupffer que bordean los sinusoides destruyen las bacterias que puedan haber pasado del colon a la sangre.

¿Qué hace el hígado para mantener el nivel de glucosa en la sangre?

El hígado es una especie de mago: puede transformar los azúcares y las grasas en proteínas, y formar azúcar a partir de las proteínas (específicamente de los aminoácidos) y de las grasas (del glicerol de las grasas almacenado en los adipocitos). Además de producir azúcar, el hígado funciona como centro de admisión y zona de almacenamiento de la mayor parte de la glucosa absorbida en el intestino delgado. Después de comer, cuando el nivel de glucosa en la sangre es alto, la insulina producida por el páncreas hace que el hígado convierta el excedente de glucosa en glucógeno y lo almacene. Horas más tarde, cuando el nivel del azúcar en la sangre empieza a bajar, el hígado convierte otra vez el glucógeno en glucosa y la vierte en la sangre para que sea conducida adonde se necesite. El cerebro, por ejemplo, requiere de un aporte continuo de glucosa y es el hígado el que se encarga de que pueda contar con la cantidad adecuada en todo momento.

La vesícula biliar y el páncreas

¿Por qué las enfermedades del hígado producen ictericia?

El hígado extrae de la sangre un pigmento amarillo, la bilirrubina, que se forma como producto de desecho durante la destrucción de los glóbulos rojos envejecidos y lo convierte en una forma soluble en agua para que pueda ser excretada junto con la bilis y eliminada del organismo mezclada con las heces fecales. Pero cuando el hígado está enfermo y funciona mal, este proceso no se lleva a cabo o es deficiente, y el pigmento se acumula en la sangre dando a la piel y a la parte blanca de los ojos ese tinte amarillento que se conoce como ictericia, palabra que nos viene del griego y que significa, precisamente, amarillento.

La bilirrubina es la que normalmente da a las heces fecales su color característico; por eso, cuando una persona está ictérica, la orina y las lágrimas toman una coloración más oscura, mientras que los excrementos son casi blancos.

¿Hay más de un tipo de hepatitis viral?

Aunque la hepatitis, la inflamación del hígado, puede ser producida por el alcohol, por ciertos medicamentos o algunos productos químicos, lo más frecuente es que se deba a una infección viral. Hay tres tipos de virus responsables de la hepatitis: A, B y "no A-no B"; a este tercer tipo de virus se le ha puesto ese curioso nombre porque hasta ahora no se ha podido identificar: lo

Esta cúpula de vidrios emplomados es típica de la elegante arquitectura de los antiguos balnearios europeos.

Aguas curativas que tonifican el cuerpo por dentro y por fuera

Los manantiales de aguas minerales han atraído a la gente desde hace por lo menos 2 500 años. Hipócrates, el padre de la medicina, practicaba ya la hidroterapia en Kos, una de las islas griegas. Más tarde, los romanos extendieron la costumbre de los baños medicinales hasta los más lejanos confines del imperio, desde Bath, en Inglaterra, hasta Tiberias, en Israel. Después de la caída de Roma, la práctica fue declinando, pero cobró nuevos bríos durante el Renacimiento. El patrocinio real —entre otros del zar Pedro el Grande y del káiser Guillermo de Alemania— fomentó el desarrollo de elegantes balnearios. La hidroterapia consiste en beber las aguas minerales y bañarse en ellas. Algunos manantiales se recomiendan para el tratamiento de enfermedades gastrointestinales; otros, con alto contenido de magnesio, para las afecciones del hígado; a las aguas minerales se les atribuyen, además, propiedades laxantes, diuréticas y balsámicas. Muchos consideran que tienen el mismo efecto terapéutico los baños, las duchas, las aspersiones, el hidromasaje, los ejercicios acuáticos, las fricciones, los baños de vapor, los baños sucesivos calientes y fríos y los apósitos húmedos de aguas minerales.

Los balnearios modernos (como éste de Stuttgart) ofrecen todas las curas tradicionales y además programas para mantenerse en forma.

único que saben los médicos es que no es ni del tipo A ni del tipo B.

La hepatitis A, llamada antes hepatitis infecciosa, es una enfermedad que se presenta sobre todo en los niños y en los adultos jóvenes y se propaga a través de los alimentos, el agua o los objetos contaminados con materias fecales. Aunque los pacientes se sienten muy mal, este tipo de hepatitis casi nunca deja secuelas.

En cambio, la hepatitis B es responsable de la inflamación crónica del hígado que queda en alrededor del 10% de los que han padecido esta enfermedad, que puede ser grave tratándose de ancianos o personas con mala salud. Esta hepatitis, llamada sérica, se transmite a través de las transfusiones de sangre, las inyecciones con agujas que no han sido bien esterilizadas o el contacto íntimo. Los virus tipo B se encuentran en algunas secreciones del organismo, como son la saliva, el semen o las lágrimas.

Todas las hepatitis virales producen una serie de síntomas comunes: fiebre, dolores de cabeza, inflamación de la garganta, náuseas, dolores articulares y musculares, pérdida del apetito, debilidad general, dolor en la región superior derecha del abdomen e ictericia. Aunque no hay ningún medicamento que pueda curar la hepatitis viral, generalmente se recomienda reposo en la cama, una dieta nutritiva y abstenerse de tomar bebidas alcohólicas.

¿Dónde está la vesícula biliar y qué función tiene?

La vesícula biliar tiene más o menos la forma y el tamaño de una pera pequeña y está colocada bajo la cara inferior del hígado. Se trata de una especie de bolsa o saco donde se almacena la bilis, un compuesto que el organismo utiliza para poder digerir totalmente las grasas.

Las células hepáticas están continuamente segregando bilis, que se vierte en un sistema de pequeños conductos por los que fluye hasta el conducto hepático. De ahí la bilis pasa a la vesícula biliar a través del conducto cístico. La vesícula puede contener toda la bilis que producen las células hepáticas en 12 horas. Las grasas y las proteínas que entran al duodeno hacen que éste segregue colecistoquinina, una hormona que llega con la sangre a la vesícula y estimula la contracción de sus músculos obligándola a verter su contenido en el duodeno.

¿Se puede vivir sin vesícula biliar?

Cuando se ha extirpado la vesícula biliar, la bilis fluye directamente del hígado al intestino delgado, donde interviene en la digestión de las grasas exactamente igual que lo hacía antes, cuando se almacenaba en la vesícula. Eso quiere decir que se puede perfectamente vivir y gozar de buena salud sin vesícula biliar.

¿Qué función desempeña el páncreas?

El páncreas es un órgano alargado parecido a un pez de cabeza grande y larga cola. Se extiende a lo ancho de la región superior izquierda del abdomen, por detrás del estómago, con la cabeza apoyada en el duodeno. La función del páncreas es segregar enzimas y hormonas, entre ellas la insulina, que intervienen en la digestión y en la absorción de los alimentos. Muchas veces se describe el páncreas como dos órganos en uno porque sus células exocrinas producen enzimas digestivas que se vierten al duodeno a través del conducto pancreático, mientras que sus células endocrinas segregan dos hormonas, el glucagón y la insulina, que pasan directamente a la sangre. La insulina se forma en unas células llamadas islotes de Langerhans que se encuentran formando pequeños conglomerados dispersos entre el tejido pancreático. Esta hormona regula el metabolismo de la glucosa; todos los tejidos, excepto el cerebro, requieren insulina para poder absorber la glucosa. Si por alguna razón el páncreas no la produce o la segrega en cantidad insuficiente, el resultado es una grave enfermedad llamada diabetes mellitus.

¿Cómo contribuye el páncreas a la digestión?

A lo largo del centro del páncreas corre un conducto al que están unidas, como las uvas de un racimo a su tallo, masas o acinos de células exocrinas llamadas células acinosas. Estas células producen enzimas que fluyen a través de un sistema de finos conductos hasta el conducto pancreático principal, que las lleva al duodeno donde participan en la digestión de las proteínas, los carbohidratos y las grasas. Además, el páncreas elabora una solución alcalina que neutraliza la acidez del quimo que llega al duodeno,

Los cálculos biliares suelen ser más frecuentes en las mujeres. Estas masas sólidas como piedras llegan a causar fuertes dolores, que sólo se alivian extirpando la vesícula.

con lo que protege la mucosa del intestino delgado del ataque del ácido y crea un medio propicio para que las enzimas puedan actuar con eficacia.

El páncreas tiene la asombrosa capacidad de producir las enzimas adecuadas en el momento preciso y en la cantidad exacta en que se necesitan para digerir lo que se ha comido. La entrada del quimo al duodeno estimula las paredes de esta parte del intestino delgado para que segreguen determinadas hormonas, que llegan al páncreas a través de la sangre para indicarle que es hora de empezar a enviar sus jugos.

¿Puede el páncreas digerirse a sí mismo?

La palabra páncreas, que significa en griego "todo carne", describe bien la naturaleza proteica de este importante órgano. Si las potentes enzimas que segrega se activan cuando todavía están en el páncreas, pueden llegar a digerirlo, originando lo que se conoce como una pancreatitis aguda. Esto puede ocurrir cuando el conducto pancreático se obstruye y las enzimas digestivas se acumulan dentro del órgano. En ese caso, las sustancias que normalmente inhiben la acción de las enzimas resultan insuficientes para controlarlas y evitar que digieran las proteínas pancreáticas. Como consecuencia, el páncreas puede sufrir serios daños e incluso ser destruido por sus propios jugos.

El lugar donde se lleva a cabo la absorción

¿Qué tan largo es el intestino delgado?

Si el intestino delgado no estuviera enrollado formando asas que suben y bajan, no cabría en el abdomen, ya que este tubo muscular mide en los adultos entre 5.5 y 7 m de largo, es decir, alrededor de 4 veces la estatura promedio de una persona. Con fines descriptivos, se divide el intestino delgado en tres partes: la primera, el duodeno, recibe las secreciones de las glándulas digestivas y el quimo parcialmente digerido en el estómago; la segunda es el yeyuno, donde se absorbe la mayor parte de los nutrientes; en la última, el íleon, se terminan de absorber los nutrientes antes de que los residuos pasen al colon.

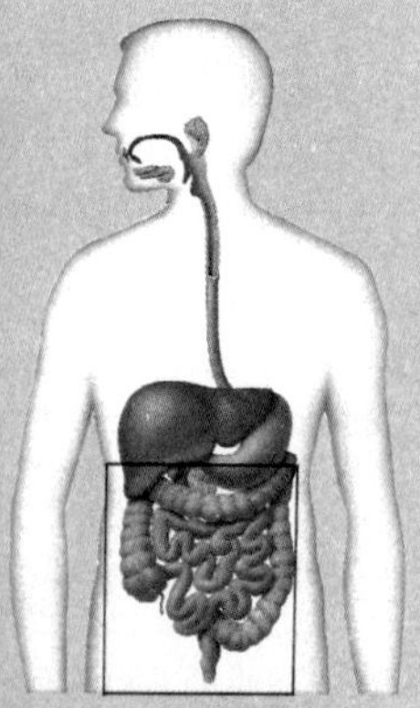

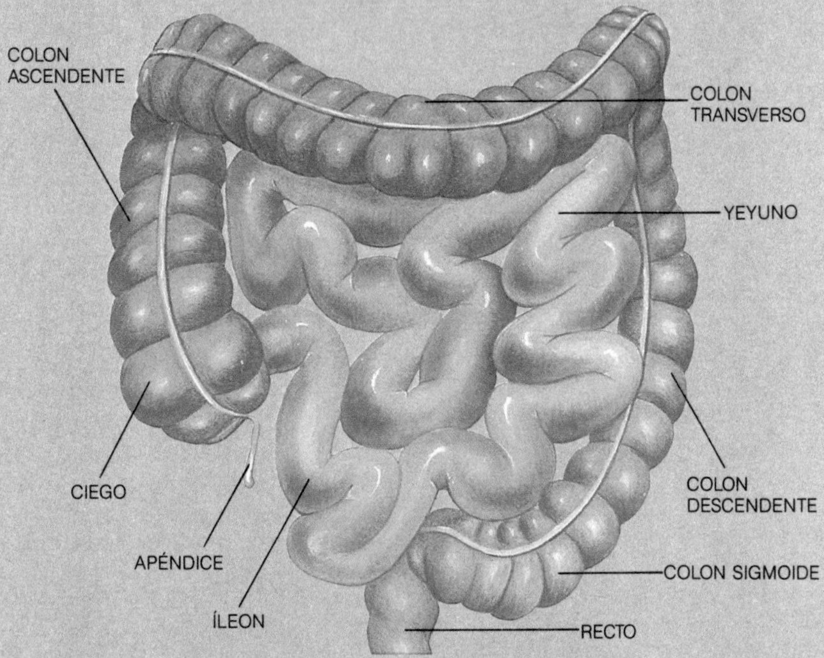

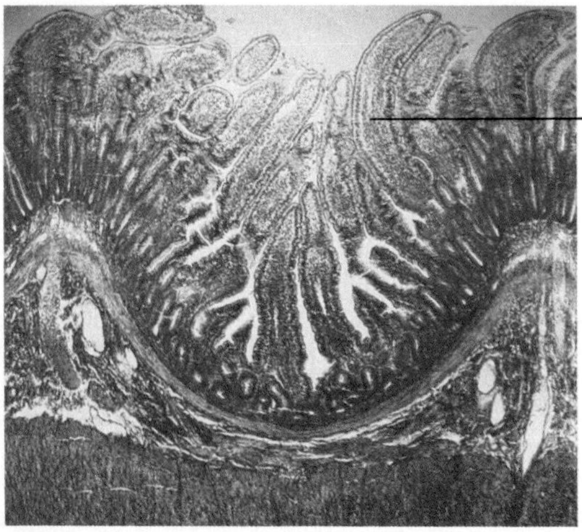

COLON ASCENDENTE

COLON TRANSVERSO

YEYUNO

CIEGO

APÉNDICE

ÍLEON

COLON DESCENDENTE

COLON SIGMOIDE

RECTO

VELLOSIDADES INTESTINALES

El área de absorción del intestino delgado, del que se muestra una sección en esta micrografía, equivale a tres veces la superficie total del cuerpo.

¿Qué pasa cuando los alimentos llegan al intestino delgado?

El desdoblamiento de los alimentos que comenzó en la boca termina en el intestino delgado. En cuanto la comida semidigerida entra al duodeno procedente del estómago, estimula cuatro órganos diferentes para que viertan ahí los compuestos químicos necesarios para terminar la digestión. El intestino delgado produce moco para proteger el duodeno del ataque del ácido gástrico, así como hormonas que inducen al páncreas, al hígado y a la vesícula biliar a soltar las sustancias químicas que intervienen en la digestión. La bilis de la vesícula y el jugo pancreático, alcalino, neutralizan el ácido, y las enzimas digestivas segregadas por el páncreas y el intestino delgado transforman los carbohidratos en glucosa, las proteínas en aminoácidos y las grasas en ácidos grasos y glicerol, todos ellos compuestos de moléculas más sencillas que pueden ser absorbidas por el organismo. Al final del íleon, la última parte del intestino delgado, casi no queda más que la celulosa, que es indigerible, y una pequeña cantidad de agua.

¿Cómo absorbe el organismo los nutrientes?

Todos los días el intestino procesa alrededor de 9.5 litros de alimentos, líquidos y secreciones orgánicas. Para que los nutrientes puedan ser absorbidos por la sangre a través de la mucosa intestinal, los alimentos digeridos tienen que entrar en contacto con el mayor número posible de células intestinales. La cubierta interna del intestino forma una serie de repliegues transversales que están tapizados de pequeñas proyecciones a manera de dedos llamadas vellosidades intestinales, y cada vello está a su vez cubierto de microvellosidades, lo que aumenta considerablemente la superficie de contacto y de absorción. En cada centímetro cuadrado del intestino delgado hay alrededor de 3 000 vellosidades y unos 1 500 millones de microvellosidades.

Cada vello lleva en el centro un vaso linfático llamado quilífero, tiene en su base glándulas que segregan jugo entérico y está irrigado por una red de capilares que conducen sangre oxigenada y se llevan la que va cargada de nutrientes. Los vellos se mueven incesantemente como lo hacen las plantas bajo el agua y remueven los alimentos licuados, entrando así en contacto con los nutrientes que pasan a través de su membrana a los vasos sanguíneos y linfáticos. Los derivados de las grasas son transportados por el sistema linfático mientras que la glucosa y los aminoácidos se incorporan a la sangre y son conducidos por la vena porta al hígado.

¿Son iguales todos los movimientos del intestino?

Cuando los alimentos se encuentran en el intestino delgado, los músculos que rodean este tubo se contraen de 7 a 12 veces por minuto dividiendo el intestino en una serie de segmentos como si fuera una cadena de salchichas. Estos rápidos movimientos desplazan los alimentos hacia adelante y hacia atrás, los baten, los amasan y los mezclan con los jugos digestivos. Pero el intestino delgado también tiene movimientos peristálticos que impulsan los alimentos hacia el intestino grueso; son generalmente movimientos lentos y espaciados que permiten a los alimentos permanecer suficiente tiempo en un mismo sitio para que sean absorbidos los nutrientes. Estos movimientos peristálticos sólo se aceleran e intensifican cuando entran al intestino sustancias tóxicas, para poder eliminarlas rápidamente.

¿Por qué unos alimentos se digieren más rápidamente que otros?

Los carbohidratos son los alimentos que se digieren más rápidamente; su desdoblamiento comienza en la boca, continúa en el estómago y termina en el intestino delgado, donde este tipo de alimentos no suele permanecer más de una hora.

En cambio, cuando comemos alimentos ricos en grasas, nos sentimos llenos y satisfechos durante mucho tiempo porque son compuestos difíciles de digerir que permanecen varias horas dentro del tracto gastrointestinal. El desdoblamiento de las grasas no comienza hasta que el quimo ha llegado al intestino delgado, y una vez allí pueden pasar hasta 10 horas antes de que una comida con alto contenido de grasas haya sido totalmente digerida y absorbida.

En el intestino delgado, los glóbulos de grasa son emulsionados por las sales biliares, es decir, son divididos en pequeñas go-

Invasores del tracto digestivo

Es peligroso comer carne de res, puerco o pescado cruda o poco cocida porque en ella puede haber cisticercos, nombre que se da a las larvas de la tenia que parasita el intestino, donde puede vivir 10 años o más. A medida que este gusano plano crece —mide entre 5.5 y 9 m de largo— va formando segmentos cada uno con su dotación de huevos. La tenia no causa apetito voraz ni pérdida de peso, como muchos suponen, pero sí molestias abdominales, diarrea y anemia. Cuando se descubre la infestación por los huevecillos que salen con las heces, se prescribe un medicamento para expulsarla.

La tenia se fija al intestino mediante los ganchos y ventosas que tiene en la cabeza o escólex.

titas que puede digerir la enzima pancreática llamada lipasa. La mayoría de las grasas están compuestas de triglicéridos que la lipasa transforma en diglicéridos, ácidos grasos libres y glicerol. Todos estos compuestos son transportados por la bilis hasta las vellosidades intestinales donde los absorben las células intestinales. Una vez dentro de las células, estos componentes se unen a una molécula de proteína para volver a formar sustancias complejas, que entran a los vasos quilíferos de las vellosidades de donde son trasladados a través del sistema linfático hasta el torrente circulatorio.

Los alimentos proteínicos, como la carne, son relativamente difíciles de digerir y tardan bastante en pasar por el tracto gastrointestinal. En el ambiente ácido del estómago se digieren parcialmente las proteínas, pero terminan de desdoblarse en el intestino delgado bajo la acción de las enzimas pancreáticas, que las transforman en moléculas más sencillas capaces de atravesar las paredes intestinales.

¿Hacen algún daño las bacterias que habitan en el tracto digestivo?

Tanto en el intestino delgado como en el grueso proliferan normalmente multitud de bacterias. Algunas de las que habitan en el intestino delgado ayudan a transformar las complejas moléculas de los alimentos en otras más sencillas que puedan absorber las paredes intestinales; evitan también que los organismos patógenos del intestino grueso

entren al íleon. Entre las bacterias que se alojan en el intestino grueso, algunas sintetizan vitaminas y, por lo tanto, ayudan a complementar nuestra dieta.

A veces, especialmente cuando se viaja, invaden el intestino bacterias extrañas que producen la llamada disentería del viajero o del turista. Generalmente no se trata de bacterias propiamente patógenas, ya que pueden vivir en el intestino de los lugareños sin causarles daño, pero afectan a los recién llegados porque su organismo no está acostumbrado a ellas.

¿Sirve para algo el apéndice?

El apéndice vermiforme es un saco de unos 7.5 cm de largo que se encuentra cerca del punto donde se unen el intestino delgado y el grueso, en la región inferior derecha del abdomen. Hay una serie de teorías para explicar por qué tenemos apéndice, pero hasta ahora no se ha visto que desempeñe ninguna función; adquiere importancia sólo cuando se inflama.

Un apéndice inflamado duele mucho, pero lo peor es que puede romperse y propagar la infección por el abdomen; por eso hay que diagnosticar lo antes posible cualquier dolor abdominal. Mientras tanto, no hay que dar al enfermo ninguna purga, medicamento, alimento ni bebida. Si el diagnóstico es apendicitis, casi siempre se recomienda extirpar el apéndice. La apendicectomía es una operación sencilla que supone poco riesgo si el apéndice no está perforado.

El final del viaje

¿Es el intestino grueso realmente grueso?

De lo que comemos, quedan pocos residuos, ya que más del 95% de los alimentos son digeridos y absorbidos por el organismo para proveerse del combustible que necesita para vivir y de materiales para reconstruir los tejidos. Esos escasos desechos se eliminan a través del intestino grueso que, efectivamente, es más grueso —mide unos 6.5 cm de diámetro— que el delgado, que tiene apenas 2.5 cm de ancho. Sin embargo, el intestino grueso es el más corto de los dos: su longitud no llega a los 2 m, en cambio el intestino delgado llega a medir más de 6 metros.

¿Cómo se acomoda el intestino grueso en el abdomen?

El intestino grueso se dispone en forma de herradura dentro de la cavidad abdominal y pélvica, y forma una especie de marco a las asas del intestino delgado. Como el músculo que corre a lo largo del intestino grueso es más corto que el intestino mismo, frunce las paredes de este tubo formando una serie de bolsas llamadas ampollas.

A medida que los desechos van pasando por el intestino grueso, las contracciones musculares los empujan hacia atrás, hacia adelante, hacia arriba y hacia abajo. En el punto donde se unen el intestino delgado y el grueso, en la parte inferior derecha del abdomen, hay una válvula que impide el retroceso del contenido del colon hacia el íleon.

En el intestino grueso se distinguen por su forma dos segmentos: el colon y el recto. El ciego es una especie de saco que sobresale en la región donde comienza el colon. La primera parte del colon, el colon ascendente, sube por el lado derecho del abdomen; al llegar a la parte inferior del hígado cambia bruscamente de dirección hacia la izquierda formando lo que se llama colon transverso, que atraviesa a lo ancho el abdomen bajando luego por el lado izquierdo con el nombre de colon descendente. Hay después un segmento corto en forma de S, el colon sigmoide, que desemboca en el recto. El recto mide unos 13 cm de largo y termina en el conducto anal que se abre al exterior a través del ano. La principal función de la primera mitad del colon es absorber los líquidos que acompañan a las heces, la segunda mitad es básicamente un órgano de almacenamiento.

¿De qué están formadas las heces?

Se considera que el intestino grueso es el cubo de la basura del organismo, porque a él van a dar los residuos que ya no tienen ninguna utilidad. La función de esta parte del tracto digestivo es extraer los líquidos de estos desechos para solidificarlos. El quimo intestinal es acuoso cuando entra al colon, pero a medida que pasa por el intestino grueso, las paredes de este tubo van absorbiendo poco a poco los líquidos e incorporándolos al torrente sanguíneo. Lo que queda es un material semisólido que llamamos heces fecales. El moco que segrega el intestino grueso aglomera los materiales de desecho, lubrica y protege las paredes del colon y facilita el paso de las heces.

La cantidad y la composición de los excrementos depende de lo que se haya comido; la ingestión de gran cantidad de fibras aumenta el volumen de las heces, el consumo de alimentos altamente refinados lo reduce. En promedio, se ingieren entre 7.5 y 9.5 litros de alimentos al día, pero entran al intestino grueso apenas unos 350 mililitros de desechos formados por los residuos de los alimentos y de los jugos digestivos y agua. Las heces, tal como se eliminan, contienen alrededor de tres cuartas partes de agua; el resto lo componen generalmente proteínas, materia inorgánica, grasas, alimentos no digeridos, bagazo, sedimentos de los jugos digestivos, células que se han descamado de las paredes del intestino y bacterias muertas.

¿Cómo se pueden evitar los gases?

No hay manera de evitar totalmente los gases intestinales, porque lo normal es que allí se forme todos los días una gran cantidad de ellos. Más aún, los médicos todavía no han encontrado un tratamiento que resulte eficaz en todos los casos para ayudar a las personas que forman muchos gases y no pueden controlar su expulsión.

Gran parte de los gases son producto de la fermentación de los desechos alimenticios que llevan a cabo las bacterias que habitan en el intestino grueso de cualquier persona sana. Normalmente, la mayor parte de esos gases se absorben a través de la pared intestinal, pero hay casos en que no queda más remedio que arrojarlos a través del recto. Esto puede deberse a que los movimientos peristálticos son tan frecuentes que no

Este acercamiento muestra los pliegues de la porosa mucosa del colon. Cuando el quimo llega aquí, ya se le han extraído todos los nutrientes; lo que el colon hace es absorber el agua dejando una masa semisólida que continúa hacia el recto.

Depuración del intestino

Desde la antigüedad el hombre se ha limpiado el intestino con enemas y catárticos. Los antiguos americanos empleaban una combinación de hierbas y magia, pero los instrumentos que han quedado demuestran que también usaban enemas, tanto para limpiar el intestino como para un tipo primitivo de alimentación intravenosa. En el año 2500 a.C., ya existían en Egipto "especialistas en intestinos" y para el 500 a.C. era allí cosa común ponerse lavativas de distintos líquidos, entre ellos bilis de buey, tres días consecutivos al mes para evitar enfermedades relacionadas con los alimentos. Hacia el año 196 de nuestra era, Chang Chung Chin, el Hipócrates chino, dejó asentada su preferencia por los enemas, quizá porque resultaban más rápidos, eficaces y sencillos que los purgantes. Los griegos también se inclinaron por los enemas pero usaban agua o una solución salina que médicamente son más aconsejables. En la Edad Media se volvieron a usar complicados menjurjes y a finales del siglo XVII era cosa corriente envenenar a los enemigos con enemas. Hoy son inevitables antes de una intervención quirúrgica para impedir que se contamine la mesa de operaciones ya que el esfínter anal se relaja con la anestesia.

Esta perilla de hule y la cánula de hueso para enemas son incaicas. La figura de barro sostiene una de ellas.

En el siglo XVII, los enemas eran un elemento tan común en medicina que los pintores flamencos, caracterizados por representar la vida cotidiana, incluyeron ese tema en su obra.

---

dan tiempo a que se absorban los gases. Otras veces la causa es haber comido alimentos que producen una cantidad excesiva de gases, como son los frijoles. Esta leguminosa contiene unos azúcares que el organismo no puede digerir y que llegan intactos al intestino grueso, donde constituyen un excelente medio para la fermentación bacteriana. Por la misma razón, las personas que carecen de lactasa, la enzima que digiere la leche y sus derivados, se llenan de gases cuando consumen productos lácteos.

¿A qué se debe el mal olor de las heces?

La flora intestinal nos es útil porque sintetiza vitamina K y varias de las vitaminas B, pero también se nutre de los residuos proteínicos, que transforma en sustancias químicas cuyo olor fétido emana de las heces y de los gases que expulsamos. La naturaleza de ese olor depende de los alimentos que se consumen y de los microorganismos que predominan en el intestino.

¿Es grave el estreñimiento?

Es raro que el estreñimiento sea síntoma de alguna enfermedad o infección; además, el número de veces que evacua la gente sana varía mucho de unos a otros: hay quien defeca sólo dos o tres veces a la semana y quien lo hace dos o tres veces al día. Pero también es cierto que el estreñimiento puede ser un serio problema para los que tienen que guardar cama o para los ancianos, puesto que la actividad física es esencial para los movimientos del colon.

Las heces secas, duras, que pasan con dificultad por el recto, se deben muchas veces a que se ignora y se pospone la evacuación del vientre cuando se reciben los primeros avisos de esa necesidad. Si los excrementos permanecen mucho tiempo en el colon, siguen deshidratándose y se vuelven demasiado duros y compactos. Para evitar el estreñimiento, conviene establecer un horario para defecar, incluir muchas fibras, agua y algo de grasa en la dieta diaria, y hacer regularmente ejercicio que tonifique los músculos abdominales. No es recomenda-

ble depender de los laxantes porque inhiben los reflejos de la defecación e incluso pueden ser ellos mismos los que causen estreñimiento.

¿A qué se debe la diarrea?

Una diarrea leve y transitoria puede deberse a las causas más diversas: infecciones virales o bacterianas; tensiones emocionales; haber comido mucho o tomado bebidas alcohólicas en exceso; haber consumido alimentos a los que se es alérgico o que estaban ligeramente contaminados; haber comido verduras o frutas crudas demasiado verdes o ya pasadas. Cualquiera que sea el irritante, estimula ondas peristálticas más intensas de lo normal que empujan la materia fecal fuera del tracto digestivo tan rápidamente que no dan tiempo a que se absorban los nutrientes ni los líquidos. El mayor peligro de una diarrea es la deshidratación, que puede llegar a costar la vida a un bebé o un niño pequeño si no se le atiende lo antes posible.

Combustible para el organismo

¿Qué son las calorías?

La unidad internacional para medir la energía es el joule, pero en el campo de la nutrición el valor energético o calórico de los alimentos se expresa en kilocalorías (1 kilocaloría = 4.184 joules), palabra a la que el uso popular le ha quitado el prefijo kilo dejándola sólo en calorías.

Cada tipo de alimento proporciona al organismo distinta cantidad de energía y por lo tanto tiene distinto valor calórico. En general, las grasas producen 9 calorías por gramo, las proteínas y los carbohidratos 4 calorías por gramo, y el agua y la celulosa (las fibras) ninguna. Por eso, los alimentos ricos en grasas son también ricos en calorías, en cambio los que contienen un alto porcentaje de agua y celulosa, como son las verduras frescas, suministran pocas calorías.

Para cualquiera de nosotros resulta imposible calcular el número exacto de calorías que contienen los alimentos que comemos o las que gastamos, pero existen tablas en las que se indica, aproximadamente, las calorías que proporciona cada alimento y las que se queman en las distintas actividades. En un programa para reducir de peso ayuda mucho llevar la cuenta de las calorías que se ingieren y las que se gastan. Cada kilo de peso corporal equivale a 7 700 calorías; eso quiere decir que si durante una semana usted come 500 calorías menos al día de las que gasta, adelgazará alrededor de medio kilo; en cambio, si durante un año ingiere todos los días 100 calorías más de las que llega a quemar, engordará unos 5 kilos.

¿Qué alimentos hay que comer todos los días para nutrirse bien?

Necesitamos energía no sólo para partir leña o correr en un maratón, sino también para ver la televisión e incluso para dormir, porque sin ella el corazón dejaría de latir, todos los procesos vitales del organismo se detendrían y las células morirían. Las plantas pueden obtener del sol la energía que necesitan, pero los seres humanos tenemos que extraerla de los alimentos.

Los alimentos contienen tres grupos básicos de nutrientes: proteínas, carbohidratos y grasas; además, nos proporcionan vitaminas y minerales que desempeñan un papel de vital importancia en todos los procesos químicos que se llevan a cabo en las células. La carne magra es casi toda ella pro-

¿Cuál es su peso ideal?

Según las tendencias de la moda, lo ideal es estar francamente flaco; pero los médicos no están tan seguros de los beneficios que esto trae consigo ni de los supuestos riesgos del sobrepeso, discrepando, incluso, en los límites precisos de ese sobrepeso. Muchos consideran que una persona probablemente esté pasada de peso si supera entre un 10 y un 20% el peso ideal que le corresponde según las gráficas elaboradas por las compañías de seguros, y puede llamársela obesa si lo sobrepesa en más de un 20%. En lo que todos están de acuerdo es en que la obesidad representa un peligro para los que tienen la presión alta, diabetes o insuficiencia coronaria. Las investigaciones más recientes indican que la gente que se pasa moderadamente del peso que le corresponde vive más tiempo.

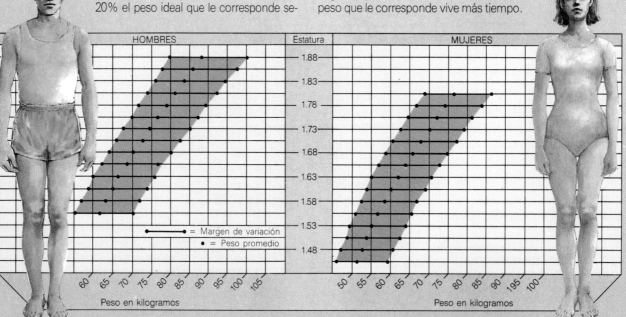

En estas gráficas, siguiendo el criterio actual de los médicos, se considera el peso deseable un poco más alto que antes. Las cifras están calculadas para personas entre los 25 y los 59 años, con tacones de 2.5 cm de alto y 2.5 kg de ropa, los hombres, y 1.5 kg, las mujeres.

teína, las verduras tienen un alto porcentaje de carbohidratos y los aceites no son más que grasas, pero la mayoría de los alimentos se componen de una mezcla de esos tres nutrientes.

Las proteínas son los ladrillos con los que se construyen los tejidos; son indispensables para el crecimiento y la generación de nuevas células y para la producción de enzimas y hormonas. Los carbohidratos y las grasas son ante todo fuentes de energía, pero las últimas sirven también como aislante y almacén de energía.

Si usted come alimentos variados, probablemente su dieta estará bien balanceada y le proporcionará los nutrientes necesarios. Los nutriólogos recomiendan que se consuman todos los días alimentos de estos cuatro grupos básicos en las cantidades indicadas:

Grupo 1. Frutas y verduras (4 o más raciones al día).

Grupo 2. Pan, tortillas, cereales y otros granos (4 o más raciones al día).

Grupo 3. Productos lácteos (adultos, 2 raciones al día; niños, 3 ó 4).

Grupo 4. Aves, pescado, carne, huevos y legumbres (2 raciones al día).

¿Cuánta proteína necesitamos?

Las tres cuartas partes de los sólidos de nuestro cuerpo son proteínas y todos los días necesitamos de 20 a 30 g de ellas para fabricar los compuestos químicos que intervienen en los procesos vitales; por lo tanto, debemos comer por lo menos esa cantidad de proteínas diariamente. La dosis diaria recomendada por los nutriólogos es de 44 g para el promedio de las mujeres y 56 para los hombres. (Un vaso de leche contiene 8 g de proteínas, un huevo 6 y una pechuga de pollo 52.)

¿Cuáles son las proteínas de alta calidad o completas?

Las proteínas están formadas de aminoácidos; la mayoría de los 22 que necesitamos los podemos sintetizar en el hígado, pero hay 8 que tenemos que obtener todos los días de los alimentos; son los que se llaman aminoácidos esenciales. La carne, los huevos, la leche y otros alimentos de origen animal contienen esos 22 aminoácidos, incluyendo los esenciales, por eso se consideran proteínas completas o de alta calidad. En

La maldición de los marinos

En el tiempo de los grandes barcos de vela, los marineros no sólo tenían que luchar contra fuertes tormentas o capitanes inflexibles, sino también contra el escorbuto. Esta enfermedad llegaba a matar a la mitad de una tripulación obligada durante las largas travesías a mantenerse a base de alimentos secos que no tienen vitamina C. El escorbuto afloja los dientes, produce agotamiento y causa hemorragias articulares por debilitamiento de los capilares. Aunque se sabía hacía tiempo que esta enfermedad se curaba comiendo fruta fresca, los primeros barcos que la incluyeron en la dieta de la tripulación fueron los ingleses. Los marineros japoneses sufrían, además, beriberi por comer arroz blanco al que le faltaba la vitamina B_1 de los granos enteros. Hoy estas enfermedades son raras en los países industrializados, lo mismo que el raquitismo causado por una falta de vitamina D y de sol.

En este esqueleto deformado de un adulto se ven las trágicas consecuencias de la avitaminosis D en la infancia.

cambio las proteínas de origen vegetal carecen de uno o más aminoácidos esenciales: son incompletas. Para que con ellas podamos formar proteínas completas tenemos que consumir en la misma comida alimentos vegetales que se complementen, por ejemplo, arroz con chícharos o tortillas con frijoles.

¿Cuánta grasa debemos comer?

Los nutriólogos recomiendan una dieta que contenga de 10 a 15% de proteínas, 55% de carbohidratos y 35% de grasas. Es aconsejable no excederse en el consumo de grasas, sobre todo de las saturadas, que son las que se encuentran en los productos de origen animal. Aunque el papel del colesterol en la dieta aún no se ha comprendido totalmente, parece ser que las grasas saturadas hacen que se eleve su nivel en la sangre, lo que puede aumentar el riesgo de una oclusión coronaria; en cambio, se supone que las grasas vegetales y las que contienen el pollo y el pescado, que son

polinsaturadas, reducen el colesterol sanguíneo.

¿Comen los niños lo que necesitan si se les deja escoger?

No es raro que después de preparar una comida sabrosa y bien balanceada que incluye sopa de verduras, pollo asado y ensalada, el hijo más pequeño se niegue a probarla y pida a cambio un trozo de queso o se coma el pollo y rechace lo demás. Naturalmente los padres se preocupan por la nutrición del chico, pero no hay razón para ello. Esos caprichos rara vez, por no decir nunca, conducen a la desnutrición. Una dieta balanceada puede completarse a través de varios días y no necesariamente en la misma comida. Se han hecho experimentos dejando a los niños escoger entre una variedad de alimentos y se ha visto que al cabo de una semana han ingerido todos los nutrientes que necesitan, aunque en una comida, o a veces en todo el día, se hayan limitado a un solo tipo de alimentos.

Pormenores sobre los alimentos

¿Qué son las fibras y por qué conviene comerlas?

Las fibras, o el bagazo, son las partes de los alimentos vegetales que no se pueden digerir. Están formadas de celulosa, hemicelulosa, pectina, lignina, mucílagos y gomas vegetales que pasan sin sufrir cambio alguno por todo el tracto digestivo. Las fibras no son nutritivas pero a pesar de ello nos resultan útiles.

A los que quieren reducir de peso, los alimentos ricos en fibras les ayudan a engañar el hambre, ya que se entretienen masticándolos y llenan el estómago. Además, las fibras absorben líquidos y aumentan de volumen en el tracto digestivo, lo que estimula los movimientos musculares peristálticos del intestino que sirven para impulsar las heces fecales hacia el exterior. Por eso las fibras ayudan a evitar el estreñimiento y reducen la fuerza que hay que hacer para evacuar, a la que muchas veces se deben las hemorroides.

¿Puede hacer daño el exceso de fibras?

Aunque las fibras son útiles para regular el movimiento del intestino, abusar de ellas puede resultar nocivo. Aumentar considerablemente de un día para otro la cantidad de fibras que se consumen produce algunas veces gases, náuseas e incapacidad para absorber ciertas vitaminas y minerales. Si usted considera que debe comer más fibras, añádalas a su dieta paulatinamente. Recuerde que una dieta rica en fibras no requiere más de 6 g de ellas al día, cantidad que se obtiene comiendo, por ejemplo, dos rebanadas de pan integral y una manzana grande sin pelar.

Las frutas crudas y con piel, las verduras y los cereales de grano entero (como el arroz silvestre) proporcionan vitaminas y minerales además de fibras, por lo que son más recomendables que el salvado, ya que éste, a fin de cuentas, no contiene nutrientes.

¿Es necesario tomar suplementos vitamínicos?

Las vitaminas son compuestos orgánicos complejos que nos ayudan a emplear otros nutrientes. Nuestro organismo fabrica sólo algunas de las vitaminas que necesita aunque, generalmente, no en las cantidades suficientes, por lo que tenemos que obtenerlas de los alimentos. La vitamina C y las del complejo B se excretan rápidamente, por lo que deben consumirse a diario; la A, D, E y K pueden almacenarse en el organismo durante varias semanas. Con una dieta balanceada, es probable que obtenga todas las vitaminas y minerales que necesita; si cree tener alguna deficiencia, consulte a su médico.

¿Son beneficiosas o dañinas las altas dosis de vitaminas?

Se ha extendido mucho la idea de que las dosis masivas de vitaminas pueden pre-

Un caso histórico de gula

Enrique VIII era al principio de su reinado un hombre atlético capaz de agotar a sus caballos en las cacerías y a sus oponentes en el tenis. Era un bailarín infatigable y podía beber sin inmutarse hasta dejar a sus cortesanos en el suelo. Pero ni siquiera su magnífica constitución pudo soportar el régimen de las festividades cortesanas; incluso las comidas cotidianas eran pantagruélicas. En el menú de un día normal aparecían, como entradas, varias ensaladas, gorriones estofados, carpas, capones al limón, faisanes mechados, patos, gaviotas, conejo relleno, tarta de gamo y tarta de pera. Los platos fuertes incluían: cigüeña, bubia, garza, gallina, codornices, perdices, esturión fresco, tarta de venado, pollos asados con salsa y algunas frituras. A todo esto seguía una gran profusión de postres y vinos especiados. No es de extrañar que el rey fuera engordando hasta llegar a lo grotesco. Con el tiempo las heridas recibidas en competencias deportivas limitaron sus actividades. Antes de morir sufría ya una enfermedad del riñón, gota, problemas circulatorios y una úlcera muy dolorosa en una pierna. Aunque fue famoso por las dificultades que tuvo con las mujeres, su verdadero problema debió de haber sido la comida.

Enrique VIII, el corpulento rey que gobernó Inglaterra de 1509 a 1547, fue víctima de la gula.

venir e incluso curar todo tipo de enferme-dades, desde el catarro común hasta la esquizofrenia y el cáncer. Como consecuencia, mucha gente se autoprescribe vitaminas en cantidades que llegan a un nivel tóxico; tan frecuentes son ahora esas intoxicaciones que para describirlas se ha acuñado un nuevo término: *hipervitaminosis*. Las sobredosis de vitaminas son peligrosas sobre todo en los niños; se sabe de casos en que han producido alteraciones cerebrales e incluso la muerte. Los investigadores médicos todavía están estudiando si la terapia a base de vitaminas tiene efectivamente algún valor; hasta ahora, los científicos mejor informados están de acuerdo en que las sobredosis de vitaminas constituyen un gasto inútil o, peor aún, pueden representar un atentado contra la salud.

¿Son peligrosos los aditivos que llevan los alimentos procesados?

Los ingredientes que se añaden a los alimentos al procesarlos y que no forman parte natural de ellos se llaman aditivos. Muchos realzan el color, la textura, el sabor o el cuerpo de los productos; a veces se trata de nutrientes que se agregan a los alimentos para enriquecerlos; otros son levaduras y fermentos que levantan la masa del pan y otros productos horneados. Sin embargo, la mayor parte de los aditivos son conservadores destinados a mantener inalterados el sabor y la frescura de los alimentos y, lo más importante, evitar que se descompongan.

Algunos aditivos son sustancias naturales, otros son sintéticos, pero todos están regulados por la Secretaría de Salud para que no se empleen compuestos que pongan en peligro la salud del consumidor. Sin embargo, han surgido controversias sobre las bondades de algunos aditivos y se está investigando si realmente son tan inocuos como se creía. Entre éstos se encuentran sustancias tan comunes como la sal y las especias, algunos colorantes artificiales, la cafeína y los edulcorantes como el manitol, el sorbitol y la sacarina. El nitrito y el nitrato de sodio que se agregan a las carnes procesadas para prevenir el botulismo se están usando ahora en cantidades mucho menores, porque se ha visto que intervienen en la formación de nitrosaminas, que son compuestos cancerígenos. Además, la ley exige que se añada al tocino ascorbato de sodio preci-

Mitos populares sobre los alimentos

En el siglo XIX, un científico descubrió que el cerebro contiene fósforo y otro encontró que ese elemento abunda en el pescado; esto hizo concluir al naturalista suizo Jean Louis Agassiz que el pescado es el mejor alimento para el cerebro, pero no es así. Los nutrientes que entran a la sangre llegan a todo el cuerpo, no sólo al cerebro. Otra idea errónea es que las semillas de las frutas pueden causar apendicitis: al extirpar el apéndice con frecuencia se encuentra dentro una masa sólida que parece hueso de capulín, pero suele ser materia fecal compacta. También es falso que todos los hongos blancos y los que tienen un anillo en el pie sean comestibles. Ni el color ni el olor de los hongos son características confiables; hay que guiarse por descripciones ilustradas. Si duda, no los coma.

Cantharellus cibarius

Clitocybe illudens

La semejanza entre estas dos especies de hongos (*Cantharellus cibarius*, que es comestible, y *Clitocybe illudens*, muy venenoso) demuestra la facilidad con que pueden confundirse.

samente para evitar que los nitratos formen nitrosaminas.

¿Hace daño la cafeína?

Si usted es de los que necesitan tomarse una taza de café por las mañanas para poder levantar cabeza, ya conoce las virtudes de la cafeína, que es el principio activo del café. Ha visto que estimula el sistema nervioso central, reduce la fatiga y levanta el ánimo; también se habrá dado cuenta de que produce insomnio, nerviosismo e irritabilidad; pero lo que quizá no sepa es que se trata de una droga que puede acelerar el ritmo cardiaco, hacerlo irregular y constreñir los vasos sanguíneos del cerebro.

Los médicos aceptan que no hay peligro en que los adultos sanos tomen el equivalente a una o dos tazas de café al día, pero aconsejan que las mujeres embarazadas, las que están amamantando, los diabéticos y los que sufren de insuficiencia coronaria o de hipertensión arterial prescindan totalmente de la cafeína. Si usted decide dejar de tomarla, hágalo gradualmente porque el hacerlo drásticamente puede producir síntomas de carencia que desaparecerán a medida que su organismo se acostumbre a vivir sin ella.

¿Puede uno realmente envenenarse con los alimentos?

Desde luego que sí, y los síntomas son: retortijones, diarrea, vómito y algunas veces fiebre y postración. Este tipo de intoxicación, que suele no dejar secuelas pero que también puede resultar mortal, no la producen los alimentos mismos, sino las bacterias que proliferan en ellos y los descomponen. Estas bacterias, que generalmente son estafilococos o salmonelas, provienen de las personas que manejan los alimentos, de utensilios contaminados o de métodos inadecuados de almacenamiento y preparación.

Tenga mucho cuidado con la crema, las salsas a base de huevos, aderezos para ensaladas, ensaladas de pollo, atún o papas, y pasteles rellenos de crema porque pueden albergar estafilococos. Procure no llevar estos alimentos a un día de campo a menos que estén refrigerados durante el trayecto.

El tipo de intoxicación alimentaria más grave es el botulismo, que puede producir parálisis muscular y la muerte. Las bacterias del botulismo sólo se reproducen en ausencia de aire; su hábitat natural son alimentos enlatados que no se han calentado adecuadamente al envasarlos. Si prepara conservas en casa, siga al pie de la letra las instrucciones de una autoridad en la materia.

Gula o templanza

¿Sirven de algo las dietas?

Miles de personas se someten todos los años a dietas para adelgazar que les hacen perder muchos kilos de peso, los mismos que recuperan en cuanto las dejan. Según las encuestas hechas, sólo el 5% de los que siguen dietas han logrado adelgazar 10 kg sin volver a recuperarlos.

¿Por qué resulta tan difícil bajar de peso? Algunos nutriólogos opinan que cada uno de nosotros tiene su punto límite, un peso natural establecido por una especie de termostato interno que sólo se puede superar con mucha dificultad, si es que se logra hacerlo. De acuerdo con esta teoría, nuestro cuerpo ya "ha decidido" lo que debe pesar y nos estacionaremos en ese punto o volveremos a él una y otra vez independientemente de lo que comamos. Desde luego no se trata más que de una teoría. De acuerdo con otros especialistas, el exceso de peso se debe a defectos bioquímicos en los mecanismos que controlan el apetito y metabolizan los alimentos.

La razón por la que no funcionan las dietas que están de moda es simple: van en contra de la realidad, de la naturaleza nutricional y psicológica del individuo. Algunas son tan monótonas que no hay quien las aguante mucho tiempo; otras contienen tan pocas calorías que sus seguidores, si no las rompen, se mueren de hambre. Por lo que se refiere a las dietas "milagrosas", efectivamente hacen perder varios kilos al principio, pero es una pérdida ficticia; se pierde agua, no grasa.

¿Sirve el ejercicio para adelgazar?

Si hace usted más ejercicio, seguramente bajará de peso aunque no coma menos. La actividad física no sólo quema calorías y por lo tanto disminuye la cantidad que puede almacenarse en forma de grasa, sino que además aumenta el metabolismo basal haciendo que el organismo queme aún más calorías. El ejercicio reduce la depresión y la ansiedad que llevan a mucha gente a comer compulsivamente y desarrolla los músculos, que son tejidos que consumen muchas más calorías que el tejido adiposo.

Los especialistas recomiendan que se haga ejercicio por lo menos cada tercer día durante un mínimo de 30 minutos. El ejercicio debe ser suficientemente enérgico para aumentar el ritmo del pulso y de la respiración y hacernos sudar; para el caso lo mismo puede servir caminar rápidamente, correr, nadar, patinar, montar en bicicleta o subir y bajar escaleras.

¿Hay alguna manera sensata de bajar de peso?

Las personas que más éxito han tenido en sus esfuerzos para bajar de peso son las que llevan un régimen bien balanceado del que han eliminado los alimentos que más engordan, pero que consumen suficientes calorías para no sentir nunca hambre. En lugar de tratar de convertirse en sílfides, se han impuesto metas más modestas pero más realistas. No han intentado bajar muchos kilos en poco tiempo, sino que han procurado perder peso gradualmente. Hay mucha gente que busca apoyo moral en los grupos que luchan contra la gordura y con frecuencia eso les ha ayudado. Otros han recurrido a las técnicas de modificación de la conducta que les enseñan a darse cuenta de las situaciones que les hacen comer en

El sumo tiene en Japón una tradición de 2 000 años. Para destacar en esta lucha se necesita agilidad, equilibrio y un centro de gravedad bajo. La mayoría de los luchadores, que llegan a pesar casi 200 kg, se retira a los 35 años.

exceso, para poder así evitarlas. Por ejemplo, no ir a surtir la despensa cuando se tiene hambre porque se tiende a comprar más alimentos de los que se necesitan, o formarse el hábito de esperar 20 minutos antes de repetir un platillo, lo suficiente para comprobar que en realidad no se tiene necesidad de comer más.

Los especialistas de la Escuela de Medicina de la Universidad de Harvard recomiendan dos cosas: primero, no trate de vivir a base de toronjas, lechuga y té helado; eso a la larga no funciona. Segundo, la mejor defensa contra la obesidad es, en último término, evitar subir de peso; concentre su esfuerzo en *no engordar*, más que en adelgazar.

¿Cuándo se convierte en un peligro la falta de apetito?

Quizá como respuesta al énfasis que ponen los medios de comunicación en la esbeltez, cada día hay más mujeres jóvenes que se someten voluntariamente a dietas de hambre que llegan a desnutrirlas seriamente e incluso a matarlas. La profunda aversión a los alimentos, que técnicamente se conoce como anorexia nerviosa, era antes una enfermedad sumamente rara, pero ahora afecta a 1 de cada 100 jovencitas de 14 a 18 años; entre los muchachos y los adultos se presentan sólo ocasionalmente.

La anorexia nerviosa es una enfermedad psicosomática caracterizada por un rechazo a la comida, que algunas veces va acompañado por la compulsión de hacer ejercicio hasta extenuarse, provocarse el vómito y tomar laxantes y diuréticos para bajar aún más de peso. Como resultado, la enferma llega a perder hasta el 25% de su peso normal y, aunque se queda verdaderamente en los huesos, la imagen distorsionada que tiene de sí misma la hace insistir en que sigue estando repulsivamente gorda. Conforme va perdiendo peso surgen otros síntomas: deja de menstruar, su ritmo cardiaco disminuye y todo el tiempo siente frío. Al llegar al límite de su resistencia la paciente comienza a sufrir alucinaciones.

Esta alteración psicológica tiene muchas veces su origen en las malas relaciones familiares y en los conflictos internos que surgen con los cambios físicos propios de la pubertad, las tensiones emocionales de la adolescencia y el temor a la futura independencia. Hay investigaciones recientes que sugieren la posibilidad de que la anorexia nerviosa tenga alguna base fisiológica (anomalías hormonales y del hipotálamo). La paciente debe recibir atención médica lo antes posible para evitar que la desnutrición llegue a matarla, y también necesitará someterse a psicoterapia para que la ayude a resolver los problemas emocionales subyacentes.

¿Qué es la bulimia?

Un adulto promedio consume cuando mucho de 2 000 a 3 000 calorías al día; los que sufren bulimia llegan a ingerir de 10 000 a 20 000 calorías en una sola comida y a veces hasta 50 000 calorías en un día. Pero la bulimia supone algo más serio que un apetito voraz; con frecuencia se convierte en un ciclo vicioso de autoconcesiones y castigos. Primero el bulímico ingiere enormes cantidades de alimentos y luego trata de expiar el sentido de culpa que eso le produce provocándose el vómito, tomando laxantes y diuréticos y haciendo ejercicio hasta agotarse.

La inmensa mayoría de los bulímicos son mujeres entre los 15 y los 30 años; se calcula que hoy día de 1 a 4% de las mujeres jóvenes padecen bulimia y otro 15 a 30% se autocastigan ocasionalmente. Se ha descrito esta enfermedad como una obsesión, un vicio o una alteración emocional; se trate de una cosa u otra, resulta algo terrible para las enfermas, porque se dan cuenta de que no pueden controlar su apetito y se avergüenzan profundamente de ello, tanto que invariablemente tratan de ocultar su voracidad.

Con frecuencia la bulimia comienza con una dieta drástica que a veces se impone la paciente para tratar de superar un fracaso emocional. Esto le hace sentirse, además de deprimida, hambrienta, y se llena de comida al mismo tiempo que intenta deshacerse de las calorías ingeridas para recuperar la sensación de autocontrol.

La mayoría de las bulímicas son mujeres jóvenes, atractivas, inteligentes y perfeccionistas que se presentan ante el mundo como personas capaces y autosuficientes, pero que en el fondo se menosprecian. Para algunas la terapia de grupo es el tratamiento más eficaz; está orientada a enseñar a las pacientes a buscar consuelo y apoyo en las personas y no en la comida.

¿Es la anorexia nerviosa una enfermedad autodestructiva?

Los familiares y amigos de las pacientes de anorexia nerviosa (generalmente mujeres muy jóvenes) se preguntan angustiados: ¿por qué se está matando de hambre esta muchacha? ¿Cómo se puede considerar gorda si está en los huesos? La respuesta no es fácil. En algunos casos, la enferma ha sido obesa y ha logrado bajar de peso a base de dietas drásticas, pero en lugar de volver a un régimen balanceado una vez que ha alcanzado el peso deseado, sigue con una dieta de hambre. Según algunos especialistas, la paciente está expresando así su deseo de independencia; otros opinan que se trata de una falta de autoestima o de miedo a crecer (la anoréxica conserva una figura infantil y deja de menstruar). Cualquiera que sea la causa, la enferma necesita tratamiento médico intensivo.

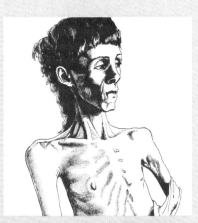

Éste es un caso clásico de anorexia nerviosa descrito en 1888 en la revista médica británica *The Lancet*. Aunque la enfermedad era entonces rara, se trató con éxito. A la derecha aparece la paciente seis meses más tarde, totalmente repuesta.

Actualmente, a las enfermas de anorexia nerviosa, además del tratamiento médico (nótese la sonda nasal que alimenta a esta jovencita), se les proporciona ayuda psicológica.

Capítulo 11

APARATOS URINARIO Y REPRODUCTOR

Aunque estos dos aparatos están vinculados anatómicamente, difieren mucho en sus funciones; uno regula el equilibrio de los líquidos internos, el otro garantiza nuestra supervivencia como especie.

¿Cuál es la característica más sorprendente de la orina?

Cuando ya ha sido eliminada, la orina se contamina fácilmente con bacterias, pero en el momento en que sale del organismo, si se trata de una persona sana, está estéril, tanto que se ha empleado como antiséptico en situaciones de emergencia cuando no se ha tenido a la mano ninguno de los desinfectantes convencionales. Se sabe también de personas perdidas en el desierto que han sobrevivido bebiendo su propia orina sin que eso les haya causado ningún tipo de infección. Aun en casos de deshidratación severa, los riñones continúan extrayendo agua de los tejidos para producir orina.

¿Cómo influye lo que bebemos en la necesidad de orinar?

Cuando tomamos café, té, refrescos de cola o cualquier otra bebida que contenga cafeína, aumenta mucho la necesidad de orinar. Esto se debe a que la cafeína es un diurético, es decir, una sustancia que estimula la producción de orina en los riñones. Si se bebe una gran cantidad de agua u otros líquidos, los riñones aceleran su función para mantener constante el nivel de líquidos en el organismo e inmediatamente eliminan el exceso.

¿Cuándo es especialmente importante beber mucho líquido?

El agua es indispensable para el buen funcionamiento de los riñones y de todo el organismo. Cuando se tiene fiebre alta, que hace sudar profusamente, o se sufre de vómitos o diarrea persistentes, el organismo tiende a deshidratarse; por eso los médicos recomiendan a los enfermos que beban mucho líquido. También es importante recuperar los líquidos que se pierden cuando se hace mucho ejercicio o un trabajo físico extenuante, sobre todo si hace calor.

¿Por qué el nerviosismo produce algunas veces la urgencia de orinar?

Hay algunas personas que cuando se encuentran en una situación tensa les entra una verdadera urgencia de orinar aunque tengan la vejiga casi vacía. La razón es simple pero curiosa: cuando la gente se altera y se pone nerviosa, la vejiga, en cierta forma, también puede inquietarse y sus músculos pierden la capacidad de relajarse. Es este espasmo muscular el que produce la sensación de que la vejiga está llena y se siente urgencia de vaciarla.

¿Por qué varía el color de la orina?

El color amarillo de la orina se debe a un pigmento llamado urocromo, pero el tono varía de acuerdo con la dilución de la orina. Cuando los riñones excretan una gran cantidad de agua, el pigmento se diluye y la orina adquiere un tono más pálido; en cambio cuando el cuerpo necesita conservar líquidos, los riñones producen una orina más concentrada que contiene menos agua y por lo tanto es más oscura. Esto sucede, por ejemplo, durante el sueño, cuando el organismo no consume líquidos ni alimentos y sus procesos se hacen más lentos; por eso la primera orina del día suele ser más oscura.

¿Tienen algo que ver los riñones con la "cruda"?

Si se bebe mucha agua cuando se toman bebidas alcohólicas, se pueden evitar algunos de los desagradables efectos de la "cruda". El alcohol dilata los vasos sanguíneos y tiene una acción diurética, ya que aumenta el flujo de sangre a través de los riñones y los estimula para que produzcan más orina. Esta diuresis hace que el cuerpo llegue a excretar más agua de la que absorbe causando una deshidratación que es responsable de la boca seca y los dolores de cabeza que caracterizan la "cruda".

¿Dañan a los riñones algunos de los medicamentos que se adquieren sin receta?

No debe abusarse de las aspirinas y otros analgésicos similares porque pueden dañar los riñones si se consumen en exceso. Lo mismo puede decirse del bicarbonato y de los antiácidos. Sin embargo, ninguno de estos medicamentos causa problemas al organismo si se toman en dosis moderadas cuando realmente se tiene necesidad de ellos.

Algunos padres tratan de enseñar al bebé a orinar en la bacinica o en el excusado antes de que pueda sentarse solo. Otros opinan que es mejor aguardar a que el niño comprenda lo que se espera de él y coopere; esto suele suceder cuando ya tiene entre dos y tres años.

¿A qué edad aprenden los niños a controlar la vejiga?

En los bebés y en los niños pequeños orinar es un acto reflejo: cuando la vejiga se llena y sus paredes se expanden, los músculos se contraen, el esfínter se abre y automáticamente fluye la orina. Cuando los pequeños tienen entre dos y dos años y medio, comienzan a ejercer cierto control consciente sobre la micción, y a los tres años la mayoría puede ya retener la orina o vaciar la vejiga a voluntad. Según los especialistas, antes de esa edad no se puede lograr del todo que los niños no se orinen en los calzones, por mucho que insistan los padres, porque los centros cerebrales que controlan la micción aún no están plenamente desarrollados.

¿Hay alguna relación entre la alimentación, el peso y la reproducción?

Para que tanto la mujer como el hombre sean fértiles, es esencial que se nutran adecuadamente; es también necesario que el organismo cuente con cierta cantidad de grasa. Los ovarios elaboran la hormona femenina, llamada estrógeno, a partir de una sustancia grasa, el colesterol; si una mujer se encuentra en un grado extremo de delgadez, producirá menos estrógeno y puede perder la capacidad de ovular y de menstruar. Esto explica por qué muchas bailarinas de ballet sujetas a dietas estrictas menstruan irregularmente y a veces dejan de hacerlo. El caso contrario produce efectos similares. En las mujeres muy gordas se presentan alteraciones en el nivel hormonal que también pueden impedir la ovulación. En el hombre la obesidad tiene efectos negativos parecidos, ya que el exceso de grasa puede hacer que los testículos mantengan una temperatura alta, lo que a veces reduce la producción de espermatozoides.

¿Qué es la menopausia?

Cuando una mujer llega a los 45 años, alrededor de 450 de sus folículos ováricos han madurado y ovulado, por lo que le quedan muy pocos en condiciones de producir estrógenos y progesterona. Al cabo de unos cuantos meses o años más, cuando el último folículo haya ovulado, cesará la secreción de hormonas y los ovarios dejarán de funcionar. Esa mujer no sólo ya no menstruará, sino que empezará a sufrir sofocos, sudoraciones, irritabilidad, fatiga, ansiedad y depresión como consecuencia de los radicales cambios hormonales a los que tiene que acostumbrarse su organismo, que a veces tarda años en poder hacerlo.

¿Hay algo que pueda llamarse "menopausia masculina"?

Los testículos del hombre también van declinando poco a poco, pero generalmente siguen produciendo espermatozoides y la secreción de testosterona nunca cesa. Esta alteración funcional en los hombres, que se llama climaterio masculino, rara vez es lo suficientemente rápida como para causar los mismos síntomas que produce la menopausia en las mujeres.

Equilibrio de los líquidos internos

¿Cómo responde el organismo a la sed?

Si la concentración de sal en la sangre aumenta o si se presenta una deshidratación, las células especializadas que hay en el hipotálamo, llamadas receptores osmóticos, perciben estos cambios y mandan señales a la parte posterior de la glándula pituitaria (la hipófisis) para que segregue hormona antidiurética. Esta hormona hace que los riñones reabsorban mayor cantidad de agua y al mismo tiempo activen la formación de angiotensina, otra hormona que estimula al hipotálamo para que ordene a las glándulas salivales que reduzcan la secreción de saliva, lo que produce la sensación de sed. La sequedad de la boca y de la garganta que se experimenta en esas condiciones nos hace beber agua hasta reponer las reservas del organismo. Lo curioso es que en cuanto hemos ingerido suficiente cantidad de líquido la sensación de sed desaparece, aunque al organismo le toma hasta una hora absorber el agua que hemos bebido.

¿Qué función desempeñan los riñones?

La principal función de los riñones es eliminar de la sangre las toxinas e impurezas; pero hacen mucho más que filtrar y depurar la sangre, ya que, al mismo tiempo, regulan su volumen, reabsorben agua, minerales y nutrientes y equilibran su composición química para que cuente siempre con la concentración exacta de los compuestos que la forman.

Los riñones son de color café rojizo, tienen forma parecida a la de un frijol y no son mayores que una pastilla grande de jabón. Sin embargo, reciben casi un litro de sangre por minuto a través de la arteria renal que parte de la aorta. Sin riñones, o un aparato que los sustituya, estamos condenados a morir envenenados por nuestros propios desechos, por una falta de nutrientes vitales o ahogados en un exceso de líquidos internos.

¿Cómo funcionan los riñones?

Cada riñón contiene alrededor de un millón de unidades microscópicas llamadas nefronas que filtran la sangre, reabsorben agua y nutrientes y producen orina a través de la cual se eliminan los desechos. A lo largo de las circunvoluciones y asas que forman sus diminutos tubos, las nefronas procesan todos los días alrededor de 170 litros de líquidos de los que sólo se elimina, aproximadamente, un litro en forma de orina.

La sangre llega al riñón a través de la arteria renal y entra a presión en los glomérulos, madejas de vasos capilares que forman parte de las nefronas. La nefrona filtra la sangre del glomérulo sin dejar pasar las células sanguíneas, las plaquetas ni las proteínas, pero recogiendo en cambio parte del plasma en la cápsula de Bowman, un receptáculo que rodea al glomérulo como una vaina. Para tener una idea más clara de cómo está estructurada esta parte de la nefrona, imagínese la mano de un niño agarrando una pelota de golf, y considere que la mano es la cápsula de Bowman y la pelota el glomérulo con la madeja de capilares dentro. El filtrado, que se convertirá en orina, pasa de la cápsula de Bowman a un tubo contorneado que se continúa con un conducto en forma de horquilla llamado asa de Henle. El asa se interna hacia la médula renal, regresa a la corteza al curvarse, forma otro tubo contorneado que desemboca en el conducto colector y éste entra de nuevo a la cual se eliminan los desechos. A lo largo médula para finalmente verter la orina en la pelvis renal. A medida que el filtrado fluye por el tubo de la nefrona, la red de capilares que lo rodea va reabsorbiendo los materiales que el organismo necesita, dejando sólo los de desecho. La sangre ya depurada sale del riñón por la vena renal.

¿Cómo trabajan los riñones artificiales?

Si los riñones de una persona fallan, el paciente puede morirse en unos cuantos días intoxicado con sus propios desechos, a menos que se puedan eliminar las impurezas de la sangre por otros medios. Eso es precisamente lo que hace el aparato llamado riñón artificial. Mucha gente cuyos riñones ya no trabajan o se los han extirpado ha podido sobrevivir durante años en espera de un trasplante gracias a un riñón artificial. Este aparato también se usa para proporcionar un descanso a los riñones enfermos y darles así la oportunidad de curarse y reanudar su función normalmente.

Al proceso de purificación de la sangre por medio de un riñón artificial se le llama hemodiálisis. Los pacientes generalmente se tienen que someter a esta práctica dos o tres

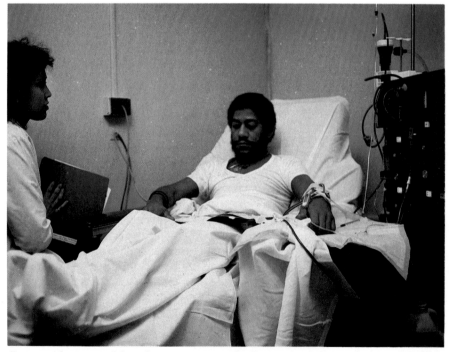

Para que la sangre del paciente no se coagule durante la diálisis se le pone heparina como anticoagulante, pero cuando regresa al cuerpo, para prevenir hemorragias, se le tiene que añadir una sustancia que contrarreste la heparina.

veces a la semana en sesiones de 6 a 12 horas. Durante estas sesiones se hace pasar la sangre cargada de impurezas por un tubo de celofán semipermeable sumergido en una solución química que se mantiene a la temperatura del cuerpo. Las partículas microscópicas de los desechos pasan a la solución a través del celofán y la sangre ya depurada regresa al cuerpo del paciente.

Algunas máquinas de hemodiálisis son tan pequeñas y sencillas que se pueden utilizar en casa; hay pacientes que aprovechan el tiempo de tratamiento para dormir. Pero esto no quiere decir que la hemodiálisis no implique riesgos; en esos casos siempre debe haber en la casa una persona capacitada (puede ser cualquier miembro de la familia) para que vigile el proceso.

La depuración de la sangre también se puede llevar a cabo dentro del cuerpo del paciente por medio de una diálisis peritoneal. La solución dializadora se introduce por un tubo en la cavidad abdominal y la difusión de los desechos de la sangre a la solución se efectúa a través del peritoneo, la membrana que reviste esa cavidad. El procedimiento tarda de 24 a 48 horas y tiene que hacerse bajo estricta vigilancia médica.

¿Suelen tener éxito los trasplantes renales?

Los trasplantes de órganos sólo son factibles si el tipo de sangre y de tejidos del donador y del receptor resultan estrechamente compatibles. Si se trata de gemelos idénticos, las probabilidades de éxito son muy grandes; también son buenas si el donador es un hermano o un pariente cercano. El mayor obstáculo en este tipo de intervenciones es el sistema inmunitario del receptor, que le hace rechazar cualquier tejido extraño. Para evitar esto, después del trasplante el paciente tiene que estar tomando inmunosupresores durante meses o años. Desgraciadamente, esos medicamentos también lo hacen muy vulnerable a las infecciones. Las nuevas técnicas quirúrgicas, las pruebas de compatibilidad sanguínea y tisular, que son ahora más precisas, y el empleo de la ciclosporina como agente inmunosupresor han prolongado mucho la duración de los trasplantes de riñón. Un riñón donado por un pariente tiene 90% de probabilidades de mantenerse funcionando dos años, y 75% si procede de un cadáver.

¿Dónde se localizan los riñones y qué función tienen?

Los riñones se encuentran en la parte posterior del tronco a uno y otro lados de la columna vertebral, justo encima de la cintura. Están conectados al resto del cuerpo por los uréteres y los vasos sanguíneos que entran y salen a través de la depresión cóncava de su borde interno. A la parte externa del riñón se le llama corteza y a la central médula; esta última está formada por 12 a 18 estructuras cónicas, las pirámides renales, que drenan en la pelvis renal. De ahí la orina pasa al uréter y se acumula en la vejiga.

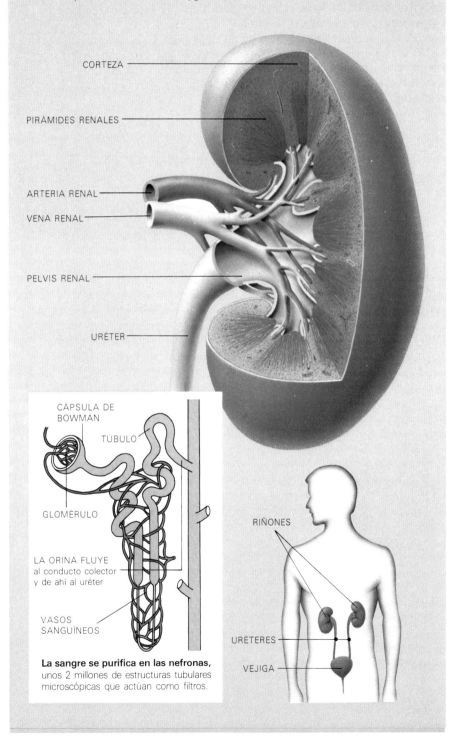

CORTEZA

PIRÁMIDES RENALES

ARTERIA RENAL

VENA RENAL

PELVIS RENAL

URÉTER

CÁPSULA DE BOWMAN

TÚBULO

GLOMÉRULO

LA ORINA FLUYE al conducto colector y de ahí al uréter

VASOS SANGUÍNEOS

La sangre se purifica en las nefronas, unos 2 millones de estructuras tubulares microscópicas que actúan como filtros.

RIÑONES

URÉTERES

VEJIGA

Composición de la orina

¿De qué está formada la orina?

Al quemar calorías para obtener energía, las células producen sustancias residuales que podrían destruirlas si se acumularan en su interior. Para que esto no ocurra, los desechos metabólicos no se quedan en los tejidos, se vierten en la sangre y son conducidos a los riñones a través del aparato circulatorio. Al filtrar la sangre, los riñones conservan los elementos útiles y se deshacen de los que resultan nocivos o innecesarios, formando con ellos la orina que fluye continuamente y se almacena en la vejiga. La orina sirve como principal vía de excreción de los productos nitrogenados (urea, ácido úrico y creatinina), que quedan como residuos durante el desdoblamiento de las proteínas, los ácidos nucleicos y la creatina. También se elimina así el exceso de sodio, potasio, calcio, magnesio, hierro, bicarbonatos, fosfatos, sulfatos y cloruros.

El compuesto más abundante en la orina es el agua. Su proporción exacta varía de acuerdo con el estado de salud de cada uno, lo que haya comido y bebido y el ejercicio que haya hecho, pero generalmente constituye alrededor de un 95 ó 96% de la orina.

¿Cómo se elimina la orina?

Los riñones están continuamente produciendo orina que gotea las 24 horas del día en los uréteres, dos tubos delgados de 4 a 5 mm de diámetro y de 25 a 30 cm de largo que conectan los riñones con la vejiga. Las paredes musculares de los uréteres se contraen de vez en cuando creando ondas peristálticas que impulsan la orina hacia la vejiga. En este saco muscular con gran capacidad de expansión se acumula la orina hasta el momento de la micción. Entonces la vejiga se contrae y expulsa su contenido a través de la uretra,

¿A qué estímulos responde la micción?

A medida que la orina se acumula en la vejiga sus paredes elásticas se distienden. Cuando contiene ya alrededor de medio litro, los sensores que hay en las paredes mandan impulsos que estimulan las ganas de orinar. Aunque la micción es voluntaria, una vez que ha comenzado intervienen una serie de reflejos: los músculos de la vejiga se contraen para expulsar la orina y el esfínter que cierra la uretra se abre.

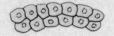

CÉLULAS EPITELIALES
de la vejiga contraída

CÉLULAS EPITELIALES
de la vejiga distendida

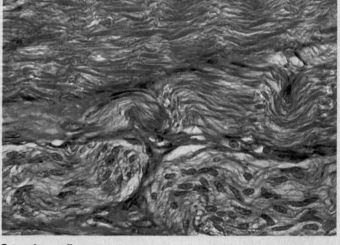

Esta micrografía muestra la gruesa capa muscular de una vejiga vacía.

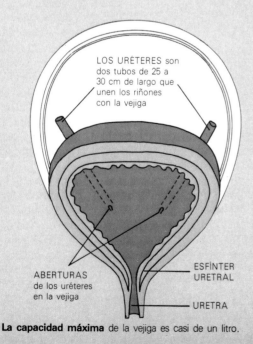

LOS URÉTERES son dos tubos de 25 a 30 cm de largo que unen los riñones con la vejiga

ABERTURAS
de los uréteres
en la vejiga

ESFÍNTER
URETRAL

URETRA

La capacidad máxima de la vejiga es casi de un litro.

El mismo tejido distendido al máximo tiene sólo unas cuantas células de grosor.

un tubo corto que se abre al exterior; la misma onda de contracción cierra los uréteres impidiendo así que la orina regrese a los riñones.

¿La cantidad de líquido que se elimina corresponde a la que se ha tomado?

La cantidad total del agua que hay en el organismo permanece constante, con sólo ligeras variaciones, independientemente de la cantidad de líquidos que tomemos. Los que se encargan de mantener este equilibrio son los riñones, que aumentan o disminuyen la proporción de agua en la orina según la que hayamos absorbido. Por lo tanto, la cantidad de agua que eliminamos al día corresponde, poco más o menos, a la que hemos bebido.

¿A qué se debe el aumento o la disminución del volumen de orina?

La cantidad de orina que se elimina depende sobre todo de las necesidades que tenga el organismo para mantener el equilibrio de los líquidos internos. El agua es el principal constituyente de nuestro cuerpo; a ella corresponde casi el 60% del peso de un adulto delgado y un poco menos si se trata de una persona gorda. Además de la orina, el exceso de agua escapa por otras vías: humedece el aliento, se evapora a través de la piel, la secretan las glándulas sudoríparas en forma de sudor y se excreta en las heces. A veces el cuerpo pierde demasiada agua como resultado del calor, el ejercicio o alguna enfermedad que produce sudores, vómitos o diarrea; son entonces los riñones los que se encargan de conservar las reservas del organismo.

El hipotálamo, una pequeña región del cerebro, vigila la cantidad de líquidos que hay en el cuerpo; en cuanto nota un descenso en el volumen de agua, manda señales a la glándula pituitaria para que libere en la corriente sanguínea hormona antidiurética, sustancia que aumenta la capacidad de los riñones para reabsorber y reciclar el agua. Si el cuerpo ha absorbido más líquidos de los que necesita, el hipotálamo hace que disminuya la secreción de hormona antidiurética.

Otro mecanismo para regular la cantidad de agua y sales en el organismo funciona como un sistema de retroalimentación, que

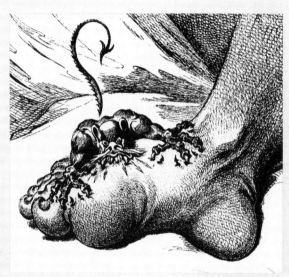
empieza y termina en los riñones. Cuando el nivel de sodio en la sangre disminuye, la presión arterial baja y esto hace que los riñones segreguen una enzima, llamada renina, que desencadena una serie de reacciones químicas en los riñones y en el torrente sanguíneo dando lugar a la formación de una hormona, la angiotensina, que estimula a las glándulas suprarrenales para que produzcan aldosterona, que a su vez fomenta la reabsorción de sodio. La angiotensina también hace que los vasos sanguíneos se constriñan, lo que eleva la presión arterial y aumenta la velocidad a la que se filtra la sangre a través de los riñones. Al mismo tiempo estimula al hipotálamo para que ordene la secreción de hormona antidiurética y reduzca la producción de saliva creando una sensación de sed. Cuando la presión sanguínea y la concentración de sodio en la sangre han vuelto a sus niveles normales, la secreción de renina cesa y se interrumpe toda esta secuencia de procesos reguladores que son responsables del volumen de orina que se elimina.

¿Qué diferencias hay entre el aparato urinario femenino y el masculino?

Las principales diferencias se encuentran en la uretra y en la relación de la vejiga con otros órganos. En las mujeres, la uretra es un conducto de unos 4 cm de largo que sirve exclusivamente para llevar la orina de la vejiga al exterior. La vejiga en las mujeres está colocada por delante del útero y de la vagina.

En los hombres, la uretra es un tubo que mide alrededor de 20 cm de largo y pasa en su trayecto hacia el exterior a través de la próstata y luego a lo largo del pene. La uretra masculina sirve tanto para el paso de la orina como del semen. Durante la micción, se cierra automáticamente la abertura de la uretra por la que entra el líquido seminal dejando paso sólo a la orina. Lo contrario ocurre durante la eyaculación. La vejiga está situada en la cavidad pélvica por detrás del pubis, lo mismo que en las mujeres, pero en ellos queda por delante del recto.

Problemas urinarios y soluciones

¿Por qué es tan importante atender las infecciones menores del tracto urinario?

La cistitis, o inflamación de la vejiga, es una infección bacteriana muy común causada generalmente por gérmenes que se propagan desde el tracto intestinal hasta la vejiga a través de la uretra. Esta inflamación es mucho más frecuente en las mujeres porque tienen la uretra más corta que los hombres y su abertura está muy cerca del ano y de la vagina.

Los síntomas abarcan la necesidad frecuente y urgente de orinar aunque haya poco líquido en la vejiga, una sensación de ardor al orinar y algunas veces fiebre y presencia de sangre en la orina. La cistitis no es peligrosa en sí misma y puede curarse rápida y eficazmente con antibióticos. En ocasiones los síntomas desaparecen tan rápidamente con el tratamiento que el paciente considera que la infección ha cedido y deja de tomar demasiado pronto los medicamentos que le han prescrito. Esto puede hacer que los gérmenes suban por los uréteres hasta los riñones y causen una pielonefritis, infección potencialmente más peligrosa que la cistitis. Para evitar ese riesgo, se recomienda a los pacientes que sigan tomando el antibiótico durante el tiempo que les haya indicado el médico, aunque crean que ya están curados.

¿Por qué algunos niños se siguen orinando en la cama?

Alrededor del 10% de los niños mayores de tres años se orinan en la cama de vez en cuando, los varones con más frecuencia que las niñas. Muchos médicos opinan que esto generalmente se debe a que su sistema nervioso es de maduración lenta o a que tienen la vejiga muy pequeña. Siendo así no hay que preocuparse, la mayoría logrará controlar la vejiga totalmente antes de los 10 años. En un 20 a 30% de los casos el problema tiene un origen psicológico: es el resultado de conflictos entre los niños y sus padres o de cualquier otra dificultad emocional. A estos pequeños puede ayudarles mucho la psicoterapia. Por último, 20% de los niños que se orinan en la cama pueden tener una infección o alguna anomalía en las vías urinarias bajas. Tomar poco líquido antes de acostarse y poner en la cama un zumbador que suena al humedecerse les puede ayudar a controlar la vejiga.

¿Qué son los cálculos renales?

La mayor parte de los cálculos renales están formados de calcio que se ha precipitado de la orina y se ha cristalizado. Los enfermos de gota algunas veces forman cálculos de ácido úrico. Hay personas que están más expuestas a sufrir este trastorno, entre ellas las que viven en climas tropicales o realizan un trabajo físico agotador que puede provocarles una deshidratación, las que han heredado la predisposición y las que llevan una vida sedentaria y tienden a acumular demasiado calcio en la sangre.

Los cálculos renales varían mucho en tamaño; pueden ser minúsculos o llegar a medir 3 cm o más de diámetro. El 85% de los cálculos son lo suficientemente pequeños para poder pasar por las vías urinarias y ser expulsados sin necesidad de una intervención quirúrgica, pero hay otros que se atascan en la pelvis renal, en los uréteres o en la vejiga causando atroces dolores al enfermo y obstruyendo el riñón en cuyos conductos se alojan. Poco es lo que puede hacer el médico para facilitar el paso del cálculo por las vías urinarias, como no sea dar al paciente analgésicos y muchos líquidos.

¿Es inevitable operar para extraer los cálculos renales?

Ahora los médicos pueden disolver, desmenuzar o extraer la mayor parte de los cálculos renales que están causando problemas a sus pacientes, sin tener que recurrir a la cirugía. Las piedras que están en el riñón o en la parte alta de los uréteres se pueden pulverizar usando un aparato que genera ondas de choque; las arenillas a que quedan reducidos pueden ya salir fácilmente junto con la orina. También se puede extraer un cálculo del riñón insertando en este órgano, a través de una pequeña incisión, un tipo especial de endoscopio que se llama nefroscopio, con el que se localiza el cálculo y por medio de ondas ultrasónicas se reduce a partículas de menor tamaño que pueden sacarse por la misma incisión. Las piedras que están alojadas en los uréteres, cerca de la vejiga, se extraen con un ureteroscopio que se introduce por la uretra hasta la vejiga y de ahí al uréter.

Algunos tipos de cálculos pueden disolverse; los de ácido úrico, por ejemplo, son

---

LAS PALABRAS Y SU HISTORIA

Masculino y femenino proceden del latín *masculus* y *femella*, respectivamente, vocablos que también dieron lugar a las palabras macho y hembra. Para referirse a los seres racionales de uno y otro sexos se empleaban en esa misma lengua los términos *homo* y *mulier*, transformados en la nuestra en hombre y mujer.

Venéreo es un adjetivo que deriva de Venus, nombre de la diosa romana del amor, y puede definirse como lo perteneciente o relativo al deleite sexual, aunque en la práctica pocas veces se usa en tal sentido. Actualmente esta palabra se emplea casi exclusivamente en la frase enfermedades venéreas, es decir, enfermedades que se transmiten por contacto sexual.

Algunas veces se emplea la palabra virilidad como sinónimo de fertilidad masculina, pero no significan lo mismo. Se dice que un hombre es viril cuando tiene marcados rasgos masculinos y es capaz de consumar el acto sexual, aunque, paradójicamente, pueda ser estéril porque produzca pocos espermatozoides, malformados o que se desplacen con dificultad.

Andrógino, término que implica tener características tanto femeninas como masculinas, y andrógeno, nombre que se da a las hormonas masculinas, son palabras que se pueden confundir con facilidad porque tienen una raíz común y fonéticamente se parecen mucho. Andrógino proviene de dos vocablos griegos: *andro,* que significa hombre, y *gyne,* mujer (de este último deriva también ginecología, la rama de la medicina que se dedica al aparato reproductor femenino). Por su parte, andrógeno procede de *andro* y de otra palabra griega, *genus,* procrear. *Genus* es también la raíz de las voces *engendrar, progenie* y *generación.*

Valor diagnóstico del análisis de la orina

Los antiguos médicos griegos, romanos y árabes basaban su diagnóstico en seis clases de observaciones: la conducta del paciente, el tipo, ubicación e intensidad del dolor, las zonas inflamadas, los olores corporales y el análisis de la orina. Su color, olor, sabor, densidad y contenido de sedimentos les ayudaba a identificar la enfermedad y establecer el tratamiento. En nuestros días, el análisis de orina sigue siendo vital para el médico. Por el grado de acidez, el nivel de proteínas anormales y el examen microscópico de los cristales, bacterias o células sanguíneas que contiene puede saber si hay alguna disfunción renal; el exceso de azúcar en la orina indica diabetes, y la abundancia de glóbulos blancos una infección de las vías urinarias. El análisis también revela los venenos o drogas que ha tomado el paciente.

En este cuadro médico medieval se sugiere la enfermedad que puede estar sufriendo el paciente de acuerdo con el color y el contenido de sedimentos de la orina.

El color amarillo verdoso o café dorado que dan a la orina los pigmentos biliares puede indicar problemas hepáticos.

En "La mujer hidrópica", el pintor holandés del siglo XVII Gérard Dou muestra a un médico examinando la orina.

---

muy solubles en bicarbonato de sodio y llegan a deshacerse en unos cuantos días mediante irrigaciones con una solución de ese compuesto. Desgraciadamente, los cálculos que contienen calcio no se disuelven en ningún producto que sea inocuo.

Si una piedra obstruye un riñón y no sale espontáneamente o se extrae por otros medios, puede llegar a lesionar ese órgano. Los métodos conservadores suelen no servir cuando el cálculo es muy grande y ocupa una amplia zona del riñón; en ese caso la única solución es intervenir quirúrgicamente. Una infección de las vías urinarias asociada a una oclusión por cálculos puede poner en peligro la vida del enfermo. En situaciones como ésa hay que administrar antibióticos y eliminar de inmediato la obstrucción por el método que el médico considere más rápido.

¿Cómo se puede evitar la formación de cálculos?

El método más barato y eficaz es beber todos los días una gran cantidad de líquidos. También hay medicamentos especiales para prevenir la nueva formación de la mayoría de los cálculos una vez que el paciente ha eliminado los anteriores y se conoce su naturaleza.

El aparato reproductor masculino

¿Qué estructura tienen los testículos?

Los testículos son dos órganos ovoides, de color blanco, divididos internamente en unos 250 a 400 lobulillos que contienen los túbulos seminíferos donde se forman los espermatozoides. Los túbulos seminíferos dan tantas vueltas y revueltas y su trayecto dentro del lobulillo es tan sinuoso que, a pesar de medir en conjunto unos 230 m de longitud, caben en un testículo que tiene apenas de 4 a 5 cm de diámetro mayor. Intercaladas entre los túbulos se encuentran las células de Leydig, que segregan testosterona, y las de Sertoli, ricas en glucógeno, que supuestamente proveen de nutrientes a las espermátidas durante su desarrollo.

¿Por qué los testículos se alojan en el escroto, fuera del abdomen?

Parece increíble que órganos tan importantes como los testículos se encuentren en una región tan vulnerable del cuerpo masculino, fuera de la cavidad abdominal donde se han formado y donde podrían contar con mayor protección. La razón es simple: en el interior del cuerpo hace demasiado calor para el desarrollo de los espermatozoides, que necesitan una temperatura entre 3 y 5° menor que la normal del cuerpo. Generalmente los músculos del escroto están relajados manteniendo a los testículos a cierta distancia del bajo vientre y de los muslos, donde la temperatura es más fresca. Cuando hace frío, los músculos del escroto se contraen acercando los testículos al calor del tronco. Tan importante es la temperatura para la producción espermática que incluso usar ropa demasiado apretada puede, aparentemente, reducir la fertilidad masculina.

Partes principales del aparato reproductor masculino

Los testículos se encuentran fuera de la cavidad abdominal en una bolsa llamada escroto; en ellos se forman los espermatozoides que al fecundar al óvulo transmiten a la progenie los genes del padre. Estos órganos también producen testosterona, la hormona que regula el desarrollo de los caracteres masculinos. El pene se encarga de conducir los espermatozoides al cuerpo de la mujer. El aparato reproductor masculino incluye además el epidídimo, tubo delgado y muy sinuoso situado en el escroto a lo largo del testículo. De ahí pasan y se almacenan en los conductos deferentes, que desembocan en la uretra a través de los conductos eyaculadores. Las glándulas de Cowper, las vesículas seminales y la próstata son también parte esencial de este aparato; sus secreciones forman el líquido seminal que acompaña a los espermatozoides.

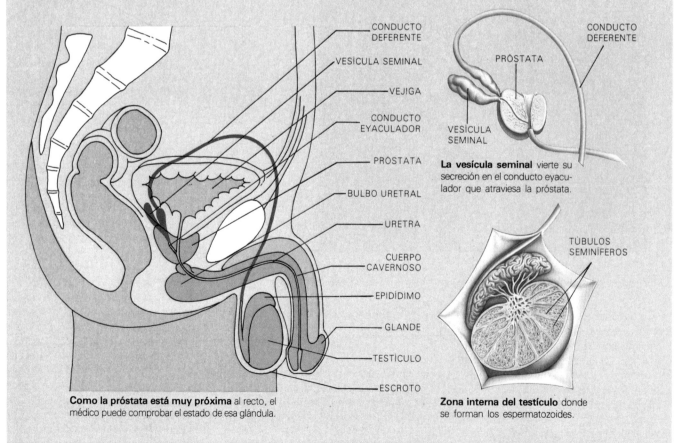

CONDUCTO DEFERENTE
VESÍCULA SEMINAL
VEJIGA
CONDUCTO EYACULADOR
PRÓSTATA
BULBO URETRAL
URETRA
CUERPO CAVERNOSO
EPIDÍDIMO
GLANDE
TESTÍCULO
ESCROTO

Como la próstata está muy próxima al recto, el médico puede comprobar el estado de esa glándula.

CONDUCTO DEFERENTE
PRÓSTATA
VESÍCULA SEMINAL

La vesícula seminal vierte su secreción en el conducto eyaculador que atraviesa la próstata.

TÚBULOS SEMINÍFEROS

Zona interna del testículo donde se forman los espermatozoides.

¿Cómo se produce la erección del pene?

La vía de salida del semen es la uretra, un conducto que corre por el interior del pene y que también sirve para hacer salir la orina. El pene es el órgano copulador; se encuentra situado arriba del escroto, tiene forma cilíndrica y está constituido por tres masas de tejido esponjoso, eréctil, que ocupan toda la longitud del órgano a manera de columnas de sostén y que se llaman cuerpos cavernosos. Cuando el hombre se excita sexualmente, los espacios que hay en el interior de este tejido se llenan de sangre arterial y el pene, que normalmente está fláccido, se agranda y endurece, lo que permite la penetración en la vagina.

¿Qué ocurre durante la eyaculación?

El clímax del acto sexual es el orgasmo, durante el cual el ritmo cardiaco se acelera, la presión sanguínea aumenta y la excitación sensorial llega a su punto máximo. En los hombres, el orgasmo culmina con la eyaculación, es decir, la descarga del semen. Al comenzar el clímax, la contracción rítmica de los músculos de los testículos, el epidídimo y los conductos deferentes impulsa a los espermatozoides hacia la uretra. Al mismo tiempo, los músculos de la próstata y de las vesículas seminales se contraen haciendo que las secreciones de estas glándulas también se viertan en la uretra. Cuando el pene se encuentra lleno de semen, se producen en su base contracciones musculares que conducen a la eyaculación. En cuanto se produce la descarga, la erección comienza a ceder.

¿Qué relación hay entre la próstata y la dificultad para eyacular?

Por el interior de la próstata, glándula masculina situada directamente bajo el cuello de la vejiga urinaria, corre la uretra antes de entrar al pene. Como por la uretra salen al exterior lo mismo la orina que el semen, cualquier afección de la próstata que llegue a obstruir este conducto producirá necesariamente dificultad tanto para orinar como para eyacular.

Para los judíos, la circuncisión o corte de parte del prepucio a los varones es un requisito religioso establecido en el Génesis. Andrea Mantegna, pintor del siglo XV, trata en este cuadro la circuncisión de Jesús.

¿Por qué la próstata causa con tanta frecuencia problemas a los ancianos?

Después de los 50 ó 60 años, la próstata tiende a aumentar de tamaño y puede comprimir la uretra, limitando el flujo de la orina. Por eso muchos hombres al llegar a viejos tienen dificultad para orinar y sienten la urgente necesidad de vaciar la vejiga con mucha más frecuencia. Algunas veces el problema se complica porque la retención de orina puede producir una inflamación de la vejiga e incluso una lesión del riñón. En esos casos es necesario extirpar quirúrgicamente la parte hipertrofiada de la próstata.

¿Puede afectar la función sexual una operación de la próstata?

La próstata segrega un líquido que forma parte del semen y proporciona a los espermatozoides el medio alcalino que necesitan para mantener su vitalidad. Cuando se extirpa quirúrgicamente un tumor benigno de la próstata, se conserva intacta la mayor parte de la glándula, de manera que esto rara vez afecta la fertilidad del hombre. Sin embargo, algunas operaciones pueden causar lo que se llama eyaculación retrógrada o descarga del semen hacia la vejiga en lugar de hacerlo hacia fuera a través de la uretra.

¿Por qué los hombres de más de 50 años deben hacerse un examen rectal anual?

Como la próstata está situada inmediatamente por delante del recto, cualquier alteración de esa glándula se percibe fácilmente mediante un examen rectal. Aunque la hipertrofia de la próstata no conduce al cáncer, los tumores malignos de la glándula son bastante comunes en los hombres de más de 50 años; por eso los especialistas les recomiendan que se hagan todos los años un examen rectal. Si el cáncer de próstata se diagnostica y se trata a tiempo, el pronóstico suele ser bastante bueno.

¿Qué objeto tiene la circuncisión?

La circuncisión consiste en la extirpación quirúrgica del prepucio, un repliegue de piel que normalmente cubre el glande o cabeza del pene. Entre los judíos y musulmanes la circuncisión es un rito religioso, pero a muchos otros niños que no pertenecen a esas religiones también se les circuncida poco después de nacer por razones médicas. Algunos pediatras opinan que se debería circuncidar a todos los niños como medida higiénica para toda la vida, ya que así se evita que se acumule bajo el prepucio la secreción del glande llamada esmegma, donde frecuentemente proliferan las bacterias que causan infecciones en los genitales. También aducen que esta práctica puede ayudar a prevenir el cáncer, tanto del pene como del cuello de la matriz de la pareja del hombre que ha sido circuncidado.

Sin embargo, hay otros especialistas que consideran que la circuncisión no sólo es innecesaria en muchos casos, sino que además de resultar dolorosa puede afectar psicológicamente a los niños.

Producción de espermatozoides

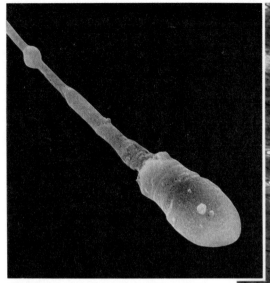

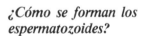
El espermatozoide es una de las células humanas más pequeñas, pero transmite al hijo todo el legado genético del padre.

Estos espermatozoides nadan rumbo al óvulo impulsados por su larga cola. No se ven formaciones como ésta cuando no hay óvulo que los atraiga.

¿Cómo se forman los espermatozoides?

Se llama espermatogénesis el proceso de transformación de las espermatogonias en espermatozoides. Las espermatogonias son células germinales formadas durante la vida fetal y que quedan, desde entonces, almacenadas en los túbulos seminíferos de los testículos; cada una lleva en su núcleo una dotación de 46 cromosomas que contienen genes complementarios. Por influencia de las hormonas, las espermatogonias pasan por una serie de divisiones y cambios, entre ellos una reducción del número de cromosomas. A eso se debe que los espermatozoides que resultan del proceso lleven consigo sólo 23 cromosomas, la mitad del código genético humano. Como los óvulos han reducido también su dotación a 23 cromosomas, cuando se unen las dos células sexuales dan lugar a un huevo con 46 cromosomas, que contienen toda la información necesaria para crear un nuevo ser humano.

¿Cuántos espermatozoides salen en una eyaculación?

La fecundación de un óvulo depende mucho del azar y hay innumerables factores que actúan en su contra; por lo tanto, cuanto mayor sea el numero de espermatozoides que participen en la empresa, más probabilidades habrá de que alguno lo logre. En una eyaculación promedio se emite un número enorme de espermatozoides, alrededor de 400 millones; el número real en cada caso puede, desde luego, variar mucho respecto a esa cifra promedio.

¿Para qué sirve el líquido seminal?

Para que un hombre sea fértil se necesita no sólo que produzca espermatozoides, sino también las secreciones en que tienen que ir inmersos para poder sobrevivir. Estas secreciones, elaboradas por diversas glándulas masculinas, proveen a los espermatozoides de nutrientes, neutralizan la acidez de la vagina e inducen la contracción del útero y de las trompas de Falopio en la mujer, lo que acelera el encuentro de los espermatozoides con el óvulo.

Alrededor del 60% del líquido seminal procede de las vesículas seminales, que segregan una sustancia viscosa y alcalina formada de fructosa, vitaminas y aminoácidos de los que se nutren los espermatozoides. Esta secreción también contiene moco lubricante y prostaglandinas, que son las que, aparentemente, causan las contracciones del útero. Las dos vesículas seminales están situadas detrás de la vejiga urinaria; cada una se une a un conducto deferente para formar los conductos eyaculadores, que entran a la próstata y desembocan en la uretra.

La próstata se encuentra bajo la vejiga; es una glándula que recuerda por su forma y tamaño a una castaña y segrega un líquido alcalino que neutraliza la acidez, tanto de las vías espermáticas como de la vagina.

Bajo la próstata hay dos glándulas amarillentas del tamaño de un chícharo, una a cada lado de la uretra, llamadas glándulas bulbouretrales o de Cowper. Antes de la eyaculación lanzan su secreción mucosa y alcalina a la uretra para limpiar cualquier rastro de orina que pueda dañar a los espermatozoides. Las glándulas de Littre, que bordean la uretra, también segregan moco lubricante.

¿Llegan a mezclarse el semen y la orina?

La forma en que funciona el aparato genitourinario masculino impide que el semen se mezcle con la orina, cuyos ácidos son letales para los espermatozoides. Aunque el semen y la orina salen por la uretra, no pueden hacerlo al mismo tiempo. Durante el coito, se producen reflejos nerviosos que impiden la micción, y el líquido alcalino que segregan las glándulas de Cowper limpia cualquier resto de orina de la uretra antes de la eyaculación.

¿Son normales las emisiones nocturnas?

La erección del pene es un reflejo que puede producirse como resultado de la presión de la ropa o de la vejiga, de un estímulo táctil, de un cambio de nivel hormonal o de pensamientos y sueños eróticos. Por lo tanto, es normal que durante el sueño se tengan erecciones e incluso eyaculaciones espontáneas, que suelen ser ocasionales en los adultos pero bastante frecuentes en los adolescentes sanos.

¿Es necesario que los hombres se examinen los testículos?

Todos los años, 2 ó 3 hombres de cada 100 000 desarrollan cáncer de los testículos; el grupo de más alto riesgo lo forman los adultos de raza blanca de entre 20 y 40 años de edad. Afortunadamente, la mayor parte de los tumores testiculares llegan a curarse, aunque hayan formado metástasis en otras partes del organismo, gracias a la amplia gama de medicamentos quimioterapéuticos con que hoy se cuenta.

Hay, desde luego, mayores probabilidades de curar este tipo de cáncer si se descubre pronto; por eso es importante que todos los hombres aprendan a examinarse los testículos adecuadamente y lo hagan periódicamente. Así, en cuanto noten en ellos cualquier cambio de tamaño o consistencia deben acudir al médico para que evalúe cuanto antes la alteración. Si aparentemente el tumor no se ha extendido más allá del testículo y los exámenes posteriores indican que no hay recurrencia, es probable que pueda evitarse la quimioterapia.

¿Todos los bultos que se desarrollan en los testículos son tumores?

Cualquier hinchazón o bulto que aparezca en los testículos debe ser revisado lo antes posible por un médico para que determine su naturaleza y prescriba el tratamiento adecuado. Hay varios tipos de tumefacciones que no son tumorales. El hidrocele, por ejemplo, es una acumulación de líquido entre las capas que cubren el testículo; generalmente es benigno, pero puede estar asociado a un tumor. El varicocele se debe a la dilatación de venas varicosas que rodean el testículo, y el hematocele a un derrame interno de sangre provocado por un traumatismo o un tumor. Las infecciones del epidídimo pueden causar un endurecimiento doloroso del testículo que se distingue de un tumor porque éstos no suelen doler. Otra alteración que resulta muy dolorosa es la torsión del testículo. La torsión obstruye el flujo de sangre y hace que el testículo y el epidídimo se inflamen y endurezcan; para salvar el testículo hay que corregirla quirúrgicamente lo antes posible.

¿Quiénes corren mayor riesgo de desarrollar un tumor del testículo?

Los varones que conservan los testículos en la cavidad abdominal o en el conducto inguinal tienen mayores probabilidades de desarrollar cáncer testicular. Los testículos se forman cerca de los riñones, pero descienden al escroto antes de que el niño nazca o por lo menos durante el primer año de vida. Si al año o a los dos años aún no han bajado espontáneamente, se interviene quirúrgicamente para colocarlos en el lugar que les corresponde. Esta operación no evita necesariamente el desarrollo de tumores, pero hace más fácil el diagnóstico temprano. Se recomienda mucho a los hombres que han tenido problemas de retención de los testículos que se hagan autoexploraciones periódicamente y que consulten al médico en cuanto noten en cualquiera de ellos alguna anomalía.

¿Por qué las paperas son peligrosas para los hombres?

Antes de que se generalizaran las vacunas, alrededor de 85% de los casos de paperas ocurrían entre menores de 15 años. La inflamación dolorosa de las glándulas salivales que caracteriza a esta contagiosa infección viral suele durar una semana. Aunque muchos la consideran una enfermedad sin mayor importancia, si ataca a varones adolescentes o adultos puede producir una inflamación de los testículos (orquitis aguda) que los atrofia y causa esterilidad.

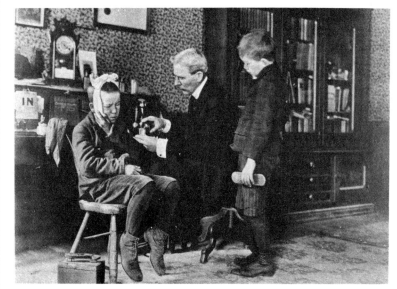

Para aliviar el dolor de la inflamación se vendaba a los enfermos de paperas.

Causas de impotencia

¿Son muchos los hombres que sufren impotencia sexual?

Es probable que todos los hombres hayan pasado alguna vez en su vida por un periodo de impotencia sexual, que se define como la incapacidad para lograr y mantener una erección que permita el coito. Esta impotencia ocasional se debe generalmente a causas tan simples como la fatiga, una enfermedad o la tensión nerviosa.

¿Cuáles son las causas más frecuentes de la impotencia crónica?

No hace mucho, la profesión médica solía pasar por alto las causas fisiológicas de la impotencia, pero ahora se ha empezado a prestarles mayor atención. Hoy se sabe que la potencia sexual depende del buen funcionamiento de muchas partes del cuerpo, no sólo del aparato reproductor. En ella intervienen el cerebro, la médula espinal, los nervios, las glándulas pituitaria, tiroides y suprarrenales y el aparato cardiovascular. Además de que muchas drogas y medicamentos afectan la potencia porque causan desequilibrios hormonales o dilatan los vasos sanguíneos, hay enfermedades que inhiben algunas veces la erección, como son las alteraciones neurológicas, la diabetes, la arteriosclerosis, el cáncer, la extirpación total de la próstata y las lesiones e infecciones del aparato genitourinario.

Los factores psicológicos, que antes se consideraban prácticamente como la *única* causa de impotencia, siguen siendo la fuente más frecuente de este tipo de problemas. La tensión emocional, la depresión, las desavenencias maritales y la ansiedad, sobre todo la ansiedad centrada en el desempeño sexual, son los elementos que intervienen más a menudo en los casos de impotencia persistente. Muchos de ellos, ya sea que tengan un origen fisiológico o psicológico, pueden curarse mediante un tratamiento específico. Los tratamientos abarcan desde la psicoterapia, la orientación matrimonial y la terapia sexual, hasta la medicación y la cirugía.

¿Pueden causar impotencia los medicamentos?

Lamentablemente, muchos medicamentos producen impotencia como efecto colateral, entre ellos algunos de los que se usan para tratar la hipertensión y las úlceras, ciertos antidepresivos, tranquilizantes, narcóticos, diuréticos y vasodilatadores, así como las drogas que causan adicción. El alcoholismo también conduce a la impotencia crónica porque lesiona el hígado, lo que hace que aumente el nivel de estrógenos en la sangre y al mismo tiempo deprime el sistema nervioso y produce una disfunción testicular que reduce la secreción de testosterona. Una sola borrachera puede inhibir temporalmente la erección.

¿Cómo determinan los médicos la causa de impotencia?

Cada día hay más médicos que tratan de establecer si la impotencia del paciente no tiene una causa física antes de dar por sentado que procede de problemas emocionales. Generalmente, el médico empieza por medir el nivel de testosterona en la sangre para determinar si las glándulas trabajan bien y comprueba si no hay algún problema circulatorio que impida a la sangre fluir hacia el pene. A veces se le coloca al paciente un aparato especial que registra las erecciones del pene, para poder saber si experimenta alguna mientras duerme. Normalmente, los hombres tienen 3 ó 4 erecciones nocturnas que suelen durar, en conjunto, unos 90 minutos. Si la prueba resulta positiva o si el paciente informa que tiene erección al despertarse, es muy probable, aunque no seguro, que su impotencia no tenga una causa orgánica. En ese caso, el médico le recomendará que consulte con un terapeuta sexual o con un especialista en alteraciones emocionales.

¿Se puede evitar la eyaculación prematura?

Los terapeutas sexuales han desarrollado una técnica de conducta muy sencilla para retardar la eyaculación, que pueden aprender la mayoría de los hombres. En casos de eyaculación precoz, el médico de la familia puede recomendar un especialista en problemas sexuales para que le enseñe la técnica al paciente.

¿Es peligroso tener relaciones sexuales después de un ataque cardiaco?

Después de un ataque cardiaco, sólo el médico puede indicar en cada caso si es peligroso o no reanudar la actividad sexual. Hay pacientes a los que se les recomienda que eviten o reduzcan las relaciones sexuales, pero la mayoría pueden, sin peligro, proseguir todas, o casi todas, sus actividades cotidianas, incluyendo las sexuales.

¿Causa impotencia la vasectomía?

La vasectomía es una operación sencilla; no toma más de 20 minutos y consiste en

---

¿SABÍA USTED QUE...?

- **El símbolo biológico** del sexo femenino (♀) representa el espejo de mano de Venus y el del sexo masculino (♂) el escudo y la lanza de Marte.
- **El nefrólogo es un médico** dedicado a atender las enfermedades del riñón, mientras que el urólogo es el que resuelve los problemas relacionados con las vías urinarias y con el aparato reproductor masculino. El médico especializado en el aparato reproductor femenino es el ginecólogo.
- **Todos estamos conscientes** de que el calor produce sed, pero pocos sabemos que la deshidratación también puede ocurrir cuando hace frío. Según un estudio, los que trabajan en el Ártico llegan a deshidratarse seriamente —con la consecuente mengua de la eficiencia— sin darse cuenta de que necesitan beber agua.
- **Menos de la mitad de un solo riñón** puede realizar bien todas las funciones que normalmente llevan a cabo los dos riñones juntos.
- **La mujer más prolífica del mundo** fue la esposa de un campesino ruso. Entre 1725 y 1765 tuvo 69 hijos: 16 pares de gemelos, 7 grupos de trillizos y 4 de cuatrillizos. El récord actual corresponde a Leontina Albina, una chilena que en 1980 tenía ya 44 hijos, entre ellos 5 grupos de trillizos.

La búsqueda de un alimento para el amor: los afrodisiacos

La palabra afrodisiaco deriva de Afrodita, diosa griega del amor. Los antiguos griegos afirmaban que la miel tenía propiedades eróticas, lo mismo que el pelo de la cola del lobo o los huesos de la serpiente. Los franceses adjudicaron esas virtudes al jitomate, que llamaban *pomme d'amour* (manzana de amor); quizá por eso los puritanos concluyeron que era venenoso. Hoy se confía en los ostiones, pero ¿existen realmente pócimas que aumenten la potencia sexual o despierten la pasión del ser amado? A pesar de lo que se ha supuesto durante siglos, no las hay. Aparentemente el alcohol y algunas drogas exacerban temporalmente el deseo sexual al reducir las inhibiciones, pero a la larga resultan contraproducentes y pueden incluso causar impotencia. Si un afrodisiaco funciona es por efecto de la sugestión.

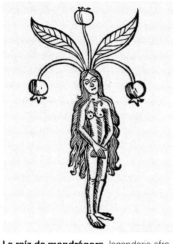

La raíz de mandrágora, legendario afrodisiaco, no aumenta sino que *reduce* el deseo sexual porque irrita las vías urinarias

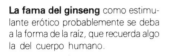

La fama del ginseng como estimulante erótico probablemente se deba a la forma de la raíz, que recuerda algo la del cuerpo humano.

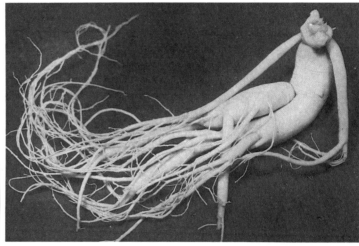

La más lamentable de todas es la absurda idea de que el cuerno de rinoceronte molido estimula la potencia sexual. Ese error ha colocado a la especie en peligro de extinción.

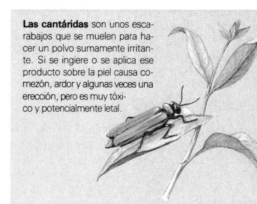

Las cantáridas son unos escarabajos que se muelen para hacer un polvo sumamente irritante. Si se ingiere o se aplica ese producto sobre la piel causa comezón, ardor y algunas veces una erección, pero es muy tóxico y potencialmente letal.

cortar y ligar los conductos deferentes, esos delgados tubos que conducen los espermatozoides de los testículos a los conductos eyaculadores. Esta operación no afecta la producción de espermatozoides ni de hormonas, y tampoco altera la capacidad de erección o el placer del orgasmo; la única diferencia es que el líquido seminal que se eyacula no contiene espermatozoides. El temor hace que algunos hombres sufran impotencia psicológica después de una vasectomía, pero generalmente se recuperan en cuanto comprenden que la operación no puede afectar fisiológicamente su potencia sexual.

El mejor método anticonceptivo es, indiscutiblemente, la esterilización que se logra con una vasectomía, pero ningún hombre debe someterse a ella a menos que esté dispuesto a aceptarla como algo definitivo, ya que la microcirugía que se requiere para invertir la operación sólo da resultado, cuando mucho, en el 70% de los casos.

Sólo ha habido un informe en el que se advierte que la vasectomía puede aumentar el riesgo de afecciones cardiacas, pero esto no ha sido confirmado por las investigaciones subsecuentes y por lo tanto no se acepta como un hecho.

El aparato reproductor femenino

¿Cuáles son las principales funciones de los ovarios?

Los ovarios, dos masas glandulares en forma de almendra de 2.5 a 4 cm de longitud, son los órganos reproductores femeninos primarios, análogos por sus funciones a los testículos del hombre. Segregan hormonas de las que depende el desarrollo de los caracteres sexuales femeninos secundarios y producen óvulos que llevan consigo la herencia genética de la mujer y que darán lugar a nuevos seres humanos al ser fecundados por los espermatozoides. Los ovarios se encuentran en la cavidad pélvica, a uno y otro lados del útero, al que están unidos por los ligamentos ováricos.

¿Cuántos óvulos contienen los ovarios?

Para asegurar la supervivencia de la raza humana, la naturaleza es pródiga en la dotación de células reproductoras.

Cuando una niña nace, lleva en sus ovarios alrededor de 2 millones de células germinales, que son óvulos en potencia. Unas tres cuartas partes degeneran antes de la pubertad, y de los cientos de miles que quedan sólo 400 ó 500 llegan a convertirse en óvulos maduros. Todos los meses, desde la pubertad hasta la menopausia, un ovario o el otro deja en libertad un óvulo listo para ser fecundado.

¿Qué estructura tiene el útero?

El útero o matriz es el órgano donde se implanta el óvulo fecundado, allí recibe protección y sustento durante los nueve meses que tarda en desarrollarse como un nuevo ser humano. El útero está situado detrás de la vejiga urinaria; en una mujer no embarazada tiene la forma y el tamaño de una pera invertida; mide, aproximadamente, 8 cm de largo y 5 de ancho en la parte superior, que constituye el cuerpo uterino; el extremo inferior, más angosto, se llama cuello y conduce a la vagina.

Antes del embarazo la cavidad uterina es pequeña y estrecha. Sus paredes están formadas por una capa externa llamada perimetrio, que le sirve de protección; la capa intermedia, muy gruesa, muscular, es el miometrio, cubierto internamente por una capa vascular, el endometrio. Todos los meses el endometrio se engruesa preparándose a recibir el óvulo fecundado, pero si la mujer no se embaraza, las células que han proliferado degeneran y el útero se deshace de ellas eliminándolas bajo la forma de menstruación.

¿Cómo se produce la ovulación?

Al llegar a la pubertad, una jovencita cuenta con miles de óvulos potenciales acumulados en la capa externa de los ovarios, o capa germinativa. Mediante un proceso que se conoce como ovogénesis, todos los meses comienzan a madurar varios óvulos,

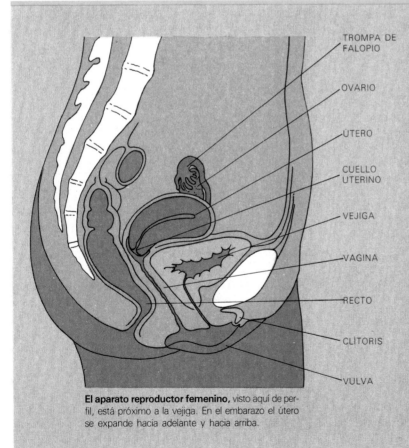

TROMPA DE FALOPIO

OVARIO

ÚTERO

CUELLO UTERINO

VEJIGA

VAGINA

RECTO

CLÍTORIS

VULVA

El aparato reproductor femenino, visto aquí de perfil, está próximo a la vejiga. En el embarazo el útero se expande hacia adelante y hacia arriba.

Partes principales del aparato reproductor femenino

Mientras que el aparato reproductor masculino sólo participa en la fecundación, el femenino desempeña un papel vital en la concepción, el desarrollo del feto, el alumbramiento y la alimentación del recién nacido. Los principales órganos reproductores femeninos —vagina, útero, trompas de Falopio y ovarios— son internos, se encuentran dentro de la cavidad abdominal y no fuera de ella como los del hombre; en la mujer sólo son externos los órganos sexuales accesorios: las glándulas mamarias y la vulva.

Las secreciones vaginales, que aumentan durante la excitación sexual, lubrican el conducto facilitando el coito. Estas secreciones se manifiestan sobre todo durante el embarazo y justo antes de la menstruación. Por su parte, la vulva está humedecida, aunque en menor grado, por las glándulas vestibulares y las parauretrales que rodean la abertura de la uretra. Todas estas secreciones glandulares son normales, pueden manchar la ropa interior pero no producen olor ni molestias, lo que las distingue del flujo causado por una infección. En la vagina habitan normalmente bacterias que ayudan a mantener higiénico el medio interno porque acidifican el moco vaginal, lo que inhibe el desarrollo de microorganismos patógenos.

pero, excepto en contados casos, sólo uno alcanza la madurez completa. Este óvulo llega a la superficie del ovario envuelto en lo que se llama folículo de Graaf. A mediados del ciclo menstrual se efectúa la ovulación: el folículo se llena de líquido, se distiende y termina por romperse dejando caer el óvulo que contenía a la cavidad peritoneal, de donde pasa en seguida a la trompa de Falopio del lado correspondiente.

¿Qué función desempeña la vagina?

La vagina es un conducto de 10 a 15 cm de largo que comunica el útero con el exterior. Este órgano, sumamente elástico, sirve de receptáculo al pene y a los espermatozoides y constituye la vía de salida del bebé cuando nace. Las paredes de la vagina, formadas por músculo y tejido conjuntivo fibroelástico, están normalmente plegadas hacia adentro, pero pueden distenderse dejando un espacio interno de 10 cm o más de diámetro, lo suficientemente amplio para dar paso a un bebé.

La vagina se encuentra por detrás de la vejiga urinaria y de la uretra, delante del recto. Al nacer, la abertura externa está total o parcialmente cubierta por una delgada membrana mucosa, el himen, que termina rompiéndose durante la primera relación sexual e incluso antes, al hacer ejercicio o cualquier otra actividad más o menos enérgica.

La secreción de las glándulas de Bartholin, que están situadas a uno y otro lados de la abertura vaginal, y el moco que produce el cuello del útero mantienen húmedos los genitales externos y la vagina. Cada mes, durante la ovulación, estas secreciones aumentan y se hacen más fluidas, lo que ayuda a los espermatozoides a desplazarse a través de la vagina y del útero para alcanzar las trompas de Falopio, que es donde se efectúa la fecundación. Durante el resto del ciclo, el moco es más denso y difícil de penetrar.

¿Qué es la vulva?

La parte más obvia de los genitales externos femeninos, que en conjunto se llaman vulva, es el monte de Venus, una almohadilla redondeada de tejido adiposo que cubre el pubis. Por debajo del monte de Venus se extienden los labios mayores, dos pliegues cutáneos formados por tejido conjuntivo y adiposo que llegan casi hasta el ano y protegen a los demás genitales externos. Por dentro de los labios mayores están los labios menores, que rodean el vestíbulo donde se encuentran el orificio de la uretra y el de la vagina. En la parte anterior, los labios menores se unen y forman una pequeña elevación llamada prepucio que cubre el clítoris. El clítoris presenta terminaciones nerviosas especializadas que hacen de él un órgano muy sensible; contiene, lo mismo que el pene masculino, tejido cavernoso eréctil que se llena de sangre durante la excitación sexual, lo que hace que se distienda y endurezca.

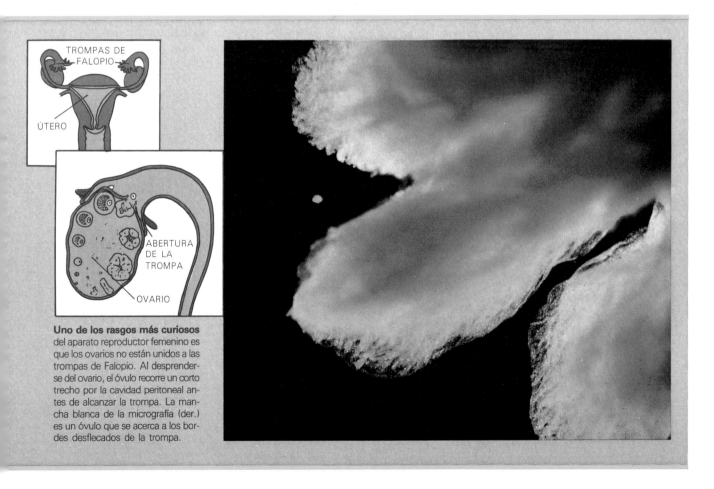

TROMPAS DE FALOPIO

ÚTERO

ABERTURA DE LA TROMPA

OVARIO

Uno de los rasgos más curiosos del aparato reproductor femenino es que los ovarios no están unidos a las trompas de Falopio. Al desprenderse del ovario, el óvulo recorre un corto trecho por la cavidad peritoneal antes de alcanzar la trompa. La mancha blanca de la micrografía (der.) es un óvulo que se acerca a los bordes desflecados de la trompa.

Funcionamiento del útero

¿Por qué conviene hacerse periódicamente una prueba de Papanicolaou?

Después del de mama, el cáncer más común del aparato reproductor femenino es el del cuello del útero. Como en esta región no hay terminaciones nerviosas que registren dolor, la enfermedad puede avanzar mucho antes de que aparezcan los primeros síntomas. Afortunadamente, existe una prueba segura, sencilla e indolora mediante la cual se puede detectar el cáncer cervical en sus primeras etapas, cuando es curable en casi todos los casos. Esta prueba, llamada citología cervical o frotis de Papanicolaou en honor del doctor George N. Papanicolaou que la estableció en los años cuarenta, ha salvado muchas vidas y forma ahora parte de cualquier examen ginecológico de rutina.

El médico inserta un instrumento llamado espéculo en la vagina para mantenerla abierta y poder llegar al cuello del útero; luego, con una espátula de madera, toma una muestra de tejido de tres zonas del cuello y de la vagina y hace varios frotis que mandará a un laboratorio para que los examinen al microscopio. Según las condiciones en que se encuentran las células de esos tejidos, se clasifican en cinco grupos o clases: clase I negativa, células normales; clase II negativa, algunas células atípicas quizá como resultado de una infección; clase III, se sospecha una condición premaligna; clase IV positiva, probable malignidad; clase V positiva, malignidad concluyente.

¿Qué es un legrado?

El legrado uterino es una operación que consiste en dilatar el cuello del útero y raspar el endometrio; se efectúa con frecuencia para tomar una muestra que sirva para establecer un diagnóstico o como una forma de tratamiento. Para hacerlo se anestesia a la paciente y a través de la vagina se le insertan en el cuello del útero una serie de dilatadores cada vez de mayor calibre para abrirlo y poder alcanzar el interior de ese órgano. Con una legra o cureta, instrumento parecido a una cuchara, se raspa la cubierta interna del útero, que se llama endometrio. El examen de las células que se han extraído puede servir para conocer la causa de esterilidad o de un excesivo sangrado menstrual, y para confirmar la sospecha de cáncer o de tuberculosis pélvica. El legrado también se emplea para extirpar pólipos y otros tumores benignos, para hacer un aborto en los primeros meses de embarazo o para eliminar los restos de la placenta que han quedado adheridos después de un parto o de un aborto espontáneo.

¿Por qué se extirpan los fibromas?

Los fibromas son tumores benignos que se desarrollan en la pared del útero, generalmente en mujeres de 30 a 40 años. No son precancerosos y suelen ser tan pequeños que no producen síntomas; más aún, con mucha frecuencia se reducen o desaparecen después de la menopausia. Sin embargo, algunas veces crecen hasta alcanzar el tamaño de una naranja o más y entonces invaden la cavidad del útero, presionan los órganos vecinos o causan un abundante sangrado. Generalmente, estos fibromas se extirpan mediante una miomectomía, que consiste en abrir la pared para extraer el tumor dejando el útero intacto, pero cuando son demasiado grandes puede ser necesario hacer una histerectomía.

¿Qué es una histerectomía?

Histerectomía es el término médico que se da a la extirpación del útero, pero algunas veces al hacer esta operación también se quitan los ovarios y las trompas de Falopio. Obviamente una mujer premenopáusica a la que se le ha extirpado el útero ya no puede tener hijos y deja de menstruar; si además se le han extraído los ovarios, experimentará los mismos cambios hormonales que se presentan normalmente durante la menopausia. En este último caso, las molestias suelen aliviarse con una terapia hormonal.

Muchas veces, sobre todo en casos de cáncer, esta operación constituye el único medio de salvar la vida de la paciente, pero también puede ser aconsejable cuando el útero ha quedado seriamente lesionado como consecuencia de un aborto, un parto difícil, una endometriosis o alguna infección, o si un fibroma ha crecido tanto que está presionando otros órganos o causando un sangrado excesivo.

¿Qué efectos psicológicos puede tener una histerectomía?

La forma en que una mujer reacciona después de una histerectomía depende del estado físico y mental en que se encontraba antes de la operación. Algunas mujeres se sienten profundamente defraudadas al perder la menstruación y la capacidad de procrear, otras aceptan estos cambios como un alivio. Las que habían sufrido dolores y per-

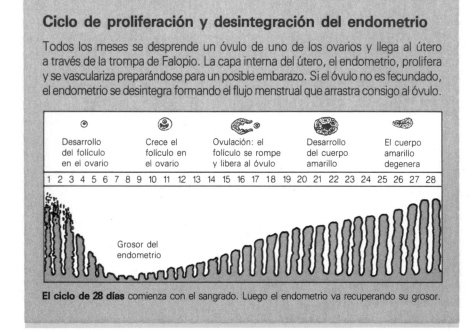

Ciclo de proliferación y desintegración del endometrio

Todos los meses se desprende un óvulo de uno de los ovarios y llega al útero a través de la trompa de Falopio. La capa interna del útero, el endometrio, prolifera y se vasculariza preparándose para un posible embarazo. Si el óvulo no es fecundado, el endometrio se desintegra formando el flujo menstrual que arrastra consigo al óvulo.

| Desarrollo del folículo en el ovario | Crece el folículo en el ovario | Ovulación: el folículo se rompe y libera al óvulo | Desarrollo del cuerpo amarillo | El cuerpo amarillo degenera |

1 2 3 4 5 6 7 8 9 10 11 12 13 14 15 16 17 18 19 20 21 22 23 24 25 26 27 28

Grosor del endometrio

El ciclo de 28 días comienza con el sangrado. Luego el endometrio va recuperando su grosor.

La menstruación: mitos y temores

Desde tiempo inmemorial la menstruación ha estado rodeada por el mito, la superstición y la ignorancia. En casi todas las sociedades ha sido objeto de tabúes que provienen del miedo ancestral a la sangre, desde ciertos grupos africanos que no comen algo cocinado por una mujer que está reglando por miedo a enfermar, hasta los patrones que creen que el menstruo afecta el trabajo de la mujer. La misma palabra tabú probablemente derive del nombre que los polinesios daban al periodo. Pero no todos los mitos son negativos; algunos pueblos celebran la menarquia porque significa que la joven puede empezar a procrear. A la sangre menstrual se le han atribuido propiedades mágicas, sobre todo como antídoto de la esterilidad. El estudio del síndrome premenstrual y la lucha del movimiento feminista han ayudado a deshacer muchos de estos mitos y tabúes, pero tan cerca ya del siglo XXI todavía hay mujeres que consideran la regla como un castigo.

Durante la primera menstruación, las niñas de la tribu naskapi de Canadá usaban un velo de piel de caribú como éste.

Arrodillada sobre una piel sagrada de ciervo, esta joven apache descansa de la agotadora ceremonia de la menarquia que dura cuatro días.

La lengua hebrea tiene una palabra para designar a la mujer que está menstruando: *niddah*. Como se la consideraba impura, la ley judaica regulaba estrictamente sus actividades durante el periodo. Al terminar, tenía que esperar siete días y luego purificarse con un baño ritual, el *mikvah*, como se muestra en este grabado alemán del siglo XVIII. Algunas judías ortodoxas todavía siguen este precepto.

dido vitalidad por la hipertrofia del útero, sienten que vuelven a la vida después de la cirugía.

La histerectomía no tiene por qué afectar la vida sexual de una mujer, ya que no altera la vagina ni modifica la esencia de su atractivo o de su femineidad, pero el orgasmo puede ser una experiencia algo distinta para las que alcanzaban el clímax debido en gran parte a los movimientos del cuello y el cuerpo del útero.

¿Son las molestias premenstruales algo psicológico?

Alrededor de un 40% de las mujeres sufren alteraciones premenstruales leves que incluyen cambios emocionales impredecibles, ligera depresión, aumento de peso debido a una mayor retención de líquidos y dolor al tacto en los pechos. Se calcula que en un 5% de las mujeres estos síntomas se presentan exacerbados constituyendo lo que se llama síndrome premenstrual, que puede manifestarse

por arranques incontrolables de cólera, berrinches, antojo de los alimentos más raros, migrañas, depresión severa y accesos de llanto.

Algunos médicos consideran que estos síntomas revelan una personalidad inestable o un ambiente conflictivo, pero hay otros que los atribuyen fundamentalmente a los cambios químicos que se producen en el cuerpo de la mujer antes de la menstruación y que son mucho más marcados en unas mujeres que en otras.

Para comprender el cuerpo de la mujer

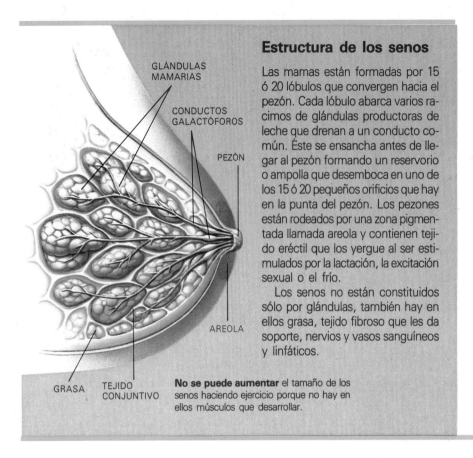

GLÁNDULAS MAMARIAS

CONDUCTOS GALACTÓFOROS

PEZÓN

AREOLA

GRASA

TEJIDO CONJUNTIVO

Estructura de los senos

Las mamas están formadas por 15 ó 20 lóbulos que convergen hacia el pezón. Cada lóbulo abarca varios racimos de glándulas productoras de leche que drenan a un conducto común. Éste se ensancha antes de llegar al pezón formando un reservorio o ampolla que desemboca en uno de los 15 ó 20 pequeños orificios que hay en la punta del pezón. Los pezones están rodeados por una zona pigmentada llamada areola y contienen tejido eréctil que los yergue al ser estimulados por la lactación, la excitación sexual o el frío.

Los senos no están constituidos sólo por glándulas, también hay en ellos grasa, tejido fibroso que les da soporte, nervios y vasos sanguíneos y linfáticos.

No se puede aumentar el tamaño de los senos haciendo ejercicio porque no hay en ellos músculos que desarrollar.

¿Qué hacer cuando aparece un bulto en un seno?

Si se descubre un bulto en un seno, lo más probable es que se trate de un crecimiento benigno, ya que la mayoría no son cancerosos; sin embargo, conviene que acuda de inmediato al médico para estar segura. El diagnóstico se establece mediante una biopsia: extirpación quirúrgica del tumor o de una parte de él para poder estudiarlo al microscopio. Si resulta que el tumor es maligno, hay que actuar lo antes posible porque las células cancerosas pueden invadir los tejidos vecinos y extenderse a todo el organismo a través del sistema linfático y del aparato circulatorio.

En las mamas se desarrollan varios tipos de tumores benignos. Los más frecuentes son los fibroadenomas, bultos firmes que se desplazan libremente bajo la presión de los dedos. El único inconveniente de este tipo de tumores es que pueden crecer tanto que se conviertan en un problema estético. Siguen en grado de incidencia los fibrocistomas, que son quistes llenos de líquido y rodeados de un grueso tejido fibroso. Otros

Cómo examinarse los senos

Todas las mujeres deberían examinarse los senos uno o dos días antes de cada menstruación. Es más fácil notar cualquier bulto, nódulo o engrosamiento anormal si dobla el brazo por detrás de la cabeza. Si tiene los senos grandes, es mejor hacerse el examen acostada, con una almohada bajo los hombros.

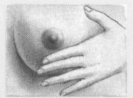

Vea si hay descamaciones o asimetrías en el pezón o si supura al exprimirlo.

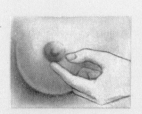

Toma tiempo conocer sus propios senos; pregunte al médico si tiene alguna duda.

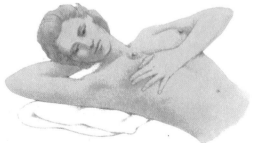

Observe ante el espejo si hay bultos, cambios en la forma y tamaño de los senos y pezones, o pliegues u hoyuelos en la piel.

Siga desde arriba el contorno del seno presionando con suavidad. Es normal que la estructura glandular sea más firme abajo.

Comience a explorar un círculo más interno de unos tres dedos de ancho. Repita la operación hasta que llegue al pezón.

pequeños crecimientos inocuos que aparecen bajo los pezones son los papilomas intraductales, que pueden producir una secreción turbia o sanguinolenta. Distintos a todos los anteriores son los hematomas, acumulaciones temporales de sangre que se forman bajo la piel como resultado de un golpe o una herida.

¿A qué se deben los fibrocistomas?

Después de la ovulación hay un flujo de hormonas que estimulan a las glándulas y otros tejidos de las mamas preparándolas para un posible embarazo. A las mujeres que son más sensibles a estos cambios se les inflaman los pechos y les duelen durante la etapa premenstrual. Si al comenzar la menstruación este estímulo hormonal no va seguido de la regresión normal, pueden formárseles nódulos que con el tiempo suelen transformarse en quistes fibrosos llenos de líquido, los llamados fibrocistomas, que todos los meses aumentan de tamaño y luego se retraen. Aunque estos quistes son benignos, deben ser evaluados y tratados por un médico. Generalmente, en el mismo consultorio el médico reduce los bultos aspirando el líquido con una aguja, líquido que mandará examinar para asegurarse de que no hay alteraciones malignas. Según indican algunos estudios, fumar y tomar cafeína pueden contribuir al desarrollo de fibrocistomas, que se retraen al abandonar esos hábitos.

¿Influye el tamaño de los pechos en la capacidad de amamantamiento?

El tamaño de los pechos está determinado por la cantidad de tejido adiposo que se deposita ahí durante la pubertad, pero no es este tejido sino el glandular el que segrega la leche; por lo tanto, la cantidad de leche que puede producir una mujer no tiene relación con el tamaño de sus pechos. La protuberancia de los senos depende sobre todo de la herencia, aunque también se refleja en ellos cualquier aumento general de grasa en el cuerpo. Durante el embarazo los pechos crecen mucho y también suelen aumentar ligeramente en la etapa premenstrual porque les llega un mayor aporte de sangre y sus tejidos retienen más agua de lo normal.

¿Qué pasa en el cuerpo de la mujer durante la excitación sexual?

El que una mujer esté dispuesta o no a tener relaciones sexuales depende de numerosos factores fisiológicos y psicológicos; entre otros, de las emociones que despierte en ella su compañero, el nivel de hormonas que tenga en la sangre, los estímulos físicos que reciban sus sentidos y los pensamientos y fantasías que ocupen su mente.

Se considera que la progesterona y los estrógenos desempeñan un papel decisivo en la actitud sexual de una mujer, y que los andrógenos, hormonas masculinas que también produce en pequeñas cantidades su organismo, aumentan considerablemente el deseo sexual. La descarga de todas estas hormonas en la sangre puede ser desencadenada por impulsos emocionales, pensamientos amorosos o eróticos y las caricias y estímulos sensoriales que forman el preámbulo del acto sexual.

Durante la excitación sexual, tanto si se debe a estímulos psicológicos como de las zonas erógenas, los impulsos de los nervios parasimpáticos producen cambios físicos en la zona pélvica: aumenta el flujo de sangre a los genitales, el clítoris se yergue, las paredes vaginales se distienden y las glándulas del cuello del útero y las de Bartholin, situadas a la entrada de la vagina, segregan más moco lubricante.

¿Por qué es importante que la mujer llegue al orgasmo?

El orgasmo femenino —que puede ser único o múltiple— es similar al del hombre, excepto que en este caso no hay eyaculación. A medida que la excitación sexual se intensifica, aumenta también la tensión muscular, hasta llegar al clímax en que los músculos del útero y de la vagina se contraen involuntariamente y la turgencia de los genitales henchidos de sangre cede dejando una sensación de plenitud y sosiego. El orgasmo es importante para la mujer; fisiológicamente, porque alivia la congestión de la zona pélvica, y psicológicamente, porque le produce una profunda satisfacción emocional. Se supone, además, que los movimientos uterinos ayudan a los espermatozoides a llegar al óvulo, por lo que el orgasmo favorece la fecundación.

Para correr o trotar conviene usar un brasier que dé soporte; esto evita que se irriten los pezones y se cuelgue el busto por distensión del tejido fibroso.

¿Puede curarse la frigidez?

Aplicado a la sexualidad femenina, el término frigidez significa la incapacidad de gozar toda la gama de sensaciones sexuales normales, desde la excitación al orgasmo. Las causas psicológicas de la frigidez son diversas. Si la mujer queda con frecuencia insatisfecha puede perder el interés en el sexo; lo mismo suele suceder cuando existen graves desavenencias maritales. Algunas veces la inhibición se debe a los tabúes impuestos en la infancia. También la tensión, la fatiga, la depresión, la ansiedad y el miedo a quedar embarazada pueden impedir que una mujer goce plenamente su sexualidad.

La enfermedad es a menudo causa de frigidez, sobre todo si se trata de diabetes o de anemia. Los cambios hormonales que se presentan durante el embarazo, después del parto o en la menopausia pueden reducir el deseo sexual, que en muchas mujeres sufre altibajos a lo largo del ciclo hormonal mensual.

Todo ser humano tiene la capacidad, aunque sea latente, de gozar las relaciones sexuales y debe ayudársele a resolver los problemas que le impiden obtener una satisfacción completa. Se ha demostrado que la asesoría, la terapia y la educación sexuales pueden ser un buen apoyo.

Enfermedades transmitidas por contacto sexual

¿Cuáles son las enfermedades transmitidas sexualmente?

Las enfermedades venéreas, es decir, las que se transmiten a través de las relaciones sexuales, constituyen uno de los más graves problemas de salud en todo el mundo. Hay cuatro que son particularmente insidiosas; de ellas la más extendida, y la menos conocida, es la clamidiasis. Le sigue la gonorrea, fácil de curar en su etapa inicial pero que lamentablemente resulta difícil detectar. Aunque el herpes genital no es una enfermedad que ponga en peligro la vida, tiene la desventaja de ser

recurrente y, por ahora, incurable. De todas ellas la menos frecuente pero la más peligrosa es la sífilis.

A la lista de las enfermedades venéreas ha venido a sumarse últimamente el SIDA o síndrome de inmunodeficiencia adquirida, que por el momento sólo se ha presentado en un limitado sector de la población pero que resulta mortal. Hay otras infecciones de los genitales menos lesivas pero sí molestas y dolorosas como el chancroide, enfermedad aguda y localizada que produce ulceraciones supurantes; las verrugas venéreas causadas por un virus que ataca sobre todo a las mujeres, y la

tricomoniasis, un tipo de vaginitis que rara vez produce síntomas en los hombres.

¿Qué enfermedad venérea causa con más frecuencia esterilidad?

La clamidiasis, una de las enfermedades venéreas más difundidas, causa con mucha frecuencia esterilidad en las mujeres y, en menor grado, en los hombres. Como todas las enfermedades de este tipo, se transmite por contacto directo con tejidos infectados por un microorganismo, en este caso la *Chlamydia trachomatis* que invade el cuer-

Alarmante auge de las enfermedades venéreas

Hubo un tiempo en que la sífilis y la gonorrea eran las únicas enfermedades venéreas de que había que preocuparse y las dos respondían al tratamiento con antibióticos. Ahora hay alrededor de 25 enfermedades que se transmiten por contacto sexual y para algunas todavía no se ha encontrado cura, entre

ellas el herpes genital y el SIDA (síndrome de inmunodeficiencia adquirida). Algunas de estas nuevas enfermedades son asintomáticas en sus primeras etapas y sus víctimas, excepto en el caso del SIDA, por ahora restringido a grupos minoritarios, suelen resultar a la larga mujeres y sus bebés.

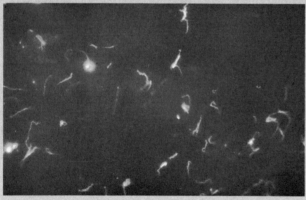

La sífilis, gran impostora, asume los síntomas de otras muchas dolencias.

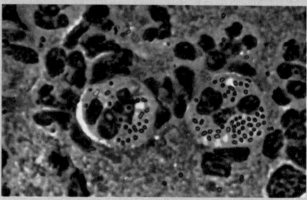

El herpes genital es una enfermedad venérea relativamente nueva.

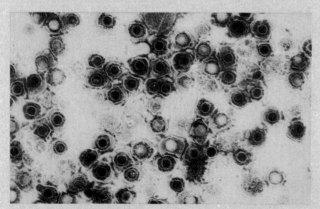

La gonorrea o blenorragia crónica puede producir esterilidad.

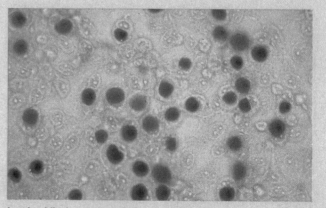

La clamidiasis pertenece a una amplia familia patogénica.

po a través de la vagina, la uretra, el recto, la boca o los ojos. En los hombres la infección se suele localizar en las vías urinarias, pero puede llegar a los testículos y provocar esterilidad. En las mujeres ataca el cuello del útero y las trompas de Falopio, produciendo una salpingitis. Este germen también produce conjuntivitis en los adultos y en los recién nacidos, que lo adquieren al pasar por el canal del parto cuando la madre está infectada. En algunos niños la infección puede causar neumonía.

¿Es fácil diagnosticar la clamidiasis?

En muchos casos la infección va acompañada de frecuentes deseos de orinar, dolor al orinar y una secreción purulenta que fluye a través del pene o de la vagina, pero estos síntomas no facilitan el diagnóstico porque pueden atribuirse tanto a una gonorrea como a una clamidiasis. Peor aún, algunas veces la clamidiasis no produce síntomas en su etapa inicial y, sin embargo, esta infección "silenciosa" puede invadir el aparato reproductor y ser transmitida a otras personas. Eso sí, una vez diagnosticada la enfermedad se cura con antibióticos.

¿Todos los virus del herpes se transmiten sexualmente?

Los virus del herpes constituyen una familia muy amplia y la mayoría de ellos no se transmiten sexualmente. El virus herpético que produce la varicela en los niños es el mismo que causa el herpes zóster en los adultos. El que ocasiona la mononucleosis también pertenece a esta familia, se le llama virus de Epstein-Barr. Otro virus herpético, conocido como citomegalovirus, es el responsable de algunas malformaciones congénitas y aparentemente también está asociado con ciertas enfermedades del sistema nervioso.

Hay dos formas del virus del herpes simple; al *Herpesvirus simplex* 1 (HVS-1) se le conoce sobre todo por los fuegos o vesículas febriles que produce alrededor de los labios, pero también puede infectar los ojos, el cerebro y los genitales; el *Herpesvirus simplex* 2 (HVS-2) es el que se transmite por contacto sexual y forma en los órganos

Esta figura precolombina de barro con pústulas sifilíticas demuestra que en el Nuevo Mundo ya existía esa enfermedad. Muchos historiadores creen que también se conocía en Europa y que no la introdujo la tripulación de Colón a su regreso.

genitales, las nalgas, la parte baja del abdomen o los muslos masas de pequeñas pápulas rojizas que posteriormente se transforman en vesículas dolorosas. Al nacer, un niño puede contraer herpes al pasar por el canal del parto si su madre padece herpes genital.

¿Puede prevenirse el herpes genital?

Hasta ahora no se ha encontrado un tratamiento eficaz para combatir el herpes genital, aunque existen medicamentos que alivian el dolor. Este tipo de infecciones pueden ceder temporalmente pero se mantienen latentes y suelen reactivarse repetidas veces. Poco es lo que pueden hacer los enfermos para evitar las recaídas, pero por lo menos pueden proteger a otros del contagio.

Lo primero es ser muy cuidadosos con su higiene cuando se tienen síntomas agudos. La forma 2 del virus del herpes simple al que se debe esta infección puede quedar en las manos y transmitirse así a otras personas. Segundo, evitar el contacto sexual cuando la infección está en su fase activa ya que el herpes genital se contagia principalmente durante el coito, pero es raro que

se transmita cuando la persona infectada pasa por un periodo asintomático.

¿Se puede contraer una enfermedad venérea en los baños públicos?

Todos los especialistas están de acuerdo en que en los adultos las enfermedades venéreas sólo pueden transmitirse de persona a persona y casi siempre a través del contacto íntimo; la sífilis, por ejemplo, sólo en muy raras ocasiones se transmite por medio de sangre contaminada. Los microorganismos que causan la clamidiasis, la gonorrea y la sífilis son parásitos de las células humanas y mueren en cuanto están fuera del ambiente cálido y húmedo del cuerpo humano; por lo tanto, es prácticamente imposible contraer estas enfermedades a través de los muebles y otros objetos de los baños públicos o de cualquier otro lugar. El virus del herpes simple que causa el herpes genital, en cambio, sí puede sobrevivir varias horas fuera del cuerpo humano en objetos tales como toallas, los asientos de los excusados o el instrumental médico; lo que no se sabe es si realmente una persona puede contagiarse al tocar estos objetos.

Evolución de las enfermedades venéreas

Una vida brillante destruida por la sífilis

El gran pintor francés Édouard Manet (1832-1883) empezó a sufrir dolores en el pie izquierdo cuando tenía alrededor de 40 años. Lo que al principio parecía reumatismo resultó ser una ataxia locomotora, alteración del sistema nervioso que algunas veces se presenta en estados avanzados de sífilis. Manet, que siempre fue exuberante y sociable, se vio obligado a recluirse agobiado por dolores lacerantes y prolongados accesos de fatiga y depresión. En 1881, aprovechando uno de los raros periodos en que recuperaba las energías, comenzó una tela sobre la vida nocturna de París que tanto había gozado. Después de luchar durante meses, en 1882 dio a conocer *Bar en el Folies Bergère*. En 1883 se le gangrenó la pierna y tuvieron que amputársela, pero era ya demasiado tarde: diez días después murió a los 52 años.

Édouard Manet (dibujado así por Degas) fue un puntal del arte moderno. De la influencia de este artista muerto prematuramente dijo Paul Gauguin: "La pintura comienza con Manet."

El rostro pensativo de esta cantinera del Folies Bergère fue el último que pintó Manet.

¿Qué es la salpingitis?

Una de las principales causas de esterilidad en las mujeres es la salpingitis, también llamada enfermedad inflamatoria pélvica. Se trata de una infección, cada día más frecuente, de las trompas de Falopio, los delgados conductos que unen los ovarios con el útero. Son varias las bacterias que pueden producir una salpingitis, pero generalmente comienza con una clamidiasis o una gonorrea que atacan el cuello del útero y de ahí ascienden hasta las trompas. El empleo de dispositivos intrauterinos como método anticonceptivo aumenta el riesgo de contraer esta enfermedad.

La salpingitis es curable, pero si no se trata a tiempo puede dejar las trompas de Falopio obstruidas o dañadas, lo que a su vez puede producir esterilidad o dar lugar a embarazos ectópicos, peritonitis o septicemia.

¿Cuáles son los síntomas y qué peligros entraña la sífilis?

La sífilis es una enfermedad muy contagiosa y sumamente peligrosa. Si se trata en sus primeras etapas con los antibióticos adecuados, casi siempre es curable, pero si no se atiende puede causar cardiopatías, ceguera, enfermedades mentales e incluso la muerte.

La primera etapa de la sífilis comienza entre los 10 y los 90 días después de haber tenido relaciones sexuales con una persona infectada. Consiste en un nódulo pequeño y generalmente indoloro llamado chancro, que se forma en el lugar de la infección que suele ser alguna zona de los genitales; además, los ganglios linfáticos de esa región se inflaman y duelen. Después de ulcerarse, el chancro se seca y desaparece espontáneamente, pero esto no es más que el principio de la enfermedad.

En la segunda etapa, que suele presentarse de cuatro a ocho semanas después de haberse formado el chancro, aparece un salpullido por todo el cuerpo, el enfermo se siente mal y puede tener la garganta inflamada, dolores musculares y articulares junto con otros síntomas. En esta fase la sífilis sigue siendo muy contagiosa, pero todavía es curable.

La tercera etapa puede desarrollarse en un lapso de 1 a 30 años después de la segunda. En este punto la enfermedad ya no es contagiosa y no puede transmitirse a otras personas, pero lo más probable es que se haya extendido a otras partes del cuerpo y causado un daño irreparable. La sífilis puede atacar cualquier tejido u órgano, lo mismo los ojos, la piel y los huesos que el hígado, el estómago o el aparato reproductor, pero el mayor peligro es que llegue al corazón o al sistema nervioso.

¿Puede heredarse la sífilis?

Una madre enferma puede transmitir la sífilis al feto, pero no se lleva en los genes y por lo tanto no es hereditaria.

La sífilis congénita se puede prevenir, por eso a las mujeres embarazadas se les suele hacer una prueba para ver si están infectadas. Si la enfermedad se trata antes del cuarto mes de embarazo, es probable que el feto no se vea afectado; pero si pasa ese tiempo y la madre no ha sido atendida, el bebé puede morir en el útero o poco después de nacer. Si el niño sobrevive, lo más probable es que presente descamaciones de la piel, deformidades de los huesos, sobre todo los de la nariz y las tibias, y anomalías en los dientes. Conforme pasa el tiempo pueden aparecer lesiones en otros órganos, especialmente en los pulmones y el hígado, y el niño puede quedarse sordo o ciego.

¿Por qué a veces es difícil darse cuenta de que se tiene gonorrea?

Los primeros síntomas de la gonorrea incluyen ganas frecuentes de orinar, dolor al hacerlo y abundante secreción purulenta a través de los genitales, pero desgraciadamente muchas mujeres y algunos hombres no presentan síntomas al principio y, por lo tanto, no se dan cuenta de que están infectados hasta que la enfermedad se ha extendido a través de la sangre a los huesos, las articulaciones, la piel, los tendones y otras partes del cuerpo.

¿Cómo se contagia la gonorrea?

Casi invariablemente la gonorrea se transmite por contacto directo con los órganos genitales de una persona infectada. No con-

cluir el acto sexual no salvaguarda del contagio, porque las bacterias que causan esta enfermedad pueden entrar al organismo a través de la uretra, el cuello de la matriz, el recto o la boca. Los primeros síntomas suelen aparecer después de un periodo de dos a siete días, pero a veces tardan hasta un mes.

¿Por qué es tan importante tratar la gonorrea en sus primeras etapas?

En sus primeras etapas la gonorrea se cura fácilmente con penicilina u otros tipos de antibióticos, pero si pasa inadvertida o no se atiende pronto puede causar serios daños al organismo.

En los hombres las bacterias pueden infectar la uretra y obstruir la micción o invadir la próstata y otras glándulas que intervienen en la producción del líquido seminal y provocar esterilidad. En las mujeres la infección puede extenderse a las trompas de Falopio o a los ovarios y producir una salpingitis, causa frecuente de infecundidad. En las etapas avanzadas la gonorrea también puede atacar la piel, los huesos, las articulaciones, los tendones y otros órganos.

¿Qué grupos están más expuestos a contraer el SIDA?

El SIDA (síndrome de inmunodeficiencia adquirida) es una enfermedad mortal que apareció hace poco. Es funesta porque deja el sistema inmunitario incapacitado para luchar contra las infecciones; por lo tanto, los que la padecen contraen fácilmente neumonía o cualquier otra enfermedad grave ante las que los tratamientos suelen resultar inútiles sin la ayuda del organismo del paciente. El SIDA suele ser transmitido por contacto sexual, transfusiones de sangre o agujas hipodérmicas contaminadas como las que suelen usar los drogadictos. La mayor parte de las víctimas del SIDA son homosexuales masculinos, hemofílicos o adictos a la heroína.

¿Es posible desarrollar inmunidad a las enfermedades venéreas?

Una persona que ha sufrido sífilis y se ha curado no puede volver a contraer la enfermedad; queda inmunizada. No sucede lo mismo con la gonorrea y el herpes genital; estas enfermedades no producen inmunidad natural y por lo tanto quien las ha padecido puede volver a infectarse.

Larga búsqueda de un remedio

Con la esperanza de hallar una cura para la sífilis se probaron muchas sustancias que no produjeron más que desaliento. Durante largo tiempo se empleó el mercurio en diversas formas: ungüentos, vapores y demás. Aunque mucho se alabó su eficacia, los efectos tóxicos producían más dolores que la misma enfermedad. Se buscó otra cura por todos los rincones del mundo. Sir William Johnson, superintendente de asuntos indígenas en Estados Unidos, envió a Inglaterra una flor azul recomendada como remedio por un indio iroqués, pero tampoco dio resultado. Por fin, en el siglo xx con el descubrimiento de la penicilina, logró la ciencia vencer esta vieja y penosa enfermedad.

A la esperanza de que fuera una cura para la sífilis debe su nombre la *Lobelia syphilitica*.

Calendario de la fertilidad

¿Cuántos días al mes es fértil la mujer?

Es raro que se pueda predecir con exactitud el momento en que una mujer es fértil, porque su ciclo hormonal no suele ser estrictamente regular. La ovulación se produce de 13 a 15 días antes de que empiece la menstruación y el óvulo puede ser fecundado, a más tardar, 24 horas después de haber salido del ovario y sólo mientras se desplaza por las trompas de Falopio. Las probabilidades de embarazo son mayores si el coito se efectúa horas antes de la ovulación, de manera que ya estén los espermatozoides en las trompas cuando llegue el óvulo. La mayoría de los espermatozoides conservan su vitalidad unas 24 horas después de la eyaculación, pero hay algunos que sobreviven 72 horas. Por lo tanto, sólo hay 2 ó 3 días al mes en los que una mujer puede llegar a embarazarse.

¿Qué papel desempeñan las hormonas femeninas en la fecundación?

En el momento en que la mujer ovula, sus ovarios comienzan a producir hormonas que acondicionan el aparato reproductor para un posible embarazo. El primer paso es preparar la vagina para recibir los espermatozoides. Normalmente la acidez vaginal destruye los gametos masculinos, y el moco que produce el cuello del útero es demasiado denso y obstaculiza sus movimientos; lo que hacen las hormonas es activar la secreción alcalina vaginal y aumentar el moco cervical al mismo tiempo que lo fluidifican, lo que ayuda a los espermatozoides a subir por el cuello uterino. Por otro lado, estimulan el engrosamiento del endometrio, la capa interna del útero, preparándolo para la implantación del huevo. Algunas mujeres sufren deficiencias o desequilibrios hormonales que impiden estos cambios, lo que evita o dificulta la fecundación, problema que suele corregirse con una terapia hormonal.

¿Cómo afecta la edad a la fecundidad?

La mujer es capaz de reproducirse desde la menarquia hasta la menopausia, es decir, desde los 13 años hasta los 40 ó 50; pero dentro de ese periodo hay una etapa de máxima fertilidad en la que tiene mayores probabilidades de quedar encinta: de los 18 a los 30 años. Después de esa edad la fecundidad de la mujer va declinando y aumenta el riesgo de un aborto o de dar a luz un niño con malformaciones congénitas. Las células germinales que darán lugar a los óvulos se almacenan en los ovarios antes de que la mujer nazca, y conforme van envejeciendo su calidad mengua y es más difícil que sean fecundadas. La mujer produce sólo un óvulo al mes y ese óvulo conserva su fertilidad alrededor de 24 horas nada más; en cambio, un hombre genera entre 100 y 200 millones de espermatozoides al día desde la pubertad hasta el final de su vida.

¿Cuánto tardan en madurar los espermatozoides?

Los testículos están continuamente produciendo espermatozoides a partir de células germinales llamadas espermatogonias. La transformación tarda alrededor de 74 días, pero al concluir esta etapa los espermatozoides todavía no están en condiciones de fecundar al óvulo; tienen que pasar por un proceso de maduración que dura otros 10 días y que se lleva a cabo en el epidídimo, un conducto sinuoso unido al testículo. Del epidídimo los espermatozoides maduros pasan al conducto deferente donde pueden mantenerse fértiles unas seis semanas; si no son eyaculados, degeneran y se absorben.

Los conductos deferentes son dos tubos largos y delgados que suben por dentro del escroto, pasan por delante del pubis, rodean la vejiga y descienden por detrás de ella hasta unirse con la vesícula seminal correspondiente para formar los conductos eyaculadores que desembocan en la uretra.

¿Puede una mujer embarazarse si está amamantando a su hijo?

Algunas veces las madres que amamantan a sus hijos producen hormonas que impiden la ovulación y por lo tanto el embarazo, pero no se puede confiar en esto como método anticonceptivo. Es más probable, pero no seguro, que una mujer no ovule durante la lactancia si el bebé se nutre sólo con su leche. Se calcula que entre el 15 y el 40% de las madres que amamantan vuelven a quedar encintas antes de un año.

Diosas de la fertilidad de los tiempos prehistóricos

Entre las obras de arte más antiguas se cuentan las llamadas "Venus" de la Edad de la Piedra europea, de las que se han hallado 130, desde Francia hasta el sur de la URSS. Estas figuras representan a una mujer de senos colgantes, vientre enorme, nalgas exageradas y extremidades cortas. Los especialistas suponen que eran amuletos o talismanes que se ofrecían a los espíritus para asegurar la fertilidad. Actualmente nos es difícil imaginar lo precaria que era la vida en la época paleolítica, cuando el hombre vivía en pequeñas tribus aisladas sin remedios para curar las enfermedades o las heridas. La vida era corta entonces y había urgente necesidad de que se renovara.

La Venus de Willendorf, descubierta en Austria, mide 10.5 cm de alto. Se le atribuye una antigüedad de 20 000 años.

Matrimonio: rito y significado

El matrimonio es un rito universal, el "primer vínculo de la sociedad" según el orador romano Cicerón. Sea la complicada ceremonia hindú o el sencillo acto de un juez de paz, todo matrimonio se basa en una antigua ley tribal: la aprobación de la comunidad a la pareja para que vivan juntos y tengan hijos. Muchas de las costumbres nupciales de Occidente, como lanzar arroz a los novios, vienen de una tradición ancestral. Según una teoría, el anillo de bodas es vestigio de una época en que se ponía grilletes a las novias. De acuerdo con Bernard Shaw, el matrimonio es tan popular porque combina el máximo de tentación con el máximo de oportunidades.

Esta pareja flamenca pintada en 1434 por Jan van Eyck está intercambiando votos. Hasta 1563 no se exigía una ceremonia religiosa. La novia no está encinta, lleva un relleno para simularlo por lo mucho que se apreciaba tal estado.

En la tribu nómada bororo del África Occidental se han invertido los papeles; allí son las jóvenes las que escogen al marido. Durante una ceremonia (izq.) que se efectúa en septiembre, los varones jóvenes danzan ante las mujeres para mostrar su belleza. La boda no se realiza justo después de la elección; la pareja vive junta un tiempo antes de casarse.

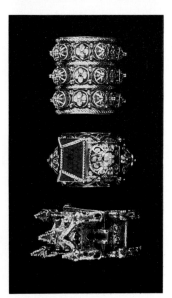

Los recamados anillos de las novias judías simbolizan su pertenencia al marido.

Todos los novios el día de su boda constituyen una pareja real, dijo el arzobispo de Canterbury al casar al Príncipe Carlos y a Lady Diana.

La lucha contra la esterilidad

¿Puede una infección de las trompas impedir el embarazo?

Normalmente las contracciones del útero y de las trompas de Falopio y sus propios movimientos ayudan a los espermatozoides a llegar hasta el óvulo, pero los dos gametos no podrán encontrarse si hay en las delgadas trompas tejido cicatricial o cualquier otro obstáculo que impida el paso a los espermatozoides, o si los cilios que tapizan estos conductos no pueden moverse libremente creando una corriente que arrastre al óvulo cuando se desprende del ovario. Aunque algunas veces la obstrucción de las trompas se debe a un defecto congénito, con mucha más frecuencia es el resultado de una salpingitis causada por una infección bacteriana. Hay casos en que el bloqueo puede corregirse reconstruyendo la trompa o insuflándola.

¿Se corrige la esterilidad con hormonas?

Una mujer puede menstruar y sin embargo no producir óvulos que estén listos para ser fecundados. Cuando los óvulos no maduran debido a un desequilibrio hormonal, como suele ser el caso, el problema puede resolverse mediante una terapia hormonal. En raras ocasiones las hormonas resultan tan eficaces que induzcan la maduración de varios óvulos al mismo tiempo, lo que puede dar lugar a un embarazo múltiple. Algunas mujeres no ovulan debido a un tumor ovárico; en ese caso la cirugía puede restablecer la función normal de ese órgano.

¿Cuáles son las dos principales causas de esterilidad femenina?

En el momento de la ovulación, un óvulo se desprende de cualquiera de los dos ovarios y es atraído hacia la trompa de Falopio a través de la cual se desplaza en dirección al útero. Si en la trompa hay ya algunos cientos de espermatozoides sanos, lo más probable es que se efectúe la fecundación. Los espermatozoides que están a la espera del óvulo producen una enzima que disuelve la cubierta protectora del gameto femenino de manera que uno de ellos pueda penetrar y unirse a él. La fecundación no puede producirse si no hay ovulación o si las trompas de Falopio están obstruidas; éstas son las dos causas fundamentales de esterilidad en la mujer y afortunadamente ambas pueden corregirse.

¿Cuál es la causa más frecuente de esterilidad en los hombres?

La fertilidad de un hombre depende de tres condiciones: que produzca suficientes espermatozoides, por lo menos 10 millones en cada eyaculación; que la mayoría de ellos sean normales externa e internamente, y que puedan impulsarse o "nadar" por sí mismos a través de las vías genitales de la mujer hasta alcanzar al óvulo en una de las trompas de Falopio.

Cuando una pareja no puede tener hijos, alrededor del 30 ó 40% de las veces la dificultad se debe al hombre. El problema más frecuente es la escasa producción de espermatozoides causada generalmente por un varicocele, inflamación de una de las venas que rodean el testículo. Hay que advertir que en algunos hombres el varicocele no menoscaba la fertilidad. Se puede lograr que el testículo vuelva a funcionar normalmente ligando quirúrgicamente el varicocele u obturándolo por un método que no requiere cirugía.

¿Qué otros factores afectan la fertilidad masculina?

Quizá la observación más importante que puede hacerse respecto a la esterilidad masculina es que la mayor parte de las anomalías que la causan pueden corregirse. Muchas malformaciones genitales, como la retención de los testículos en el abdomen, pueden subsanarse cuando el niño aún es pequeño. Los hábitos que disminuyen la fertilidad, entre ellos beber o fumar en exceso, consumir mariguana, cocaína u otras drogas y tomar demasiadas aspirinas, pueden modificarse con fuerza de voluntad y el apoyo de grupos especializados. Aunque parezca mentira, el usar ropa apretada y pesada puede afectar temporalmente la capacidad reproductora. Los espermatozoides maduran a 34 ó 35°, pero la temperatura de los testículos puede superar este nivel óptimo si un hombre se baña frecuentemente con

---

Una antigua teoría: el misterio de la reproducción humana

Los primeros intentos de explicar la reproducción como un proceso natural y no mágico datan del primer siglo de esta era. En su *Ginecología*, el erudito griego Soranus reúne una serie de tratados sobre obstetricia basados en la observación. En el transcurso de los siglos hubo muchas extrañas teorías que ganaron popularidad. Los dibujos de Leonardo da Vinci del útero demuestran que también él aceptaba la antigua idea de que la sangre menstrual retenida durante el embarazo se convertía en leche materna. Incluso la información científica era transformada por el vulgo en conceptos absurdos. Cuando Leeuwenhoeck y uno de sus alumnos descubrieron los espermatozoides en 1677, sus contemporáneos decidieron que dentro había un hombrecito encogido; hubo quien dijo haber visto potrillos en el semen de caballo. Mucho más tardó en conocerse la fecundación del óvulo; fue a mediados del siglo XIX cuando se llegó a entender el milagro de la vida.

Paracelso, el alquimista suizo del siglo XVI, afirmaba que si se hervía durante 40 días semen humano con excremento de caballo se podía crear un hombrecito; naturalmente sin alma.

Concepción fuera del cuerpo humano

La primera fecundación *in vitro*, método que consiste en unir un óvulo y un espermatozoide en una caja de Petri, no en una probeta, se logró en 1978, en Bristol, Inglaterra. A la futura madre se le pusieron diariamente inyecciones de hormonas para acelerar la producción de óvulos (normalmente se libera sólo uno al mes) que luego se extrajeron quirúrgicamente. Seis horas más tarde se les añadió el semen del padre y ya fecundados se incubaron durante dos días antes de implantar uno en el útero de la madre. Siguiendo este procedimiento se tarda diez días en saber si el embrión se ha fijado en el útero o no.

El nacimiento de Louise Brown ha alentado a otras parejas a seguir ese método. Su hermana Natalie (arriba) también fue concebida *in vitro*.

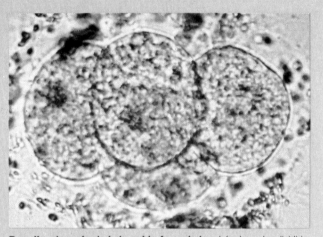

Dos días después de haber sido fecundado, el óvulo se ha dividido ya en cuatro células; en esa fase se implanta en el útero de la madre.

agua muy caliente, trabaja en un lugar caldeado o usa ropa interior demasiado abrigadora.

Desde luego que no todas las causas de esterilidad tienen fácil remedio; éste es el caso de la sobreexposición a los rayos X o cualquier otro tipo de radiación, ciertas enfermedades crónicas o el empleo de algunos medicamentos contra la hipertensión, las cardiopatías y otras enfermedades.

¿Qué es un embarazo ectópico?

Normalmente la fecundación del óvulo se produce en una de las trompas de Falopio de donde pasa al útero, pero algunas veces el huevo se implanta en otro lado dando lugar a un embarazo ectópico. Lo más frecuente es que se implante en la misma trompa porque haya alguna anomalía que le impida el paso. Es importante diagnosticar lo antes posible un embarazo ectópico

porque si no, el embrión al crecer puede romper la trompa y poner en peligro la vida de la madre. Si el problema se descubre poco después de la concepción, el cirujano puede sacar el embrión dejando la trompa indemne.

¿En qué casos se recomienda la inseminación artificial?

La inseminación artificial puede ser un buen recurso cuando la mujer es capaz de concebir pero su marido es impotente o estéril, o cuando la mujer tiene algún problema físico que impide la reunión del óvulo y el espermatozoide. Generalmente se obtiene semen del marido y con una jeringa se deposita en la vagina o en el útero de la mujer. En caso de que el hombre sea estéril se puede recurrir al semen proporcionado por un donador anónimo cuya salud esté avalada por los médicos.

¿Existen realmente bebés de probeta?

Louise Brown es bien conocida por todo el mundo como el primer bebé de probeta, pero ese término es erróneo. Se podría llamar así a un bebé que se hubiera desarrollado como feto fuera del útero de la madre, pero eso es algo que todavía está fuera del alcance de la ciencia. En realidad Louise Brown fue el resultado de una concepción en probeta: en el laboratorio se consiguió unir un óvulo y un espermatozoide que procedían de sus padres, y el huevo ya fecundado se implantó en el útero de la madre donde se desarrolló como cualquier otro feto y vino al mundo por vía natural. El nacimiento de Louise Brown fue una proeza científica que ha abierto nuevas posibilidades en la lucha contra la esterilidad. La concepción en probeta es ahora una alternativa real, aunque todavía limitada, para las parejas que no han podido tener hijos.

Métodos anticonceptivos

¿Cuáles son los principales métodos anticonceptivos?

Aunque la popularidad de la píldora ha disminuido últimamente, sigue siendo el método anticonceptivo más difundido. Estas pastillas contienen hormonas femeninas sintéticas que impiden la ovulación. Los dispositivos intrauterinos (DIU) evitan la implantación del huevo en el útero. La función de las barreras anticonceptivas (preservativos, espermicidas, diafragmas y esponjas vaginales) consiste en imposibilitar el paso de los espermatozoides al cuello uterino o, en el caso de los preservativos, evitar que entren incluso a la vagina.

Los métodos anticonceptivos naturales se han usado durante siglos, pero ninguno es confiable. Entre ellos se cuenta el *coitus interruptus*, que consiste en retirar el pene de la vagina antes de que se produzca la eyaculación; las duchas vaginales inmediatamente después del coito, que reducen pero no

eliminan totalmente la posibilidad de un embarazo, y el método del ritmo, basado en la abstinencia sexual los días que la mujer tiene mayores probabilidades de quedar encinta. La lactación no evita el embarazo, sólo disminuye ligeramente esa posibilidad.

El método anticonceptivo más seguro es la esterilización; si el hombre se ha hecho la vasectomía o la mujer se ha ligado las trompas, es imposible que se lleve a cabo la fecundación.

¿Cómo funcionan las barreras anticonceptivas?

Las barreras anticonceptivas son justo lo que su nombre indica: obstáculos físicos que impiden a los espermatozoides entrar a la vagina o llegar al útero. Su eficacia depende en gran medida de lo cuidadosa y sensata que sea la pareja al usarlas. Son métodos sencillos, baratos y tienen la enorme venta-

ja de no producir efectos colaterales de importancia. La barrera anticonceptiva que más se usa es el preservativo o condón, envoltura hecha de hule, plástico o membranas animales que se pone en el pene durante el acto sexual para recoger el semen que se eyacula.

El diafragma es un disco abombado de hule muy delgado sostenido por un aro más grueso que encaja en la vagina y cubre la entrada del cuello del útero. Como debe amoldarse al cuerpo de cada mujer, tiene que ser un médico el que tome las medidas y prescriba el tamaño del dispositivo. El diafragma se debe usar junto con un espermicida y no conviene insertarlo más de seis horas antes del coito ni quitarlo hasta que hayan pasado seis u ocho horas después del contacto sexual.

Las cremas, gelatinas, espumas y supositorios espermicidas se pueden usar en combinación con el preservativo o el diafragma o solos, aunque en este caso resultan menos

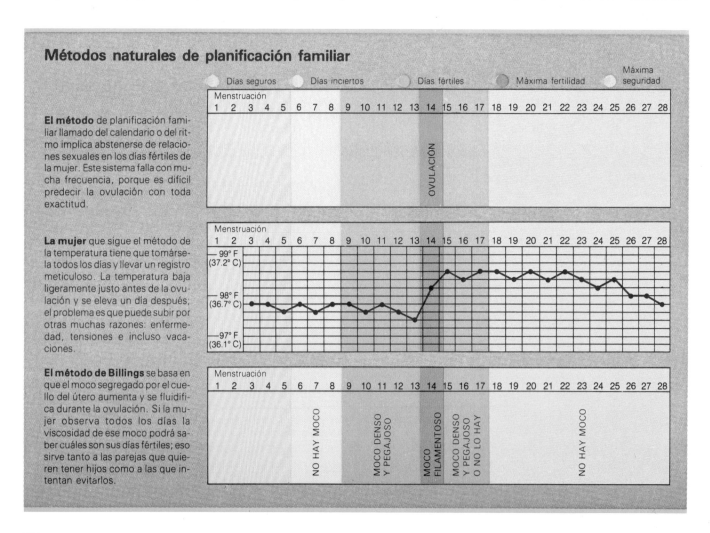

Métodos naturales de planificación familiar

El método de planificación familiar llamado del calendario o del ritmo implica abstenerse de relaciones sexuales en los días fértiles de la mujer. Este sistema falla con mucha frecuencia, porque es difícil predecir la ovulación con toda exactitud.

La mujer que sigue el método de la temperatura tiene que tomársela todos los días y llevar un registro meticuloso. La temperatura baja ligeramente justo antes de la ovulación y se eleva un día después; el problema es que puede subir por otras muchas razones: enfermedad, tensiones e incluso vacaciones.

El método de Billings se basa en que el moco segregado por el cuello del útero aumenta y se fluidifica durante la ovulación. Si la mujer observa todos los días la viscosidad de ese moco podrá saber cuáles son sus días fértiles; eso sirve tanto a las parejas que quieren tener hijos como a las que intentan evitarlos.

eficaces. Los espermicidas se ponen en la vagina antes del coito para impedir el paso a los espermatozoides y destruirlos químicamente. Parece ser que las espumas y los supositorios protegen algo más que las cremas y gelatinas. Lo último en este tipo de anticonceptivos son las esponjas vaginales desechables que, lo mismo que los preservativos y los espermicidas, no necesitan receta médica para su venta. Estos aditamentos cubren la abertura del cuello uterino y contienen productos espermicidas.

¿Son seguros los dispositivos intrauterinos?

Los dispositivos intrauterinos (DIU) son pequeñas piezas de metal o de plástico en forma de S, T o espiral que se introducen en el útero. Se calcula que alrededor de 15 a 20 millones de mujeres en el mundo llevan uno de estos dispositivos; su popularidad se debe más que nada a su eficacia, ya que sólo un 3% de las mujeres que los usan llegan a embarazarse, y en la mayoría de los casos expulsan el óvulo fecundado antes de que se implante en el útero. Otra ventaja del DIU es que una vez colocado por el médico puede permanecer fijo por lo menos un año.

Pero el DIU también tiene sus desventajas: algunas veces al empezar a usarlo provoca calambres y sangrado menstrual excesivo, hay mujeres que no lo toleran y, lo que es más grave, aumenta el riesgo de un embarazo ectópico o las probabilidades de sufrir una salpingitis que puede conducir a la esterilidad.

¿Cómo actúan las pastillas anticonceptivas?

Si no se cuenta la esterilización, el método anticonceptivo más eficaz de todos los que se han inventado hasta ahora es "la píldora". Estas pastillas contienen formas sintéticas de dos hormonas femeninas, estrógeno y progesterona, que al circular por la sangre simulan un estado de embarazo. Al registrar su presencia, el hipotálamo y la hipófisis reaccionan como si la mujer estuviera realmente embarazada y dejan de producir las hormonas que normalmente estimularían la ovulación. Estas pastillas de hormonas combi-

El dispositivo intrauterino que muestra esta trabajadora sanitaria hindú es un sistema de control natal semipermanente que debe colocar y quitar un experto.

nadas tienen que tomarse durante 21 días, seguidos de un descanso de una semana en que se producirá el sangrado menstrual. Este ciclo debe continuarse mientras la mujer desee evitar el embarazo.

Existe también la llamada minipíldora, que contiene sólo progesterona y está hecha para tomarse todos los días. Los especialistas opinan que la minipíldora actúa, no suprimiendo la ovulación, sino impidiendo la implantación del huevo en el útero y probablemente también aumentando la densidad del moco cervical, lo que obstaculiza el paso a los espermatozoides. Aunque la minipíldora no resulta tan eficaz como la píldora compuesta, se recomienda a las mujeres que pueden verse afectadas por una dosis suplementaria de estrógeno.

¿Es recomendable la píldora para todas las mujeres?

Todos los médicos están de acuerdo en que hay mujeres que no deben tomar pastillas anticonceptivas, como es el caso de las que tienen antecedentes personales o familiares de alteraciones cardiovasculares, del hígado o de los riñones; de cáncer de mama o uterino, y de migrañas. También se considera peligrosa la píldora para las mujeres de más de 40 años,

o para las de más de 30 si fuman en exceso, pues se ha visto que la combinación del tabaco con el uso prolongado de estas pastillas implica un riesgo, sobre todo para el aparato cardiovascular. La adopción del método anticonceptivo oral no debe hacerse sin consultar antes con un médico.

¿Es reversible la ligadura de las trompas?

Una forma de esterilizar a la mujer es interrumpir la comunicación entre las trompas de Falopio y el útero para que no se puedan reunir el óvulo y el espermatozoide. Esto se consigue ligando, cortando y cauterizando las trompas o cerrándolas por medio de ligaduras o grapas. Cuando es posible, los cirujanos evitan hacer una larga incisión abdominal, y ligan las trompas a través de uno o dos pequeños cortes cerca del ombligo, apenas lo suficientemente grandes para poder introducir por ellos los instrumentos.

Esta operación no afecta la sexualidad ni la femineidad de la mujer, pero en el 70% de los casos la esterilidad es irreversible; incluso cuando se logra restituir la luz a las trompas puede resultar imposible el embarazo.

Capítulo 12

EMBARAZO, PARTO Y DESARROLLO

Tener ojos oscuros o claros, ser hombre
o mujer, alto o bajo; todos estos rasgos
y muchos más han sido determinados
en el instante mismo de la concepción.

¿Cómo se calcula la probable fecha del parto?

La gestación, periodo que va de la concepción al parto, dura en promedio 9 meses o 40 semanas si se cuenta a partir de la última menstruación. Para calcular la fecha probable del parto hay un método práctico: reste tres meses a la fecha de la última menstruación y añada un año y una semana. Claro que esto es sólo un cálculo aproximado, ya que el bebé puede nacer cualquier día dos semanas antes o después de esa fecha.

Los médicos consideran la gestación dividida en tres trimestres: unos miden esos periodos en meses lunares de 28 días y otros en meses calendáricos; se haga el cálculo de una forma o de otra, son pocas las mujeres que tienen un embarazo de 9 meses exactos.

¿Qué diferencia hay entre un embrión y un feto?

Alrededor de las ocho semanas de gestación el embrión pasa a la calidad de feto; el cambio de nombre corresponde a un cambio en el grado de desarrollo. El embrión se parece mucho a un renacuajo y su aspecto es similar al de cualquier otro embrión de un vertebrado, en cambio el feto tiene ya una clara apariencia humana. En lugar de la serie de protuberancias y pliegues que sólo un experto puede reconocer, en el feto se distinguen ya las orejas, los brazos y las manos, las piernas y los pies, ha perdido la cola y cuenta con huellas dactilares que lo diferenciarán de cualquier otro ser humano toda su vida.

El sexo del feto, establecido en el momento de la concepción, se hace aparente en cosa de unas cuantas semanas. Este ser que mide apenas 2.5 cm de largo y pesa alrededor de 1 g cabría cómodamente en una cáscara de nuez.

¿Implica un riesgo para el feto la maternidad tardía?

Alrededor del 3% de los recién nacidos presentan algún defecto congénito, pero vale la pena aclarar que no todos los defectos congénitos son importantes, permanentes o ponen en peligro la vida. Sin embargo, cuando la madre ha llegado a los 30 años, las probabilidades de que el bebé nazca con alguna malformación comienzan a aumentar. La incidencia del síndrome de Down, que es un tipo de retraso mental, está íntimamente relacionada con la edad de la madre: 1 de cada 300 niños nacidos de mujeres de alrededor de 30 años presenta esa alteración, 1 de cada 30 cuando la madre tiene unos 40 años y 1 de cada 10 si ésta pasa de los 45. El síndrome de Down se debe con mucha frecuencia a una anomalía en los cromosomas de un óvulo en particular que lamentablemente fue el que resultó fecundado; por eso una mujer que ha tenido un niño con este problema no debe suponer que inevitablemente pasará lo mismo si vuelve a embarazarse, ya que muchos de sus óvulos pueden ser perfectamente normales.

El riesgo de que un bebé herede una enfermedad producida por una anomalía de los genes de los padres no depende de la edad de éstos. Por ejemplo, si los padres llevan en los genes el carácter que conduce a la anemia drepanocítica o a la hemofilia, las probabilidades de que el hijo herede la enfermedad no serán mayores ni menores por el hecho de que el padre o la madre tengan más de 30 años.

¿Qué pasa si el embarazo se prolonga más de nueve meses?

Todo el mundo sabe que un parto prematuro es peligroso para el bebé, pero también lo es uno postérmino porque la placenta envejecida no siempre puede proveer al feto de suficiente oxígeno y nutrientes. Para proteger al bebé posmaduro, los médicos unas veces inducen el parto inyectando a la madre hormonas que estimulan las contracciones uterinas, y otras recurren a una operación cesárea.

¿Existe realmente en las mujeres un "instinto de anidación"?

Cuando se acerca la fecha del parto, muchas mujeres sienten la urgencia de limpiar la casa, comprar muebles nuevos, arreglar los closets o almacenar comida en la despensa. Aunque la teoría no se ha prestado a una investigación, se puede aceptar que las mujeres sienten este impulso sin que necesariamente se deba a un *instinto*, es decir una tendencia o compulsión innata, *de ani-*

dación. La explicación puede ser simplemente que en las dos últimas semanas del embarazo el bebé desciende a la pelvis dejando más espacio para que los pulmones de la madre se expandan bien y, por lo tanto, le resulta más fácil respirar. Este descenso también alivia la indigestión y el dolor de espalda. En estas condiciones la mujer tiene demasiadas energías para estarse quieta.

¿Qué es la leche de las brujas?

En los primeros días de vida, a los bebés de uno y otro sexos les manan algunas veces de las tetillas unas cuantas gotas de leche que llaman leche de las brujas, nombre que les fue puesto en una época en que no se comprendía el fenómeno. Ahora se sabe que la leche que producen los recién nacidos se debe a la influencia de las hormonas que hay en la sangre de la madre y que preparan sus pechos para la lactación.

Para que los bebés se desarrollen sanos hay que cargarlos y acariciarlos. Afortunadamente tienen el poder de asegurar su supervivencia porque se ven tan desvalidos que despiertan el impulso de protegerlos y mimarlos.

Esas mismas hormonas, que llegan al feto a través de la placenta y del cordón umbilical, son las que hacen también que los genitales de los bebés estén hinchados cuando nacen, proceso que se reduce a los pocos días.

¿Puede sentir el feto las emociones de la madre?

Cuando una mujer encinta está irritada, furiosa o asustada, la adrenalina y otras hormonas que le hace segregar la tensión llegan al feto a través de la placenta, haciendo que se reflejen en él algunos de sus efectos químicos. De acuerdo con los resultados de un estudio, la actividad física del feto aumenta considerablemente cuando su madre está alterada.

Algunos investigadores tienen la teoría de que las mujeres que han pasado el embarazo tristes o temerosas tienen con más frecuencia de lo normal bebés inquietos y llorones. Pero hay que advertir que no existen *pruebas* de que las hormonas de la madre relacionadas con sus tensiones emocionales afecten la conducta del niño después de nacer. Lo que sí es posible es que una mujer que ha estado angustiada durante el embarazo resulte una madre nerviosa e intranquila y que esa ansiedad produzca tensiones psicológicas que hacen al bebé irritable y llorón. De una manera o de otra se justifica aquello de que a las mujeres embarazadas hay que mimarlas y evitarles cualquier disgusto.

¿Se puede hacer algo para combatir las náuseas durante el embarazo?

Durante los primeros meses de embarazo la madre puede tener náuseas a cualquier hora del día, pero son más frecuentes por la mañana, al despertar, cuando tiene el estómago vacío. Este malestar muchas veces se alivia haciendo comidas menos abundantes y grasosas pero más frecuentes, y tomando entre medias un vaso de leche y algunas galletas. Si las náuseas no disminuyen no hay más que esperar: casi siempre desaparecen después del cuarto mes. Los medicamentos que se usaban antes para evitarlas se eliminaron del mercado porque algunos (los que contenían talidomida) causaban graves malformaciones congénitas.

El momento de la concepción

¿Qué tan pronto se puede detectar un embarazo?

Generalmente una mujer no se da cuenta de que está embarazada hasta que han pasado dos semanas de la fecha en que debía haberle llegado la regla, y para entonces el embrión probablemente lleve ya tres semanas implantado en el útero y su corazón esté latiendo.

Pasadas ocho o nueve semanas de la última menstruación, un médico con experiencia puede asegurar con bastante certeza si hay o no embarazo. Al hacer el examen notará el útero más abultado, redondeado y blando de lo normal, y un color azulado en el cuello de la matriz que se debe a la congestión pélvica. Por esa época la mujer embarazada empezará a sentir los pechos más pesados y sensibles y un hormigueo en los pezones. Algunas experimentan una sensación de llenura en el abdomen y comienzan a tener náuseas matinales.

¿Cómo se hace la prueba del embarazo?

Una de las hormonas que segrega la placenta es la gonadotropina coriónica. Afortunadamente para la mujer que está ansiosa por saber si se encuentra encinta, esta hormona pasa rápidamente a la sangre y se excreta en la orina. Dos semanas después de la concepción las pruebas de laboratorio más sensibles ya pueden detectar si ha habido aumento de esta secreción. La mayor parte de las pruebas comerciales del embarazo no reaccionan positivamente a la hormona hasta 10 a 14 días después de la fecha prevista para la menstruación que no bajó. La sensibilidad de las pruebas de orina que se pueden hacer en la casa es más variable. Todas ellas son más rápidas, baratas y confiables que las antiguas pruebas de la coneja o de la rana que ya están en desuso. Hay que advertir que no es nada raro que se obtengan resultados falsos, positivos o negativos, cuando se hace la prueba en casa o se tienen menstruaciones irregulares.

¿Por qué se suspende la menstruación durante el embarazo?

El embrión necesita para nutrirse las secreciones de la capa interna del útero, el endometrio, que normalmente se desintegra durante la menstruación; por lo tanto, desde que se implanta en el útero, el embrión comienza a segregar gonadotropina coriónica, una hormona muy parecida a la que estimula la producción hormonal del ova-

rio que a su vez favorece la proliferación del endometrio entre una menstruación y otra. En el momento de la concepción, la mujer está en la fase de su ciclo mensual en que va a comenzar a disminuir la secreción hormonal. Si eso ocurriera, el endometrio se desintegraría dando lugar al sangrado menstrual que arrastraría consigo al embrión, pero no es así. La gonadotropina que el embrión produce circula por la sangre de la madre llevando el mismo mensaje químico que la hormona que ella estaba produciendo hasta ese momento, y su sistema endocrino responde a ese mensaje, sin importarle la fuente de donde proviene, conservando el endometrio y la nueva vida que de él depende.

¿Cómo se efectúa la fecundación?

En el momento en que uno de los espermatozoides de un hombre penetra en el óvulo de una mujer comienza a formarse un nuevo ser humano. Este fenómeno, llamado fecundación o concepción, se lleva a cabo en las trompas de Falopio de la mujer, por donde pasa el óvulo maduro que se ha desprendido del ovario para llegar al útero. Los espermatozoides nadan en dirección contraria a reunirse con el óvulo; cinco minutos después del coito ya han recorrido el trayecto que va de la vagina al útero y de éste a las trompas. La fecundación se produce generalmente en el transcurso de las 24 horas que siguen a la ovulación.

Al penetrar el espermatozoide en el óvulo, la estructura de la cubierta externa de la célula femenina cambia inmediatamente impidiendo que entre algún otro espermatozoide. Al unirse los núcleos de las dos células, se juntan los 23 cromosomas que lleva el espermatozoide con los 23 que tiene el óvulo, para dotar al nuevo ser humano de los 46 cromosomas que caracterizan a su especie, cromosomas que determinarán sus caracteres hereditarios y dirigirán su crecimiento y desarrollo.

¿Cómo llega al útero el óvulo fecundado?

Las trompas, donde se unen el óvulo y el espermatozoide, son demasiado angostas para que pueda desarrollarse ahí el huevo, de manera que el ser humano recién formado tiene que desplazarse hasta el útero, ór-

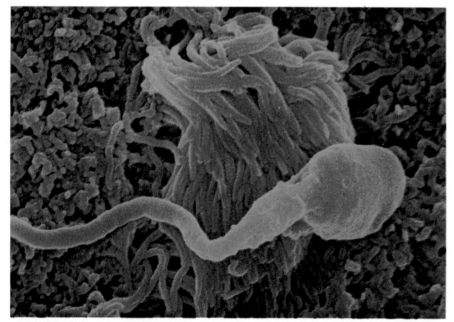

Este espermatozoide, en busca de un óvulo que quizá esté más adelante, pasa ante una masa de cilios que tapizan la trompa de Falopio. El movimiento de los cilios crea una corriente contra la que tiene que nadar agitando su larga cola.

Primeras fases de desarrollo del huevo

El óvulo ya fecundado se divide formando 2 nuevas células, luego 4, 8, 16, 32 y así continúa haciéndolo cada 12 horas, hasta formar una masa esférica de células llamada mórula. Cuando la mórula llega al útero, comienza a segregar hacia su interior un líquido que desplaza las células hacia la superficie dejando un hueco en el centro; en esta fase al embrión se le da el nombre de blastocisto. Las células van organizándose en dos capas quedando en el interior de la esfera algo de líquido y una masa de células agrupadas en un polo. La pared del blastocisto formará la placenta y el saco amniótico; las células internas, al bebé. Hasta ese momento el embrión no es mayor que el óvulo original. Por fin, al noveno día de la ovulación, el embrión se introduce en el endometrio y comienza a recibir nutrientes de la madre, lo que le permitirá crecer.

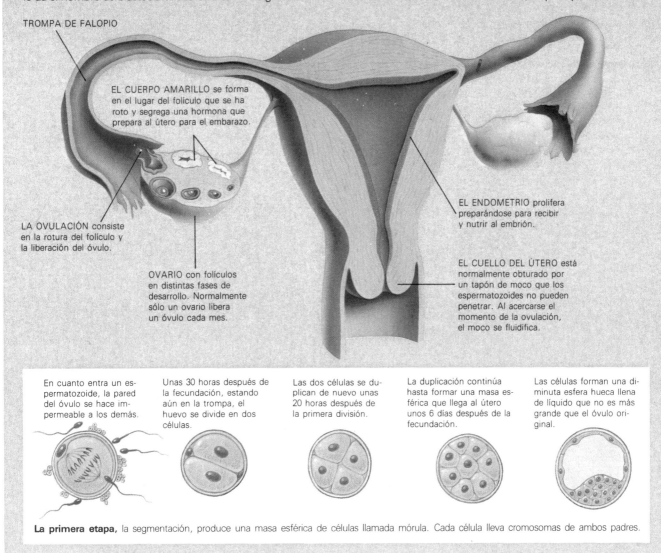

TROMPA DE FALOPIO

EL CUERPO AMARILLO se forma en el lugar del folículo que se ha roto y segrega una hormona que prepara al útero para el embarazo.

LA OVULACIÓN consiste en la rotura del folículo y la liberación del óvulo.

OVARIO con folículos en distintas fases de desarrollo. Normalmente sólo un ovario libera un óvulo cada mes.

EL ENDOMETRIO prolifera preparándose para recibir y nutrir al embrión.

EL CUELLO DEL ÚTERO está normalmente obturado por un tapón de moco que los espermatozoides no pueden penetrar. Al acercarse el momento de la ovulación, el moco se fluidifica.

En cuanto entra un espermatozoide, la pared del óvulo se hace impermeable a los demás.

Unas 30 horas después de la fecundación, estando aún en la trompa, el huevo se divide en dos células.

Las dos células se duplican de nuevo unas 20 horas después de la primera división.

La duplicación continúa hasta formar una masa esférica que llega al útero unos 6 días después de la fecundación.

Las células forman una diminuta esfera hueca llena de líquido que no es más grande que el óvulo original.

La primera etapa, la segmentación, produce una masa esférica de células llamada mórula. Cada célula lleva cromosomas de ambos padres.

gano que sí tiene la capacidad de distenderse a medida que va creciendo el feto. Las contracciones musculares de la trompa, similares a los movimientos peristálticos del tubo digestivo, y la corriente del líquido que hay dentro —y que es impulsada por el movimiento de los cilios de las células que tapizan el conducto—, ayudan al huevo a desplazarse hasta el útero, al que llega alrededor de cuatro días después de la ovulación.

¿Qué determina el sexo que tendrá el nuevo ser humano?

El sexo de un bebé se determina en el momento mismo de la fecundación y en ello desempeña un papel decisivo el espermatozoide del padre. Todos los óvulos que produce una mujer llevan un cromosoma sexual X que se considera femenino; en cambio, los espermatozoides que forma un hombre no son todos iguales: la mitad llevan el cromosoma X y la otra mitad un cromosoma Y o cromosoma sexual masculino. Si es un espermatozoide X el que fecunda al óvulo, se formará un huevo con dos cromosomas X que dará lugar a una niña; por el contrario, si es un espermatozoide Y el que penetra al óvulo, el huevo tendrá un cromosoma X y otro Y, fórmula que lo convierte automáticamente en un futuro varón.

Primeras etapas del embarazo

¿Cuál es la función de la placenta?

La placenta es un órgano temporal que se desprende y se expulsa cuando el niño ha nacido, pero mientras tanto desempeña muchas funciones vitales; la principal es permitir la difusión de los nutrientes de la sangre de la madre a la del hijo y la excreción de los desechos de la sangre del hijo a la de la madre. La placenta es obra del embrión, que comienza a formarla en la fase de blastocisto cuando se embebe en la capa interna del útero.

Las células del embrión comienzan a crecer en el endometrio de la madre formando proyecciones, a manera de raíces, que se ramifican formando una densa red. Estas prolongaciones se introducen en los vasos sanguíneos de la madre y quedan bañadas por su sangre. Los vasos sanguíneos del embrión se desarrollan dentro de esta misma red, pero su sangre nunca llega a mezclarse con la de la madre porque una y otra están separadas por dos capas de células: la que forma la pared de la prolongación y la que limita el vaso sanguíneo del embrión. Sin embargo, a través de esta doble capa pueden pasar el oxígeno y los nutrientes de la madre al hijo y el bióxido de carbono y los desechos

---

Implantación del embrión en el útero

Cuando el embrión llega al útero a través de la trompa de Falopio está en la fase de blastocisto, una esfera con dos capas de células. Las células periféricas forman el trofoblasto que dará origen a la placenta; de las internas se desarrollará el bebé. El blastocisto segrega enzimas que penetran la mucosa que reviste el útero, el endometrio, abriendo un espacio en el que se introduce. El endometrio prolifera y sella la abertura por encima del embrión dejándolo encerrado en el interior de este tejido vascularizado que le proveerá de nutrientes. Más tarde emergerá la placenta unida a esta región.

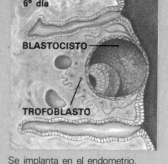

4° a 5° días

El blastocisto llega al útero.

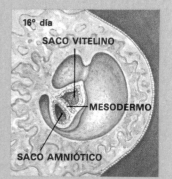

6° día

BLASTOCISTO
TROFOBLASTO

Se implanta en el endometrio.

El trofoblasto "echa raíces" en el endometrio. Mediante estas prolongaciones extrae de la sangre materna nutrientes que permitirán crecer al embrión. A medida que éste crece, se hace más complejo; las células que originalmente eran todas iguales se diferencian dando lugar a distintos tipos de tejidos: el ectodermo (que constituirá la piel), el endodermo (los órganos internos) y el mesodermo (músculos y huesos).

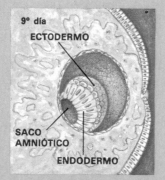

9° día

ECTODERMO
SACO AMNIÓTICO
ENDODERMO

Sus células empiezan a diferenciarse.

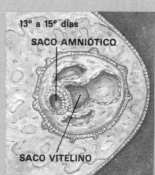

13° a 15° días

SACO AMNIÓTICO
SACO VITELINO

El endodermo forma el saco vitelino.

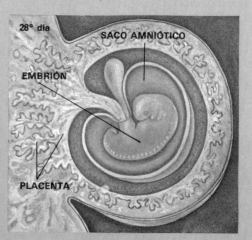

16° día

SACO VITELINO
MESODERMO
SACO AMNIÓTICO

Aparece el mesodermo.

El embrión, que es ahora un disco formado por tres capas celulares, se separa del trofoblasto quedando unido a su fuente de sustento por el pedículo de fijación que luego se transformará en el cordón umbilical. Al mismo tiempo, el saco amniótico lleno de líquido se expande y rodea completamente al embrión protegiéndolo de golpes y traumatismos. El saco vitelino irá desapareciendo.

20° día

SACO VITELINO
PEDÍCULO DE FIJACIÓN
EMBRIÓN

El embrión se separa del trofoblasto.

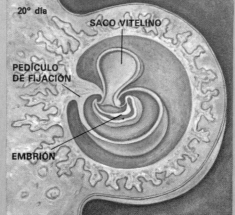

28° día

SACO AMNIÓTICO
EMBRIÓN
PLACENTA

Comienzan a distinguirse los órganos.

metabólicos del hijo a la madre, que a su vez los expulsará a través de los pulmones y los riñones.

La placenta realiza el trabajo de varios de los órganos que el feto en desarrollo sólo posee en forma rudimentaria. Le sirve al feto de pulmón porque a través de ella intercambian su sangre y la de la madre oxígeno por bióxido de carbono; hace las veces del intestino al absorber los nutrientes de la sangre materna; funciona como un riñón, ya que filtra la urea y otros productos de desecho de la sangre del feto y los vierte en la de la madre para que sean excretados; metaboliza los glóbulos rojos de la madre para obtener hierro como lo haría el hígado, y actúa como una glándula endocrina produciendo hormonas que mantienen el estado de embarazo.

Las hormonas segregadas por la placenta ayudan al organismo de la madre a retener al bebé que se está formando y preparan sus pechos para la lactación después del parto. Y eso no es todo, la placenta también constituye una barrera para las bacterias y los virus, pero en cambio deja pasar algunas inmunoglobulinas maternas que protegen de las infecciones, no sólo al feto, sino también al bebé recién nacido.

Para poder cumplir todas estas funciones, la placenta va creciendo en el transcurso del embarazo. Al principio es mayor que el embrión; a los 4 meses, cuando el feto mide alrededor de 18 cm de largo, la placenta es un disco de unos 7.5 cm de diámetro; al final de la gestación alcanza alrededor de 20 cm de diámetro y pesa medio kilo, más o menos.

¿Cómo se forma el cordón umbilical?

Aunque el embrión humano procede de un huevo, no depende de la yema, es decir, del vitelo para nutrirse. Como los demás, el huevo humano tiene un saco vitelino, pero éste degenera pronto; a cambio el embrión forma un pedículo de fijación que lo une a las células que darán lugar a la placenta, pedículo que luego se transforma en el cordón umbilical revestido por una prolongación de lo que queda del saco vitelino y por la membrana amniótica.

El grueso cordón umbilical, que va de la placenta al abdomen del feto, constituye su fuente de vida. Por él corren dos arte-

rias y una vena a través de las cuales el corazón del bebé bombea la sangre que le trae nutrientes y se lleva sus desechos. El cordón suele medir alrededor de 1.5 cm de diámetro y entre 30 y 90 cm de largo, algo más que la estatura que alcanza un bebé al nacer.

¿De dónde proviene el líquido amniótico?

Dentro del útero, el feto está confinado en el saco amniótico, que es una bolsa cerrada de paredes delgadas formadas sólo por dos capas de células y llena de líquido en el que el bebé flota y lo protege de los traumatismos. Parte de este líquido se filtra del útero a través de la placenta y de la pared del saco amniótico, pero el mayor volumen procede de la sangre de los pulmones y de los riñones del feto.

El líquido amniótico circula, no está estancado. En la etapa en que el feto está ya bien desarrollado, el saco contiene alrededor de un litro de líquido del que se recicla, aproximadamente, una tercera parte cada hora. En el último trimestre del embarazo, el feto comienza a tragar este líquido claro y estéril lo mismo que si bebiera agua y no lo hace en pequeñas cantidades, ya que llega a ingerir medio litro al día.

LAS PALABRAS Y SU HISTORIA

La cesárea, operación que se hace para extraer a un niño abriendo el vientre de la madre, no debe su nombre a Julio César, que supuestamente nació por este procedimiento. Lo más probable es que la palabra derive de una antigua ley romana, la *lex cesarea*, que ordenaba operar a toda mujer que estuviera a punto de morir en las últimas semanas de embarazo para salvar al hijo. Según otra teoría, el nombre procede del latín *caedere*: cortar.

Preñez y prenatal son palabras que derivan de las mismas raíces latinas: *prae*, que significa antes, y *nascor*, nacer, que también da lugar a vocablos como *naturaleza, nativo, innato. Preñada* es un adjetivo que suele reservarse para las hembras de los animales porque se considera descortés aplicarlo a las mujeres, aunque sería perfectamente válido; en su lugar se dice que una mujer está embarazada o encinta, o se recurre a eufemismos como "está esperando", "se encuentra en estado" o "se encuentra en estado interesante".

Cortar el cordón umbilical es una frase que, aplicada a un adulto, significa independizarse, dejar de estar supeditado a los padres o a cualquier otra persona. El ombligo, que después de nacer es todo lo que queda del cordón umbilical, deriva de la palabra latina *umbilicus* que quiere decir en medio, en el centro, porque se consideraba el ombligo como el centro del cuerpo humano.

¿Es frecuente el aborto espontáneo después de los tres meses?

Sólo una cuarta parte de los abortos espontáneos se producen después de los tres meses de embarazo. Estos abortos tardíos suelen deberse a anomalías estructurales del útero, alteraciones de la placenta o del cordón umbilical o, con mucha menos frecuencia, a problemas funcionales del sistema endocrino de la madre que le hacen segregar determinada hormona en mayor o menor cantidad de lo necesario. De las anomalías estructurales, la más común es que el útero se encuentre dividido parcialmente por un tabique que deja un espacio demasiado pequeño para que pueda desarrollarse el embrión. Otro problema frecuente es que el cuello del útero no tenga suficiente fuerza y comience a abrirse demasiado pronto.

Afortunadamente, la mayor parte de estas dificultades pueden resolverse; el sistema endocrino puede ajustarse con una terapia hormonal, las anomalías del útero corregirse quirúrgicamente y el cuello que tiende a dilatarse prematuramente puede suturarse para mantenerlo cerrado. Alrededor del 90% de las mujeres que han sufrido un aborto por cualquiera de estas razones, una vez tratadas quedan en condiciones de llevar a término otro embarazo.

Protección del que va a nacer

¿Importa mucho nutrirse bien?

No hay duda alguna de que una mujer embarazada debe nutrirse bien; no es éste el momento de ponerse a dieta aunque tampoco es aconsejable subir mucho de peso (más de 16 ó 18 kg). Las futuras mamás deben comer lo suficiente para no quedarse nunca con hambre, pero conviene que eviten los alimentos chatarra, llamados así porque llenan pero no nutren. Lo mejor para la madre y el feto es un régimen balanceado que incluya mucha leche, carne, frutas, cereales, verduras y queso; un régimen que proporcione unas 2 500 calorías al día. Todo exceso de grasa que la mujer almacene en sus tejidos lo empleará para producir leche cuando amamante a su bebé.

La Segunda Guerra Mundial mostró los efectos nocivos de la mala alimentación en muchos aspectos, entre ellos en las mujeres embarazadas. En Holanda, por ejemplo, donde había poca comida durante la ocupación alemana, los abortos y los partos prematuros aumentaron considerablemente y disminuyó el tamaño promedio de los niños al nacer. Cuando la guerra terminó, las estadísticas volvieron a las cifras normales. Hoy día se presenta el mismo fenómeno en los países subdesarrollados donde la alimentación es pobre.

¿Afecta al bebé la cantidad de bebidas alcohólicas que ingiere la madre?

Hablando del embarazo un escritor comparó la placenta con la cerca de un potrero, que constituye una barrera para los caballos pero no para los ratones. Si bien la placenta es impermeable a las células sanguíneas y a las bacterias, no lo es a los pequeños virus y a la mayoría de los medicamentos y las drogas. El alcohol es una de esas sustancias que sí pueden traspasar la barrera placentaria. Cuando una mujer embarazada bebe, es como si el feto bebiera también, por eso el hijo de una alcohólica puede hacerse adicto en el útero. En Estados Unidos y en Europa Occidental uno o dos de cada mil recién nacidos padecen esta alteración. En lo que los especialistas no se ponen de acuerdo es en la cantidad de alcohol que resulta excesiva para una mujer embarazada. Unos dicen que entre 30 y 60 mililitros al día probablemente no hagan daño; otros opinan que lo mejor es que la futura mamá se limite a beber un vaso de vino de vez en cuando. Por lo que se refiere a las drogas del tipo de la heroína, significan un riesgo grande para el niño; los niños de madres adictas nacen con el síndrome de abstinencia.

La semipermeabilidad de la placenta no deja de tener su lado positivo; además del oxígeno y los nutrientes, por ella pasan algunos de los anticuerpos de la madre. En pocas palabras, el feto comparte los riesgos de la bioquímica de su madre, pero también se beneficia, temporalmente, con sus defensas.

¿Es peligroso tomar medicamentos durante el embarazo?

Una mujer que está tomando medicamentos de cualquier tipo y proyecta tener un hijo debe plantearle el asunto al médico. En cuanto sepa que está embarazada debe informárselo para que el médico reduzca el trata-

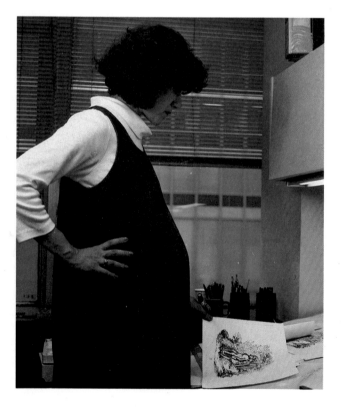

¿Hasta cuándo puede seguir trabajando la futura mamá?

Ésta es una pregunta que probablemente no se hacía ninguna mujer hasta mediados de este siglo. Antes, si una mujer trabajaba era porque no le quedaba más remedio, estuviera embarazada o no; algunas se veían obligadas a volver a sus labores, a menudo en el campo, sin poder contar con un periodo de convalecencia después del parto. Generalmente una mujer sana está en condiciones de trabajar, si eso no le exige mucho esfuerzo físico, hasta el último día de embarazo, pero puede no querer hacerlo porque se siente incómoda cuando el feto es ya demasiado grande. La prominencia del vientre hace que le resulte difícil agacharse; el peso le produce dolores de espalda; la presión puede causarle várices para las que no existe mejor alivio que poner las piernas en alto, algo inconveniente si está trabajando; la relajación de los ligamentos de la pelvis la obliga a caminar como pato y la presión del útero distendido sobre los otros órganos le ocasiona acidez estomacal, indigestión y otras molestias. Al final de la gestación una mujer suele haber engordado entre 9 y 12 kg que nadie le puede ayudar a cargar aunque haya logrado sortear las demás molestias.

Muchas mujeres prefieren trabajar hasta el último día de embarazo en lugar de quedarse en casa. Eso les permite estar más tiempo con el bebé después del parto.

miento a los fármacos que considere absolutamente indispensables.

Los medicamentos son un peligro para el feto, sobre todo durante el primer trimestre del embarazo cuando se están formando el corazón, el cerebro, las extremidades y los rasgos faciales. Las malformaciones congénitas más serias se producen entre la tercera semana (desgraciadamente cuando la mujer no sabe aún que está encinta) y la décima. Hay unos cuantos medicamentos que pueden dañar al feto durante las últimas semanas de la gestación y aun durante el parto.

Incluso una pequeña cantidad de algunos productos farmacéuticos puede causar graves lesiones. No hay que olvidar que tan sólo una pastilla de talidomida que apenas contenía 100 mg de ese sedante bastó para producir grandes malformaciones en las extremidades de algunos bebés.

¿Debe una mujer embarazada abstenerse de tener relaciones sexuales?

El feto flota dentro de una bolsa llena de líquido que lo protege incluso si la madre llega a caerse, por lo tanto no le afecta que sus padres tengan relaciones sexuales; si recibe un golpe, el impacto sólo lo empuja, y flota hacia otro punto. Sin embargo, a las mujeres que tienen tendencia al aborto se les recomienda a veces que eviten la cópula, sobre todo en los días en que normalmente tendrían la regla. Hay ginecólogos que no consideran recomendables las relaciones sexuales durante el primer trimestre de embarazo, pero no hay pruebas de que realmente impliquen un peligro, excepto en caso de que haya complicaciones o una enfermedad venérea.

¿Qué proporción del peso que aumenta la madre corresponde al bebé?

Generalmente un bebé pesa al nacer de 3 a 3.5 kg y la placenta, las membranas fetales, el líquido amniótico y el cordón umbilical de 1.5 a 2 kg. Sin embargo, una mujer suele engordar en el transcurso del embarazo mucho más de los 5 ó 5.5 kg que todo esto suma. Sus pechos aumentan de 1 a 1.5 kg y el útero casi 1 kg. Además, por efecto de los esteroides que produce, su or-

Mitos populares: los antojos de la mujer embarazada

¿Qué produce en la mujer embarazada ese urgente deseo de comer los alimentos más singulares a las horas más intempestivas? Muchos especialistas consideran esos antojos como resultado de la histeria o como una forma de llamar la atención, ya que no hay ninguna necesidad nutricional que sólo pueda satisfacerse con pepinos encurtidos o helado de frambuesa. Sin embargo, hay personas —sobre todo mujeres encintas— que tienen una afición patológica a comer cosas extrañas como tierra, yeso o carbón. Esta perversión del apetito, que se llama pica, puede deberse a una falta de hierro, que se subsana con alimentos y suplementos que lo contengan. Si los antojos son de esta índole, conviene ver a un médico.

En esta caricatura de 1839, el francés Honoré Daumier satiriza el antojo de carne de una mujer embarazada que muerde el brazo del repartidor de una carnicería.

ganismo retiene más líquidos de lo normal, casi 3 kg extra que irá perdiendo a través de la orina en los días que siguen al parto.

El peso del bebé está relacionado con el aumento de peso de la madre; las mujeres altas suelen tener niños más grandes, que son los que mejor resisten las complicaciones que pueda haber durante y después del parto. Las mujeres que no engordan más de 4.5 a 5.5 kg suelen tener niños prematuros o bajos de peso al nacer con más frecuencia que las madres que aumentan más de peso durante el embarazo.

¿Qué cambios experimenta el cuerpo de la mujer durante el embarazo?

En la mayoría de las mujeres embarazadas el útero aumenta de tamaño unas 20 veces, los pechos duplican su volumen, la vagina se alarga y la pelvis se ensancha a medida que se relajan los ligamentos. Su volumen de sangre aumenta un 30%, lo que

significa casi un litro extra y más trabajo para el corazón que tiene que bombearlo. El ritmo respiratorio se acelera de manera que sus pulmones absorben un 20% más de oxígeno, y también se incrementa paulatinamente la producción de orina.

¿Tener un hijo deteriora la figura?

El apetito de la madre, que generalmente aumenta durante el embarazo, suele volver a la normalidad después del parto. Aunque es verdad que las mujeres que amamantan tienen que comer más que las que no lo hacen para que no falten en su organismo los nutrientes esenciales, no hay necesidad de que aumenten de peso ni un gramo; de hecho, la mayoría regresan al peso que tenían antes del embarazo sin tener que ponerse a dieta. El ombligo, que a menudo se proyecta hacia afuera el último mes, pronto vuelve a su posición normal. Eso sí, los pechos pueden colgarse si no se usa un brasier que dé un buen soporte.

Desarrollo del feto

Cambios de la 2ª a la 15ª semanas

Al principio el embrión de cabeza enorme y cola corta parece una coma, pero a medida que se transforma en feto sus proporciones cambian y va tomando aspecto humano. A las siete semanas y media han aparecido los codos y las rodillas en las extremidades y comienzan a reconocerse los rasgos faciales; la cabeza ya no resulta proporcionalmente tan grande. Los hombros se perciben al mes; dos días más tarde se reconocen los dedos y tres días después los pulgares. Al día siguiente la nariz y las orejas tienen ya suficiente desarrollo para que se noten ciertas peculiaridades hereditarias, por ejemplo, si los lóbulos están o no pegados a la cabeza. Por dentro, los músculos y los nervios se han ido desarrollando tan rápidamente que a la novena semana el feto puede ya efectuar movimientos automáticos. Tres semanas después le empiezan a crecer las uñas. Mide 7.5 cm y pesa 28 g.

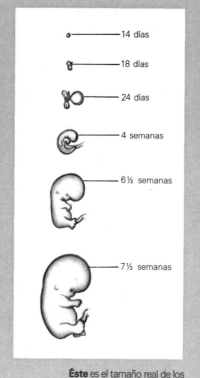

- 14 días
- 18 días
- 24 días
- 4 semanas
- 6½ semanas
- 7½ semanas

Éste es el tamaño real de los embriones.

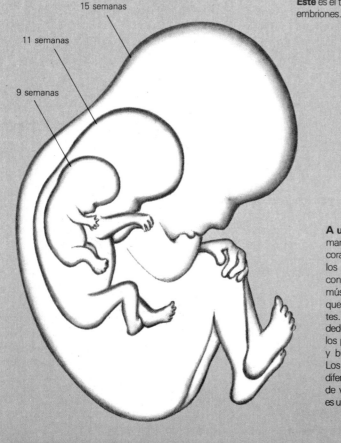

15 semanas
11 semanas
9 semanas

A un feto de 15 semanas ya se le oye el corazón, le funcionan los riñones y cuenta con el triple de los músculos y nervios que tenía un mes antes. Puede doblar los dedos de las manos y los pies, dar patadas y bizquear los ojos. Los genitales se han diferenciado y se puede ver claramente si es un niño o una niña.

¿Qué aspecto tiene el futuro bebé un mes después de la concepción?

Cuatro semanas después de haber sido concebido, el futuro bebé constituye lo que se llama un embrión. Se trata de un ser parecido a un renacuajo, del tamaño de un chícharo, que apenas mide 7 mm de largo. Su corazón hace ya una semana que ha comenzado a latir, tiene definida la cabeza dentro de la cual empieza a formarse el cerebro, y se notan los ojos y los rudimentos de las orejas. Hasta ese momento carece de huesos y en las regiones donde se desarrollarán los brazos y las piernas hay sólo unas pequeñas protuberancias.

Una semana más tarde el embrión tiene el tamaño de un frijol. De los esbozos de las extremidades se han formado pequeños apéndices en los que se diferenciarán los brazos y las manos antes que las piernas y los pies; en cuanto se forman las extremidades comienza a moverlas aunque la madre todavía no lo sienta. La cabeza crece para acomodar al cerebro, que aumenta de tamaño rápidamente. Después de la quinta semana aparecen los párpados, que van cerrando los ojos paulatinamente; a los siete u ocho meses los volverá a abrir.

¿Qué actividades realiza el feto?

Entre una siesta y otra, el feto hace ejercicio; en cierta forma practica preparándose para la vida que le espera. A las siete u ocho semanas se notan sus movimientos, son bruscos como los de una marioneta pero irán haciéndose más armónicos y coordinados al transcurrir el tiempo. Mucho antes de que la madre sea capaz de sentirlo, entre las semanas 17 y 20, el feto ya abre y cierra la boca, se toca la cara, agita los brazos y da patadas. Estos movimientos lo impulsan de un lado a otro del saco amniótico flotando en el líquido lentamente como si fuera un astronauta maniobrando en el espacio exterior, unido a su nave sólo por el cordón umbilical.

¿Duerme el feto?

Aunque el feto es capaz de desarrollar una actividad física, también duerme y aparentemente sueña; lo que no podemos saber es el tema de sus sueños. Por medio del ultrasonido se le ha podido ver bostezando y estirándose. Algunos bebés duermen en el útero acostados sobre el vientre, otros encogidos y de lado; hay unos que apoyan la cabeza en el pecho y otros que la echan hacia atrás. En el último trimestre de la gestación, cuando ya no cuentan con espacio para estirarse, la mayoría yacen encogidos con la cabeza hacia abajo.

¿Cómo se puede saber todo esto? En parte por las imágenes obtenidas a través del ultrasonido y por los encefalogramas —los registros de las ondas cerebrales— que se han hecho a los bebés antes de nacer. Estos registros muestran las ondas de actividad cerebral que caracterizan las distintas fases del sueño, incluyendo los movimientos oculares rápidos (MOR) propios de una persona que está soñando.

¿Cómo concluye el desarrollo?

A partir del tercer mes de gestación la naturaleza se dedica a dar los toques finales a su obra. Las uñas aparecen en el feto alrededor de la novena semana y siguen creciendo, tanto que algunos bebés nacen con rasguños en la cara y la urgente necesidad de que les corten las uñas. Los párpados, que se forman al principio del tercer mes, se adhieren uno a otro, como los de un gatito recién nacido, cubriendo los ojos mientras terminan de desarrollarse. Los rasgos faciales se van colocando poco a poco en su posición definitiva: los ojos se acercan a la nariz, las orejas ascienden, los labios se forman y las mejillas se rellenan. Se desarrollan en la lengua las papilas gustativas y aparecen las glándulas salivales. Los ovarios de las niñas y los testículos de los niños comienzan a producir células germinales, las semillas de la siguiente generación que a partir de la pubertad se irán convirtiendo en óvulos y espermatozoides. Así, cuando una mujer va a ser madre, el bebé que lleva en el vientre se está preparando ya para hacerla abuela.

¿Cuándo comienza a crecerle el pelo al futuro bebé?

A principios del tercer mes de vida fetal comienza el bebé a desarrollar un vello fino en las cejas, encima del labio superior, en las palmas de las manos y en las plantas de los pies. Alrededor de la vigésima semana todo el cuerpo del feto está ya cubierto

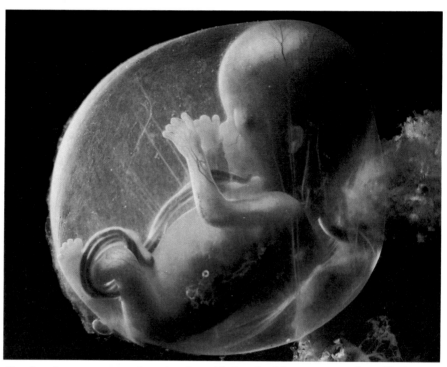

Este feto de tres meses, con los párpados soldados y la piel transparente, flota plácidamente dentro del saco amniótico atado a su cordón umbilical.

por una capa de vello delgado y suave que se llama lanugo. Entre el quinto y el sexto mes el pelo secundario que surge de nuevos folículos pilosos va reemplazando progresivamente al lanugo. Al mes siguiente el feto ha perdido ya la mayor parte del vello primario, lo único que queda del lanugo es esa pelusilla que algunas veces cubre el cuero cabelludo, las cejas y el borde de las orejas del recién nacido.

¿Cuándo puede ya un feto vivir fuera del vientre de su madre?

Si el feto se ha desarrollado normalmente, en la mayoría de los casos podría comenzar la vida extrauterina a los siete meses de gestación, pero si sigue en el vientre de la madre sus probabilidades de supervivencia irán aumentando semana a semana, así como en razón de cada gramo que engorde. Hoy día, un bebé que pese al nacer por lo menos 1.5 kg tiene bastantes probabilidades de sobrevivir, sobre todo si se le atiende en la unidad de neonatología de un hospital. Han llegado a sobrevivir niños que han nacido a las 25 semanas de gestación, etapa en la que el feto pesa poco más de medio kilo.

Generalmente se considera prematuro a cualquier bebé que nace antes de las 37 se-

manas de gestación o que pesa menos de 2.5 kg. Hay que decir que muchos niños prematuros llegan a ser adultos sanos (Winston Churchill fue prematuro), pero algunos resultan retrasados mentales, autistas o presentan incapacidades menos graves, y no pocos mueren en la infancia.

Según las estadísticas obtenidas en los Estados Unidos, de cada 1 000 niños que nacen pesando entre 3 y 4.5 kg, 9 mueren al poco tiempo; en cambio entre los prematuros la tasa de mortalidad es de 58 por cada 1 000 cuando pesan entre 2 y 2.5 kg, y de 548 de cada 1 000 si al nacer pesan entre 1 y 1.5 kilos.

La vulnerabilidad de los niños prematuros se debe a que sus órganos no están todavía perfectamente desarrollados y por lo tanto pueden no funcionar bien. Una de las principales causas de mortalidad entre los bebés prematuros es la incapacidad para respirar normalmente. También están más expuestos a sufrir una hemorragia cerebral o pulmonar y a otros muchos contratiempos, pues en muy diversos aspectos están menos desarrollados que los niños que nacen a término; para empezar no cuentan todavía con una capa de grasa suficientemente gruesa para mantenerlos calientes, y su aparato digestivo no está aún en condiciones de producir todas las enzimas necesarias para digerir el alimento artificial.

Relación entre la madre y el hijo

¿Cuándo empieza a sentir la madre los movimientos del feto?

Los registros obtenidos con aparatos especiales que se colocan sobre el vientre de la mujer embarazada demuestran que el feto comienza a moverse alrededor del segundo mes de gestación, pero la madre no puede sentirlo sino hasta el cuarto mes, cuando el feto es ya suficientemente grande para que sus movimientos repercutan en el abdomen. Las mujeres que ya han tenido hijos generalmente sienten los movimientos del que están gestando una o dos semanas antes que las primerizas.

Entre la octava semana de embarazo —que es cuando el feto comienza a mover las extremidades— y el final de la duodécima semana, el futuro bebé triplica su tamaño; después el ritmo de crecimiento disminuye y tarda de ocho a nueve semanas en volver a triplicar su talla. A la vigésima semana de gestación —cuando hace 12 semanas que pasó de la etapa de embrión— el feto mide unos 25 ó 26 cm de la cabeza a los pies, lo que equivale, aproximadamente, a la mitad de la longitud que tendrá al nacer. Sus movimientos ya no lo impulsan de un lado a otro del saco amniótico flotando lentamente en el líquido que lo rodea, sino que le hacen chocar con las paredes del útero. La madre siente al principio estos movimientos como leves ondulaciones dentro de su abdomen, pero a medida que pasan las semanas se transforman en fuertes sacudidas, tanto que al acercarse la hora del parto las patadas del bebé pueden tirar un vaso de agua colocado sobre el vientre de su madre. Durante los últimos dos meses de embarazo, la mujer puede extrañarse al sentir de vez en cuando unas ligeras convulsiones que se repiten de 15 a 30 veces por minuto durante una media hora; no debe alarmarse, lo más probable es que el bebé tenga hipo.

También el feto siente los movimientos de la madre y hacia el final de la gestación responde a ellos; si le da un empujón o cambia de posición bruscamente, el bebé también se mueve.

¿Por qué el bebé patea más cuando la madre está acostada?

La razón puede ser que el movimiento de la madre acuna al bebé y le hace dormir, lo mismo que a los niños que ya han nacido. Al séptimo mes el feto es ya tan grande

Al poner la cabeza sobre el vientre de la madre, la pequeña siente los movimientos y las pataditas del bebé. Así su relación con el hermanito comienza y se va estrechando meses antes de que nazca.

que hace presión sobre muchos de los órganos de la madre y siente sus movimientos. Es probable que el ajetreo de la vida diaria lo mezca y le produzca sueño, pero que se despierte cuando su madre se acuesta a descansar. Otra razón es que durante el día, mientras está ocupada con unas cosas y otras, la madre se percata menos de los movimientos del niño que cuando está descansando tranquilamente.

¿Pueden los niños ver y oír cuando todavía están en el útero?

A los siete u ocho meses de gestación, cuando el feto abre los párpados que antes tenía adheridos, los ojos están ya bien desarrollados y pueden ver. Además, las paredes del abdomen y del útero de la madre se han dilatado tanto que a través de ellas puede entrar algo de luz. Cuando una mujer en esta etapa del embarazo toma el sol en bikini, el feto se ve envuelto en una penumbra rojiza como la que produce la mano al ponerla contra la luz de una vela. A estas alturas el feto también tiene desarrollado el sentido del oído y oye el latido del corazón de su madre, los gorgoteos de su intestino, el sonido de su voz e incluso el ruido de un portazo o la

sonoridad de una sinfonía. La investigación demuestra que un ruido fuerte e imprevisto puede acelerar el ritmo cardiaco del feto, y con el ultrasonido se ha visto cómo se voltea hacia el tintineo de una campana o el destello de una luz.

¿Orina y defeca el feto?

A mediados del quinto mes el feto comienza a orinar en el líquido amniótico y sigue haciéndolo cada vez en mayor cantidad; cuando está a término llega a producir hasta 450 mililitros al día. La orina está estéril y por lo tanto no contamina el líquido amniótico.

Los desechos sólidos que provienen del líquido amniótico que traga y de la bilis se acumulan en el intestino del feto hasta después del nacimiento. Constituyen el meconio, una pasta de color verde oscuro que el bebé elimina durante los primeros días de vida extrauterina.

¿Aprenden algo los bebés antes de nacer?

Antes de nacer, los niños aparentemente aprenden a reconocer tanto los sonidos como las rimas y cadencias. Según un estudio, a las 36 horas de nacer, e incluso antes, un bebé es capaz de distinguir la voz de su madre y la prefiere a cualquier otra, lo que parece indicar que aprendió a reconocerla antes de nacer. Más concluyentes fueron los resultados de este otro experimento: se pidió a 16 mujeres que estaban en las últimas semanas de embarazo que leyeran en voz alta dos veces al día determinada canción infantil. Cuando los bebés nacieron se les puso un chupón conectado a un aparato electrónico; si chupaban con cierto ritmo podían oír la voz de la madre leyendo esa canción; si lo hacían de otra manera el aparato reproducía una voz o unos versos desconocidos. Los bebés demostraron que preferían la cadencia de los versos conocidos.

El feto también aprende a ignorar los ruidos molestos de la vida cotidiana. En un estudio hecho en Japón se comprobó que la capacidad para dormir en medio del ruido era cinco veces mayor entre los recién nacidos cuyas madres vivían cerca del aeropuerto de Osaka que entre los hijos de mujeres que vivían en otro lugar.

¿Se puede predecir el temperamento de un bebé antes de que nazca?

Hay fetos que se mueven frecuentemente y con fuerza y otros que son más tranquilos; unos se sobresaltan con los ruidos imprevistos, otros no se alteran. Se dice que el niño que en el vientre de su madre entra en actividad en cuanto ella se acuesta hará lo mismo más tarde cuando lo ponga en la cuna para que duerma; en cambio, el que está más sosegado en el útero también dormirá tranquilamente después de nacer. Los estudios que han registrado el grado de actividad de los mismos bebés antes y después de nacer parecen confirmar esto.

¿Cuántas probabilidades hay de que el bebé que va a nacer sea un varón?

Nacen alrededor de 106 niños por cada 100 niñas, pero es mayor la proporción de embriones del sexo masculino que se forman: unos 130 por cada 100 del sexo femenino. Esta diferencia puede deberse a que los espermatozoides que llevan el cromosoma Y —determinante del sexo masculino— se mueven más rápidamente que los que llevan el cromosoma X —determinante del sexo femenino— porque el cromosoma Y es más pequeño que el X y pesa menos. Si los espermatozoides Y tienen mayor movilidad, es más probable que sea uno de ellos el que fecunde al óvulo. Pero como mueren en el útero más embriones del sexo masculino que del femenino, hay casi las mismas probabilidades de que el bebé que nazca sea un varón como de que sea una niña.

¿Cuándo se hace evidente el sexo del feto?

Durante las primeras nueve o diez semanas los embriones y los fetos de uno y otro sexos son iguales. Los genitales externos se forman a partir de una hendidura con una pequeña protuberancia en medio y un engrosamiento a cada lado. A las 12 ó 13 semanas comienzan a diferenciarse; si el feto es femenino, la protuberancia constituirá el clítoris y los engrosamientos los labios de la vulva; si el feto es masculino, la protuberancia formará el pene y los engrosamientos el escroto.

¿Qué cambios experimenta el feto durante los tres últimos meses?

En el último trimestre de la gestación el feto va adquiriendo la capacidad de vivir fuera del útero. Comienza a acumular grasa subcutánea, lo que redondea su escuálido cuerpecito y lo prepara para poder retener el calor cuando esté fuera del vientre materno. (Una de las razones por las que hay que poner a los bebés prematuros en la incubadora es porque no pueden mantener la temperatura corporal óptima para sus funciones vitales.) La mayoría de los fetos aumentan de 1.5 a 2 kg durante el octavo y noveno mes. Cuando llega la fecha normal del nacimiento, el feto ha crecido ya tanto que comienza a serle insuficiente el alimento de que dispone; como la placenta deja de crecer en el último periodo de la gestación, no puede satisfacer indefinidamente las necesidades cada vez mayores del feto.

Durante los últimos tres meses el cerebro se va desarrollando rápidamente y en el octavo comienza la mielinización de los nervios, es decir, la formación de la vaina de mielina que los reviste. La mielina es un lípido (una grasa) que acelera la transmisión de los impulsos nerviosos.

El feto resulta cada vez más gracioso porque va engordando, pierde la mayor parte del lanugo que cubría su cuerpo dos meses antes y le crece el pelo en la cabeza. Algunos nacen con el pelo tan largo que se les puede atar un listón.

Una mirada al interior del útero

Un examen con ultrasonido no dura más de media hora; es sencillo y cómodo. Se acuesta a la mujer de espaldas, se le unta el vientre con aceite y se le va pasando por encima un transmisor. El eco de las ondas sonoras que rebotan sobre el útero y el feto se transforma en imágenes que se proyectan sobre una pantalla y se fotografían. Es difícil que la paciente pueda interpretar estas imágenes, que corresponden a cortes transversales, pero para el ojo del especialista revelan el tamaño y la posición de la placenta, la estructura del cráneo y de la columna vertebral del bebé e incluso el interior de su corazón. Los sonogramas son útiles sobre todo cuando se sospecha de un embarazo múltiple.

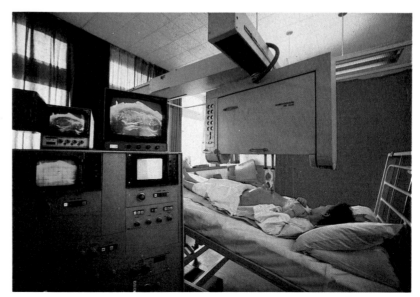

Sin causarle daño, los sonogramas permiten ver cómo va evolucionando el feto.

La formación de gemelos

¿Por qué los gemelos suelen nacer antes de tiempo?

Es frecuente que los gemelos nazcan antes de los nueve meses debido, en parte, a que ocupan demasiado espacio en el útero y también porque el aparato circulatorio de la madre no puede ya con la pesada carga de alimentar a dos fetos. Aunque no se sabe con seguridad qué es lo que hace que el parto gemelar comience antes, es probable que la distensión mecánica del útero estimule las contracciones y desencadene el trabajo de parto. Para prevenir o retardar un parto demasiado prematuro se recomienda el descanso en cama.

¿Cómo se originan los gemelos?

Los gemelos idénticos proceden de un mismo óvulo fecundado por un solo espermatozoide; lo que sucede es que, durante la seg-

mentación, el huevo se separa en dos masas celulares. Dado que esas células todavía no han comenzado a diferenciarse, cada masa puede dar lugar a un individuo completo e independiente del otro. El resultado son dos niños sumamente parecidos en lo que respecta a los caracteres determinados genéticamente. Aunque se trata de dos personas que se han desarrollado por separado desde las primeras etapas embrionarias, los gemelos idénticos tienen exactamente los mismos genes, son del mismo sexo y a veces comparten la misma placenta. Alrededor de una tercera parte de los gemelos son de este tipo.

Los gemelos fraternos, que representan del 70 al 80% de los partos gemelares, proceden de dos óvulos que por casualidad han madurado durante el mismo ciclo menstrual y que son fecundados por dos espermatozoides distintos. Cada embrión forma su propia placenta, se desarrolla independientemente y los niños no tienen más parecido

que el que pueda haber entre dos hermanos engendrados y nacidos en distinto tiempo.

La tasa de partos gemelares varía de unos países a otros; sus límites oscilan entre 1 por cada 50 a 300 nacimientos, pero probablemente haya el triple de concepciones gemelares que producen un solo bebé, pues no es raro que uno de los embriones no alcance a desarrollarse y sea reabsorbido.

¿Qué son los hermanos siameses?

Son gemelos idénticos que nacen unidos por algún punto del cuerpo, son el resultado de un solo óvulo fecundado que no llegó a dividirse totalmente para formar dos embriones independientes. Son casos poco frecuentes; nace un par por cada 100 000 partos. Es difícil separarlos quirúrgicamente si comparten órganos vitales.

¿Por qué los estimulantes de la fecundidad producen partos múltiples?

Los medicamentos estimulantes de la fecundidad favorecen la maduración del folículo y por lo tanto la ovulación, pero a veces son tan eficaces que producen la liberación de dos o más óvulos a la vez, de donde resulta la concepción de dos o más niños simultáneamente. Estos niños proceden de óvulos distintos fecundados por espermatozoides distintos y, por lo tanto, el parecido entre ellos es el mismo que entre hermanos comunes y corrientes.

Antes de que se emplearan este tipo de medicamentos ya había partos múltiples, pero no eran tan frecuentes; en 1934 causó sensación el nacimiento de las quíntuples Dionne porque fueron las primeras que lograron vivir más de 15 días. A pesar del avance de la ciencia desde entonces, los embarazos múltiples siguen siendo un peligro para la madre y los niños, entre otras cosas porque suelen nacer prematuramente ya que el tamaño y el peso combinado de todos ellos sobredistiende el útero. Además, no es raro que estén desnutridos porque el cuerpo de la madre no siempre da abasto para alimentar a varios fetos, ni su corazón alcanza a bombear sangre suficiente para tantas placentas. Estos problemas pueden superarse, en parte al menos, si el embarazo múltiple se diagnostica pronto y la madre reposa y se alimenta bien.

¿SABÍA USTED QUE...?

- **Los niños nacen cubiertos** de una sustancia aceitosa de color blanquecino. Esta especie de sebo, llamado *vernix caseosa*, comienzan a segregarlo las glándulas sebáceas de los folículos pilosos a los cinco meses de gestación, para proteger la delicada piel del feto e impedir que penetre a través de ella el líquido en que está inmerso.

- **A los cinco o seis meses de edad** prácticamente todos los niños balbucean, es decir, emiten una secuencia alternada de vocales y consonantes: ba ba ba, por ejemplo. Los niños sordos balbucean igual que los demás y todos producen los mismos sonidos sea cual sea la lengua materna. Algunos investigadores aseguran que los bebés articulan espontáneamente fonemas de todas las lenguas.

- **Una semana después del parto** el útero de la madre pesa la mitad de lo que pesaba al final del embarazo, y al mes suele tener el mismo tamaño que tenía cuando el embrión se implantó en él.

- **Los hombres que van a ser padres** pueden presentar algunos síntomas del embarazo como náuseas, dolor de espalda, aumento de peso, antojos y depresión. Este fenómeno, que en francés se llama *couvade* (de empollar), se acepta como un hecho en ciertas culturas: en algunas regiones de África y Nueva Guinea hay rituales que toman en cuenta estas dolencias de los futuros padres. En cambio, en los países occidentales los hombres se niegan a admitir que sientan tales síntomas.

- **Según un estudio** que se propone clasificar el comportamiento de los recién nacidos, 65% de los bebés presentan patrones de conducta bien definidos. De ellos un 10% pueden clasificarse como difíciles: son niños que lloran mucho, arman un escándalo cuando los bañan y escupen cualquier alimento nuevo. Otro 15% son huraños, tienden a retraerse y se muestran cautelosos ante cualquier situación nueva. El 40% restante son de buen carácter, están contentos la mayor parte del tiempo y se adaptan fácilmente a nuevos alimentos, personas o circunstancias. Puesto que estas diferencias de temperamento se manifiestan a tan temprana edad puede deducirse que son, por lo menos en parte, innatas. Claro que la personalidad futura dependerá también del medio ambiente.

El prodigio de los partos múltiples

En los Estados Unidos nace un par de gemelos fraternos por cada 90 partos; en China son más raros, la proporción es de 1 en 300; en cambio entre los yoruba de Nigeria son muy comunes, de cada 22 partos 1 es doble. La variación se debe a que la tendencia a producir más de un óvulo al mes —lo que da lugar a la concepción simultánea de varios bebés— es hereditaria. La tasa de natalidad de gemelos idénticos es de 4 por cada 1 000 nacimientos, independientemente de los antecedentes étnicos o familiares de la madre, ya que la propensión del huevo a disgregarse no es hereditaria. Los gemelos triples, cuádruples y demás pueden ser fraternos, idénticos o de ambos tipos.

La leyenda dice que los mellizos Rómulo y Remo, fundadores de Roma, fueron amamantados por una loba después de sobrevivir a un intento de ahogarlos.

Las quíntuples Dionne, retratadas aquí con su médico, el Dr. Dafoe, nacieron en Ontario, Canadá, el 28 de mayo de 1934. Fue tan sorprendente que sobrevivieran que pasaron la infancia rodeadas de gran publicidad.

Leominster, un pueblecito inglés de 8 000 habitantes, se hizo famoso por la inexplicable cantidad de mellizos que empezaron a nacer. Aunque entre los adultos no hay más hermanos gemelos de lo normal, entre los escolares de esta generación hay 28 pares.

Los séxtuples Van Hove-Gadeyne, de Bélgica, son célebres, pero el interés del público ha sido más racional que en el caso de las Dionne.

Diferentes formas de dar a luz

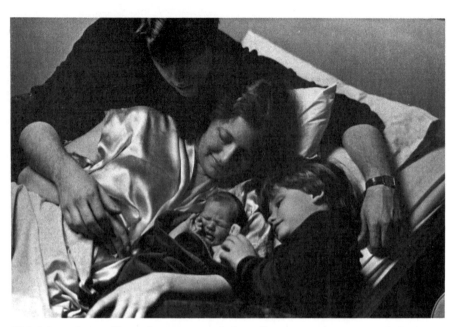

El bebé que ha nacido en la casa entra de inmediato en contacto con toda la familia. Aunque muchos médicos desaprueban esta forma de dar a luz, es una alternativa que puede considerarse cuando no se esperan complicaciones.

¿Cuándo debe elegir una mujer el tipo de parto que prefiere?

Una mujer que está ya en el trabajo de parto no se encuentra en condiciones de decidir el método que prefiere; la elección debe hacerla mucho antes. Debe asegurarse de que el personal y la institución que van a atenderla compartan sus puntos de vista, pero también debe meditar si sus puntos de vista son racionales o puramente emocionales, pues en ella recae la responsabilidad del bienestar de su hijo, que puede ser algo crucial para toda su vida. Si la futura madre hace a tiempo todas las preguntas que le interesan, puede descubrir que el médico o el hospital que ha elegido se oponen a algo que para ella es importante, y que no van a cambiar sus procedimientos habituales o lo harán con muchas reservas.

¿Qué diferencia hay entre una comadrona y un médico?

Más de tres cuartas partes de los partos que ocurren en todo el mundo son atendidos por comadronas. Hace años la mayoría de las comadronas eran mujeres sin mayores conocimientos, que habían aprendido a atender partos por su propia experiencia y ayudando a otras mujeres; hoy, muchas de las 800 000 comadronas, más o menos, que hay en el mundo han sido capacitadas para desempeñar ese oficio, pero todavía existen muchos lugares apartados en los que las parturientas quedan en manos de personas sin ninguna preparación, a veces las ayuda otra mujer de la familia y algunas dan a luz sin ninguna asistencia.

Como incluso las comadronas entrenadas carecen de título médico, no les está permitido realizar una operación cesárea ni usar los fórceps obstétricos, pero están calificadas para atender partos normales y efectuar episiotomías, una operación menor que consiste en hacer un corte en la vulva para agrandar la abertura vaginal. A las comadronas profesionales se les enseña a reconocer cuándo el parto se complica y es necesario llevar a la paciente al hospital.

¿Es recomendable que una mujer dé a luz en su casa?

Muy pocos médicos, algunas comadronas y un grupo cada vez mayor de mujeres se están inclinando hacia la antigua costumbre de dar a luz en la casa en lugar de acudir al hospital. Las mujeres dicen que se sienten más tranquilas en su propio hogar teniendo cerca a la familia y a los amigos. Elegir dar a luz en la casa (o en los pequeños centros hospitalarios de ambiente hogareño que están apareciendo en diversas partes del mundo) significa dar preferencia a la comodidad por encima de la tecnología y la seguridad; se prescinde, entre otras cosas, de la venoclisis, el monitoreo electrónico del feto y los estribos de las mesas de parto.

Esta opción sólo puede considerarse cuando no se esperan complicaciones en el parto, lo que deja fuera a las mujeres que tienen diabetes, hipertensión, placenta previa, que esperan gemelos o pueden presentar otros problemas.

¿El parto psicoprofiláctico evita los dolores a la madre?

El propósito del parto psicoprofiláctico, que sería más apropiado llamar preparación para el parto, no es evitar el dolor, sino reducirlo, en parte aminorando el miedo. Sus defensores aducen que la preparación para el parto ayuda, además, a estrechar el lazo entre la madre y el recién nacido.

Todas las variaciones de la preparación para el parto que ahora están de moda en diferentes lugares del mundo derivan de un movimiento que surgió en la Unión Soviética entre los años 30 y 40. Un grupo de médicos de ese país comenzó a aplicar las técnicas de condicionamiento de Pavlov a las parturientas para que su respuesta a las contracciones uterinas no fuera el dolor y el miedo, sino la participación directa basada en formas especiales de respirar.

Los principales promotores del parto psicoprofiláctico fuera de la Unión Soviética son Lamaze y Leboyer. El método de Lamaze es por ahora el más socorrido cuando se quiere evitar dar a luz bajo anestesia. La futura madre acude a las clases de preparación con un acompañante, generalmente su marido, cuya función es ayudarla durante el parto a concentrarse en las técnicas de respiración, relajación y masajes que han aprendido juntos.

El método de Leboyer se centra en el bebé. Para minimizar el choque que significa para el recién nacido salir del útero, se atenúan las luces y los ruidos y se le mete en una tina de agua tibia. Sin embargo, hay que considerar que el bebé necesita el impacto del aire frío para empezar a respirar; es dudoso que convenga amortiguar los estímulos naturales que ponen en marcha sus funciones vitales.

¿Qué problemas pueden presentarse en los últimos meses de embarazo?

Una de las complicaciones más comunes es el parto prematuro; a él se debe un alto porcentaje de las muertes entre los recién nacidos. Si en todo lo demás la madre y el feto están bien, se puede impedir el parto antes de tiempo a base de medicamentos. Para poder prevenir este problema, la futura mamá debe visitar al médico o a la comadrona periódicamente a lo largo del embarazo.

Otro peligro, que afortunadamente se presenta en un bajo porcentaje de mujeres, es un tipo de hipertensión llamada preeclampsia, o eclampsia en su forma más grave. La placenta previa también constituye un serio contratiempo; se da ese nombre a la placenta que se desarrolla en la parte baja del útero y se puede llegar a extender hasta el cuello dilatándolo y causando hemorragias. Tanto una como la otra ameritan hospitalización, pues significan un peligro para la vida de la madre y del hijo. Muchos casos de placenta previa requieren parto por cesárea ya que el bebé no puede nacer por la vía natural sin que se desprenda primero la placenta, lo que produce hemorragias muy fuertes.

¿Por qué se hacen tantas operaciones cesáreas en nuestros días?

Antes de que se usara en los hospitales el monitoreo electrónico del latido cardiaco del feto, los médicos no disponían de información precisa sobre las condiciones en que se encontraba el bebé minuto a minuto. Las enfermeras no podían estar continuamente con el oído puesto en el vientre de la parturienta ni interpretar las minuciosas gráficas que un oído electrónico iba dibujando en una larguísima tira de papel. Los sistemas de monitoreo, en cambio, sí pueden estar pendientes de cualquier alteración y mandan una señal cuando el feto se encuentra en peligro por falta de oxígeno, casos en que se le puede salvar la vida si se practica de inmediato una cesárea. Otra razón del aumento de este tipo de operaciones puede ser el incremento que han mostrado las estadísticas en el número de madres adolescentes, y mayores de 30 años, con problemas de salud o desnutridas, condiciones que

pueden significar un peligro para el feto y para la madre si se intenta un parto por la vía natural.

Algunos críticos aducen que de todas maneras hay más partos por cesárea de los necesarios debido a que resultan más cómodos para los médicos y más redituables para los hospitales. Sea esto cierto o no, las mujeres que prefieran el parto vaginal harán bien en enterarse del criterio que tiene el obstetra al respecto antes de ponerse en sus manos.

¿Puede una mujer que ha sufrido una cesárea dar luego a luz normalmente?

La posibilidad de que una mujer dé a luz de modo natural después de una cesárea depende fundamentalmente de tres condiciones:

Primero, la razón por la que a la paciente se le tuvo que practicar la cesárea; puede haber sido un problema circunstancial que probablemente no se repita, como la presentación del feto de nalgas, o haber sido una anomalía permanente como el tener la pelvis demasiado estrecha para que quepa la cabeza del niño.

Segundo, la resistencia de la cicatriz que dejó la operación; las cicatrices de las incisiones abdominales largas y verticales se rasgan con mayor facilidad durante las contracciones del parto que las cicatrices que son pequeñas y horizontales.

Tercero, la actitud del obstetra, que puede estar dispuesto o no a dejar que la paciente intente el parto vaginal; muchos se inclinan por repetir la cesárea.

Las ventajas de dar a luz sentada

Hace unos 200 años, casi todas las mujeres daban a luz sentadas en un banquillo de partos o en cuclillas. Los médicos del siglo XVIII fueron desarraigando esa costumbre porque las nuevas técnicas obstétricas, sobre todo el uso del fórceps, se practicaban mejor con la parturienta acostada. Ahora se está volviendo al parto en posición sedente porque se considera más natural para pujar y la gravedad ayuda. Las mujeres que han empleado la versión moderna de la silla de partos dicen que en ella resulta más cómodo y rápido dar a luz. Estas sillas suelen tener un motor para que el médico ajuste la posición.

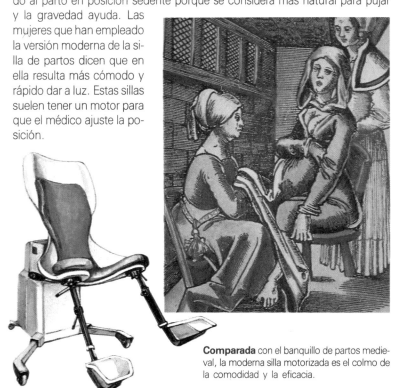

Comparada con el banquillo de partos medieval, la moderna silla motorizada es el colmo de la comodidad y la eficacia.

Problemas potenciales del embarazo

¿Qué puede implicar un ligero sangrado durante el embarazo?

Aunque se habla frecuentemente de *amenaza de aborto* cuando se produce un ligero sangrado de un día o dos durante los primeros meses de embarazo, la verdad es que en la mayor parte de los casos no representa amenaza alguna. Este sangrado suele presentarse los días en que normalmente bajaría la regla, y desaparece pronto. En el 85% de las mujeres el embarazo continúa sin contratiempos y el niño nace perfectamente, sin ninguna anormalidad.

En cambio, un sangrado más profuso que se prolonga más de una semana sí puede significar el principio de un aborto espontáneo. Es probable que cuando aparezcan los primeros síntomas el feto ya lleve muerto varias semanas y el útero comience a desprenderse del endometrio como lo hace durante la menstruación. El sangrado en etapas más avanzadas de embarazo puede indicar una placenta previa, condición que requiere estrecha vigilancia médica.

¿A qué puede deberse un aborto?

A veces la naturaleza corrige los errores de gestación o genéticos por medio del aborto; es probable que en dos de cada tres abortos espontáneos el feto tuviera serias malformaciones que pueden deberse a innumerables causas. Para empezar, los óvulos, o por lo menos las células germinales de las que se originan, tienen la misma edad que la mujer que los produce y no se puede esperar que todos estén en perfectas condiciones cuando se desprenden del ovario. Aunque el óvulo sea normal, puede darse el caso de que no lo sea el espermatozoide que lo fecundó. Un embrión que era normal cuando se formó puede malograrse si la madre está desnutrida, tiene mala salud, ha tomado medicamentos que provocan anomalías en el feto o ha quedado expuesta a sustancias tóxicas del medio ambiente o del lugar donde trabaja. Hay enfermedades, entre ellas la rubeola y la toxoplasmosis (una infección que propagan las heces de los gatos), que también pueden causar malformaciones congénitas.

Puede producirse un aborto aunque el feto no tenga nada malo. Esos casos, que suelen presentarse durante el segundo o el tercer trimestre de embarazo, generalmente se deben a anomalías estructurales del útero. Muchos psiquiatras opinan que algunos abortos espontáneos pueden tener un trasfondo psicológico —quizá un miedo inconsciente al embarazo o a la maternidad—. Conviene señalar que a pesar de las dramáticas historias surgidas de la fantasía de la gente y del cine, rara vez los abortos son producto de una caída, un accidente automovilístico o una fuerte impresión.

Es imposible saber con exactitud el número de abortos espontáneos que se producen, ya que probablemente muchas de las menstruaciones que supuestamente se han retrasado han sido realmente abortos tempranos, tanto que ni la misma mujer sabía que estaba encinta. Muchos especialistas calculan que uno de cada cinco embarazos probablemente termina con un aborto.

¿Es inofensiva la amniocentesis?

La amniocentesis es una técnica que se emplea para diagnosticar anomalías en el feto. Consiste en tomar una muestra del líquido amniótico introduciendo una aguja hueca a través de la pared del abdomen y del útero de la madre. En menos del 1% de los casos esta operación desencadena contracciones uterinas que provoquen un aborto o causa otro tipo de complicaciones. Sin embargo, vale la pena correr ese riesgo cuando hay razones para sospechar que el feto puede tener alguna enfermedad hereditaria o una malformación congénita que de otra manera no se podría diagnosticar a tiempo para practicar un aborto terapéutico —siempre que los padres estén de acuerdo— o un tratamiento prenatal en caso de que éste sea posible. Los médicos recomiendan la amniocentesis cuando la madre tiene más de 35 años y por lo tanto el bebé corre el peligro de presentar serias anomalías.

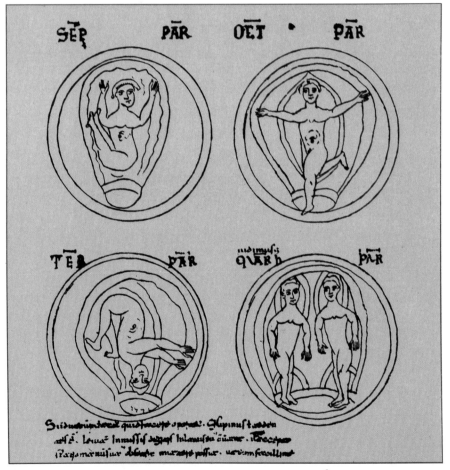

En un manuscrito del siglo XIII basado en la obra de Sorano de Éfeso, médico del siglo I, se ilustran las presentaciones difíciles del feto, incluyendo los gemelos. Sorano halló un método (todavía en uso) para voltear al niño en el útero y colocarlo en mejor posición para el parto.

El líquido amniótico contiene células y moléculas que se han desprendido del cuerpo del feto. Esas células se cultivan en el laboratorio y su estudio puede poner de manifiesto defectos tales como el síndrome de Down (antes llamado mongolismo), la espina bífida o la distrofia muscular. Hay que advertir que la amniocentesis que resulta negativa no garantiza la normalidad del feto, ya que hay muchas alteraciones genéticas que todavía no se pueden detectar por este medio.

¿Se puede saber el sexo del bebé antes de que nazca?

Si por alguna razón se ha tenido que practicar una amniocentesis, en las células extraídas se pueden ver los cromosomas sexuales y por lo tanto saber si el feto es un niño o una niña; pero no hay ningún médico que se preste a hacer una amniocentesis sólo para satisfacer la curiosidad de los padres a este respecto. Por otro lado, hay padres que prefieren no saberlo.

¿Se enreda con frecuencia el cordón umbilical?

Puesto que el cordón umbilical mide, en promedio, 60 cm de largo y los movimientos del feto le hacen dar con frecuencia una vuelta completa, se podría esperar que este último se enredara con el cordón, cosa que rara vez sucede. Esto se debe a que la velocidad a la que el corazón del feto bombea la sangre a través del cordón umbilical lo mantiene rígido como una manguera por la que fluye agua a presión. La velocidad de la sangre en los vasos umbilicales es de 6.4 km/h, más que suficiente para llegar a la placenta y regresar en sólo 30 segundos.

Esto no quiere decir que *no* haya fetos que se enreden en su cordón; uno de cada tres lo hace e, incluso, en algunos el cordón les ha llegado a dar hasta tres vueltas. Si esto sucede durante una contracción, el cordón puede quedar comprimido entre los huesos de la pelvis de la madre y la cabeza o el hombro del bebé, lo que impide el flujo de sangre y, por lo tanto, de oxígeno y el ritmo cardiaco del feto disminuye. Muchas veces se puede soltar el cordón si la madre se acuesta de lado, se pone a cuatro patas apoyándose en las manos y las rodillas o

Tratamientos prenatales

El desarrollo de la tecnología médica ha hecho posible detectar las anomalías del feto en las primeras etapas de la gestación y ha abierto un nuevo campo a la medicina: el tratamiento de los bebés antes de que nazcan. Muchos fetos que padecían diversas dolencias han podido salvarse del desarrollo de graves alteraciones, del retraso mental e incluso de la muerte controlando la dieta de la madre. Hasta hace poco la única vía de acceso al feto era la placenta, ahora las nuevas técnicas permiten corregir algunas deficiencias inyectando el medicamento en el líquido amniótico que el bebé traga. Los pioneros en este campo han logrado, guiados por las imágenes obtenidas con ultrasonido y empleando instrumentos muy sensibles, hacer transfusiones de sangre al feto, extraerle líquido cefalorraquídeo cuando hay pruebas de que sufre hidrocefalia e incluso practicar cirugía fetal.

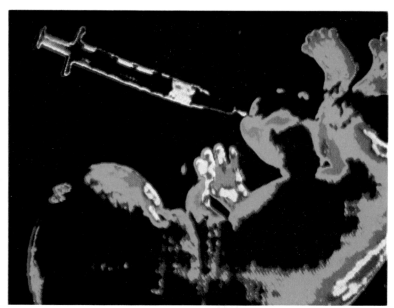

La amniocentesis, que consiste en extraer y examinar una muestra de líquido amniótico, permite diagnosticar, y a veces corregir, algunas anomalías del feto.

camina un poco. Si a pesar de todo el cordón sigue comprimido, se tiene que practicar de inmediato una operación cesárea para poder salvar al bebé.

¿Qué es el parto falso?

Durante el mes que precede al parto, casi todas las mujeres experimentan unas contracciones uterinas indoloras, llamadas contracciones de Braxton-Hicks, que algunas veces se confunden con el comienzo del verdadero parto. No son más que respuestas del útero, que a medida que avanza el embarazo se va haciendo más y más irritable y de vez en cuando se contrae, en ocasiones con fuerza inusitada. Estas contracciones de-

sempeñan una importante función, ya que van empujando la cabeza del feto contra el cuello del útero y lo van "borrando", como dicen los médicos: el cuello se va acortando, ensanchando y adelgazando hasta confundirse con las paredes del cuerpo del útero, lo que facilitará más tarde que se abra y deje salir al bebé.

Cuando sienten estas contracciones, las mujeres que no han tenido hijos antes no saben si es que el parto ha comenzado o es una falsa alarma. Una forma sencilla de saberlo es pararse y caminar un poco. Si caminando desaparecen las contracciones, era un parto falso; si se van prolongando y haciéndose cada vez más frecuentes e intensas, quiere decir que el verdadero parto ha comenzado.

El comienzo del parto

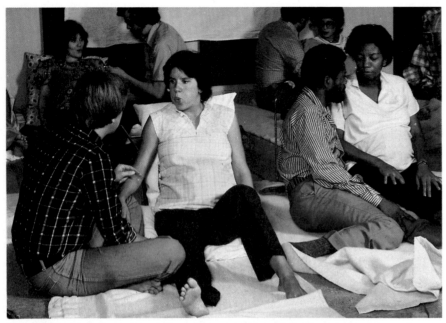

La pareja aprende junta las técnicas de respiración y relajación en que se basa el parto psicoprofiláctico. El papel del marido es darle instrucciones y alentar a su mujer.

¿Qué impulsa al útero a contraerse?

Durante la mayor parte del embarazo el útero crece progresivamente para dar cabida al feto que va aumentando de tamaño, pero al acercarse la fecha del parto, el feto sigue creciendo mientras que el útero deja de hacerlo y, por lo tanto, sus paredes se van distendiendo. Cuando los músculos están distendidos, su poder de contracción aumenta y algunas veces se hacen más irritables. Así, el mismo crecimiento del feto puede estimular al útero para que se contraiga, pero además, al final del embarazo el feto desciende a la pelvis y su cabeza presiona el cuello del útero activando las terminaciones nerviosas; éstas mandan señales al cerebro de la madre para que su organismo libere oxitocina, un estimulante de las contracciones uterinas.

El útero, dilatado por la acción mecánica del crecimiento del feto, se va haciendo más y más sensible a la oxitocina segregada por el feto y por la glándula pituitaria (hipófisis) de la madre; cuando la cantidad de esta potente hormona que corre por la sangre llega a niveles críticos, el útero responde contrayéndose y comienza el parto.

La oxitocina es una hormona tan eficaz que a ella, en su forma sintética, recurren los médicos cuando tienen que inducir el parto. Hay que decir que la inducción del parto es menos frecuente cada día; ahora los médicos opinan que sólo se debe iniciar artificialmente el parto cuando es absolutamente indispensable dadas las condiciones del feto o de la madre, y no simplemente para comodidad del médico o de la madre.

El feto mismo indica al organismo de la madre cuándo debe empezar el parto mediante una compleja serie de actividades bioquímicas. Cuando las glándulas endocrinas del feto maduran, comienzan a producir hormonas que ponen en marcha una cadena de reacciones químicas cuyo último eslabón es la síntesis, en el útero, de unas sustancias llamadas prostaglandinas que tienen la capacidad de estimular las contracciones uterinas. La oxitocina y las prostaglandinas probablemente trabajan en equipo para garantizar la perfecta coordinación de las contracciones que van dilatando el cuello del útero sin ejercer sobre el feto más presión de la necesaria.

¿Cuáles son las señales de que ha comenzado el trabajo de parto?

El trabajo de parto rara vez comienza de una manera dolorosa o aparatosa ni es algo súbito. En el 6% de las mujeres se inicia con lo que se llama la rotura de la fuente, una descarga de líquido amniótico produci-da por desgarramiento del saco que lo contiene. Aunque esto suele preocupar sin razón a la futura madre y la hace sentirse apenada si sucede en público, la verdad es que el líquido que se vierte al principio suele reducirse a unas dos cucharadas, la cantidad que ha quedado retenida entre la cabeza del bebé y el cuello del útero. Otra señal de que el parto va a comenzar pronto es la expulsión de una pequeña cantidad de moco teñido de sangre. Esto se debe a que el cuello del útero pierde fuerza al acercarse la hora del parto y suelta el tapón de moco que lo obturaba.

Lo más frecuente es que la mujer se dé cuenta de que su periodo de espera ha terminado porque comienza a sentir unas contracciones dolorosas en el útero. Al principio las contracciones se presentan cada media hora, aproximadamente, y duran menos de 30 segundos, pero, poco a poco, las contracciones se van haciendo más intensas, frecuentes y prolongadas hasta que llega un momento en que la parturienta ya no puede hablar o caminar mientras dura una contracción.

¿Cuánto dura el trabajo de parto?

En las primerizas el trabajo de parto puede durar de 8 a 24 horas, tiempo que en los siguientes partos suele reducirse a 6 u 8 horas. Sin embargo, éstas son cifras promedio que no pueden indicarle a una mujer determinada lo que le espera. Hay primerizas en las que el trabajo de parto no dura más que 4 horas y otras en que se prolonga hasta 24 horas o más. Si para entonces el parto no es inminente, el obstetra generalmente recurre a los fórceps o practica una operación cesárea, porque prolongar el trabajo no sólo extenúa a la madre, sino que pone en peligro al bebé.

¿Hay alguna forma natural de acelerar el parto?

Si el médico interviene rompiendo el saco amniótico o administrando oxitocina a la madre, puede acelerar el parto porque así aumentan la fuerza y la duración de las contracciones uterinas, pero algunas veces esto también hace que el trabajo resulte más difícil para el bebé y más doloroso para la madre. La única forma natural de acelerar el parto es mantenerse de pie y activa hasta el último momento, no tomar medicamentos y no tener miedo.

Los analgésicos pueden retardar el trabajo de parto e incluso detenerlo temporalmente, sobre todo si se administran al principio, cuando el cuello del útero se está abriendo paulatinamente. Claro que hay excepciones; algunas veces la aplicación de anestésicos locales o regionales facilita el trabajo de parto si la mujer está sumamente asustada, ya que el miedo y la ansiedad interfieren con las contracciones del útero. De todas maneras, el uso de analgésicos o anestésicos no es por lo general la mejor forma de contrarrestar el temor. Una mujer siente menos miedo si comprende lo que está pasando en cada etapa del parto, si ha escogido el método de dar a luz más idóneo y si cuenta con el apoyo de la familia y los amigos.

¿Hay peligro de un parto seco si el saco amniótico se rompe pronto?

Una vez que se ha roto el saco amniótico, el parto suele empezar a más tardar a las 12 horas y no es más "seco" que cualquier otro, ya que la cantidad de líquido que escapa en el momento de la ruptura es poca y además sigue produciéndose hasta el momento en que nace el niño.

Generalmente el trabajo de parto comienza sin que se haya roto el saco amniótico. En el 60% de estos casos, las membranas se desgarran al final de la primera etapa del parto, periodo en el que el cuello del útero se va dilatando para dar paso al bebé. En el 40% de los casos restantes el saco permanece cerrado hasta la segunda etapa, cuando el niño ya está pasando por el canal del parto, e incluso a veces llega a mantenerse intacto hasta que el bebé ha salido. Si el saco permanece cerrado facilita las cosas para el niño, porque le sirve de acolchonamiento protegiéndolo de traumatismos y previene la compresión del cordón umbilical, que es de donde el feto obtiene el oxígeno. El que el saco no se rompa ayuda a mantener la sangre del bebé bien oxigenada, lo que generalmente se refleja en la viveza del niño al nacer. Por otro lado, abriendo el saco se puede acelerar un parto que ya se prolonga demasiado. El obstetra o la comadrona deben decidir cuándo es el mejor momento para hacerlo.

A la menor molestia, las damas victorianas se apresuraban a recostarse en un diván.

Importancia del ejercicio durante el embarazo

En siglos pasados, cuando se consideraba impropio de una señorita bien educada el hacer ejercicio, comer con verdadero apetito o tomar el sol, las mujeres enfrentaban el embarazo débiles y enfermizas. Esas damas, que vivían en habitaciones empapeladas con colores oscuros, con las ventanas cubiertas de gruesos cortinajes, bebiendo vinagre para contrarrestar la clorosis y alimentándose de té y tostadas, lograban conservar la blancura del cutis pero la tasa de mortalidad materna e infantil era elevada. El ejercicio es indispensable para la mujer encinta; la elasticidad de los músculos, la flexibilidad de las articulaciones y, en general, la buena condición física no sólo hacen más cómodo el embarazo, sino más fácil el parto. Hay ejercicios sencillos para fortalecer los músculos del abdomen, de la columna vertebral y de la parte baja de la pelvis, que son los que están sujetos a mayor tensión. Nadar resulta un ejercicio excelente: el agua reduce el peso y se pueden tonificar los músculos largos sin hacer movimientos violentos. Montar en bicicleta, jugar al tenis y correr son también buenas opciones si el médico lo permite. A medida que avanza el embarazo, hay más peso que cargar distribuido irregularmente y, para compensarlo, se tiene que ajustar el paso, el ritmo y el equilibrio en los movimientos. Si se presenta algún dolor, sangrado u otro síntoma anormal, hay que suspender el ejercicio hasta que el médico lo indique.

Para corregir la mala postura, causa común del dolor de espalda y de otras incomodidades del embarazo, se recomienda un programa individual de ejercicios.

La llegada al mundo

¿Es siempre doloroso el parto?

Para la mayoría de las mujeres, sí. Las contracciones uterinas, como cualquier espasmo muscular, duelen. Hay muchas mujeres que comienzan a preocuparse por los dolores del parto en cuanto se enteran de que están embarazadas; es frecuente que pregunten al médico sobre los anestésicos desde las primeras visitas, y hacen bien. Ahora los obstetras cuentan con una gran variedad de medicamentos para evitar el dolor del parto y seguramente el médico elegirá el que signifique menor riesgo para el bebé.

Un pequeño porcentaje de mujeres no encuentran que el parto sea particularmente doloroso y otras logran controlar el dolor, a veces mejor que el de los severos cólicos menstruales que han padecido, a base de las técnicas de respiración y de relajamiento que han aprendido durante la preparación para el parto natural. Aparentemente el parto resulta menos doloroso si la mujer tiene al lado durante todo el proceso a una enfermera, una comadrona o cualquier otra persona capacitada que le aconseje y apoye.

Actualmente el parto sin empleo de ninguna clase de medicamentos va siendo cada día más común incluso en países desarrollados donde se dispone de toda clase de analgésicos y anestésicos. En una encuesta hecha en Holanda, el 52% de las mujeres examinadas declaró que había dado a luz sin anestesia. Quizá esto se deba a que el dolor del parto no es continuo como el de las muelas o el de apendicitis. Es un dolor leve al principio de cada contracción que va aumentando gradualmente hasta llegar a un máximo en el que se estabiliza unos segundos y luego cede. Entre una contracción y otra no hay dolor y la mujer puede aprovechar ese lapso para descansar o moverse y estar lista para la siguiente contracción. La peor parte son los 30 minutos, más o menos, que transcurren entre el final de la primera fase del parto, cuando el cuello del útero se va dilatando, y la segunda, cuando el niño pasa por el cuello y la vagina. En este periodo de transición las contracciones son impredecibles, se presentan con una frecuencia que puede variar de 1 a 5 minutos, duran entre 15 y 90 segundos y algunas llegan a ser muy dolorosas.

Aunque teóricamente la segunda etapa del parto es la más dolorosa, las mujeres no lo sienten así. En cuanto el bebé entra al canal del parto, sienten una necesidad irresistible de pujar con todas sus fuerzas y ese esfuerzo opaca el dolor que anuncia el nacimiento.

¿Por qué la mayoría de los bebés nacen con la cabeza por delante?

Durante los tres últimos meses de gestación, el feto puede dar varias vueltas antes de acomodarse con la cabeza hacia abajo, pero cuando adopta esta posición es ya tan grande que ocupa todo el útero y no puede seguir dando maromas como hacía antes; tan sólo puede girar de un lado al otro. En 19 de cada 20 casos, la cabeza del feto, que es la parte más pesada de su cuerpo, desciende y se encaja en el anillo pélvico, almohadillada por el líquido amniótico y las membranas que la rodean. La mayor parte de los bebés permanecen, más o menos, en esa posición hasta el momento del parto. La presentación con la cabeza por delante, llamada cefálica, facilita el parto tanto para la madre como para el hijo porque la cabeza representa el mayor diámetro del cuerpo del bebé; una vez que ella se ha abierto paso a través del canal del parto, el resto del cuerpo sale fácilmente. Durante el último mes de embarazo el cuello del útero se ablanda

---

Etapas de un parto normal

Durante el último mes de gestación, más del 95% de los bebés se colocan cabeza abajo; esta posición facilita el parto porque la presión del cráneo, fuerte y ancho, contribuye a dilatar el cuello del útero, y el bebé puede doblar y girar el cuello para pasar más fácilmente bajo la curvatura de los huesos pélvicos de la madre. La duración de un parto normal varía mucho: las madres primerizas pueden tardar 16 horas en dar a luz, los partos siguientes suelen durar 8 horas. La etapa más larga es la primera, y corresponde a la dilatación del cuello del útero hasta dar paso a la cabeza del bebé. La segunda etapa, que consiste en la expulsión del niño a través del canal del parto, no dura más de una hora si se trata del primer parto y alrededor de media hora en los siguientes. La tercera etapa, la expulsión de la placenta, no requiere más de 15 minutos.

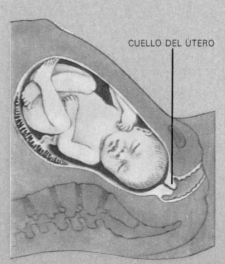

CUELLO DEL ÚTERO

La presentación normal del bebé en el momento del parto es con la cabeza hacia abajo y encajada en el anillo óseo de la pelvis materna.

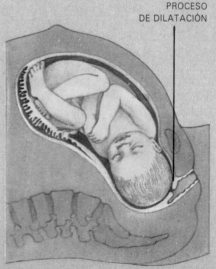

PROCESO DE DILATACIÓN

Las contracciones uterinas de la primera etapa del parto presionan la cabeza del bebé contra el cuello del útero abriéndolo paulatinamente.

y comienza a dilatarse preparando el canal del parto para el momento decisivo.

Los bebés que al final del embarazo han quedado con la cabeza hacia arriba al descender a la pelvis se encajan de nalgas, que también es una posición cómoda; por eso la presentación del feto con las nalgas por delante es, después de la cefálica, la más común.

¿Por qué el parto con presentación de nalgas es más difícil que el normal?

Puede decirse que los niños que nacen de cabeza colaboran con la madre y el obstetra en el parto. El cuello del útero puede compararse a la estrecha abertura de una camiseta sobre la que hace presión la cabeza del feto hasta distenderla lo suficiente para dar cabida al diámetro mayor del cráneo; una vez que la cabeza ha pasado al canal del parto, el resto del cuerpo sale con facilidad.

Cosa distinta es cuando el bebé se presenta de nalgas y son éstas o los pies los que entran primero al canal del parto. Las nalgas, que son más estrechas, no abren por completo el cuello del útero, de manera que cuando le llega el turno a la cabeza es como luchar por sacarla a través del cuello estrecho de la camiseta en lugar de meterla.

Una vez que el bebé ha pasado por el cuello del útero, tiene que sortear la curvatura formada por los huesos del pubis, lo que significa algo así como meter un pie en una bota. El feto que se presenta de cabeza lo que hace es doblar el cuello hacia adelante y luego voltear la cara hacia un lado. Los que se presentan de nalgas no pueden hacer esta maniobra, lo que prolonga su paso por el canal del parto. La mortalidad entre los recién nacidos que se presentan de nalgas es mayor porque se sofocan antes de que la cabeza emerja al fin. A veces el obstetra puede manipular el vientre de la madre antes de que empiece el parto y voltear al bebé para colocarlo con la cabeza hacia abajo.

¿Pueden los fórceps lesionar al bebé?

Los fórceps obstétricos, instrumentos que semejan una cuchara de mango largo y se emplean para extraer al bebé del canal del parto, fueron inventados alrededor de 1630 por Peter Chamberlen, miembro de una familia de cirujanos ingleses entre cuyos pacientes se contaban las mujeres de los reyes. Los Chamberlen hicieron fortuna con el invento de Peter, que conservaron en secreto durante más de cien años. Para que sus competidores no descubrieran el diseño del instrumento, lo mantenían oculto en una caja dorada y obligaban a las pacientes a taparse los ojos antes de entrar a la sala de partos.

Ahora son del dominio público. En los Estados Unidos, por ejemplo, se usan en uno de cada tres partos; hay médicos que tienden a emplearlos más que otros. El peligro de lesionar con ellos al bebé depende del momento en que se usen. Los fórceps altos, que se utilizan antes de que el cuello del útero se haya abierto por completo, y los medios, que se emplean cuando el bebé apenas apunta hacia el canal del parto, pueden causar serios daños a la cabeza. Si el bebé tiene tanta dificultad para pasar por el cuello del útero, lo mejor es recurrir a la cesárea.

Los fórceps bajos y los de salida, que se usan para ayudar al niño a pasar la cabeza por el arco del pubis cuando los músculos de la madre son demasiado débiles para que pueda pujar con fuerza, no causan daños más serios que algunos moretones.

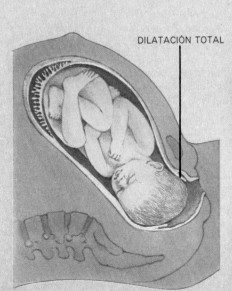

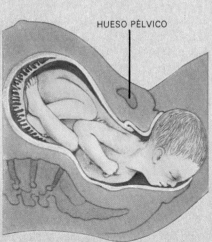

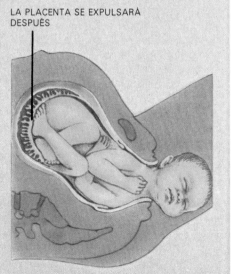

La primera etapa concluye cuando la cabeza del niño ha dilatado totalmente el cuello del útero. Ahora el bebé voltea la cabeza hacia un lado.

El bebé va descendiendo por el canal del parto, dobla el cuello para rodear los huesos de la pelvis de la madre y comienza a emerger.

Una vez que ha salido la cabeza, los hombros y el resto del cuerpo se deslizan fácilmente. En la última etapa del parto se expulsa la placenta.

Después de que el bebé ha nacido

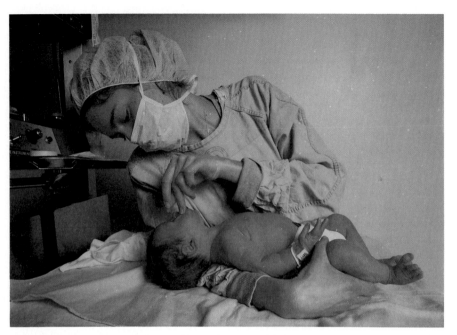

A los pocos minutos de haber nacido, se le ponen al bebé unas gotas de nitrato de plata en los ojos para prevenir infecciones y se evalúan sus reflejos, respiración, ritmo cardiaco, color de la piel y grado general de actividad.

¿Le es fácil respirar al recién nacido?

En cuanto nace, el bebé tiene necesidad urgente de aire porque ya sufre cierto grado de hipoxia, es decir, una deficiencia de oxígeno. En el momento del parto generalmente existe poco oxígeno en la sangre umbilical; cuando mucho hay en ella un 70% del que contenía durante la gestación. En cuanto el cordón queda expuesto al aire, la circulación umbilical cesa y el bebé deja de obtener oxígeno de su madre.

Para complicar aún más el problema, antes de nacer los pulmones del feto contienen líquido. Aunque una parte es expulsada cuando la cabeza sale al exterior y el canal del parto hace presión sobre el pecho del bebé, al nacer todavía queda algo en los pulmones (que se reabsorberá más tarde) además de miles de alveolos que aún no se han dilatado y que tienen que llenarse de aire.

La labor del recién nacido no es fácil; se calcula que la primera inspiración requiere cinco veces más esfuerzo que la respiración normal. Para estimular la respiración del bebé, el médico le extrae la sangre y el moco de la nariz y de la garganta con un aspirador, le frota el pecho y le da palmaditas en las plantas de los pies, en las nalgas o le administra oxígeno. Sin em-bargo, en la mayoría de los casos no se necesitan esfuerzos especiales para que el recién nacido respire; la deficiencia de oxígeno en la sangre y el aire frío de la habitación son estímulos suficientes. La mayor parte de los bebés sanos comienzan a respirar a los pocos segundos de haber nacido, incluso antes de que el médico corte el cordón umbilical.

¿Lloran los recién nacidos porque les resulta doloroso nacer?

Un recién nacido tiene razones para llorar. Una violenta conmoción lo expulsó del paraíso en el que encontraba satisfechas todas sus necesidades y destruyó la seguridad de que había gozado durante nueve meses. En el mundo externo al que ha llegado tiene que hacer por sí mismo mucho de lo que antes hacían por él la madre y la placenta, y tiene que acostumbrarse a la agresividad de las luces brillantes, los ruidos fuertes y el frío.

La mayor parte de los bebés lloran al ex-halar por primera vez porque el aire al salir choca con las cuerdas vocales parcialmente cerradas. Es imposible saber si este grito es tan sólo un reflejo o también una expresión de congoja. No se puede decir si el nacer produce un dolor físico o no. Es verdad que el pequeño recibe una fuerte presión duran-te el parto, pero al menos la cabeza —que es la parte más oprimida— está protegida contra el dolor y las lesiones. Las regiones superior, posterior y laterales de la cabeza están entumecidas y sólo recuperan la sen-sibilidad después del nacimiento. Además, las cinco placas óseas que más tarde se fu-sionarán para formar el cráneo están ahora separadas por las membranosas fontanelas y pueden comprimirse e incluso traslaparse al pasar la cabeza por el canal del parto sin que el cráneo ni el cerebro sufran daño al-guno.

Tenga o no significado, el llanto del niño durante la primera semana de vida es útil porque le ayuda a despejar los líquidos de las vías respiratorias. También es tranquili-zante para la madre oír llorar al hijo recién nacido porque eso significa que ha sobrevi-vido al proceso del parto.

¿Qué siente el bebé cuando le cortan el cordón umbilical?

Algunas veces se proporciona a los recién nacidos lo que se llama una transfusión pla-centaria, que consiste simplemente en sos-tener por un momento al niño a un nivel más bajo que el cuerpo de la madre para que drene a través del cordón umbilical la sangre fetal de la placenta que aún está den-tro del útero. Hecho esto se corta el cordón umbilical dejando generalmente unido al vientre del bebé un trozo de 5 a 8 cm de largo. Este muñón se secará y se caerá a los dos o tres días dejando una cicatriz que, ob-viamente, es el ombligo.

El cordón umbilical no tiene terminacio-nes nerviosas y por lo tanto el pequeño no siente dolor alguno cuando se lo cortan. Tampoco sangra, porque los vasos sanguí-neos que corren a lo largo están embebidos en una sustancia gelatinosa que se expande cuando el cordón queda expuesto al aire, y actúa como un torniquete que comprime y obtura las dos arterias y la vena umbilica-les. La presión interna del corazón obliga a que se cierre el orificio que comunicaba las dos aurículas del feto, lo que impulsa hacia los pulmones mucha más sangre de la que fluía a ellos durante la vida intraute-rina. Desde ese momento el bebé ya no de-pende del cordón umbilical para abastecer-se de oxígeno; ahora queda atenido exclusivamente al que le proporcionen sus pulmones y su corazón.

De las mantillas a los mamelucos

Sabemos por la Biblia que Jesús fue envuelto en pañales, como fueron enrollados en fajas y mantillas durante siglos casi todos los niños del mundo. Supuestamente así se evitaba que las extremidades les crecieran torcidas. Esa práctica ha quedado relegada a unas cuantas culturas, que todavía atan a los bebés durante el primer año de vida. Según los estudios hechos, esa costumbre no afecta la capacidad motora de los pequeños, que aprenden a caminar a la misma edad que los demás niños. Antaño la ropa infantil era una versión en miniatura de la de los adultos; hoy se da preferencia a la comodidad, la libertad de movimientos y el colorido.

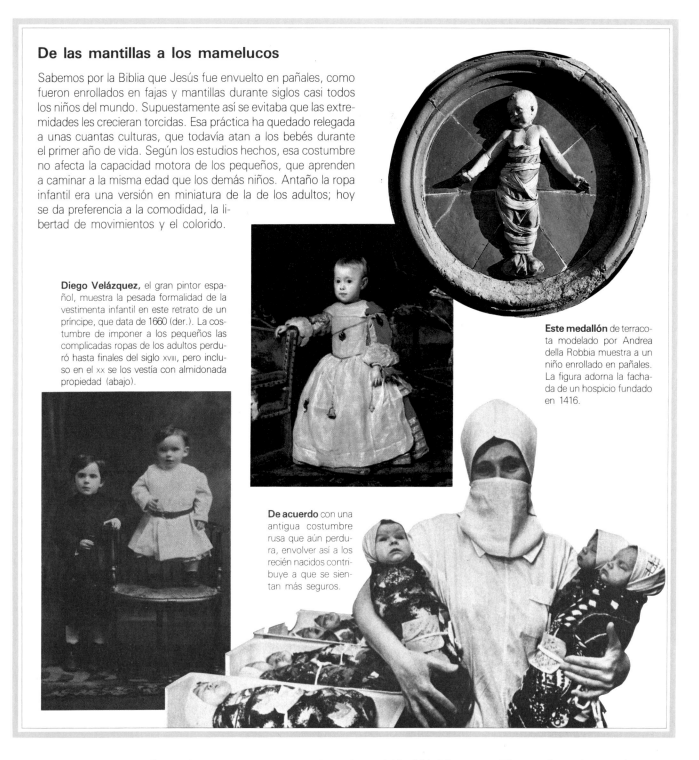

Diego Velázquez, el gran pintor español, muestra la pesada formalidad de la vestimenta infantil en este retrato de un príncipe, que data de 1660 (der.). La costumbre de imponer a los pequeños las complicadas ropas de los adultos perduró hasta finales del siglo XVIII, pero incluso en el XX se los vestía con almidonada propiedad (abajo).

Este medallón de terracota modelado por Andrea della Robbia muestra a un niño enrollado en pañales. La figura adorna la fachada de un hospicio fundado en 1416.

De acuerdo con una antigua costumbre rusa que aún perdura, envolver así a los recién nacidos contribuye a que se sientan más seguros.

¿Cuánta sangre pierde la madre durante el parto?

Es natural, pero erróneo, suponer que el parto termina cuando nace el niño. La verdad es que tras la salida del bebé sigue la tercera etapa del parto, que consiste en la expulsión de la placenta; esto ocurre entre 10 y 45 minutos después de haber concluido la segunda etapa.

La hora que sigue a la expulsión del bebé es el periodo más peligroso para la madre; es entonces cuando puede presentarse una seria hemorragia, causa principal de muerte entre las parturientas. Una vez que ha nacido el niño, la placenta pierde su utilidad y la matriz se desprende de ella mediante una serie de contracciones, pero quedan en la capa interna del útero, abiertas y sangrantes, las lagunas hemáticas formadas meses antes. El sangrado no dura mucho porque cada uno de los vasos uterinos que nutrían a la placenta durante el embarazo está rodeado por fibras musculares en forma de ocho, que al terminar la tercera etapa del parto se contraen y lo obturan. En promedio la madre pierde durante el parto 350 ml de sangre, cantidad que tiene que llegar a los 500 ml para que se clasifique como hemorragia.

El mejor alimento para el niño

¿Cuándo puede empezar a mamar el bebé?

En el momento en que nace, el bebé ya sabe mamar; no en vano se ha estado chupando el dedo semanas antes. Sin embargo, si se le ofrece el pecho inmediatamente después del parto, el recién nacido puede no hacer más que lamer el pezón de su madre; hay que introducírselo en la boca para que lo oprima y comience a succionar. La succión estimula los nervios de la base del pezón, lo que hace que la glándula pituitaria de la madre libere oxitocina. La producción de esta hormona cumple un doble propósito: por un lado, estimula las contracciones uterinas que hacen que se cierren los vasos sangrantes de su capa interna, lo que ayuda a prevenir una hemorragia; por el otro, la oxitocina actúa sobre las glándulas mamarias haciendo que el calostro —la primera leche— salga de las estructuras donde se almacena y fluya hacia los conductos que desembocan en el pezón, de donde puede extraerlo el bebé.

¿Produce una mujer de senos pequeños suficiente leche para nutrir al bebé?

El tamaño de los pechos de una mujer antes del embarazo no tiene relación alguna con la cantidad de leche que puede producir una vez que su bebé ha nacido. El que los senos sean grandes o pequeños depende sobre todo de la cantidad de grasa y tejido conjuntivo que contengan y no son éstos los que cuentan en la producción de leche, sino el tejido glandular. En *todas* las mujeres, las glándulas que segregan la leche crecen y maduran durante el embarazo y la cantidad que produzcan dependerá de lo que el bebé las estimule al mamar: cuanto más coma el pequeño, más leche producirán las glándulas. Generalmente hay un equilibrio entre el suministro y la demanda. Una mujer suele producir un litro de leche al día, pero si tiene que alimentar gemelos, su rendimiento puede aumentar a 2 ó 3 litros de leche diariamente.

¿Cuánta leche debe tomar el bebé?

Una de las desventajas de los biberones es que las madres generalmente insisten en

Dar el pecho contribuye a estrechar los lazos emocionales entre la madre y el hijo. Para mucha gente significa la máxima expresión del amor maternal.

que el bebé se termine la leche que le han puesto; lo que esas madres no comprenden es que si el niño deja algo en el biberón es porque ya no quiere o no necesita más. Cuando el bebé se alimenta del pecho materno puede decidir por sí mismo la cantidad de leche que toma sin que la madre se angustie por ello, puesto que no lo ve.

¿Por qué la mayoría de los bebés pierden peso los primeros días?

El que los bebés bajen de peso durante los primeros días de vida es normal y las madres no deben preocuparse por eso. Incluso los niños más sanos pierden los primeros dos o tres días de un 5 a un 20% del peso que tenían al nacer. La mayor parte de esa pérdida es agua, ya que los recién nacidos eliminan los líquidos de su cuerpo a una velocidad siete veces mayor que los adultos.

La disminución de peso también se debe a que suelen comer poco o nada el primer día o el segundo; viven a expensas de las grasas y las proteínas que han almacenado en su cuerpo y no se muestran verdaderamente hambrientos hasta el tercer o cuarto

día, justo cuando la madre produce ya una buena cantidad de leche.

¿Qué diferencia hay entre la leche humana y la de vaca?

La leche que la mujer produce contiene los anticuerpos específicos que necesita el niño recién nacido para poder combatir las infecciones del tracto digestivo y respiratorio. La leche humana tiene más grasas y azúcares pero menos proteínas que la de vaca; eso no significa que sea de menor calidad, todo lo contrario: si la madre sigue un régimen bien balanceado, su leche contendrá todos los nutrientes que el bebé necesita durante los primeros seis meses de vida e incluso, según dicen algunos especialistas, durante el primer año. Quizá lo que le falte sea vitamina D, por eso muchos médicos recomiendan dar al pequeño suplementos de esa vitamina para prevenir una deficiencia.

El aparato digestivo del bebé no puede absorber fácilmente las grasas y la caseína de la leche de vaca, ni su hígado ha madurado lo suficiente para convertir todas las proteínas que contiene en formas que sean asimilables. En cambio, el pequeño puede digerir hasta un 98% de las grasas de la leche materna. Incluso el alto nivel de colesterol de la leche humana, que podría ser nocivo para un adulto, aparentemente le sirve al niño para estimular la secreción de enzimas que le permitirán toda su vida mantener bajo el nivel de colesterol en su propia sangre. El colesterol y otras grasas especiales de la leche humana se necesitan para el desarrollo que el cerebro experimenta durante el primer año de vida. Las grasas y las proteínas de la leche materna son precisamente las que requiere el sistema nervioso del bebé para su rápido desarrollo, y su bajo contenido de sal es el adecuado para los riñones del pequeño que aún no han madurado. La leche materna proporciona al niño todo el calcio y el fósforo que necesita el acelerado crecimiento de su esqueleto y, aunque contiene tan poco hierro como la de vaca, el bebé la absorbe y la asimila con mucha más facilidad.

¿Es el valor nutritivo de la leche materna la única razón para amamantar al bebé?

Si se anotaran todas las ventajas que obtiene el bebé cuando lo amamanta su madre, la lista resultaría muy persuasiva. La primera, desde luego, es la excelencia de la leche materna para cubrir las necesidades nutritivas del niño hasta los 6 a 12 primeros meses. Contiene, además, anticuerpos y otros factores inmunitarios que ayudan a proteger al bebé de gastroenteritis, enfermedades de las vías respiratorias, infecciones del oído, eccema y algunas otras alergias. Las ventajas psicológicas de la lactancia natural también son muy importantes; el hecho de dar y recibir la leche de los senos contribuye a estrechar la relación emocional entre la madre y el hijo. Aunque tengan menor trascendencia, merece la pena mencionar las razones de tipo práctico: no hay que preparar la leche ni preocuparse por esterilizar los biberones y las mamilas; además, amamantar al bebé no cuesta nada.

¿Son muchas las mujeres que no pueden amamantar a sus hijos?

Fisiológicamente, la mayoría de las madres pueden amamantar a sus hijos, pero psicológicamente hay muchas que tienen problemas para hacerlo y necesitan ayuda y consejo. Para tener éxito en esta empresa lo primero que se necesita es estar completamente segura de que se quiere dar el pecho al bebé, y después enterarse de lo que se debe hacer para producir una buena cantidad de leche. Se puede pedir consejo al médico, a los grupos que apoyan la lactancia natural o buscarlo en los libros que tratan este tema. Todos ellos le dirán que las mujeres que verdaderamente desean amamantar a sus hijos y ponen todo su empeño en lograrlo rara vez resultan defraudadas. La verdad es que cualquier madre que opte por la lactancia natural tiene 95% de probabilidades o más de poder hacerlo.

¿Debe complementarse la leche materna con biberones?

La cantidad de leche que tiene en sus pechos una mujer que amamanta cuando va a alimentar al bebé depende de lo que haya mamado el niño la vez anterior. Mientras el pequeño succiona, el pezón de la madre manda impulsos al cerebro que se traducen en flujo de prolactina, la hormona que estimula la secreción de las glándulas mamarias. Si se le da un biberón al bebé, mamará menos del pecho y pronto la producción de

la madre comenzará a disminuir o cesará por completo. Incluso si al principio el niño no obtiene suficiente leche de la madre, lo mejor es no darle biberón sino ofrecerle el pecho más a menudo. Ésta es la única forma de que el cuerpo de la madre logre satisfacer las necesidades del hijo. La angustia puede reducir también la secreción de leche; en ese caso hay que hacer que la madre recobre la confianza en su capacidad para

amamantar **adecuadamente** al bebé.

Una vez que la lactancia está bien establecida, la madre puede sustituir una vez al día el pecho por el biberón sin poner en peligro su producción de leche. Este "biberón de relevo", como también se le llama, le permitirá salir a donde quiera, dormir un poco más por la noche o simplemente dejar un poco la rutina que impone amamantar a horas fijas.

¿Cuánto suelen dormir los bebés?

Los bebés son capaces de regular por sí mismos el sueño que necesitan: unos duermen casi 20 horas al día, a otros les basta con 16. Las primeras semanas suelen dormir siete u ocho siestas, ninguna mayor de cuatro horas, pero a las seis semanas es probable que ya duerman seis horas seguidas, sobre todo de noche. La fase de movimientos oculares rápidos (MOR) que va asociada a los sueños abarca la mitad del tiempo que pasan dormidos, proporción que a los dos años se reduce a la cuarta parte y a los cinco años a la quinta parte, igual que en los adultos. Puede ser que la acelerada actividad cerebral que acompaña a la fase MOR estimule el desarrollo del cerebro del bebé.

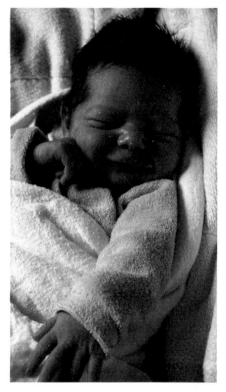

Gran parte del sueño de los bebés corresponde a la fase MOR, asociada a los sueños.

Si se acuesta a un bebé a dormir boca abajo, automáticamente voltea la cabeza hacia un lado y encoge las rodillas adoptando una posición fetal. A esa edad no necesita almohada.

El despertar a la vida

¿Hay pruebas que indiquen si el bebé es normal?

En cuanto el recién nacido comienza a respirar, el médico o la comadrona se dedica a valorar su condición fisiológica de acuerdo con el índice de Apgar. La calificación máxima en este cómputo es 10 y se obtiene sumando dos puntos por cada una de las siguientes características: tinte normal de la piel; respiración profunda y acompasada; ritmo cardiaco de más de 100 latidos por minuto; piernas y brazos que se flexionan bien y llevan a cabo movimientos activos; respuesta refleja normal cuando se le pasa el dedo por la planta de los pies (la respuesta consiste en extender y abrir los dedos al mismo tiempo que grita). La puntuación baja es si el bebé presenta la piel pálida o azulosa, si el ritmo cardiaco es débil o irregular o si muestra otros signos anómalos.

Hay otras pruebas, las de Brazelton, orientadas más a evaluar la viveza y temperamento del bebé que su condición física. Estas pruebas se suelen hacer horas después del parto en presencia de la madre, para que pueda observar por sí misma las habilidades del recién nacido: puede mover los ojos y la cabeza para seguir las oscilaciones de una pelota roja, pero prefiere quedarse contemplando un rostro; presta atención a cualquier ruido nuevo, pero termina por ignorarlo después de varias repeticiones; se sobresalta o llora cuando se le molesta y luego se tranquiliza; dormita o se remueve cuando no se le hace caso, pero se aviva en cuanto se le levanta o se le habla. Después de calificar la respuesta del bebé a 27 pruebas como las anteriores, el especialista puede juzgar con conocimiento de causa si el pequeño tiene o no una viveza normal, e incluso deducir cuál es su temperamento y su forma particular de reaccionar ante el mundo.

¿Qué pueden hacer los padres para evitar la muerte en la cuna?

Cuando un bebé, aparentemente sano, muere súbitamente mientras duerme, los padres, consternados, muchas veces reaccionan desarrollando un tremendo complejo de culpa. Se preguntan ¿en qué nos equivocamos?, ¿cómo no nos dimos cuenta de que algo andaba mal? La verdad es que no hay forma de prevenir lo que se llama la muerte en la cuna y nunca se debe a algo que los padres hicieron mal o dejaron de hacer.

Los médicos le han dado el nombre de síndrome de muerte súbita en la cuna y es la principal causa de mortalidad en niños menores de un año. Aunque este fenómeno se ha estudiado mucho, sigue siendo un misterio; se han expuesto muchas teorías, pero no se ha podido probar ninguna. Se ha supuesto, entre otras cosas, que pudiera deberse a la inmadurez de la parte del cerebro que controla la respiración, o a una anomalía desconocida que imposibilita al bebé para defenderse de infecciones que normalmente son triviales. Antes se pensaba que por lo menos algunas de estas muertes se debían a que el bebé había aspirado su propio vómito o se había asfixiado con la ropa de cama, pero ahora se han descartado estas posibilidades. Los médicos también están convencidos de que la causa no son las pastillas anticonceptivas, la contaminación del aire ni ningún otro nuevo factor ambiental, porque la muerte en la cuna se conoce desde los tiempos bíblicos y aparentemente no es ahora más común de lo que fue en siglos pasados. Lo único que puede decirse para consuelo de los padres es que este tipo de muerte suele ser tranquila.

Sorprendentes habilidades de los recién nacidos

Hace tiempo que la habilidad del bebé para imitar las expresiones faciales se consideraba como uno de los pasos que van marcando su desarrollo, pero se creía que esa etapa se presentaba entre los 8 y los 12 meses de edad. Los estudios hechos recientemente demuestran que la capacidad de imitación aparece en etapas mucho más tempranas; de hecho es una facultad innata y no adquirida. A través de una serie de experimentos con bebés de 12 a 21 días de nacidos, se ha visto claramente que son capaces de imitar determinadas expresiones faciales. A diferencia del movimiento de las manos u otros gestos, el bebé puede ver las muecas que hace una persona y compararlas con las de otra, pero no puede saber si las que él hace concuerdan con las que está viendo.

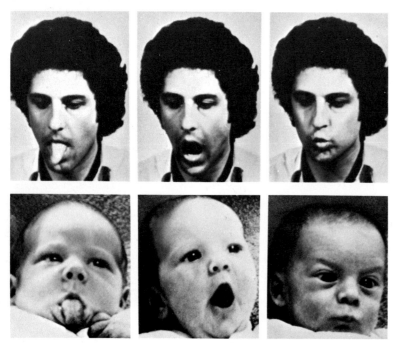

Cuando el investigador saca la lengua, abre la boca o frunce los labios una y otra vez, el pequeño responde sistemáticamente imitando esas expresiones faciales.

La bolsa frontal protege la cabeza y el cuello del recién nacido que aún no tiene fuerzas para mantenerlos erguidos (izq.). Después resulta más fácil llevarlo en la espalda (arriba), y así puede ver el panorama.

¿Es el llanto del bebé siempre igual?

Es obvio decir que los niños lloran mucho. Los bebés pasan sólo media hora de cada cuatro observando tranquilamente lo que los rodea, el resto del tiempo que están despiertos lo dedican a comer, removerse en la cuna, dar pataditas y llorar. Para los extraños su llanto es siempre igual, pero los padres notan diferencias según lo que ocurre. Un investigador clasificó el llanto de los bebés en tres tipos: el de dolor, que comienza con un grito y se interrumpe de vez en cuando mientras el niño recupera el aliento; el de coraje, que es inconfundible, y el básico, que la mayor parte de las veces denota hambre; éste es un llanto que se va haciendo más alto y rítmico mientras continúa. En los niños desnutridos el llanto básico suele ser notablemente agudo; en los que sufren una lesión cerebral resulta menos rítmico.

¿Están los niños genéticamente programados para sonreír?

Todos los niños empiezan a sonreír ante el rostro de una persona o cualquier otro estímulo rigurosamente a la misma edad. Si han nacido a término, su primera sonrisa verdadera se produce a las seis semanas; si son prematuros y han nacido cuatro semanas antes, sonreirán por primera vez a las diez semanas; si su nacimiento se retrasó dos semanas, lo harán a las cuatro semanas. En otras palabras, todos los niños, incluso los ciegos, comienzan a sonreír 46 semanas después de haber sido concebidos. Esta uniformidad parece indicar que la sonrisa de los bebés está determinada en gran medida por los genes. Naturalmente que la influencia del ambiente tiene mucho que ver en la frecuencia con que sonría el niño de ahí en adelante; los que se crían en orfanatos donde no hay quien juegue con ellos pronto dejan de sonreír.

¿Qué hace sonreír a los bebés?

Cuando un bebé sonríe por primera vez, los padres sienten compensados todos sus desvelos; sin embargo, por lo que se puede deducir de los cientos de artículos publicados sobre el tema, las primeras sonrisas de los niños no siempre significan lo que los padres suponen.

Los psicólogos que estudian el desarrollo infantil han clasificado las sonrisas en tres categorías. Las sonrisas de los recién nacidos, que generalmente ocurren cuando el bebé duerme o está adormilado, son reflejas, no producen las arrugas alrededor de los ojos que son características de una verdadera sonrisa, se trata más bien de una mueca que no responde a un determinado estímulo. A pesar de lo que se dice, estas sonrisas nada tienen que ver con los gases estomacales.

Entre la segunda y la octava semanas de vida, el niño comienza a lanzar cuando está bien despierto lo que se llaman sonrisas sociales no selectivas. Son amplias, hacen que se le formen arrugas alrededor de los ojos, pero el pequeño las otorga indiscriminadamente a propios y extraños, incluso a un trozo de cartón con dos ojos pintados. A los cinco o seis meses de edad las sonrisas sociales se hacen selectivas; ahora el niño reserva la mayor parte para las personas que le son familiares.

Algunos psicólogos opinan que las sonrisas de los bebés muchas veces no son respuestas sociales, sino expresiones del gozo que les causa ver que sus acciones producen una reacción; por ejemplo, ver que les basta levantar los brazos para que alguien les dé un cariñoso piquete en las costillas.

Etapas cruciales del desarrollo

La participación del padre en el cuidado de los hijos beneficia a toda la familia. Momentos íntimos como éste en el que el padre lee un cuento al pequeño rendirán más tarde magníficos dividendos.

¿Qué saben hacer los bebés y cuándo lo aprenden?

La palabra *infante* procede del latín, lengua en la que significa incapaz de hablar. La mayor parte de la gente de la generación anterior a ésta daba por sentado que los bebés no sólo carecían de la capacidad para hablar, sino prácticamente para todo como no fuera comer y dormir. Ahora los científicos saben que no es así, que las aptitudes de los bebés son realmente impresionantes.

La mayoría de los recién nacidos voltean la cabeza hacia el ruido de una sonaja y a los tres días ya notan la diferencia entre la voz de su madre y la de cualquier otra persona. Se ha visto que al día de nacer, los bebés se interesan más contemplando una superficie estampada que una lisa, y a los pocos días siguen ya con los ojos el movimiento de una luz. Si se le muestran la fotografía de un rostro humano y un cuadro en blanco, un bebé al minuto de nacer es capaz de girar 180 grados para no perder de vista la cara.

Cuando a un recién nacido se le vierten en la lengua unas gotas de algún líquido dulce, chupa y se relame con evidente muestra de placer; si el líquido es ácido, frunce los labios y arruga la nariz. Se voltea huyendo del olor del amoniaco o del vinagre, pero demuestra claramente que le gustan los olores de la vainilla, el chocolate, los plátanos y la leche materna. Si a uno y otro lados de la cabeza de un niño que ha nacido dos días antes se pone una almohadilla mojada con la leche de su madre y otra con leche de una mujer desconocida, el pequeño no mostrará preferencia por ninguna; pero si el bebé tiene ya diez días, se volteará rápidamente hacia la que está empapada con la leche de su madre, demostrando así que su olfato se ha afinado tanto que puede ya distinguir una diferencia tan sutil.

¿De qué depende la estatura?

Mucha gente cree que los muchachos dan el gran estirón en la adolescencia, pero la verdad es que los niños crecen más rápidamente que nunca durante la primera infancia. Normalmente, una niña a los 18 meses tiene ya la mitad de la estatura que alcanzará como adulta, y un niño a los dos años. Lo que no se ha visto es que haya una estrecha correlación entre el ritmo de crecimiento durante la infancia y la estatura definitiva de una persona: un niño que crece rápidamente puede dejar de hacerlo pronto y terminar siendo de baja estatura; en cambio otro que crece más lentamente por un tiempo más prolongado puede resultar más alto que el promedio de la gente. De todos los factores que influyen en el crecimiento, los más importantes para determinar la estatura que tendrá un adulto son la herencia y la nutrición.

¿Cómo crece un niño?

Las proporciones del cuerpo cambian radicalmente al paso de los años. En un recién nacido, la cabeza representa una cuarta parte de la longitud del cuerpo; en un adulto corresponde a la octava parte de la estatura promedio. Si la cabeza de un bebé es desproporcionadamente grande en relación con el cuerpo de un adulto, sus piernas en cambio son desproporcionadamente cortas. Desde el nacimiento hasta la madurez, la cabeza de una persona duplica su tamaño mientras que el tronco lo triplica, los brazos lo cuadriplican y las piernas lo quintuplican.

El cuerpo crece, tanto en tamaño como en complejidad, a partir de la cabeza hacia abajo siguiendo esta secuencia: cabeza, tronco, brazos y piernas. Este orden gobierna no sólo el desarrollo físico, sino también el control del bebé sobre su cuerpo; por eso puede sostener firme la cabeza antes de aprender a sentarse, y cuando gatea se impulsa primero con los brazos y la parte superior del cuerpo. Antes de aprender a caminar, un niño es ya capaz de dominar tan bien los movimientos de las manos y los dedos que puede recoger una hebra de hilo casi invisible.

¿A qué edad suelen aprender a caminar los niños?

Para los padres primerizos, el momento más emocionante de su vida es cuando el bebé da sus primeros pasos vacilantes, pero antes de poder caminar ha tenido que pasar por varias etapas cruciales. En cualquier libro sobre el desarrollo de los niños se pueden encontrar descritas estas etapas, pero si se consultan varios de ellos lo más probable es que difieran en cuanto a la edad a la que el niño pasa por ellas; son discrepancias menores que se deben a que cada especialista se basa fundamentalmente en los datos obtenidos del grupo de niños que él ha estudiado.

De acuerdo con los resultados de uno de esos estudios, el primer logro importante del bebé, que consiste en levantar la cabeza cuando se le acuesta sobre el vientre, ocurre cuando tiene un mes. A los cuatro meses generalmente puede ya sentarse si cuenta con un apoyo, y a los siete lo hace sin necesidad de que lo sostengan. Es muy probable que sea capaz de mantenerse de pie con ayuda de alguien a los 8 meses, de gatear a los 10 meses, de dar unos pasitos agarrado de las manos a los 11 meses, de incorporarse hasta ponerse de pie apoyándose en los muebles al año, y de subir las escaleras a gatas a los 13 meses. Normalmente, los niños pueden ya sostenerse de pie solitos, aunque no con mucha estabilidad, alrededor de los 14 meses, y comienzan a caminar sin ayuda, tambaleándose aún y dándose algunos sentones, a los 15 meses después de recorrer, como se ha visto, un largo camino.

¿Es un mal síntoma que un niño tarde en aprender a caminar?

La edad que se atribuye a cada etapa del desarrollo infantil se basa en el promedio obtenido de un grupo de niños. Al decir, por ejemplo, que los niños comienzan a caminar a los 15 meses, la cifra se ha obtenido sumando las edades a las que aprendieron a caminar un grupo de niños y dividiendo esa cantidad entre el número de niños que formaba el grupo. Probablemente ninguno dio sus primeros pasos a los 15 meses: unos lo hicieron quizá a los 10, 11 ó 12 meses y otros a los 16, 17 ó 18. En pocas palabras, cada etapa del desarrollo abarca un amplio rango de edades.

Conviene advertir también que, aunque el orden en que se presentan estas etapas suele ser siempre el mismo, no lo es invariablemente. Hay niños que se saltan alguna etapa o la invierten: algunos nunca gatean, por ejemplo, y otros caminan antes de gatear. Además, no existe una correlación entre el desarrollo físico de la primera infancia y la inteligencia que se demuestra más tarde. Einstein tardó tanto en aprender a hablar que sus padres empezaron a temer que fuera retrasado mental.

Hacia los tres años a los niños les encanta jugar a "que éramos"; una cámara de juguete basta para convertir a la "modelo" en estrella de cine.

Grandes avances

El camino que recorre el niño desde la limitada actividad de la cuna hasta la clara expresión de su personalidad es sorprendente. Debido a la agitación de la vida diaria, a veces se pierde de vista todo lo que el pequeño logra cada mes, cada semana, cada día. Avanza insensiblemente de una etapa a otra: el balbuceo sin sentido se convierte en palabras, luego en órdenes, después en opiniones; los primeros pasos se han transformado al poco tiempo en clases de danza o de gimnasia. Para el pequeño la infancia puede parecer eterna, pero para los que lo rodean se va en un suspiro. Vale la pena compartir las risas y las lágrimas de los hijos antes de que den paso a la solemnidad del adulto.

De los cuatro a los cinco años, el niño gasta sus energías haciendo ejercicio.

A muchos niños de siete a ocho años les gusta leer. Aunque su interés principal está dirigido a la escuela, a jugar con los amigos y ver televisión, estos niños encuentran en la lectura una actividad tranquilizante.

ÍNDICE
ALFABÉTICO

A

Los números de página en **negritas** indican que el tema o concepto aparece ilustrado.

B

Los números de página en **negritas** indican que el tema o concepto aparece ilustrado.

Los números de página en **negritas** indican que el tema o concepto aparece ilustrado.

Los números de página en **negritas** indican que el tema o concepto aparece ilustrado.

Los números de página en **negritas** indican que el tema o concepto aparece ilustrado.

Los números de página en **negritas** indican que el tema o concepto aparece ilustrado.

Los números de página en **negritas** indican que el tema o concepto aparece ilustrado.

Glóbulos de grasa, 27, **27**
Glóbulos rojos (eritrocitos), 26, 88, 90, 91,
    91, 92, **92**, 94-96, **94**, **96**, 108, **108**, 110,
    126
    número de, 94
    y anemia, 108
Glotis, 228, **228**
Glucagón, 77, 87, 247
Glucocorticoides, 84, 85
Glúteos mayores, 162, **162**, 187
Golgi, aparato de, 27, **27**
Golpe con el antebrazo encogido, en tenis,
    175, **175**
Golpe de revés en tenis, 174-175, **174-175**
Gonadotropina coriónica, 290
Gonorrea, 278, **278**, 280
Gota, 182, 263, **263**, 264
Gould, Stephen Jay, 65
Gourmet, 242
Grasas en la dieta, 253
Grasas polinsaturadas, 253
Gravedad, ambiente sin, 182, 207, **207**
Gripe española, 40, 121, **121**
Gripe, 31, 120, 121, **121**, 227
    remedios populares, 119
    virus A, 121, **121**
Grupos sanguíneos, 90, 96-97
Guerra
    de Corea, 37, **37**
    de Secesión, 37
Guerrero masai, 103, **103**
Gula, 224, 254
Gusto, 220-221, 236-237, **236**, **237**
    de los adultos, 237
    en la infancia, 237
    relación con el sentido del olfato, 236

H

Habla, 228, 230, 231, **231**
Habsburgo, casa de, 41, **41**
Halitosis (mal aliento), 233
Hambre, 232
Heces fecales, 235, 250, 251
Heimlich, técnica de, 124, 125, **125**
Helicópteros para transportar pacientes, 37,
    37
Hematocele, 269
Hematoma, 184, 277
Hemodiálisis, 260-261, **260**
Hemofilia, 41, 108, 109, **109**, 289
Hemoglobina, 88, 94, 108, 128
Hemorragias, 98
    nasales, 226-227
Hemorroides, 254

Hendidura sináptica, 51, **51**
Hepatitis, 246-247
Herencia, 38-43
    albinismo, 136
    anemia drepanocítica, 289
    calvicie, 152, **153**
    cáncer, 32
    color de pelo y ojos, 39
    daltonismo, 202
    estatura, 42, 85
    fenilcetonuria, 40
    fiebre del heno, 222, 223
    hemofilia, 289
    hipertensión, 103
    inteligencia, 64
    lapso máximo de vida, 21, 42
    medio ambiente, 21
    oído, 42
    parecido familiar, 38-39, 41, **41**
    pecas, 136
    polidactilia, 42
    psoriasis, 145
    visión, 42
Heridas, 98, **98**
    curación de las, 98, **98**, 99
Hermanos de sangre, 99
Hernia hiatal, 241
Heroína, 32
Herpes, 45, 278, 279
    genital, 278, **278**, 279
Herpesvirus, 278, **278**, 279
    simplex 1 (HVS-1), 279
    simplex 2 (HVS-2), 279
Hidrocele, 269
Hidrocortisona, 85
    para tratar queloides, 148
Hiedra venenosa, 140, **140**
Hígado, **235**, 244, **244**, 245-247
    almacenamiento de vitaminas, 244
    almacenamiento y producción de glucosa,
        245
    capacidad de regeneración, 244
    células hepáticas, 244, **244**
    circulación sanguínea en el, 245
    función del, 244
    lóbulos del, 244
    papel en la digestión, 245
    regeneración del, 27
    y el nivel de glucosa en la sangre, 245
Hígado, enfermedades del
    cirrosis, 157, 245
    hepatitis, 246-247
    ictericia, 246
Hígado: frases relacionadas y datos
        históricos, 242
Higiene dental, 233, 239
Hildebrant, Greg y Tim, 39, **39**
Hilo dental, 239, **239**
Himen, 273
Hipertiroidismo, 86-87
Hipermetropía, 190, 194, **194**

Hiperventilación, 124
Hipervitaminosis, 255
Hipnosis, 63, **63**
    amnesia e, 63
    origen de la palabra, 66
    para estimular la memoria, 63
Hipo, 114
Hipocampo, 53, **53**, 63
Hipocondria, 24-25
Hipócrates, 26, 28, 37, **37**, 46, 68, 246
Hipófisis, 77, **77**, 78, **78**, 80, 84
Hipotálamo, 48, 53, **53**, 77, **77**, 84
    como regulador de la temperatura
        corporal, 89
    como regulador de líquidos en el cuerpo,
        263
    frío e, 132
    función del, 78, **78**
    vínculo entre la hipófisis y el, 78, **78**
Hipoxia (mal de montaña), 126, **126**
Hisopo, 223, **223**
Histamina, 222, 223
Histerectomía, 274-275
Hombro, 161, **161**, 174-175
    congelado, 174
    dislocación del, 174-175
Homeostasis, 20, 24
Hongos, 255, **255**
    de la piel, 134
Horario, descompensación por cambio de,
    74-75
Hormona(s)
    adrenocorticotrópica, 84, 85
    agentes causales del cáncer, 33
    agresividad y, 55
    angiotensina, 260, 263
    antidiurética, 260, 263
    cerebro y, 54
    colecistoquinina, 247
    definición de las, 74
    de las glándulas paratiroides, 77
    funciones de las, 77
    gastrina, 242
    número de, 76
    origen de la palabra, 76
    segregadas por los ovarios, 272
    y acné, 144
    y calvicie, 152
    y cardiopatía coronaria, 104
    y crecimiento, 81, **81**
    y fertilidad, 282
    Véase también Hormona del crecimiento;
        Hormonas sexuales
Hormona del crecimiento (somatotropina),
    77
    deficiencia de, 81, **81**
    el metabolismo y la, 80
    enanismo y, 78, 79
    en la adolescencia, 80
    en los adultos, 80
Hormonas sexuales

Los números de página en **negritas** indican que el tema o concepto aparece ilustrado.

Los números de página en **negritas** indican que el tema o concepto aparece ilustrado.

Los números de página en **negritas** indican que el tema o concepto aparece ilustrado.

Momias, 44, 45, **45**
Mononucleosis (enfermedad del beso), 107
Monóxido de carbono, 126, 128
Monte de Venus, 273
Moretones, 88
Morfina, 32
Mórula, 291, **291**
Mosca tsetsé, 34
Mosquitos, 140, **140**
Movimientos articulares, 165
Movimientos oculares rápidos (MOR)
   en los bebés, 313, **313**
   en los fetos, 297
Muelas del juicio, 166, 170, **170**, 171
Muerte cerebral, 57
Muerte negra, 221
    Véase Peste bubónica
Münchhausen, síndrome de, 25, **25**
Muñeca adolorida, 176-177
Murciélago, 30, **30**
Músculo(s)
   aprovechamiento de la energía en los, 158
   bíceps, 159, **162**
   ciliares, **191**
   de la boca, 168, 169, **169**
   deltoides, 162, **162**
   esfínteres, 168, 240, **240**
   estriados o voluntarios, 163, **163**
   estructura de los, 92, **163**
   faciales, 168
   funcionamiento de los, **84**, 163
   función coordinada de los, 159
   gastrocnemios, 162, **162**, 180
   glúteos mayores, 162, **162**, 187
   lisos o involuntarios, 163, **163**
   mandibulares, 168, 169, **169**
   más potentes, 187
   origen de la palabra, 178
   pectorales, **162**, 174
   principales, 162, **162**
   producción de calor en los, 164
   rectos abdominales, 162, **162**
   transversos abdominales, 162
   trapecios, 162, **162**, 174
   tríceps, 159, **162**
Música y cerebro, 52, 55, **55**

N

Nadar después de comer, 234
Narcolepsia, 59
Nariz, 218-223, **218**, 226-227
   administración de medicamentos por la, 219
   bulbosa, 219
   cirugía plástica de la, 147, 219
   estornudos, 118
   funciones, 218

pelos de la, 120
   sonarse la, 219
   tabique desviado, 219
Naskapi, velo ritual de la menarquia entre los, 275, **275**
Náuseas reflejas, 224
Nefrólogo, 270
Nefronas, 93, **93**, 260, 261, **261**
Nervios
   auditivo, 209, 212
   longitud de las células, 26
   óptico 190, 191, **191**, 203, 204
   terminaciones nerviosas de la piel, 132, 133, **133**, 138, **138**, 139
Nerviosismo, 51
Neumoconiosis, 127
Neumonía, 28
Neumotórax, 124
Neuroglia, células de, 65
Neuroma acústico, 217
Neurona, 50, **50**
   axón, 50, **50**
   bulbo terminal, 50, **50**
   dendritas, 50, **50**
   lugar de transferencia, 50, **50**
   neurotransmisores, 50, 51, **51**, 72
   receptores, 51, **51**
   sinapsis, 50, **50**
Niddah, 275, **275**
Niños
   control de la micción, 259
   crecimiento, 316
   desarrollo, 317, **317**
   preferencias de comida, 253
   ropa infantil, 311, **311**
Nitrato y nitrito de sodio, como cancerígenos, 255
Nitrógeno, 127
Nitroglicerina, parches de, 139
Noradrenalina, 78, 84
Nostalgia, 63
Núcleo de la célula, 26, 27, **27**, 38, **38**
Nucleolo, 27, **27**
Nudillos, 164
   tronarse los dedos, 177
Nutrición
   absorción de los nutrientes, 248-249
   preferencias de los niños, 253
   requerimientos diarios de alimentos, 252-253
   y embarazo, **294**
   y fertilidad, **259**
   y primera menstruación, 82

O

Obesidad, 252, 256
   diabetes y, 75

roncar y, 113
Oclusión (dientes), 171
Oculista, 190
Odontología, 171, **171**
Oftalmólogo, 190
Oftalmoscopio, 190
Oído(s), 206-217
   cerilla, 212
   cirugía, 217
   chasquido por presión, 217
   dolor de, 214
   estructura, 208, **208**, 209, **209**, 216, **216**
   interno, 207, **207**, 208, **208**, 209, **209**, 216, **216**
   medio, **208**, 209, 214
   mitos populares sobre el, 214, **214**
   sentido del, 206-207, 211-215, 230-231
   trastornos, 212-213, 214, 217, 230-231
   zumbido (tinnitus), 214
Ojo(s), 188-205
   color de los, 39
   comparado con una cámara fotográfica, 190
   dominante, 188
   enrojecidos, 189, 190
   especialistas de los, 190
   estructura del, 191, **191**
   gotas para los, 190
   maquillaje de, 189
   músculos de los, 189, **191**
   partículas extrañas en los, 192
   percepción del color, 200
   perezoso (ambliopía), 197
   problemas oculares y soluciones, 204-205
   pupilas, 190, 191, **191**
   visión del estrábico, **197**
   Véase también Ceguera; Visión
Ojo, mal de, 204, **204**
Ojos de gallo, 141
Olfativo, sistema
   bulbos olfatorios, 218, **218**, 220
   células del, 236
   epitelio olfatorio, 220, **220**
   fibras nerviosas del, 220
   sensibilidad olfativa, 221
Olfato
   diferencias sexuales relativas al, 207
   el sentido del, 63, 218, 219, 220-221
   fatiga del, 207
   la memoria y el, 63, 223, **223**
   relación entre el gusto y el, 220-221
   Véase también Olores
Olores
   diagnósticos apoyados en, 219
   evocativos, 63, 223, **223**
   percibidos constantemente, efecto de los, 207
   preferencias y aversiones a los, 223, **223**
   primarios, 221
Ombligo, origen de la palabra, 293
Omóplato o escápula, 161, **161**, 174

Los números de página en **negritas** indican que el tema o concepto aparece ilustrado.

Los números de página en **negritas** indican que el tema o concepto aparece ilustrado.

Placa aterosclerótica, 105, **105**
Placa bacteriana, 238, **238**, 239
Placas motoras terminales, 48, **48**, 163
Placebos, 36
Placenta, 292-293, **292**, 294, **309**
  expulsión de la, 311
  previa, 303
Planificación familiar, 286, **286**
    Véase también Anticonceptivos, métodos
Plaquetas, 28, **28**, 94, 95, 96, 98, 105, **105**
Plasma, 94
  transfusiones de, 37, **37**
Pleura, 115, **115**
Polen, 122-123, **122**, **123**
  de nogal negro, 123, **123**
Poligenes, 42
Polimerización, 146
Poliomielitis, 35
  vacuna oral Sabin, 100
Pólipos nasales, 226
Polvo de ángel (PCP), 66
Ponce de León, Juan, 42, **42**
Poro, 135, **135**, **144**
Portadores de alteraciones genéticas, 40, 43
Postura correcta, 173, **173**, 187
Premolares, 170, **170**
Preñez, origen de la palabra, 293
Prepucio, 267
  de la vulva, 273
Presbicia, 195
Presión alta (hipertensión), 102-103, 106
  ataque cerebral y, 106-107
  aterosclerosis y, 104-105, **105**
  cardiopatía coronaria y, 104
  colesterol y, 104-105
Presión arterial, 84, 90, 102
  hipertensión, 20, 102-103, 106
  hipotensión, 103
  normal, 102
Presión sanguínea, 102
Priestley, Joseph, **71**
Primera dentición, 170, **170**
Primera Guerra Mundial, 37, **37**, 121, **121**
Profundidad, sentido de la, 197
  en los bebés, 61, **61**
Progesterona, 277, 287
  producción de, 81
Prolactina, producción de, 81, 83
Prosopagnosia, 55
Prostaglandinas, 306
Próstata, 266, **266**, 268
  cáncer de la, 33
  y dificultad para eyacular, 267
  y vejez, 267
Proteínas, 252-253
  elaboración de, 26
  función de las, 27
  necesidades de, 253
  y ADN, 38, **38**
  y atletas, 233

Prueba de la pista móvil, 103, **103**
Pruebas del embarazo, 290
Pruebas auditivas, 206, 212
  para bebés, 231
Pruebas de funcionalidad pulmonar, 117
Psoriasis, 145
Pubertad
  cambio de voz en la, 81
  crecimiento de pelo en la, 151
  producción de hormonas sexuales en la, 80
Puente de Varolio, 48
Puentes (de ortodoncia), 171
Pulmón(es), 90-92, **91**, 94, 112-118, **114**, **115**,
    116, 124, **124**, 125, **125**, 127
  cáncer de, 123, 128-129
  cantidad de aire en los, 116, 117
  colapso, 124
  funcionamiento, 114
  riesgos laborales y, 127
  tabaquismo y, 128-129
Pulmón de granjero, 127
Pulpa (dientes), 170, **170**
Pulso, 93, 102, **102**
Punto ciego del ojo, 191, **191**
  prueba para localizar el, 189, **189**
Pupila, 190, 191, **191**
Pus, 99

Q

Quemaduras, 143, **143**
  por el sol, 133, **133**, 142, **142**, 145
Queratina, 141, 156
Quimioterapia, 33
Quimo, 241, 250
Quinina, 145
Quíntuples Dionne, 300, 301, **301**

R

Rabia, 30, **30**, 31
Räderscheidt, Anton, 73, **73**
Radio (hueso), 137, **161**, 174, 175, **176**, 177
Radiaciones
  como causa de cáncer, 32-33
  como cura de cáncer, 33
  en radiografías de tórax, 116-117
  lesiones en los huesos por, 161
  y anemia aplástica, 108
Raíces de los dientes, 170, **170**
Raleigh, Walter, 128, **128**

Raquitismo, 253, **253**
Rasguños y excoriaciones, 29, 141, **141**
Raspado de las encías, 239
Rasputín, 109, **109**
Rayos láser
  en el tratamiento de la aterosclerosis, 105,
    105
  en el tratamiento del cáncer, 33
  para borrar tatuajes, 148
Rayos ultravioleta, 130, 131, 133,
    142, 147
Rayos X, 108
  anemia y, 108
  para estudiar el cerebro, 56
  para tratar cicatrices, 148
Receptores
  neuronales, 51, **51**
  osmóticos, 260
  sensoriales, **133**, 138, **138**, 139
Recién nacidos
  Apgar, índice de, 314
  Brazelton, pruebas de, 314
  examen, 310, **310**
  habilidades, 314, **314**
  llanto, 310
  mecanismos de control corporal, 24
  pérdida de peso, 312
  respiración, 310
  tasa de mortalidad, 297
    Véase también Bebés
Recto, **235**, **248**, 250, 251, **272**
  examen, 267
Recto abdominal (músculo), 162, **162**
Reflejos, 130, 131
  rotulianos, 51
Relaciones sexuales
  y cirugía de la próstata, 267
  y embarazo, 295
Relatividad, de Maurits Escher, 199, **199**
Relojes biológicos, 74-75
Remate de cabeza en futbol, 167, **167**
Renina, 263
Reproducción
  efecto de la dieta en la, 259
  una antigua teoría, 284
Resfriado. *Véase* Catarro
Respiración, 112, 113, 114, 116, **116**, 117,
    118, 120, 125, 224-225
  a gran altitud, 120, 126
  artificial, 125
  dificultad en la, 124-127
  efecto del clima en, 126
  frecuencia respiratoria, 114
  hiperventilación, 124
  máxima capacidad de, 116, **116**, 117
  por la nariz o por la boca, 219
Respiración artificial
  boca a boca, 125
  mecánica, 125
Retículo endoplásmico, 27, **27**
Restak, Richard, 46, 59

Los números de página en **negritas** indican que el tema o concepto aparece ilustrado.

Los números de página en **negritas** indican que el tema o concepto aparece ilustrado.

Los números de página en **negritas** indican que el tema o concepto aparece ilustrado.

CRÉDITOS Y AGRADECIMIENTOS

Expresamos nuestra sincera gratitud a las numerosas personas que contribuyeron para la elaboración de este libro. Se consultaron centenares de obras, entre ellas las siguientes: Human Anatomy and Physiology, *de Alvin Silverstein, publicada por John Wiley & Sons;* Basic Physiology and Anatomy, *de Ellen E. Chaffee y Ivan M. Lytle, publicada por J.B. Lippincott;* Textbook of Medical Physiology, *del Dr. Arthur C. Guyton, publicada por W.D. Saunders;* Cecil Textbook of Medicine, *editada por los doctores James B. Wyngaarden y Lloyd H. Smith, hijo, y publicada por W.D. Saunders; por último* Medicine, *de Scientific American, publicada por Scientific American, Inc. Deseamos hacer constar nuestro agradecimiento al Gillette Research Institute de Rockville, Maryland (EUA), por su invaluable ayuda para preparar la sección sobre el pelo. También nos complacemos en agradecer la colaboración de los siguientes artistas y fotógrafos:*

ÍNDICE

3 Jane Hurd Studio. **4** Judy Skorpil. **6** Dr. R.P. Clark, Mervyn Goff, AMPA, AIIP, ARPS/Science Photo Library/Photo Researcher. **7** Warren Anatomycal Museum, Harvard Medical School. **8** *izq.* National Library of Medicine; *der.* James A. McInnis. **9** Judy Skorpil. **10** *izq.* Cortesía del Fashion Institute of Technology Library; *der.* Enid Kotschnig. **11** *izq.* Museo del Louvre; *der.* E. Kairinen, Gillette Research Institute. **12** Jane Hurd Studio. **13** Dave Stock/Focus West. **14** *izq.* David Lees; *centro* Tomado de *Ishihara's Tests for Color Blindness*, publicado por Kanehara Co. Ltd., Tokio. **15** Mette Ivers. **16** D.L. Cramer, Ph.D.; *der.* Scala/Art Resource. **17** Tomado de *Behold Man* por Lenart Nilsson, publicado por Little, Brown and Company, Boston. **18** Scala/Art Resource. **19** Scala.

CAPÍTULO 1

21 Brett Froomer/The Image Bank. **22** James A. McInnis. **23** Jane Hurd Studio. **24** Dr. R.P. Clark, Marvyn Goff, AMPA, AIIP, ARPS/Science Photo Library/Photo Researchers. **25** The Bettmann Archive. **26** Giraudon/Art Resource. **27** George V. Kelvin. **28** *arriba* The Bettmann Archive; *arriba der.* Rijksmuseum-Stichting, Amsterdam; *abajo* A. Appel y A. Stein. IBM. Yorktown Heights, Nueva York. **29** Philadelphia Museum of Art, donado por la señora de William H. Horstmann. **30** *arriba izq.* Manfred Kage/Peter Arnold, Inc.; *abajo izq.* Centers for Disease Control, Atlanta; *der.* Sdeuard C. Bisserot/Bruce Coleman Ltd. **31** *izq.* UNICEF; *arriba der.* Dee Breger/Lamont-Doherty Geological Observatory/Phototake; *abajo der.* Dr. G.L. Fisher/Science Photo Library/Photo Researchers. **32** Britt-Mari Norberg. **33** *arriba* The Granger Collection, Nueva York; *abajo* Tom Tracy/Medichrome/The Stock Shop. **34** Centers for Disease Control, Atlanta. **35** *arriba* © 1963 Arthur Leipzig; *abajo* Charles May/Shostal Associates. **37** *arriba izq.* Scala/Art Resource; *arriba der.* National Library of Medicine; *abajo izq.* Tim Page; *abajo der.* U.S. Army Photo. **38** *arriba* Judy Skorpil, basado en un diagrama de M.E. Challinor, tomado de "Genetic Gibberish in the Code of Life" por Graham Chedd, *Science 81*, noviembre de 1981, cortesía de la American Association for the Advancement of Science; *abajo* George V. Kelvin. **39** © Harvey Stein 1978. **41** *arriba izq.* Bildarchiv d. Ost. Nationalbibliothek/Cortesía del Austrian Press and Information Service; *abajo izq.* Kunsthistorisches Museum, Viena; *der.* Scala/Art Resource. **42** *izq.* The Bettmann Archive; *der.* John Launois/Black Star. **43** *arriba* © Steve Uzzell 1982; *abajo* © Fred Burnham 1983. **44** Centers for Disease Control, Atlanta. **45** Wayne Sorce.

CAPÍTULO 2

47 *izq.* Driscol Gallery; *der.* Driscol Gallery, foto de William Carter. **48** Eric V. Gravé/Photo Researchers. **49** Jane Hurd Studio. **50-51** Laszlo Kubinyi. **52** The Bettmann Archive. **53** Jane Hurd Studio, basado en una ilustración de "Brain Function and Blood Flow" de Lassen, Ingvar and Skinhoj, *Scientific American*, octubre de 1978. **54** Michael Philip Manheim/Photo Researchers. **55** © 1981 Eiji Miyazawa/Black Star. **56** *arriba* Dan McCoy/Rainbow; *abajo* Brookhaven National Laboratory. **57** © Howard Sochurek 1984. **48** James A. McInnis. **59** Archivio Casiraghi. **60** Tass de Sovfoto. **61** Steve McCarroll. **62** Paul Weller. **63** The Bettmann Archive. **64** *arriba* Rompecabezas de números y palabras reproducidos por cortesía de Mensa; *abajo* Max Menikoff, basado en un diseño de *Introduction to Psychology*, séptima edición de Ernest R. Hilgard, Richard C. Atkinson y Rita L. Atkinson. © 1979 de Harcourt Brace Jovanovich, Inc., con permiso del editor. **65** AP/Wide World Photos. **67** *arriba izq.* Scala/Art Resource; *centro izq.* National Library of Medicine; *centro der.* The Bettmann Archive; *abajo* Rapho Division/Photo Researchers. **68** © 1981 Jim Sugar/Black Star. **69** Warren Anatomical Museum, Harvard Medical School. **70** Peabody Museum of Salem, foto de Mark Sexton. **71** National Library of Medicine. **73** Cortesía de Giselle Räderscheidt.

CAPÍTULO 3

75 © Jeff Lowenthal 1980/Woddfin Camp & Associates. **76** The Bettmann Archive. **77** Jane Hurd Studio. **78** Robert J. Demarest. **79** *arriba izq.* © 1982 Maureen Lambray/Sygma; *arriba der.* The Bettmann Archive; *abajo izq.* The Bettmann Archive; *abajo der.* Jacqueline Duvoisin/Sports Illustrated. **80** Gruppo Editoriale Fabbri, Milán. **81** *izq.* Eddie Adams, © 1982 revista *Discover*, Time Inc.; *der.* Mallinckrodt Institute of Radiology en el Washington University Medical Center. **82** Ray Skibinski, basado en fotos de *Life Span Development* de Jeffrey S. Turner y Donald B. Helms © 1979 de W.B. Saunders Company. **83** © Guy Gillette 1977/Photo Researchers. **84** *izq.* James A. McInnis; *der.* Ray Skibinski. **86** *izq.* UNICEF; *der.* Robert J. Demarest. **87** *arriba der.* Peggyann Grainger, cortesía de la American Diabetes Association; *las demás* Miles Laboratories, Inc.

CAPÍTULO 4

89 Richard Laird/Leo de Wys, Inc. **91** Judy Skorpil. **92** Tomado de *Behold Man* de Lennart Nilsson, publicado por Little, Brown and Company, Boston. **93** Edward Malsberg. **94** *izq.* Tomado de *Corpuscles* de Marcel Bessis, Springer-Verlag, Berlín, Nueva York © 1974. **94** *der.* y **95** Tomado de *Behold Man* de Lennart Nilsson, publicado por Little, Brown and Company, Boston. **96** *izq.* Judy Skorpil; *der.* Tomado de *Behold Man* de Lennart Nilsson, publicado por Little, Brown and Company, Boston. **97** The Bettmann Archive. **98** *arriba izq.* E. Bernstein y E. Kairinen, Gillette Research Institute; *abajo* Judy Skorpil, © Derechos reservados 1967, CIBA Pharmaceutical Company, división de CIBA-GEIGY Corporation; adaptado de *Clinical Symposia*; reservados todos los derechos. **100** Ray Skibinski. **101** *abajo izq.* Culver Pictures; *arriba der.* National Library of Medicine; *abajo der.* World Health Organization. **102** *izq.* Ray Skibinski; *abajo der.* James A. McInnis. **103** George V. Mann, M.D. **104** The Granger Collection, Nueva York. **105** *abajo* Leonard Dank, © 1982 revista *Discover*, Time Inc.; *las demás* George Schwenk, © 1984 revista *Discover*, Time Inc. **106** Ray Skibinski. **107** *arriba* James A. McInnis; *abajo* Biblioteca, New York Botanical Garden, Bronx, Nueva York/Foto de Allen Rokach. **108** Cortesía de Marion I. Barnhart *et al.*, Wayne State University School of Medicine. **109** *arriba* The Royal Collection, Lord Chamberlain's Office, Derechos reservados; *abajo izq.* The Bettmann Archive; *abajo der.* Culver Pictures. **110** Edward Malsberg. **111** Ray Skibinski.

Capítulo 5

113 Syndication International/Photo Trends. **114** Focus on Sports. **115** Judy Skorpil, basado en una ilustración de "The Mechanism of Breathing" de Wallace O. Fenn, *Scientific American*, enero de 1960. **116** Ray Skibinski. **117** *izq.* Cortesía del Fashion Institute of Technology Library; *der.* Efectos del corsé en el cuerpo femenino, tomado de *The Unfashionable Human Body* de Bernard Rudofsky, **118** © 1984 Al Francekevich. **119** The Wellcome Institute for the History of Medicine. **121** *arriba* Phototake; *centro de izq. a der.* Judy Skorpil; *abajo* National Archives. **122** *izq.* Enid Kotschnig; *arriba der.* © Phil Harrington/Peter Arnold, Inc.; *abajo der.* © Dennis Kunkel/Phototake. **123** *izq.* © Yoav/Phototake; *der.* Jane Burton/Bruce Coleman Inc. **124** Kenneth A. Siegesmund, Ph. D., Departamento de anatomía, Medical College of Wisconsin. **125** Ray Skibinski, © Derechos reservados 1967, CIBA Pharmaceutical Company, división de CIBA-GEIGY Corporation; adaptado de *Clinical Symposia*; reservados todos los derechos. **126** Alex Stewart/The Image Bank. **127** *izq.* © 1978 Flip Schulke/Black Star; *der.* Max Menikoff, © Derechos reservados 1967, CIBA Pharmaceutical Company, división de CIBA-GEIGY Corporation; adaptado de *Clinical Symposia*; reservados todos los derechos. **128** *izq.* The New York Public Library, Arents Collections; *arriba der.* Iconographic Collection, State Historical Society of Wisconsin. **129** Movie Star News.

Capítulo 6

131 White/Pite/International Stock Photo. **133** *abajo izq.* Farrington Daniels, Jr., M.D.; *las demás* Judy Skorpil. **134** *izq.* Cortesía del International Museum of Surgical Science, International College of Surgeons, Chicago/Foto de Ron Testa; *der.* World Health Organization. **135** *arriba* Tomado de *Behold Man* por Lennart Nilsson, publicado por Little, Brown and Company, Boston; *abajo izq.* P. Bagavandoss/Photo Researchers; *abajo der.* Dr. Clifford E. Desch. University of Connecticut, Hartford Branch. **136** Mel Di Giacomo/The Image Bank. **137** *arriba y abajo der.* Philip A. Harrington/Fran Heyl Associates; *las demás* Ray Skibinski. **138** Judy Skorpil. **139** *arriba* Alastair Black/Focus on Sports; *abajo* CIBA-GEIGY Corporation. **140** *abajo izq.* Leonard Lee Rue III: *centro* John Shaw/Bruce Coleman Inc.; *abajo izq.* Allianora Rosse. **141** Judy Skorpil, © Derechos reservados 1967, CIBA Pharmaceutical Company, división de CIBA-GEIGY Corporation; adaptado de *Clinical Symposia*; reservados todos los derechos. **142** Dr. Farrington Daniels, Jr. **143** *arriba* Ray Skibinski; *abajo* Dan McCoy/Rainbow. **144** Judy Skorpil. **145** The Granger Collection, Nueva York. **146-147** Ray Skibinski. **149** *arriba* Museo del Louvre; *abajo izq.* Morton Beebe/The Image Bank; *abajo der.* Rene Burri/Magnum. **150** *abajo der.* The Oregon Health Sciencies University; *las demás* Judy Skorpil. **151** James A. McInnis. **152** Ray Skibinski. **153** *izq.* Peter Williams/Camera Press; *arriba der.* Cortesía de Hudson's Bay and Annings Ltd.; *abajo centro y der.* Dr. Norman Orentreich. **154** Cortesía de Redken Laboratories. **155** *abajo der.* Tony Brain/Science Photo Library/Photo Researchers; *arriba centro y der.* Cortesía de Redken Laboratories; *las demás* E. Kairinen, Gillette Research Institute. **156** Judy Skorpil. **157** *izq.* The Bettmann Archive; *der.* James A. McInnis.

Capítulo 7

159 James A. McInnis. **160** Lee Boltin. **161** *arriba izq.* Photo Trends; *abajo izq.* Manfred Kage/Peter Arnold, Inc.; *der.* Jane Hurd Studio. **162** Jane Hurd Studio. **163** Judy Skorpil. **165** *arriba izq.* Tomado de *Behold Man* de Lennart Nilsson, publicado por Little, Brown and Company, Boston; *arriba der.* National Library of Medicine; *las demás* Jane Hurd Studio. **166** *arriba* S. Petrov, © 1982 revista *Discover*, Time Inc.; *abajo* George V. Kelvin. **167** Antonio Suárez/Leo de Wys, Inc. **168** *izq. y centro* Cortesía de Human Interaction Laboratory, University of California, San Francisco, tomado de *The Face of Man* de Paul Ekman; *arriba centro y der.* James A. McInnis. **169** *arriba* Culver Pictures; *abajo* Judy Skorpil. **170** Robert J. Demarest. **171** National Library of Medicine. **172** Bruno Barbey/Magnum. **173** *arriba der.* Ray Skibinski; *las demás* Robert J. Demarest. **174** *izq.* Dave Stock/Focus West; *der.* Ray Skibinski. **175** *izq.* Lorraine Rorke; *der.* Dave Stock/Focus West. **176** *arriba izq.* Robert J. Demarest; *abajo der.* Judy Skorpil. **177** Yale Joel, revista *Life* © Time Inc. **179** *arriba izq.* The Bettmann Archive; *arriba der.* Cortesía del Essex Institute, Salem, Massachusetts; *abajo izq. y der.* James A. McInnis; *las demás* dibujo de Bernard Pfriem's, de un pie adecuado al calzado, tomado de *The Unfashionable Human Body* de Bernard Rudofsky. **180** *izq.* The Metropolitan Museum of Art, Rogers Fund, 1914; *der.* Jim Anderson/Woodfin Camp & Associates. **181** *arriba* Robert J. Demarest; *abajo* Judy Skorpil. **182** Dr. Michael J. Kein. **183** Michael Melford/Wheeler Pictures. **184** Ray Skibinski. **185** Focus on Sports. **186** *izq.* NCR Corporation; *der.* D. Walker/Gamma-Liaison. **187** Darrell Jones/The Stock Market.

Capítulo 8

189 Morris Karol. **191** *arriba der.* Dr. F.M. de Monasterio, y E.P. McCrane, National Eye Institute, National Institutes of Health, Bethesda, Maryland; *las demás* Judy Skorpil. **192** Ray Skibinski. **193** *arriba izq.* Opera Museo Stibbert; *abajo izq.* Danne A. Penland; *arriba der.* David Lees; *abajo der.* Bausch & Lomb. **194** Ray Skibinski. **195** Colección de fotografías de la iglesia episcopal en The Archives of Episcopal Church, Austin, Texas. **196** Peter Menzel/Stock, Boston. **197** *arriba y abajo der.* The Image Bank; *abajo* Mickey Palmer/Focus on Sports. **198** *arriba* Max Menikoff, basado en ilustraciones tomadas de *Optical Illusions and the Visual Arts* de R.B. Carraher y J.B. Thurston © 1966 por Reinhold Book Corp., con permiso de la Van Nostrand Reinhold Company; *abajo* Max Menikoff, basado en una ilustración de "Visual Illusions" de Richard L. Gregory, *Scientific American* noviembre de 1968. **199** *arriba* Max Menikoff, basado en una ilustración tomada de "Pictorial Perception and Culture" por Jan B. Deregowski, *Scientific American*, noviembre de 1972; *arriba der.* © 1985 Sotheby's, Inc.; *abajo der.* Max Menikoff, basado en una ilustración de Rubin, 1915, tomado de *Psychology Today: An Introduction*, CRM Books, Del Mar, California, con permiso de Random House, Inc. **200** Max Menikoff, basado en una ilustración de *Introduction to Psychology*, 7ª edición por Ernest R. Hilgard, Richard C. Atkinson y Rita L. Atkinson, © 1979 de Harcourt Brace Jovanovich, Inc., con permiso del editor. **201** *arriba* Lent por James y Mari Michener, The Archer M. Huntington Art Gallery, The University of Texas at Austin; *abajo* Max Menikoff, basado en ilustraciones de "The Elements of Color", un tratado del sistema de colores de Johannes Itten, basado en su libro *The Art of Color* © 1970 de Otto Maier Verlag con permiso de Van Nostrand Reinhold Company. **202** Reproducido de *Ishihara's Tests for Color Blindness*, publicado por Kanehara & Co. Ltd., Tokio. **203** *abajo* Dr. Toichiro Kuwabara, National Eye Institute, National Institutes of Health, Bethesda, Maryland; *las demás* James A. McInnis. **204** The Image Bank. **205** James A. McInnis.

Capítulo 9

207 NASA. **208** *arriba* Robert J. Demarest. **208** *abajo* y **209** Molly Webster, revista *Discover* © Time Inc. **210** *izq.* James A. McInnis; *der.* Dewitt Jones. **211** Ray Skibinski. **212** The Bettmann Archive. **213** y **214** James A. McInnis. **215** *arriba* National Library of Medicine; *abajo der.* James A. McInnis, *las demás* The Bettmann Archive. **216** *arriba* John Dominis/Wheeler Pictures; *abajo* Judy Skorpil. **217** Michael Melford/Wheeler

Pictures. **218** *izq.* Robert J. Demarest; *der.* Judy Skorpil. **220** Tomado de *Behold Man* de Lennart Nilsson, publicado por Little, Brown and Company, Boston. **221** The Bettmann Archive. **222** *arriba* Ray Skibínski; *abajo* Judy Skorpil. **223** *arriba* Richard Kalvar/Magnum; *abajo* Mette Ivers. **225** Robert J. Demarest. **226** James A. McInnis. **227** *izq.* Giraudon/Art Resource; *der.* Judy Skorpil. **228** G. Paul Moore. **229** *arriba* © Jack Vartoogian; *abajo* © Erika Stone 1984. **230** *arriba* Foto cortesía de The National Broadcasting Company, Inc.; *abajo* Movie Still Archives. **231** Cortesía del AT&T Bell Laboratories.

Capítulo 10

233 J R M Media Inc. **235** *izq.* Judy Skorpil; *der.* Jane Hurd Studio. **236** *izq.* Ray Skibinski; *der.* Judy Skorpil. **237** Tomado de *Behold Man* de Lennart Nilsson, publicado por Little, Brown and Company, Boston. **238** Manfred Kage/Peter Arnold, Inc. **239** American Dental Association. **240** *arriba* Jane Hurd Studio; *abajo izq.* Tomado de *Tissues and organs; A text-Atlas of Scanning Electron Microscopy* de Richard G. Kessel y Randy H. Kardon, W.H. Freeman and Company. Derechos reservados © 1979; *abajo der.* D.L. Cramer P.D. **241** The Bettmann Archive. **243** *arriba* Bullaty-Lomeo/The Image Bank; *abajo izq.* Russ Kinne/Photo Researchers; *abajo der.* Culver Pictures; *abajo* The Bettmann Archive. **244** *izq.* Judy Skorpil; *arriba der.* Jane Hurd Studio; *abajo der.* Dr. Edith Robbins. **245** Scala/Art Resource. **246** *arriba* Volker Corell/Black Star; *abajo* Margot Granitsas/Photo Researchers. **247** Dianora Niccolini/Medichrome/The Stock Shop. **248** *arriba* Jane Hurd Studio; *centro* Judy Skorpil; *abajo* Roland Birke/Peter Arnold, Inc. **249** Biophoto Associates/Photo Researchers. **250** Tomado de *Behold Man* de Lennart Nilsson, publicado por Little, Brown and Company, Boston. **251** *der.* The Bettmann Archive; *las demás* Ray Skibinsky. **252** Ray Skibinski. **253** Department of Medical Illustration; St. Bartholomews Hospital, Londres. **254** Scala/Art Resource. **255** Howard S. Friedman. **256** John Launois/Black Star. **257** *abajo* Paul Fusco/Magnum; *las demás* National Library of Medicine.

Capítulo 11

259 James A. McInnis. **260** Al Paglialunga/Phototake. **261** *izq. arriba y abajo* Judy Skorpil; *der. arriba y abajo* Jane Hurd Studio. **262** *izq.* Judy Skorpil; *der.* Manfred Kage/Bruce Coleman Ltd. **263** The Granger Collection, Nueva York. **265** *abajo izq.* Giraudon/Art Resource; *arriba der.* National Library of Medicine; *abajo der.* Miles Laboratories. **266** *izq.* Judy Skorpil; *der.* Robert J. Demarest. **267** Scala/Art Resource. **268** *izq.* Gower Scientific Photos; *der.* Tomado de *Behold Man* de Lennart Nilsson, publicado por Little, Brown and Company, Boston. **269** The Bettmann Archive. **271** *arriba izq.* Biblioteca, New York Botanical Garden, Bronx, Nueva York/Foto de Allen Rokach; *abajo izq.* Kenneth W. Fink/Bruce Coleman Inc.; *arriba der.* IL HWA American Corporation; *abajo der.* Ray Skibinski. **272** Judy Skorpil. **273** *izq.* Judy Skorpil; *der.* Tomado de *Behold Man* de Lennart Nilsson, publicado por Little, Brown and Company, Boston. **274** Judy Skorpil. **275** *arriba izq.* Peabody Museum, Harvard University;

arriba der. Bill Gillette; *abajo* Hebrew Union College Library. **276** *arriba* Robert J. Demarest; *abajo* Ray Skibinski. **277** Cortesía de Bonne Bell Cosmetics. **278** *arriba der.* Eric Grave/Science Source/Photo Researchers; *las demás* Centers for Disease Control, Atlanta. **279** Colección del Dr. William F. Kaiser y señora, Berkeley, California. **280** *izq.* The Granger Collection, Nueva York; *der.* Courtauld Institute Galleries, Londres (Courtauld Collection). **281** Gwen Leighton. **282** Cortesía de Douglas Mazonowicz/The Gallery of Prehistoric Art, Nueva York. **283** *arriba izq.* Victor Englebert; *arriba der.* Reproducida por cortesía de los apoderados, The National Gallery, Londres; *abajo izq.* Scala/Art Resource; *centro der.* Wally McNamee/*Newsweek*. **284** The Bettmann Archive. **285** *izq.* Denis Waugh, revista *Life* © 1982 Time Inc.; *der.* Alexander Tsiaras/Science Source/Photo Researchers. **286** Max Menikoff, basado en una tabla cortesía de Meredith Corporation, tomado de *Woman's Health and Medical Guide*, publicación de Better Homes and Gardens, editado por Patricia J. Cooper, Ph. D. **287** Marilyn Silverstone/Magnum.

Capítulo 12

289 Delores Bosio. **290** Tomado de *Behold Man* de Lennart Nilsson, publicado por Little, Brown and Company, Boston. **291** Jane Hurd Studio. **292** Judy Skorpil. **294** James A. McInnis. **295** National Library of Medicine. **296** Ray Skibinski. **297** Tomado de *Behold Man* de Lennart Nilsson, publicado por Little, Brown and Company, Boston. **298** James A. McInnis. **299** Shaun Skelly/International Stock Photography Ltd. **301** *arriba* Alinari/Art Resource; *centro izq.* Cortesía de Stan Guignard; *centro der.* Figaro/Gamma-Liaison; *abajo* Deville/Gamma-Liaison. **302** © Joel Gordon 1984. **303** *izq.* Ray Skibinski, basado en una foto cortesía de Barbara J. Franzese, St. Vincent's Hospital and Medical Center of New York; *der.* The Bettmann Archive. **304** The Granger Collection, Nueva York. **305** Howard Sochurek. **306** © J.T. Miller 1985. **307** *arriba* The New York Public Library. Picture Collection; *abajo* © Joel Gordon 1983. **308-309** Ray Skibinski. **310** © J.T. Miller 1985. **311** *izq.* Cortesía de Suzanne E. Weiss; *arriba centro* Cortesía de Picture Gallery of the Art History Museum, Viena; *arriba der.* Scala; *abajo* Tass de Sovfoto. **312** Erika Stone. **313** *arriba* Mimi Cotter/International Stock Photography Ltd.; *abajo* James A. McInnis. **314** Tomado de "Imitation of Facial an Manual Gestures by Human Neonates" de A.N. Meltzoff y M.K. Moore, *Science*, 7 de octubre de 1977, reimpreso por cortesía de la American Association for the Advancement of Science. **315** *izq.* © 1979 Joel Gordon; *der.* © 1983 Joel Gordon. **316** Suzanne Szasz. **317** *arriba y abajo der.* James A. McInnis; *las demás* Judy Skorpil.

Hemos hecho los mayores esfuerzos por ponernos en contacto con los propietarios de los derechos de cada ilustración. En varios casos nos fue imposible localizar a dichos propietarios, por lo cual ofrecemos nuestras disculpas.

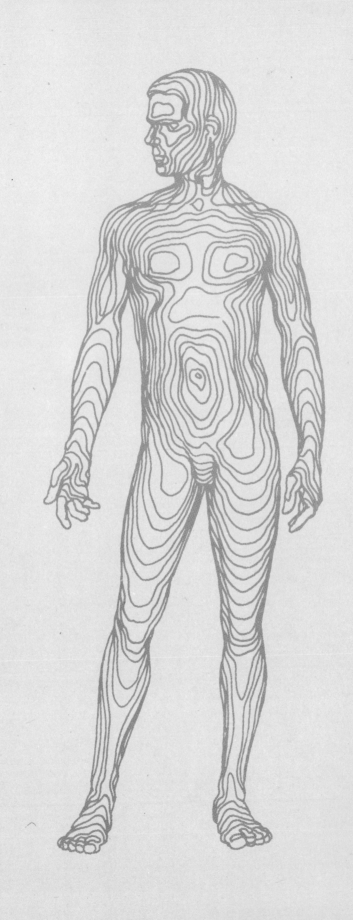